We shall overcome

Die amerikanische Friedensbewegung in Selbstzeugnissen

Eingeleitet und herausgegeben von Heinrich W. Ahlemeyer und Bernd Greiner

Pahl-Rugenstein

Für Lena und ihre kleinen Freunde

© 1983 by Pahl-Rugenstein Verlag, Köln
Gottesweg 54, D-5000 Köln 51
Alle Rechte vorbehalten
Umschlagentwurf: Willi Hölzel
Satz: Locher GmbH Köln
Druck: Plambeck & Co., Neuss

CIP-Kurztitelaufnahme der Deutschen Bibliothek

We shall overcome: d. amerikan. Friedensbewegung in Selbstzeugnissen / eingel. u- hrsg.
von Heinrich v. Ahlemeyer u. Bernd Greiner. – Köln: Pahl-Rugenstein, 1983.
  (Kleine Bibliothek; 272: prv-aktuell)
  ISBN 3-7609-0688-5
NE: Ahlemeyer, Heinrich W. [Hrsg.]; GT

Inhalt

KINDER FÜR DEN FRIEDEN

New York, im heißen Sommer 1982:
jede volle Stunde
marschiert eine Gruppe
von zwölf Kindern
aus den Elendsvierteln
von Harlem und der Bronx
über den Broadway
und die Wallstreet
hin zum UNO-Hochhaus
am East River:
dort ist in diesen Tagen
die Sondersitzung
der Vereinten Nationen
über Abrüstung zusammengetreten.

Jedes Kind trägt
ein Schild, darauf steht,
was es sich am meisten wünscht.
Zwölf bunte Knirpse
sehe ich mittags um halb eins
im Gänsemarsch
über den Broadway ziehen,
singend und trommelschlagend.

Joe wünscht sich
ALLE TAGE EINEN VOLLEN MAGEN,
Brooke: ARBEIT FÜR MEINEN VATER,
Elizabeth: EISKREM ZUM FRÜHSTÜCK,
Roberto: DASS MEINE OMA
AUS PUERTO RICO MICH BESUCHEN KOMMT,
Malta: EINE SCHULE OHNE ANGST,
Harriet: EINEN BESUCH
IM HEIDELBERGER SCHLOSS,
Henny: EIN NEUES T-SHIRT
MIT KATZEN DARAUF,
Philipp: DASS MEINE ELTERN
SICH WIEDER VERTRAGEN,
Renata: EINE SCHÖNE WOHNUNG MIT BALKON,
Floyd: EINE KLEINE SCHWESTER,
Alyce: EINEN KINDERSPIELPLATZ
WIE IN DISNEYLAND,
und Angela wünscht sich:
SCHWARZ UND WEISS SOLLEN
OHNE HASS ZUSAMMENLEBEN.

Und als Schlußlicht
seht Ihr, Friedensfreude
und Börsenjobber, Tecla,
die Malerin auf Latschen,
die in Harlem jeder kennt,
und auf dem Schild, das sie trägt,
steht geschrieben: NUR IM FRIEDEN
WERDEN ALL UNSERE WÜNSCHE WAHR.

PETER SCHÜTT

Vorwort

Wer ist »die« amerikanische Friedensbewegung?

Wie bei allen vergleichbaren Bewegungen in Westeuropa verbietet sich auch in diesem Fall eine pauschal-definitorische Ein- oder Ausgrenzung. Das gemeinsame Anliegen: *Widerstand für das Überleben,* eint die verschiedensten weltanschaulichen Richtungen, bringt Angehörige der verschiedensten gesellschaftlichen Gruppen in gemeinschaftlicher Aktion zusammen. In den USA spielt sich gegenwärtig zweierlei ab: Aufbau, Formation einer neuen sozialen-politischen Bewegung und kollektives Lernen in der Auseinandersetzung mit Hochrüstung und aggressiver Außenpolitik.

Die Auswahl der Dokumente im vorliegenden Band mußte diesem Umstand selbstverständlich Rechnung tragen. Es werden keine Zensuren verteilt, keine sozio-kulturellen oder politisch-ideologischen Raster angelegt. *Die Friedensbewegung selbst bestimmte das Auswahlprinzip.* Wir haben uns bemüht, die wichtigsten Gruppen in den verschiedenen Landesteilen mit ihren programmatischen Forderungen, ihren Aktionsformen und Aktivitäten zu Wort kommen zu lassen und die Diskussion *innerhalb* der Friedensbewegung über ihre Aufgaben und Ziele vorzustellen. Zahlreiche dieser Dokumente werden in der Bundesrepublik erstmalig veröffentlicht. Möglich, daß die Bewegung zum Zeitpunkt des Erscheinens dieses Buches einige Positionen bereits überholt, durch neue Einsichten ersetzt hat; möglich auch, daß die Herausgeber manches übersehen haben. Ersteres liegt in der Natur der Sache, für letzteres tragen wir die alleinige Verantwortung.

Die *Einleitung* steckt den geschichtlichen Rahmen ab, innerhalb dessen sich die neue Bewegung formiert und skizziert ihre Struktur sowie die zukünftigen Aufgaben. Den einzelnen Kapiteln im Dokumententeil sind *kommentierende Einführungen* vorangestellt, um die Zuordnung des dokumentierten Materials zu erleichtern. Die abschließenden *Adressenlisten* und Hinweise zur *weiterführenden Literatur* sollen dazu beitragen, den politischen Austausch mit der amerikanischen Friedensbewegung zu erleichtern und das Wissen über sie einem breiteren Publikum zugänglich zu machen. Das Buch soll nicht allein informieren und orientieren, sondern zugleich helfen, die hierzulande allenthalben anzutreffende Arroganz gegenüber der außerparlamentarischen Opposition in den Vereinigten Staaten abzubauen.

Es liegt auf der Hand, daß die Materialsuche nicht einfach war. Eines der wichtigsten Charakteristika der amerikanischen Friedensbewegung ist ihre stark dezentralisierte Arbeit (Graswurzel-Bewegung); hinzu kommt die flächenmäßige Ausdehnung der USA. Bei der Beschaffung der Dokumente waren wir daher auf die großzügige Hilfe Dritter angewiesen. Insbesondere möchten wir danken: David Attwood, Gene Carroll, Konrad Ege, John Fried, Martha Henderson, Barbara Jentzsch, Peter D. Jones, Max Miller, Bill Moyer, Marla Painter, Matthias Reichelt, Peter Schütt, Reinhard Schulz, Mark Solomon. Dank natürlich auch den zahlreichen Friedensinitiativen in den Vereinigten Staaten, die uns bereitwillig Material zusammengestellt haben: ohne ihre Hilfe wäre dieses Buch nicht zustandegekommen.

Für die Übersetzung der Dokumente danken wir Herrn Rudolf Schultz.

Heinrich W. Ahlemeyer
Bernd Greiner

Münster, Hamburg
Sommer 1982

Einführung

Geschichte, Struktur und Probleme der amerikanischen Friedensbewegung

Seit der »Spiegel« im April d. J. die Titelgeschichte »›Middle America‹ kämpft für den Frieden«[1] veröffentlichte und die amerikanische Friedensbewegung für die bundesdeutschen Medien »entdeckte«, mangelt es nicht mehr an Mythen und Legenden über diese Bewegung.

Scheinbar aus dem »Nichts« kommend, überrolle die Kampagne für das sofortige Einfrieren aller Atomwaffen in wenigen Monaten das ganze Land, völlig unerwartet würden überall Friedensgruppen aus dem Boden schießen. Von der sozialen Trägerschaft her gesehen, handle es sich um eine Mittelstandsbewegung der Geistlichen und Ärzte, Rechtsanwälte und Lehrer, Geschäftsleute und Hausfrauen; sie erhalte durch den Zuspruch prominenter »Dissidenten« wie George F. Kennan, McGeorge Bundy, Gerald Smith und Robert McNamara ihr eigentliches politisches Profil und ihre bemerkenswerte politische Durchsetzungsfähigkeit. Damit nicht genug. Ganz im Unterschied zu Westeuropa werde die Bewegung aus dem »Zentrum der Macht« unterstützt: ihr »Bannerträger« mit Ambitionen (und Aussichten?) auf das Präsidentenamt heißt Edward M. Kennedy. Die von ihm und dem Republikaner Mark O. Hatfield im Senat eingebrachte Freeze-Resolution ist dieser Sichtweise zufolge auch radikaler und weitergehender als die Positionen der »Nachrüstungs«gegner in Westeuropa.

Im Verlauf weniger Monate scheint Amerika mal wieder Europa davongelaufen zu sein: seine Friedensbewegung ist größer, besser, weiser.

Dieses allzu glatte Bild muß Widerspruch provozieren. Darin ist kein Platz für Geschichtliches; und die Gegenwart bleibt eigenartig konturlos – Ergebnis der zwanghaften Beschneidung des politischen und sozialen Spektrums der »neuen Bewegung« und der überdimensionierten Betonung der Rolle des Mittelstandes. Schließlich können die für die Zukunft wichtigen politischen Beziehungen zwischen den Friedensbewegungen der USA und Westeuropas nicht mit dem Slogan »Amerika, du hast es besser« abgehandelt werden.

Das Erbe

Seit den Tagen der amerikanischen Revolution sind Theorie und Praxis friedenspolitischen Engagements in den USA in erster Linie von einem *radikalen Pazifismus* geprägt, der sich kompromißlos gegen jede Form der Gewaltanwendung im Innern und nach außen wendet. Er zeichnet sich durch eine Verbindung religiösen Gedankenguts mit den Maximen des frühbürgerlichen Rationalismus und Humanismus aus. Getragen von den sog. Historischen Friedenskirchen (Quäker, Mennoniten, Brethren) beeinflußte dieser Pazifismus sehr stark den abolitionistischen Kampf gegen die Sklaverei, blieb aber bis zum Ende des 19. Jahrhunderts eine auf gesellschaftliche Minderheiten beschränkte weltanschauliche Grundhaltung (Intellektuelle, Bildungsbürger und Sozialreformer aus der weißen Mittelschicht Neuenglands).[2]

Die Welt- und Kolonialkriege des 20. Jahrhunderts führten zu einer entscheidenden politischen Veränderung: In den 30er und 60er Jahren formierten sich in den USA die ursprünglich minoritären Friedensgruppen zu *sozialen Massenbewegungen* (mit einer Anhängerschaft von ca. 12 Millionen in den frühen 30er Jahren). Diese Tatsache wird um so bedeutsamer, berücksichtigt man, daß die Vereinigten Staaten seit dem Bürgerkrieg keine kriegerischen Auseinandersetzungen auf ihrem Territorium mehr erlebt hatten und daß (im Vergleich zu Europa) eine antimilitaristische und antiimperialistische politische Strömung sich erst verspätet und unter großen Schwierigkeiten hatte entwickeln können.

Ein Rückblick auf die Massenbewegungen der Zwischenkriegszeit und der Vietnam-Opposition[3] ergibt wichtige Anhaltspunkte, um die gegenwärtige Entwicklung einer Abrüstungsbewegung zu verstehen.

Zunächst handelte es sich in beiden Fällen um *sozial heterogene, klassen- und parteienübergreifende Bewegungen.* Zwar spielten die protestantischen Kirchen noch immer eine zentrale Rolle, aber die Friedensbewegung war längst keine Kirchenbewegung mehr. In den 30er und 40er Jahren waren die Studenten bereits sehr stark einbezogen, und entscheidende politische und organisatorische Impulse gingen von der Frauenbewegung aus. Erstmals beteiligten sich auch die fortgeschrittensten gewerkschaftlichen und politischen Teile der Arbeiterklasse: die American Socialist Party, die Kommunistische Partei und zahlreiche gewerkschaftlich organisierte »radicals« und »liberals«.

Protest und Widerstand gegen den Vietnam-Krieg reichten ebenfalls bis in die Reihen der Arbeiterklasse: die Gewerkschaften der Krankenhausarbeiter, Farmarbeiter und Teile der Automobil- und der Maschinistengewerkschaft unterstützten die Forderung nach Beendigung des

Krieges und Abzug der amerikanischen Truppen. Die Initialzündung zum Widerstand war von Studentenorganisationen ausgegangen; hier zahlten sich die Erweiterung des politischen Bewußtseins und die organisatorischen Erfahrungen direkt aus, die sich mehrere Studentengenerationen bei der Arbeit mit und in der Bürgerrechtsbewegung (des Südens) erworben hatten. An den großen Demonstrationen der Jahre 1967/69 beteiligten sich Millionen aus der lange Zeit »schweigenden Mehrheit« des Mittelstandes.

Diese Verschiedenheit der teilhabenden gesellschaftlichen Gruppen und Organisationen führte zugleich und notwendigerweise zu einer *ideologischen Richtungsdifferenzierung:* Der radikale Pazifismus spielte weiterhin eine Schlüsselrolle, aber neben und mit ihm entwickelte sich ein breites Spektrum weltanschaulicher Positionen. Gerade in den 30er Jahren wurde die Linke innerhalb der Friedensbewegung immer stärker, stellte den Zusammenhang von ökonomischer Ausbeutung im Innern und militärisch-kriegsträchtiger Expansion im Äußern her und verband den Aufruf zum Frieden mit der Forderung sozialistischer Umgestaltung der amerikanischen Gesellschaft.

In den 60er Jahren war die sogenannte »Neue Linke« die treibende Kraft der Friedensbewegung, stärker noch als die traditionell pazifistischen Gruppen. Trotzkisten, Maoisten und Anarchisten waren ebenfalls vertreten, aber eindeutig in der Minderheit. Ein kleinster gemeinsamer Nenner gesellschaftstheoretischer Analyse und politischer Programmatik konnte freilich zu keinem Zeitpunkt gefunden werden. Die ideologische Heterogenität der Vietnam-Bewegung nahm oft chaotisch-unübersehbare Züge an, und der traditionelle amerikanische Individualismus drohte bisweilen, den organisatorischen Zusammenhalt der Bewegung zu sprengen.

Aber dennoch gelang es in den 60er Jahren immer wieder, an einen wichtigen politischen Durchbruch der Friedensbewegung vor dem Zweiten Weltkrieg anzuknüpfen: nämlich trotz aller Differenzen *Einigkeit im Ziel* zu bewahren. Ohne diese in jeder einzelnen Frage und jeder einzelnen Aktion stets aufs neue herzustellende Gemeinschaftlichkeit hätte die amerikanische Friedensbewegung nicht ihre bemerkenswerten *Erfolge* erzielen können. Herausragend ist dabei die Vietnam-Opposition: im historischen Rückblick wird immer deutlicher, daß der Vietnamkrieg ohne den innenpolitischen Protest nicht vorzeitig beendet worden wäre.

Der Nixon-Berater H. R. Haldeman[4] weist darauf hin, daß Nixons Versuch »atomarer Diplomatie« – d. h. die Androhung des Atomwaffeneinsatzes, um Nordvietnam den amerikanischen »Friedens«plänen gefügig zu machen – scheitern *mußte*. Wegen der Kriegsmüdigkeit und des ungebrochenen Widerstands des amerikanischen Volkes war die Drohung längst unglaubwürdig geworden. Unfähig zum Diktat, wurden die USA an den Verhandlungstisch gezwungen. Auch Henry Kissinger[5] machte jüngst wieder darauf aufmerksam, daß Vietnam die USA innen- und außenpolitisch in die Sackgasse gesteuert hatte. Um verlorenen Handlungsspielraum und die Glaubwürdigkeit im Innern wieder herzustellen, sei man zu wahrnehmbaren Kursänderungen in der Außen- und Militärpolitik genötigt gewesen (Entspannung und SALT). Auch daran hatte die amerikanische Friedensbewegung großen Anteil.

Für den Reifegrad der Friedensbewegung in der amerikanischen Geschichte spricht auch, daß immer wieder Formen *nationaler Koordination* gefunden wurden. 1933 z. B. schlossen sich 37 Friedensorganisationen zu einer »Nationalen Friedenskonferenz« zusammen. Schon damals waren an diesen sog. »Koalitionen« *Gruppen und Organisationen* führend beteiligt, die die Siege und Niederlagen der kommenden Jahrzehnte überdauern sollten und *heute* erneut eine *wichtige Rolle* spielen: Fellowship of Reconciliation (FoR), eine ökumenisch-religiöse Organisation; Women's International League for Peace and Freedom (WILPF), 1937 mit mehr als 13 000 Mitgliedern; War Resisters League (WRL), die damals wie heute, dem gewaltfreien zivilen Ungehorsam verpflichtet, die Kriegsdienstverweigerer organisierte.

Als politisch herausragende Leistung nationaler Koordination muß auch die über Jahre hinweg erfolgreiche Durchführung zentraler Massendemonstrationen gegen den Vietnam-Krieg angesehen werden. Ab 1967 gelang es immer wieder, Hunderttausende von Amerikanern für diese Form des öffentlichen Protestes zu mobilisieren. Z. B. beteiligten sich am 15. November 1969 eine Million Menschen an einer Friedensdemonstration in Washington.

Wichtig für den Erfolg und inneren Zusammenhalt dieser Massenbewegungen war auch, daß sie allmählich eine eigenständige *politische Kultur* und eine Vielzahl *innovativer Aktionsformen* entwickelten. Traditioneller Pragmatismus und Individualismus verbanden sich mit den diversen weltanschaulichen Orientierungen zu einer öffentlichkeitswirksamen politischen Praxis. Kulturarbeit spielte von Anfang an eine große Rolle (in den 30er Jahren z. B. Vertrieb von Anti-Kriegsliteratur und -filmen, Boykott faschistischer und militaristischer Filme, Friedenskarawanen quer über den nordamerikanischen Kontinent); Basisaktivitäten wurden mit Lobbyismus bei Bundes- und Bundesstaatsregierungen verbunden; und ständig wurden neue Formen gewaltfreien zivilen Ungehorsams entwickelt.

Boykotts, Blockaden und symbolische Formen des Widerstandes spielten auch und gerade in der Vietnambewegung eine große Rolle. Ziviler Ungehorsam hieß damals: Zerstören der Akten der Registrierungs- und Einzugsbehörden, Verbrennen von Wehrunterlagen mit selbst hergestelltem Napalm, Verweigerung des Militärdienstes und der Steuerzahlungen, öffentliches Verbrennen von Einberufungsbescheiden.

In einer vergleichenden historischen Skizze müssen neben den Erfolgen selbstverständlich auch die Niederlagen und Strukturprobleme der zurückliegenden Jahrzehnte erwähnt werden.

Eines der wichtigsten »vererbten« Probleme besteht nach wie vor in der *Bündnisbreite* und *sozialen Trägerschaft* der Friedensbewegung. Damit ist nicht nur die ständig sich aufs neue stellende Aufgabe gemeint, das von konservativen Pazifisten bis zu Marxisten reichende Spektrum zu integrieren. Es geht darüber hinaus um die Verankerung der Friedensbewegung in sozio-strukturell repräsentativen Bevölkerungsgruppen. Zwar gelang es, Teile der Arbeiterschaft und ihrer Organisationen sowie Minoritäten (insbesondere die Schwarzen während des Vietnam-Krieges) einzubeziehen; die richtunggebenden politischen Impulse aber gingen in der Regel von der weißen Mittelklassen-Intelligenz und den religiösen Pazifisten aus. Die Chance zu einer einschneidenden Veränderung wurde Ende der 60er Jahre mit der Ermordung Martin Luther Kings und dem staatlichen Terror gegen führende politische Organisationen und Individuen aus der schwarzen Gemeinde zunichte gemacht. Mit dem von Jahr zu Jahr steigenden Anteil von Dritte-Welt-Gruppen an der US-Bevölkerung wird sich dieses Problem in Zukunft immer prononcierter stellen.

Als gleichermaßen schwierig sollte sich die *strukturelle* und *dauerhafte Festigung* der Bewegung erweisen. Zwei Beispiele aus der Nachkriegszeit mögen zur Illustration dieses Problems ausreichen:

1) Nach dem Zweiten Weltkrieg und insbesondere in der Zeit des kalten Krieges standen neue Themen auf der Tagesordnung: Atomwaffen, Rüstungswettlauf, Umweltschäden als Folge von Atomwaffentests. Der McCarthyismus und die extreme Feindbild-Politik der Dulles-Ära konnten zwar ein Wiederaufleben der Massenbewegung aus den 30er Jahren verhindern, die Friedensbewegung als politischen Faktor aber nicht ausschalten. Unter Beteiligung namhafter Naturwissenschaftler (Einstein, Oppenheimer u.v.a.m.) entstand bereits in den frühen 50er Jahren die »Ban-the-Bomb«-Bewegung; auch wurden zahlreiche neue Organisationen gegründet, die gegen die zivilen und militärischen Gefahren der Atombewaffnung mobilisierten: u. a. SANE (1957) und Women Strike for Peace (1961). SANE hatte innerhalb eines Jahres

25 000 Mitglieder gewonnen und 130 lokale Gruppen aufgebaut. Es sollte sich aber bald herausstellen, daß der kalte Krieg der antimilitaristischen Arbeit enge Grenzen setzte.

Seit Ende der 50er Jahre stand die Forderung nach einem Atomteststopp-Abkommen im Mittelpunkt der Aktivitäten. Im Verständnis der traditionellen und neuen Friedensorganisationen sollte ein solcher Vertrag ein erster Schritt auf dem Weg zu nuklearer und schließlich umfassender Abrüstung sein. Ausgerechnet der Abschluß des Vertrages 1963 stellte sich aber für die Bewegung als Rückschlag heraus.

Die Mehrheit der Unterstützer sah darin nicht einen erfolgreich bewältigten Zwischenschritt, sondern interpretierte den Vertrag als Ziel an sich (Verhinderung atmosphärischer Bombentests und damit Vermeidung nuklearer Umweltschäden) oder aber als endgültigen Durchbruch auf dem Weg zur Abrüstung. Die Bewegung brach schließlich zusammen, weil es nicht gelungen war, die Notwendigkeit langfristiger Politik einsichtig zu machen – hierzu hätte es einer politischen Analyse der gesellschaftlichen Ursachen von Militarismus und Krieg und der Dynamik der Hochrüstung bedurft. Die Aufgabe, programmatische Stabilität zu schaffen, hatte nicht gelöst werden können.

2) Die Eskalation des Vietnam-Krieges hatte zur Folge, das nukleare Hochrüstungsprogramm der Regierungen Kennedy/Johnson lange Jahre aus dem öffentlichen Bewußtsein zu verdrängen. Zwei der Sache nach zusammenhängende Probleme wurden in der Praxis der außerparlamentarischen Opposition getrennt wahrgenommen. Mitte der 70er Jahre »war der nukleare Rüstungswettlauf praktisch in Vergessenheit geraten – selbst in den Reihen der Friedensbewegung. Über Jahre hinweg hatten wir uns nur auf Vietnam konzentriert.«[6]

Mit dem Ende des Vietnam-Krieges mußte sich daher eine entscheidende Frage stellen: Wie kann eine erfolgreiche *Anti-Kriegs-Bewegung* in eine dauerhafte *Abrüstungsbewegung* mit neuen Zielen und Forderungen transformiert werden?

Die Geschichte dieser Bemühungen ist wesentlich zum Verständnis der augenblicklichen Entwicklung.

Der Aufbau einer neuen Bewegung[7]

Nach dem endgültigen amerikanischen Rückzug aus Vietnam im Frühjahr 1975 zerfiel die Koalition der außerparlamentarischen Kriegsgegner sehr schnell – nicht zuletzt deshalb, weil man sich weder theoretischanalytisch noch politisch-strategisch über die anstehenden Aufgaben »nach Vietnam« hatte einigen können. Zugleich zeichnete sich jedoch immer deutlicher ab, daß die lange Zeit vernachlässigten Fragen atomarer Hochrüstung und amerikanischer Nuklearstrategie wieder aufgegriffen werden mußten: 1974 kündigte Verteidigungsminister Schlesinger öffentlich eine Akzentverschiebung der strategischen Militärdoktrin an. Erstschlags- und Kriegsführungsoptionen sollten eine stärkere Rolle spielen und den USA »flexiblere« Handlungsspielräume schaffen.

Im November 1976 wurde durch die Gründung des »Komitees zur gegenwärtigen Gefahr« offensichtlich, daß die prinzipiellen Abrüstungsgegner und langjährigen Befürworter militärischer Überlegenheit sich neu zu formieren begannen und mit dem Ziel einer neuerlichen weltpolitischen Offensive gegen die sozialistischen Länder auf eine regierungsfähige Mehrheit in Washington würden zusteuern wollen.

Der Kern der traditionellen Friedensbewegung versuchte bereits frühzeitig, dieser Entwicklung gegenzusteuern. Um die Bewegung politisch und programmatisch zu orientieren, veröffentlichte Sidney Lens 1976 in der Zeitschrift »Progressive« einen längeren Aufsatz (»The Doomsday Strategy«),[8] der zu einer wichtigen Diskussionsgrundlage für die Friedensbewegung werden sollte. In der Folge leiteten Fellowship of Reconciliation (FoR), War Resisters League (WRL), Womens International League for Peace and Freedom (WILPF), SANE und American Friends Service Committee (AFSC) Entwicklungen ein, die wichtige Themen der frühen 80er Jahre ideologisch und politisch vorformulierten: die Kampagnen für eine Konversion der Kriegs- zu Friedenswirtschaft und gegen die Entwicklung einer qualitativ neuen Generation erstschlagfähiger Atomwaffen.

Die *Konversionskampagne* geht ursprünglich auf das Jahr 1973 zurück. Vom AFSC initiiert, wendete sie sich gegen den Bau des neuen Langstreckenbombers B-1. Im Zuge dieses »Stop B-1/Peace Conversion Project« wurden z. B. an der Westküste mit dem Mid Peninsula Conversion Project in Silicon Valley Initiativen ins Leben gerufen, die seit dieser Zeit erheblich an Einfluß gewinnen und den Konversionsgedanken mittlerweile auch in einigen Gewerkschaften popularisieren konnten. Mit dem Council for Economic Priorities in New York entstand ein Koordinierungs- und Informationszentrum für diese Fragen »wirtschaftlicher Umrüstung«, die inzwischen auch in den traditionell konservativen Gebieten mit einem hohen Anteil der Rüstungsindustrie am lokalen Arbeitsmarkt intensiv diskutiert werden (das südöstliche Connecticut, New Mexico, das südliche Kalifornien).

Den nach außen sichtbarsten Erfolg erzielte die National Peace Conversion Campaign im Januar 1977, als sie zur Amtseinführung Jimmy Carters landesweite Demonstrationen gegen den B-1-Bomber in insgesamt 145 Städten organisierte.

Auf Initiative des früheren Raketeningenieurs bei Lockheed, Robert Aldridge, wurde im Frühjahr 1975 in Kalifornien die »Pacific Life Community« gegründet, und mit ihr die erste *Protestbewegung* gegen das Trident-Unterseeboot im besonderen und *Erstschlagswaffen* im allgemeinen. Die Pacific Life Community gab zunächst den Anstoß zur Gründung mehrerer Anti-Trident-Gruppen in Kalifornien: »Life without Trident« (Seattle), »Ground Zero Center for Nonviolent Action« (Bangor), »Agape Project« (organisiert den Widerstand entlang der Eisenbahnlinie, auf der Trident-Raketenmotoren von Utah nach Bangor transportiert werden). Schwerpunkt aller Aktionen sind verschiedenste Formen gewaltlosen Widerstands und zivilen Ungehorsams. Die Prozesse gegen die wegen zivilen Ungehorsams Verhafteten konnten in der Regel von den Betroffenen in Anti-Trident-Tribunale umfunktioniert werden. Dabei konzentrierte man sich hauptsächlich auf den völkerrechtswidrigen Charakter von Erstschlagwaffen und die irreparablen Folgen eines Atomwaffeneinsatzes.

In Anlehnung an die kalifornischen Beispiele entstanden auch bald an der Ostküste Widerstandsgruppen gegen Trident (das Unterseeboot wird von General Electric in Groton, Connecticut, der »U-Boot-Hauptstadt der Welt«, gebaut). Die sog. »Atlantic Life Community« ist ein lockerer Zusammenschluß mehrerer Initiativen im Raum zwischen dem südöstlichen Connecticut, Washington D.C. und Boston. Zu den prominentesten Mitstreiten dieser Gruppen zählen die Geistlichen Phil und Dan Berrigan.

Ähnlich entwickelte sich die Opposition in Michigan/Wisconsin (»Great Lake Life Community«), wo das Weltmeere umspannende Kommunikationssystem für Trident mit dem Kodenamen ELF (Extra Low Frequency) gebaut werden soll.

Alle diese Gruppen und Initiativen konnten freilich lange Zeit nur geringe öffentliche Unterstützung finden; auch gelang es nicht, das Potential der außerparlamentarischen Opposition in den USA auszuschöpfen. Einer der wichtigsten Gründe ist darin zu sehen, daß sehr viele ehemalige Gegner des Vietnam-Krieges jetzt in der Antikernkraftbewegung aktiv waren, die nach den Demonstrationen am Kernkraftwerk Seabrook im Jahr 1977 (als 1414 Protestanten wegen zivilen Ungehorsams verhaftet wurden) einen sprunghaften Aufstieg nahm. Es sollte sich als sehr schwierig erweisen, den Zusammenhang zwischen

Kernkraft und Atomwaffen herzustellen. Beide Bewegungen arbeiteten weitgehend getrennt voneinander. Mit der Gründung der »Mobilization for Survival« im Frühjahr 1977 wurde schließlich eine Dachorganisation geschaffen, um die Arbeit der diversen Friedens- und Anti-AKW-Gruppen zu koordinieren und durchschlagskräftiger zu machen. Mit der Organisation von Demonstrationen anläßlich der ersten UNO-Sondersitzung zu Abrüstungsfragen im Mai 1978 wurden auch erste Erfolge erzielt – aber in den schwierigen Fragen von Koordination und Strategiebildung konnte man sich auch weiterhin nicht oder nur punktuell einigen.

Trotz dieser Schwierigkeiten entstanden bereits während der Präsidentschaft Carters sämtliche Ansätze, die heute unter veränderten Bedingungen das Rückgrat einer neuen Massenbewegung bilden. Neben den Konversionsprojekten und dem Widerstand gegen Trident sind in erster Linie zu nennen:

– die Anfänge der Opposition gegen die Interkontinentalrakete MX im Südwesten der USA

– die Mobilisierung gegen die von Carter im Februar 1980 angekündigte Wehrerfassung, getragen von der War Resisters League, Fellowship of Reconciliation, Continuing Committee for Conscientcious Objectors (CCCO), AFSC und SANE

– gewaltloser Widerstand und ziviler Ungehorsam gegen nukleare und militärische Forschungslabors in Boston, New York, Philadelphia (General Electric), Hartford, Connecticut (United Technologies)

– schließlich der unter Führung von SANE geleitete Widerstand gegen die Neutronenbombe, der die Grundlage schuf für die aktuelle Opposition gegen Cruise-Missiles und Pershing II in den USA.

Neben dieser organisatorisch-infrastrukturellen Aufbauarbeit gingen seit der UNO-Sondersitzung 1978 die Debatten darum, eine die Abrüstungs- und Antikernkraftbewegung vereinigende programmatische Forderung zu entwickeln, um die Dynamik des Rüstungswettlaufs zu bremsen. Das AFSC, CALC, FoR und WILPF schlugen zunächst ein Moratorium bei der Entwicklung von Kernwaffen als ersten Schritt zum langfristigen Ziel nuklearer Abrüstung vor. Im Dezember 1979 schließlich stellte Randall Forsberg auf einer Konferenz der Mobilization for Survival den Vorschlag eines »Einfrierens« zur Diskussion: einzufrieren seien das Testen, die Herstellung und Stationierung von Atomwaffen sowie von Raketen und Flugzeugen, die in erster Linie als atomare Trägersysteme vorgesehen sind. Seit April 1980 zirkulierte der Vorschlag als »Call to Halt the Nuclear Arms Race« bei den lokalen und regionalen Friedensinitiativen. Schon bald sollte sich herausstellen, daß damit in der Tat der kleinste gemeinsame Nenner für eine neue Abrüstungs- und Friedensbewegung gefunden war. Ehemalige Vietnam-Aktivisten, die sich lange Zeit zurückgezogen hatten, konnten für die Arbeit gewonnen werden, große Teile der AKW-Bewegung unterstützten den Entwurf, bisher isoliert voneinander arbeitende Gruppen (z. B. die diversen Konversionsprojekte im Umfeld von Forschungslaboratorien und Rüstungsbetrieben) fanden mit dem Freeze-Konzept eine Forderung vor, die eine gemeinschaftliche Orientierung unter Wahrung der jeweils verschiedenen Zielsetzungen vor Ort erlaubte.

Ausgerechnet bei der Wahl Ronald Reagans im November 1980 konnte der »Freeze« einen ersten Erfolg an den Wahlurnen erzielen. Im westlichen Massachusetts wurde in drei Bezirken bei der Wahl zum Senat dieses Bundesstaates die Freeze-Initiative ebenfalls zur Abstimmung gestellt (Public Policy Referendum). Sie erhielt 60% der Stimmen – und selbst die Mehrheit in 30 von 33 Städten, die Reagan gewählt hatten.

Der Durchbruch zu einer Massenbewegung

Warum aber konnte sich die Friedensbewegung in den USA seit dieser Zeit so sprunghaft entwickeln? Die organisatorische und programmatische Aufbauarbeit der Jahre nach 1975 war zweifellos eine unverzichtbare Voraussetzung. Um massenwirksam zu werden, mußten freilich noch weitere Bedingungen erfüllt sein. Noch fehlen sozialwissenschaftliche Untersuchungen dieser Zusammenhänge. Als vorläufige These kann u. E. aber festgehalten werden, daß »Vietnam« als Schlüsselbegriff anzusehen ist.

Bereits 1967 veröffentlichte der angesehene amerikanische Historiker Arthur M. Schlesinger eine Betrachtung unter dem bezeichnenden Titel »Das erschütterte Vertrauen«.[9] Die wichtigste Aussage des Buches lautet, daß der Vietnam-Krieg den Basiskonsens der Nachkriegszeit zerstört habe. Die traditionellen Werte wie Antikommunismus, amerikanisches Recht auf missionarischen Expansionismus und moralische Berechtigung einer hegemonialen Führungsrolle seien nachhaltig erschüttert worden. Die »Exzesse« des »Sündenfalls« Vietnam könnten möglicherweise unabsehbare Konsequenzen nach sich ziehen.

Auf einen kurzen Nenner gebracht, läßt sich diese Vietnam-Erfahrung als *Mißtrauen gegenüber Politik und Militär* charakterisieren: Dieses Mißtrauen ist an die Stelle des vormals naiven Glaubens an die Berechtigung und Rechtschaffenheit der offiziellen Politik getreten. Die

Infragestellung der globalen Führungsrolle der USA spielt hier ebenso eine Rolle wie die schleichende Erosion des militant antisowjetischen Feindbildes. Grundlegend geändert hat sich aber vor allem etwas anderes. Obgleich die überwiegende Mehrheit der amerikanischen Bevölkerung es nach wie vor für prinzipiell richtig hält, die »Russen« in »ihre Schranken zu verweisen«, werden die jeweils von Fall zu Fall aus Washington kommenden *Begründungen* für eine expansiv-antisowjetische Politik mehrheitlich *nicht* mehr akzeptiert.

Seit die bewußten Täuschungen und Lügen des Pentagon und des Außenministeriums über den Ursprung des Vietnam-Krieges der Öffentlichkeit bekannt wurden, sind der Legitimation der Außenpolitik enge Grenzen gesetzt. »Watergate« hat hier zusätzlich bekräftigend gewirkt. Gleiches trifft auf Fragen der Militärpolitik und nationalen Sicherheit zu. Seit Vietnam werden diese immer weniger den »Experten« überlassen (charakteristisch hierfür ist etwa die Gründung alternativer Forschungs- und Informationszentren wie z. B.: Institute for Defense and Disarmament Studies in Brookline, Massachusetts; Institute for Policy Studies und Center for Defense Information, beide in Washington D.C.; Coalition for a New Foreign and Military Policy, ebenfalls Washington, D.C.). Neue Waffensysteme (MX, Trident und der B-1-Bomber als Beispiele aus jüngster Zeit) lassen sich nicht mehr als »Sachzwänge« an ein im Vergleich zu früheren Zeiten ungleich besser informiertes Publikum verkaufen. Die typischen Argumentationsmuster der Militärs (»Wenn Sie alles wüßten, was ich weiß, würden Sie alles glauben, was ich sage«[10]) verfangen nicht mehr.

Beispielhaft für diese Entwicklung sind die Kampagnen anläßlich der Krisen um den Iran und Afghanistan (1979/80). Die Ankündigung der Rapid Deployment Force, der Registrierung Wehrpflichtiger und einer neuerlichen militärischen Intervention als mögliches Mittel der Krisen»lösung« brachte keineswegs den erhofften Konsens, sondern wirkte polarisierend. Einerseits profitierte davon eine sich neu formierende populistische und neokonservative Rechte; andererseits erhielt die Friedensbewegung enormen Auftrieb, wie schon bald die Kampagne gegen Wehrpflicht und Registrierung zeigen sollte.

Zentral für das Entstehen der neuen Friedensbewegung war die *Spezifik* dieser *Polarisierung*. Sie ist darin zu sehen, daß in der Friedensfrage die konservativen und liberalen Lager teilweise zusammenfinden. Zahlreiche konservative Wähler hatten Reagan aus innenpolitischen Gründen (oft genug aus bloßer Opposition gegen Jimmy Carter) zwar unterstützt, standen seinem außenpolitischen Konzept von Anfang an aber skeptisch oder gleichgültig gegenüber.

Der Widerstand flammte in dem Augenblick auf, als die Neokonservativen in der Regierung begannen, die Reagansche Außenpolitik als »Überwindung des Vietnam-Syndroms« der Öffentlichkeit zu offerieren. Von einer solchen »Überwindung« kann in der Öffentlichkeit keine Rede sein. Gerade der Erfolg der Solidaritätsarbeit für El Salvador zeigt, daß neuerliche militärische Interventionen gegen Befreiungsbewegungen mehrheitlich entschieden abgelehnt werden. Zahlreiche Reagan-Wähler sind daher heute entweder in der Friedensbewegung aktiv oder stehen ihr positiv gegenüber.

Den entscheidenden *Durchbruch* erzielte die Friedensbewegung mit der Erfahrung der *Praxis* der Regierung Reagan. Weite Kreise hatten offenbar nicht damit gerechnet, daß die Ankündigungen des Wahlkampfes tatsächlich realisiert würden. Die neue Linie war um so ernster zu nehmen, da die 1980er Wahl die parlamentarischen Kräfteverhältnisse erheblich verändert hatte. Zahlreiche Rüstungskritiker und Entspannungsbefürworter hatten ihr Mandat verloren, und es bestand daher keine Aussicht mehr auf eine effektive Opposition seitens des Kongresses. Reagans Beschluß, das größte Aufrüstungsprogramm in der Geschichte der USA und der Menschheit anzukurbeln, die öffentlichen Spekulationen über begrenzbare, führbare und zu gewinnende Atomkriege und die ständigen Presseenthüllungen über nukleare »Sieg«-Planungen des Pentagon bestätigten die schlimmsten Befürchtungen.

Für die Friedensbewegung bestärkend mußte auch die gigantische Umverteilung der Haushaltmittel wirken. Die beispiellose Beschneidung der Sozialprogramme zur Finanzierung der Hochrüstung wurde zu einem Zeitpunkt begonnen, da sich die USA bereits in einer langandauernden Rezession befanden. Gerade die von den Kürzungen doppelt hart betroffenen Minoritäten, Arbeitslose und Frauen wurden in ihrem täglichen Leben mit den Auswirkungen des Militarismus stärker denn je konfrontiert. Unter ihnen konnte die Friedensbewegung in den letzten Jahren weit erfolgreicher organisieren als zu irgendeinem anderen Zeitpunkt nach 1945.

Schließlich darf nicht die Fernwirkung der Aktionen und Demonstrationen in Westeuropa vergessen werden. Diese sorgten mit dafür, daß das Aufrüstungsprogramm und die nukleare Drohpolitik seit Herbst 1981 ständig in den amerikanischen Massenmedien diskutiert wurden.

Die ideologischen Ablenkungsmanöver der Reagan-Regierung finden gegenwärtig innerhalb der Vereinigten Staaten genausowenig Anklang wie ehedem Jimmy Carters Menschenrechtskreuzzug – mag der Antisowjetismus vorhandene Vorurteile auch bestärken, als *Begründung* unmittelbar erfahrbarer außenpolitischer Maßnahmen der USA versagt er. Damit setzt sich eine Entwicklung zugespitzt fort, die im Grunde seit der Präsidentschaft Lyndon B. Johnsons und damit seit dem Vietnam-Krieg zu beobachten ist: der rasante Verschleiß des persönlichen und politischen Kredits, den die amerikanische Bevölkerung ihren (ohnehin nur von 25% der Wahlberechtigten legitimierten) Repräsentanten zugesteht. Militarismus nach außen und Zerfall der inneren sozialen und wirtschaftlichen Infrastruktur haben über die Jahre ein politisch noch unstrukturiertes Potential der Unzufriedenheit geschaffen, das sich in der Friedensbewegung erstmals zu organisieren und auf ein gemeinschaftliches Ziel hin zu formieren beginnt.

Struktur und Aktivitäten der neuen Friedensbewegung: eine Skizze

Inzwischen hat sich die Freeze-Kampagne zum einflußreichsten Faktor in der amerikanischen Friedensbewegung entwickelt: 60 nationale Organisationen mobilisieren in 47 Staaten für ein sofortiges Einfrieren aller Atomwaffen und darauffolgende Abrüstung. Damit wurde und wird der Übergang zum Aufbau der ersten massenhaften *Abrüstung*sbewegung in den USA nach 1945 vollzogen.

Aber die Aktivitäten der amerikanischen Friedensbewegung erschöpfen sich keineswegs in der Freeze-Kampagne. Daneben gibt es eine – hierzulande weitgehend unbekannte – Vielfalt an Organisationen, Aktivitäten und Aktionsformen.

Jede Einschätzung muß selbstverständlich dem Prozeßcharakter einer sich formierenden Massenbewegung Rechnung tragen und zum gegenwärtigen Zeitpunkt unvollständig bleiben. Diese Einschränkung vorausgesetzt, sollen im folgenden das *politische Profil*, die *soziale Struktur* und die *politisch-strategischen Diskussionen* innerhalb der Bewegung skizziert werden.

»Direkte politische Aktion« und Grass-roots-Politik

Bereits die politischen Aktionsformen verweisen auf *Unterschiede zur westeuropäischen Friedensbewegung* und auf Besonderheiten der politischen Kultur in den USA.

Zunächst ist auf die starke Betonung solcher Aktionen hinzuweisen, die die Legislative auf Landes- und Bundesebene zu beeinflussen suchen. Dazu gehören: organisiertes Briefeschreiben an oder »phone-ins« bei Kongreßabgeordneten; Petitionen an Stadtversammlungen und einzelstaatliche Gesetzgebungsorgane oder Vorlagen zu (in der Regel juristisch nicht verbindlichen) Volksentscheiden – wie z. B. über den Freeze in mehreren Bundesstaaten bei den kommenden Novemberwahlen; Zeitungsannoncen, Werbespots im Fernsehen und sonstige Öffentlichkeitsarbeit, mit der private Werbeagenturen beauftragt werden.[11]

Der *zivile Ungehorsam* (vgl. Dok., Teil 7) spielt eine ungleich wichtigere Rolle als in Europa. Diese Form des Widerstands orientiert sich an Henry David Thoreaus[12] bekanntem Ausspruch, daß illegale Akte der Opposition immer dann legitim sind, wenn sie sich gegen eine unmoralische Regierung wenden. Während der Bürgerrechtsbewegung wurde gewaltloser Widerstand sehr extensiv und erfolgreich praktiziert. Martin Luther King schrieb darüber in einem Brief aus dem Gefängnis von Birmingham (Alabama): »Die gewaltfreie direkte Aktion versucht eine Krisensituation zu schaffen und Spannung in der Weise aufzubauen, daß eine Gemeinschaft, die beständig das Gespräch verweigert, gezwungen wird, sich einer Sache anzunehmen. Ziel ist, das Problem so zuzuspitzen, daß es nicht länger ignoriert werden kann.«[13]

Ziviler Ungehorsam wird als Mittel verstanden, soziale und politische Veränderungen durchzusetzen und zugleich als Moment der persönlichen Weiterentwicklung der beteiligten Individuen begriffen. Neben symbolischen Handlungen wie dem Verstreuen von Asche und dem Verspritzen eigenen Blutes (im biblischen Sinne »ein Zeugnis ablegen«) stehen sog. »direkte Aktionen«. Ob es sich um die Zerstörung von atomaren Sprengkopfteilen und geheimen Konstruktionsplänen bei General Electric durch die Gruppe der »Pflugschar 8«, um die Behinderung einlaufender Trident-U-Boote mit Freizeitbooten und Segeljollen durch die Gruppe »Live without Trident« oder um die Blockade des Pentagon durch die »Women's Pentagon Action« handelt: immer sind es Aktionen, die für die Beteiligten mit einem hohen persönlichen Risiko verbunden sind. Es kommt regelmäßig zu Verhaftungen und Gerichtsverfahren, die bislang jedoch erfolgreich in Tribunale gegen Atomwaffen umgewandelt werden konnten.

Auf eine lange Tradition in der amerikanischen Geschichte geht auch der *Grass-roots-Charakter* der Friedensbewegung zurück – ein weiterer Unterschied zu Westeuropa. Grass-roots bedeutet zunächst die eigenverantwortliche Abkoppelung des politischen Prozesses von den fernab gelegenen politischen Machtzentren und die unmittelbare Verankerung von Diskussion und Entscheidung in den Kommunen »vor Ort«; zugleich ist damit eine Eigenständigkeit gegenüber und Unabhängigkeit von den politischen Parteien gemeint, die in der Organisierung des politischen Lebens in den Vereinigten Staaten traditionell eine nachgeordnete Rolle spielen. Grass-roots heißt kommunale Selbstverantwortung und drückt sich in zahlreichen lokalen Initiativen aus, die die Konversion oder Beseitigung militärischer Einrichtungen in ihrer Nachbarschaft fordern, wie z. B. in Omaha (Nebraska) gegen das Strategic Air Command, in Montana gegen die dort stationierten Interkontinentalraketen, im Staat New York gegen die Lagerung von Neutronenbomben oder in Seal Beach, Los Angeles, gegen die Atomwaffenlager inmitten eines dicht besiedelten Wohngebiets.

Die feste Basisverankerung der Friedensbewegung drückt sich auch in der Freeze-Kampagne (vgl. Dok., Teil 1) aus, deren organisatorische Struktur aus der Verbindung von lokaler Autonomie und nationaler Koordination erwächst. Die Freeze-Kampagne ist zwar eine nationale Bewegung. Ihre Durchführung jedoch findet hochgradig dezentralisiert auf lokaler Ebene statt. Es sind die Initiativen »vor Ort«, die die Sprache, die inhaltlichen Schwerpunkte und die Aktionen entsprechend den örtlichen Bedingungen und im Rahmen des Moratoriumsvorschlags bestimmen. Das Koordinationszentrum in St. Louis (Missouri) ist nicht eine übergeordnete Zentralverwaltung mit Weisungsbefugnis, sondern ein *clearing house* mit der einzigen Aufgabe, als Dienstleistungs- und Kommunikationszentrum der Bewegung in den Kommunen zur Seite zu stehen.

In dieser eigenverantwortlichen Bürgerorganisierung an der Basis liegen Stärken und Schwächen zugleich. Einerseits wird das optimale Ausschöpfen des politischen Potentials leichter; andererseits war es von jeher sehr schwierig, die zahlreichen nebeneinander existierenden (und oft konkurrierenden) Vereinigungen zu gruppenübergreifender Diskussion und gemeinschaftlichem Handeln zu bringen.

Die Vielfalt, Breite und Kreativität der Friedensbewegung stellt sich ihrem Grass-roots-Charakter entsprechend am ausgeprägtesten in der *örtlichen Arbeit* dar. Die Beispiele *Boston* (Massachusetts) und *Madison* (Wisconsin)[14] stehen repräsentativ für die Struktur der lokalen Aktivitäten, die sich augenblicklich über das ganze Land verbreiten.[15] Eine Schlüsselstellung kommt selbstverständlich auch hier der *Freeze-Kampagne* zu (in Boston als Council for a Nuclear Weapons Freeze, in Madison als Wisconsin Nuclear Weapons Freeze Campaign organisiert).

Sehr einflußreich sind darüber hinaus jene Projekte, die die Aufrüstung mit der Sozial- und Wirtschaftspolitik verbinden: *»Jobs with Peace«* – »Arbeitsplätze durch Frieden« (vgl. Dok., Teil 3) heißt das Stichwort. Finanzielle Mittel sollen aus militärischen Programmen in die Bereiche Bildung, Kunst, Gesundheitswesen, Wohnungsbau, öffentliche Verkehrsmittel etc. umgeleitet werden. Seit 1978 wurden parallel zu Gemeinde-, Staats- und Präsidentschaftswahlen mehrere Volksbefragungen zu diesem Thema durchgeführt (u. a. in San Francisco, Berkeley, Oakland, Detroit und Boston), die allesamt mehrheitlich befürwortet wurden. In Boston sprachen sich 1981 72% für eine solche Umverteilung aus, »in schwarzen und weißen liberalen Wohnbezirken wurden sogar aufsehenerregende 95% erreicht.«[16] Wichtige Einzelgewerkschaften wie die Vereinigten Automobilarbeiter (UAW), die Gewerkschaft der Staats-, Bezirks- und Gemeindeangestellten(AFSCME), die Lehrergewerkschaft (AFT) und die Internationale Assoziation der Maschinenbauer (IAM) unterstützen diese Kampagne.

Eng damit verknüpft sind die sog. *»Projekte für Friedenskonversion«* (vgl. Dok., Teil 4). Schwerpunkt dieser Aktivitäten z. B. in Madison ist die Umorientierung von militärischer Forschung auf zivile Zwecke.

Diese Zusammenhänge werden unter anderen Gesichtspunkten auch von der *»Fair Budget Campaign«* aufgegriffen, die unter der Losung »Geld für den Menschen« auf eine Verbesserung der kommunalen Lebensqualität abzielt (z. B. »The Peace Project« in Madison).

Mit diesen Themen setzen sich die zahlreichen *Gruppen für das »Überleben«* (vgl. Dok., Teil 5) ebenfalls auseinander, die insbesondere Schwarze und Frauen organisieren: z. B. Women's Party for Survival (Boston) und – aus den Reihen der traditionellen, national organisierten Friedensgruppen – Women's International League for Peace and Freedom mit ihren lokalen Untergruppen. In letzter Zeit wurde damit begonnen, Kinder und Jugendliche an diesen Aktivitäten zu beteiligen (in Madison durch »Kids and Adults for Nuclear Disarmament«). Bei letzteren wird großer Wert auf künstlerische Ausdrucksformen wie Theateraufführungen und Sketche gelegt.

Typisch für die Bewegung »vor Ort« sind des weiteren Gruppen, die gegen die *Wehrerfassung* arbeiten, *Steuerverweigerung* organisieren, *Anti-Interventionismus-Kampagnen* (vgl. Dok., Teil 7) aufbauen und zu Militär- und Rüstungsfragen gezielt *Aufklärungsarbeit* leisten (z. B. »Nukewatch« in Madison, Institute for Defense and Disarmament Studies in Brookline, Massachusetts). In allen größeren Städten gibt es Gruppen, die den Widerstand gegen *Erstschlagswaffen* (vgl. Dok., Teil 2) zum hauptsächlichen Programmpunkt ihrer Arbeit gemacht haben, in jüngster Zeit auch (von Philadelphia ausgehend) gegen die Pershing II und Cruise-Missiles.

Am stärksten sind letztgenannte Gruppen freilich dort, wo die entsprechenden Waffensysteme entweder gebaut oder stationiert werden (sollen): gegen Trident in den Staaten Kalifornien (in Santa Cruz gegen

Lockheed), Washington (Bangor, einem Stützpunkt) und Connecticut (in Groton gegen General Electric); in Wisconsin und Minnesota gegen das Trident-Kommunikationssystem ELF (Kodename für eine überdimensionierte Erdantenne); gegen die MX in Utah, Nevada, Colorado und Wyoming – in diesen Staaten reicht der Widerstand bis in die tiefste Provinz.

Auch die *Kirchen* (vgl. Dok., Teil 6) müssen – obwohl sie als organisierte und hierarchisierte Einheiten dem Grass-roots-Prinzip widersprechen – zum Umfeld der Grass-roots-Bewegung gerechnet werden. Von jeher wird nämlich das politische Leben der Gemeinden sehr stark von den Kirchen organisiert und inhaltlich mitbestimmt. Kirchliche Gruppen aller Konfessionen sind in sämtlichen genannten Arbeitsschwerpunkten vertreten. Das »American Friends Service Committee« der Quäker in Boston legt großen Wert auf den Dialog zwischen den Völkern der USA und der UdSSR. Die »Catholic Connection« in Boston organisiert Geistliche und Laien auf Grundlage des Evangeliums und der kirchlichen Soziallehre. Die Signalwirkung, die von dieser Arbeit in die Öffentlichkeit ausstrahlt, kann nicht hoch genug veranschlagt werden.

Die Arbeit der zahlreichen *Berufsgruppen* (vgl. Dok., Teil 8) ist in den Kreisen der mittelständischen (bisher) »Schweigenden Mehrheit« äußerst erfolgreich und hat bereits Erfolge erzielt, die weit über die der Vietnam-Ära hinausreichen. Dieser Entwicklung kann politische Schlüsselfunktion zukommen, waren es doch gerade diese sozialen Gruppen, die Reagan 1980 in erheblichem Umfang unterstützt hatten. Allein in Boston gibt es elf (!) berufsständische Vereinigungen gegen die Gefahren des Atomkrieges (Geschäftsleute, Public-Relations-Fachleute und Autoren, Ingenieure und Programmierer, Ärzte, Anwälte, Krankenschwestern, Sozial- und Naturwissenschaftler, Künstler, Erzieher); ähnlich ist die Struktur in Madison.

Sehr aktiv sind dabei Lehrer und Erzieher in Boston und Umgebung. Das Cambridge Peace Education Project unterstützt die Schulbehörde in Cambridge bei der Ausarbeitung eines Lehrplans für Friedensfragen, »Decisionmaking in a Nuclear Age« (Brookline, Massachusetts) erarbeitet Lehrprogramme für Schüler, »Educators for Social Responsibility« (Brookline, Massachusetts) führt Lehrer, Mitglieder der Schulverwaltung, Eltern und Elternbeiräte zu einem gemeinsamen Zweck zusammen: den Atomkrieg verhindern! Ganz ähnliche Initiativen gibt es auch an den Hochschulen. Die Studentenorganisationen nehmen im Unterschied zur Vietnam-Bewegung keine Führungsrollen ein, aber sie engagieren sich zunehmend.

Die Rolle der mittelständischen Berufsverbände wird in den gängigen Darstellungen oft bis zu einem Punkt überbetont, wo die Friedensbewegung als Mittelstandsbewegung erscheint. Definitive Aussagen über die *soziale Struktur* der Friedensbewegung sind zwar wegen der prozeßhaften Aufbauphase und wegen der uneinheitlichen Mitgliedschaft der beteiligten Organisationen augenblicklich noch nicht möglich. Die These von der Mittelstandsbewegung aber ist zurückzuweisen.

Grass-roots bedeutet nämlich auch und gerade Verankerung der Bewegung in der Mehrheit der ortsansässigen Bevölkerung. Wie alle klassischen Grass-roots-Bewegungen ist die Friedensbewegung sozial stark heterogen, klassenunspezifisch und überschreitet (wenn auch noch in unzureichendem Maße) die Schranken ethnischer Segmentierung der amerikanischen Gesellschaft. Richtig ist, daß die gebildete weiße Mittelschicht Führungspositionen innehat und dementsprechend starke mittelständische Elemente in der Bewegung vorzufinden sind. Aber die politische Praxis erfaßt durchgängig zahlreiche andere Gruppen. Exemplarisch dafür ist der lokale Zusammenschluß von Ranchern, Indianern, Mormonen, Bergarbeitern und Umweltschützern im Great Basin von Utah und Nevada, die trotz unterschiedlicher Motive zu derart einflußreichen örtlichen Initiativen zusammengefunden haben, daß die Stationierung der MX-Raketen in diesem Gebiet (vorläufig?) aufgegeben werden mußte.

Ungeachtet der wichtigen politischen Funktion des Mittelstandes will die Friedensbewegung auch keine Mittelstandsbewegung sein. Alle Anstrengungen zur strukturellen Festigung gehen dahin, die Arbeiterklasse und die ethnischen Gruppen samt ihren Organisationen stärker als bisher einzubeziehen. Allein darin wird die Garantie für größere politische Durchschlagskraft gesehen.

Auseinandersetzungen um Strategie und Taktik

Wie politisch ist die amerikanische Friedensbewegung? Welchen Grad politischer Reife hat sie bislang entwickeln können? Inwieweit sind Aussagen zutreffend, es handle sich um eine reine Angstbewegung ohne gesellschaftsanalytische Theorie und kohärente politische Strategie?

Einerseits ist es zwar richtig, daß die amerikanische Friedensbewegung in der Vergangenheit Schwierigkeiten hatte, »eine systematische Analyse der gesellschaftlichen Kräfte und sozialen Beziehungen Amerikas zu erstellen, in der der Militarismus als integrierter Bestandteil des wirtschaftlichen und gesellschaftlichen Lebens erscheinen müßte.«[17] Auch ist heutzutage die berechtigte *Angst* vor einem Atomkrieg vielfach

26

die impulsgebende Motivation und weniger die Einsicht in den grundsätzlichen Charakter amerikanischer Außen- und Militärpolitik. Insbesondere von den Kirchen ausgehend spielt die moralisch-ethische Argumentation eine dominante Rolle. Folglich wird häufig auf eine pragmatisch-tagespolitische Orientierung mehr Wert gelegt als auf eine theoretisch abgeleitete und begründbare langfristige Strategie.

Andererseits kann der politische Charakter einer Friedensbewegung nicht allein an der gesellschaftstheoretischen Präzision ihrer Analysen gemessen werden. Faßt man den Politikbegriff konkret und bezieht ihn auf die gegebene politische Situation in den USA, so zeigt sich, daß diese Friedensbewegung überaus politisch argumentiert und agiert.

So hat gerade die Betonung von Moral und Ethik – beispielhaft vorgestellt in Jonathan Schells Buch »Das Schicksal der Erde«[18] – eine nicht zu unterschätzende weltanschaulich-aufklärerische Funktion. Sie bewahrt das positive humanistische Erbe, ohne bloß ideologisch wertkonservativ zu sein: denn zugleich wendet man sich in der täglichen politischen Praxis offensiv gegen die moralische Negation allen zivilisatorischen Erbes auf der Seite jener Militär- und Politikplaner, die von der Möglichkeit eines jede Zivilisation vernichtenden Atomkrieges ausgehen. Der politische Kern dieser Sichtweise liegt in dem Hinweis, daß bereits jede gedankliche Verharmlosung von Atomkriegen diese in der Praxis wahrscheinlicher macht.

»Politisch« ist auch die ausgewiesene Frontstellung der Friedensbewegung gegen die Reagan-Regierung nicht allein in Fragen der Militär-, sondern auch in der Haushalts-, Sozial- und Bürgerrechtspolitik. Die Friedensbewegung hat es binnen zweier Jahre verstanden, das politische »Klima« in den Vereinigten Staaten zu verändern. Ohne daß Konsequenzen zum gegenwärtigen Zeitpunkt prognostizierbar wären, ist dies allein schon eine außerordentliche politische Leistung.

Ebenso kann die These des »analytischen Defizits« nicht länger aufrechterhalten werden, wenn man die intensiv geführte Debatten über Strategie und Taktik innerhalb der Friedensbewegung berücksichtigt.

Einige Grundzüge dieser Debatten (vgl. Dok., Teil 1, Dok. 8–16) seien im folgenden skizziert.

Die »neue Friedensbewegung« hat sich zwar in der Freeze-Kampagne mehrheitlich zu gemeinsamem Handeln zusammengefunden und ist sich über das *allgemeine Ziel* einig: weltweit atomare Abrüstung. Doch darüber hinaus gibt es noch keine einheitliche, von einer Mehrheit geteilte Strategie, um das Friedensbewußtsein in den USA weiter auszubauen und auf Dauer wirkungsvoll in den politischen Willensbildungsprozeß einbringen zu können. Die Auseinandersetzungen darüber, wie dieses Ziel zu erreichen sei, drehen sich vor allem um drei Punkte: um den Adressaten der friedenspolitischen Forderungen, um die Thematisierung des Zusammenhangs der Friedensfrage mit anderen gesellschaftlichen Problemlagen und um die Frage, welche Perspektiven sich über ein »Einfrieren« hinaus ergeben (»Ist ein Freeze genug?«).

1) Bei der Frage der Adressaten geht es darum, ob die Abrüstung gleichzeitig in Ost und West beginnen oder ob die USA mit einseitigen Vorleistungen den Anfang machen sollen.

Die Freeze-Kampagne z. B. betont ausdrücklich die Zweiseitigkeit ihres an die Regierungen der USA und der UdSSR gerichteten Moratoriumsaufrufs. Angesichts eines dominanten Antisowjetismus in den USA sollen keine Angriffsflächen geboten und die Unterstützung möglichst breiter Kreise gewonnen werden. Die Mehrheit der Linken argumentiert hingegen, daß der erste Schritt in der Umkehr des Rüstungswettlaufs und daher in einseitigen nuklearen Abrüstungsmaßnahmen der USA bestehen müsse. Schließlich seien die USA seit 1945 die Triebfeder des Wettrüstens, drohten im Gegensatz zur UdSSR mit dem nuklearen Erstschlag, arbeiteten Pläne aus für einen Atomkrieg langer Dauer und verfügten über einen deutlichen Vorsprung in der Nukleartechnologie. Zugleich wird aber die Bereitschaft betont, auch in bilateral ausgerichteten Initiativen mitzuarbeiten.

2) Atomwaffen existieren nicht in einem gesellschaftlichen und politischen Vakuum. Es wird daher intensiv darüber diskutiert, ob und wie die Friedensfrage zu verbinden sei mit dem forcierten Abbau staatlicher Sozialleistungen, dem amerikanischen Interventionismus in der Dritten Welt oder der Benachteiligung von Frauen und ethnischen Minderheiten innerhalb der amerikanischen Gesellschaft.

Die dabei im Widerstreit liegenden Positionen können nicht einzelnen Organisationen zugeordnet werden; die Diskussionslinien laufen quer durch alle beteiligten Gruppen.

Teile der von der weißen Mittelschicht getragenen traditionellen Friedensorganisationen wollen ein zu ausgeprägt gesellschaftspolitisch linkes Profil der Friedensbewegung verhindern und auf etablierte Kräfte der politischen Mitte setzen. Durch eine strikte *»Ein-Punkt-Bewegung«* sollen möglichst viele konservative und rechte Gruppen in die Friedensbewegung einbezogen werden.

Die Vertreter eines *modifizierten »single issue approach«* argumentieren hingegen, die Beendigung des atomaren Wettrüstens erfordere die Unterstützung der größtmöglichen Zahl und meinen damit auch die Mobilisierung all jener Millionen, die traditionell abseits des bürgerlich-parlamentarischen Prozesses, aber auch außerhalb der aktiven außerparlamentarischen Opposition stehen. Fortschrittliche Aktivisten sollen daher innerhalb einer zunächst um *einen* Punkt organisierten Bewegung darauf hinwirken, die mit der Friedensfrage unmittelbar zusammenhängenden Probleme anzusprechen und in der politischen Programmatik zu verankern: Wehrpflicht und Interventionismus, Hochrüstung und Raubbau an den Sozialleistungen. Allerdings wird vor einer bloß deklamatorischen Ausweitung des Forderungskatalogs gewarnt; Slogans allein könnten niemanden zusätzlich mobilisieren. In erster Linie komme es auf die praktische Zusammenarbeit der Friedensbewegung mit den Schwarzen und Angehörigen anderer ethnischer Minderheiten an. Nur der täglich erfahrbare, konsequente Widerstand gegen die Betreiber der atomaren Vernichtung könne die Friedensbewegung langfristig in der erforderlichen Weise stärken.

In Abgrenzung zu beiden Positionen wird ein sog. *»Multi-issue-Ansatz«* diskutiert. Dieser lehnt die Einengung der Thematik auf Kernwaffen ab und fordert für die Friedensbewegung eine umfassend gesellschaftspolitische Perspektive. Neben den Folgen kapitalistischer Krisen- und Kriegspolitik müßten auch die strukturellen gesellschaftlichen Ursachen des Wettrüstens auf die Tagesordnung gesetzt und damit hauptsächlich der militärisch-industrielle Komplex bekämpft werden. Der Zusammenarbeit mit ethnischen Minderheiten und der antiimperialistischen Solidarität mit der Dritten Welt müsse dabei ein besonderer Stellenwert eingeräumt werden. Schließlich sei es das Ziel der »atomaren Diplomatie« der USA, einen Schutzschild für bewaffnete Interventionen in der Dritten Welt bereitzustellen: sei die Sowjetunion mit einer überlegenen amerikanischen Nuklearmacht »eingedämmt«, würde die Intervention mit konventionellen Streitkräften gegen revolutionäre Entwicklungen in der Dritten Welt wesentlich erleichtert. Zugleich berge dieser Interventionskurs jederzeit die Gefahr einer direkten sowjetisch-amerikanischen Konfrontation und damit eines Atomkrieges. Friedenssicherung heiße also, der Interventionspolitik und ihrem materiellen Unterpfand, der konventionellen Aufrüstung und der Wehrpflicht, Widerstand zu leisten – jeder Erfolg auf diesem Weg vermindere die Gefahr des Einsatzes von Atomwaffen.

3) Diese drei Positionen gehen auch in die Auseinandersetzungen über die Vor- und Nachteile des Freeze ein. Die Befürworter gehen davon aus, daß die Entwicklung einer erstschlagfähigen Nukleartechnologie und die politische Bereitschaft der Reagan-Regierung, die Potentiale zu einem »Sieg im Atomkrieg« bereitzustellen, eine Situation beispielloser Gefährdung geschaffen haben. Angesichts dieser Bedrohung sei ein einfacher, einsichtiger und ausgewogener Vorschlag das geeignetste

Mittel, um die erforderliche Durchsetzungsfähigkeit zu erhalten. Das »Einfrieren« soll ein »erster Schritt« auf dem Weg zu einer »wirklichen Abrüstung« sein. Durch diese Forderung sollen »die von der Regierung geschürten Ängste vor einseitigen Abrüstungsmaßnahmen abgebaut werden, und durch die Betonung der Kontrolle sollte versucht werden, das Mißtrauen gegenüber den Sowjets zu berücksichtigen.«[19]

Vorgeschlagen wird eine über vier bis fünf Jahre sich erstreckende Strategie. Von der örtlichen Ebene ausgehend soll in der ganzen Nation breite Zustimmung mobilisiert werden, um mit diesem unwiderstehlichen Druckmittel die offizielle Militär- und Außenpolitik grundlegend umzugestalten. Zu den wichtigsten Themen der ersten Phase gehören der Abbau von Spannungen zwischen den USA und der UdSSR, ein Verbreitungsstopp für Erstschlagwaffen und die Erhöhung der Ausgaben für die zivile Produktion.

Kritiker des Freeze bezweifeln, ob man mit dieser Forderung wirklich mehr als einen ersten Schritt bewerkstelligen könne. »Problematisch an der Kampagne sind ihre beschränkte Sichtweise, die es versäumt, die Abrüstung als Ziel hinzustellen; ihre taktische Enge durch das Ausklammern der direkten Aktion; und ihre unrealistische Strategie, die davon ausgeht, daß *nur* Appelle an das Establishment die Bewegung aufrechterhalten und wesentliche Veränderungen bewirken werden.«[20] In der bisherigen Geschichte jedenfalls seien bedeutende politische und soziale Veränderungen nicht durch begrenzte Taktiken im Rahmen äußerst bescheidener Zielvorstellungen erreicht worden.

Andere bemängeln die starke Betonung der »Überprüfbarkeit« als Kriterium für den Freeze: in den vergangenen drei Jahrzehnten habe diese »Überprüfbarkeit« oft genug als Vorwand herhalten müssen, um Abrüstungsmaßnahmen zu verhindern. Auch wird beanstandet, daß die Freeze-Kampagne Atomwaffen aus ihren politischen und wirtschaftlichen Zusammenhängen herauslöse und sie in unpolitischer Weise als »Verirrung« betrachte. Schließlich würde versäumt, die Zusammenhänge zwischen Rassismus und Krieg aufzuzeigen, und über dem amerikanisch-sowjetischen Konflikt vergesse man die Unterdrückung von Befreiungsbewegungen durch die USA.[21] Diese Schwächen würden die Bewegung gegenüber Diversions- und Kooptionsversuchen der etablierten Parteien anfällig machen. »Die Gefahr ist, daß die Bewegung in ihrem Eifer, Massenunterstützung und Einfluß im Kongreß zu gewinnen, ihre Forderungen bis zu einem Punkt aufweicht, wo sie bedeutungslos werden.«[22]

Die Skeptiker kritisieren darüber hinaus, die Freeze-Kampagne habe es bisher versäumt, programmatische Vorstellungen zu zentralen Fragen vorzulegen: Wie lange soll ein Moratorium dauern, und wann können konkrete Abrüstungsschritte eingeleitet werden? Wie wird sich die Freeze-Kampagne verhalten, wenn die Stationierung der Cruise-Missiles und der Pershing II in Westeuropa nicht verhindert werden kann und damit das ungefähre Gleichgewicht – Voraussetzung jedes Freeze – sich zum Vorteil der USA verschiebt?

Trotz kritischer Einwände engagiert sich die Linke mehrheitlich in der Freeze-Kampagne. Wichtiger als alle Kritik im Detail ist für sie, eine breite Anti-Reagan-Koalition zu schmieden und durch solidarische Kooperation das alles dominierende Problem der Aufrüstung und Kriegsplanung gemeinschaftlich anzugehen, d. h. konkret: die Realisierungsbedingungen für einen Freeze zu verbessern. Darum will die Linke das Spektrum der Aktionen um sog. »direkte Aktionen« (z. B. zivilen Ungehorsam) erweitern, die Kenntnis der gesellschaftlichen Ursachen atomarer Bedrohung verbessern, die besondere Gefährlichkeit der Reagan/Weinberger-Linie in den Mittelpunkt stellen und dazu beitragen, daß das Einfrieren zur Verwirklichung des übergeordneten Ziels beiträgt: reale Abrüstung.

Die Aussichten auf Erfolg sind durchaus positiv, denn »die Kampagne für das Einfrieren der Atomwaffen ist kein starres Schema, sondern ein dynamischer Prozeß . . .«[23] Der Aufruf will nicht nur am realen Bewußtseinsstand der Bevölkerung anknüpfen, sondern diesen auch weiterentwickeln. Erst dann sei eine Mehrheit für noch weitergehendere Maßnahmen als ein bloßes Einfrieren zu gewinnen.

Koalitionen und Bündnisse

Bei dem Versuch, Einigkeit im Ziel und im Handeln zu bewahren und darüber vermittelt die Bewegung zu stärken, steht die amerikanische Friedensbewegung vor einer doppelten Aufgabe.

Sie muß einerseits von der Vielfalt des politischen Spektrums und dessen Ausdifferenzierung im zurückliegenden Jahrzehnt (»neue soziale Bewegungen«) ausgehen. Augenblicklich findet eine Bandbreite sozialer und politischer Gruppen zusammen, die historisch in dieser Form noch nie zusammengearbeitet haben: traditionelle Friedensorganisationen, Umweltgruppen, Kirchen, Gewerkschaften, Dritte-Welt-Organisationen, Kulturinitiativen, vor Ort organisierte Bürgerkoalitionen, Frauen, Minoritäten und diverse politische Gruppierungen der Linken. Erhebliche Differenzen gab und gibt es z. B. in der Frage, zu welchem Zweck Dachorganisationen (sog. »coalitions«) gebildet werden sollen: So haben die langjährigen Auseinandersetzungen darüber, ob die 1977 gegründete »Mobilization for Survival« nur Koordinierungsaufgaben übernehmen oder als Dachverband auch eigenständig politisch initiativ werden solle, die Organisation inzwischen faktisch lahmgelegt.

Andererseits ist der gegenwärtige Gärungsprozeß an der politischen Basis in den USA Ausdruck des im Zuge von Wirtschaftskrise, Reaganomics und politischer Rechtsentwicklung enorm gestiegenen Problemdrucks. Bezeichnenderweise verstehen sich viele Friedens-, Ökologie-, Frauen-, Bürgerrechts- und Minderheitenorganisationen als Teil einer »Bewegung für das Überleben« – für das tagtägliche Überleben in den Gettos wie für das Überleben der Gattung Mensch. Die besondere Schwierigkeit liegt nun darin, mit einem traditionellen Phänomen politisch-sozialer Krisen fertig zu werden: die Krise kann die Betroffenen nämlich nicht nur zusammenführen, sondern birgt stets die Gefahr, sie voneinander zu isolieren und politisch zu spalten.

Hinzu kommen traditionelle Probleme des Aufbaus einer demokratischen Bewegung in den USA (räumliche Distanz, staatliche Repression u.v.a.m.). Zu den drückendsten Fragen gehört dabei der *Rassismus* (der wegen des rasch wachsenden Anteils von Immigranten aus der Dritten Welt eines der wichtigsten Konfliktpotentiale in der amerikanischen Gesellschaft bleiben wird). Es sind in erster Linie die Minderheiten, die in den USA unmittelbar unter den sozialen Folgen der Aufrüstung zu leiden haben: z. B. verloren zwischen 1970–78 109 000 Schwarze jährlich ihre Arbeit aufgrund steigender Militärausgaben. Mit jeder Erhöhung des Militärbudgets um eine Milliarde Dollar wurden 1300 Arbeitsplätze für Schwarze vernichtet.[24]

Der Gedanke, daß Rassismus und Krieg die gleichen Ursachen haben, ist in der Friedens- und Bürgerrechtsbewegung nicht neu: Bereits 1967 wies Martin Luther King auf einer von Clergy and Laity Concerned (CALC) veranstalteten Vietnam-Konferenz nachdrücklich auf diesen Zusammenhang hin. Heutzutage ist z. B. der US-Friedensrat sehr engagiert in dem Bemühen, Verbindungen zwischen Abrüstung und dem Kampf gegen den Rassismus herzustellen; auf der Zweiten Bundeskonferenz im November 1981 wurde erklärt, daß neben der Vorbereitung eines Atomkrieges »das Verbrechen aller Verbrechen gegen unsere Kinder und gegen uns alle« der Rassismus sei.

Freilich gibt es nach wie vor Probleme zwischen Friedensbewegung und ethnischen Minderheiten. Dies haben nicht zuletzt die Kontroversen im Vorfeld der New Yorker Demonstration vom 12. Juni 1982 gezeigt. Seit Anfang 1982 wurde die Demonstration von einer Koalition verschiedenster Friedensorganisationen vorbereitet, die mehrheitlich von Weißen dominiert waren (und sind). Ende April spaltete sich diese

Koalition; Schwarze, Angehörige anderer Minoritäten und einige Weiße gründeten eine neue Organisation, die Third World and Progressive Peoples Coalition (TWPPC). Kritisiert wurde vor allem, daß die weiße und mittelständische Führung der »traditionellen« Friedensbewegung den Zusammenhang zwischen atomarer Aufrüstung und amerikanischem Interventionismus in der Dritten Welt nur ungenügend herstelle, wie in der Vergangenheit den inneramerikanischen Rassismus ausblende und Vertreter ethnischer Minderheiten von Führungspositionen bei der Vorbereitung der New Yorker Demonstration fernhalte.

Die Spaltung mündete in einen Lernprozeß: der Vorbereitungsausschuß stimmte den wichtigsten Forderungen der TWPPC zu, berücksichtigte die Interventions- und Rassismusproblematik im Aufruf und Ablauf der Demonstration und stimmte einer stärkeren Repräsentation der ethnischen Gruppen in den Führungsgremien zu. Die ethnischen Gruppen schließlich wollen sich in Zukunft nachhaltiger dafür einsetzen, die politische und soziale Basis der Friedensbewegung zu verbreitern. Neben dem TWPPC wurden zu diesem Zweck neue Gruppen gegründet: African-American Coordinating Committee, Hispanics for Survival, Asian-American Caucus for Disarmament.

Gerade wegen der zum Teil scharfen Auseinandersetzungen während der Vorbereitung markiert der 12. Juni einen entscheidenden Fortschritt in der internen Diskussion über Strategie und Taktik.

Ausnahmslos einigten sich alle an Vorbereitung und Durchführung dieser bisher größten Friedensdemonstration Beteiligten auf die zentralen programmatischen Forderungen: sofortiges Einfrieren der Atomrüstung – Umkehr des Wettrüstens – Umschichtung der finanziellen Mittel aus dem Militärhaushalt in zivile Ausgaben zur Befriedigung von »human needs«. Durch diese Verbindung von Militär- und Sozialpolitik wurde Zweifaches erreicht: das politische Programm Reagans in seinem Kern getroffen und die Grundlagen geschaffen, um in Zukunft die verschiedenen Klassen, Schichten und ethnischen Gruppen noch umfassender als bisher für ein gemeinsames Anliegen zu organisieren. Dieses Anliegen heißt: Geld für die Menschen, nicht für den Krieg; Abwehr des nuklearen Holocaust und Schaffung menschenwürdiger Lebensbedingungen.

Die Zukunft

Mark Solomon, stellvertretender Vorsitzender des amerikanischen Friedensrates, faßt die zukünftigen Aufgaben der amerikanischen Friedensbewegung allgemein wie folgt zusammen:

Sie müsse »das politische Verständnis der Nation für die Ursachen des Konflikts« zwischen den USA und der UdSSR und der Zuspitzung der internationalen Lage vertiefen, d. h. gegen die Jahrhundertlüge der »sowjetischen Bedrohung« arbeiten und die destabilisierende und kriegsträchtige Politik der USA aufzeigen. Darüber hinaus müßten tiefsitzende »Vorurteile« und »Vorbehalte« gegenüber der UdSSR abgebaut werden (gemeint ist wohl das weitverbreitete Mißtrauen, mit der UdSSR keine Verträge abschließen zu können, da sie nur auf Möglichkeiten des »Lugs und Betrugs« warte). Dabei gehe es keineswegs um ein Einverständnis »über den innenpolitischen Charakter des Lebens in der Sowjetunion«, sondern darum, die wesentlichen Triebkräfte von Hochrüstung und internationalen Spannungen zu benennen.

Auch in Zukunft bestehe ein »beträchtliches Problem« darin, die »Einheit in der Verschiedenheit« zu wahren und die aus der Zeit der Vietnam-Opposition bekannten Fraktionierungen zu vermeiden.

Die Bewegung müsse über sich hinaus wirken und auch die politische Unterstützung jener Millionen gewinnen, »die nicht bereit sind, sich organisatorisch zu beteiligen, aber entschlossen sind, gegen Haushaltskürzungen zu kämpfen und sich mit anderen Themen zu befassen, die mit dem Wettrüsten in Verbindung stehen«.

Es gelte, Widersprüche in den Reihen der herrschenden Klasse – insbesondere in Fragen der Wirtschafts- und Finanzpolitik und den damit zusammenhängenden Optionen einer Erhöhung oder Kürzung des Rüstungsetats – auszunutzen und die »Möglichkeit zu taktischen Bündnissen« wahrzunehmen.

Schließlich solle sich die Friedensbewegung auf lange Sicht »zu einer breiten Bewegung sozialer Aktion gegen die Macht und die Politik derjenigen entwickeln, die die militarisierte Gesellschaft hervorgebracht haben. Zumindest ein Teil der Friedensbewegung sollte sich gleichfalls zu einer politischen Wählerbewegung entwickeln, die in der Lage ist, den Wählern Alternativen vorzulegen und sich mit um die Kontrolle der politischen Prozesse zu bewerben.«[25]

Was bedeutet dies für die aktuelle politische Praxis der Freeze-Kampagne, des gegenwärtig stärksten und einflußreichsten Teils der amerikanischen Friedensbewegung?

Erstens: Aufklärung, Vereinheitlichung sowie Festigung des vorhandenen und Hinzugewinnung neuen Potentials heißt zunächst, weiterhin ganz elementar über die eigentlichen Ziele des sofortigen Einfrierens von Atomwaffen zu *informieren* und öffentlich *zu diskutieren.* Meinungsumfragen zeigen, daß hier noch erhebliche Anstrengungen unternommen werden müssen, um die Idee des »Freeze« zu einer nicht länger rückweisbaren politischen Kraft werden zu lassen.

Zwar stimmen bis zu 72% der Befragten für einen »Freeze«; dies heißt aber noch lange nicht, daß sie Absicht und Ziele der Freeze-Kampagne unterstützen oder sich gar an dieser beteiligen würden. Einer New York Times/CBS-Umfrage zufolge würden nur noch 26% dafür stimmen, wenn die Vereinigten Staaten eine Vorleistung erbringen und als erste ihre Nuklearwaffen einfrieren müßten. 44% der Befragten und 40% der Freeze-Befürworter sprachen sich gegen eine Verringerung der Militärausgaben als Mittel der Haushaltssanierung aus. Lediglich 53% hatten sich mit der Debatte über den Freeze bereits eingehender beschäftigt. Und schließlich vertraten ca. 50% die von Reagan nachhaltig bestärkte Meinung, die UdSSR verfüge über größere nukleare Kapazitäten als die USA – unabhängig davon, ob sie den Freeze unterstützten oder ablehnten.[26]

Die noch ambivalent-diffuse Haltung großer Bevölkerungsgruppen wird auch durch zahlreiche andere Umfrageergebnisse[27] bestätigt.

Will die Freeze-Bewegung auf Dauer erfolgreich sein, so wird sie also verhindern müssen, daß diese Widersprüchlichkeiten in der öffentlichen Meinung von interessierter Seite ausgenutzt werden, um den Freeze-Vorschlag entweder zu verwässern oder für andere politische Zwecke zu instrumentalisieren.

Zweitens wird es darauf ankommen, Widersprüche in den Reihen der herrschenden Klasse und der etablierten Parteien offensiv auszunutzen und die *breitestmögliche Anti-Reagan-Koalition* zu schmieden. Diese Aufgabe ist dringender denn je. Schließlich haben die Atomrüstung und die konzeptionellen Planungen des Pentagon einen Punkt erreicht, wo es um das Überleben der Gattung geht.

In der Freeze-Kampagne wird mehrheitlich die Meinung vertreten, daß die Antwort auf diese Kernfrage auch ein Zusammengehen mit allen Reagan-Kritikern aus den großen Parteien und dem Kongreß gebietet. Das Freeze-Clearing-House in St. Louis reagierte daher positiv auf die *Kennedy-Hatfield-Resolution*, obwohl man in einigen Punkten durchaus unterschiedlicher Meinung war und ist.

Die Differenzen beziehen sich zunächst auf den *Zeitpunkt* des Einfrierens. Die Kennedy-Hatfield-Resolution fordert kein »sofortiges Einfrieren«, sondern einen beiderseitigen Beschluß der USA und der UdSSR, »wann und wie« ein solches Einfrieren »erreicht werden kann«. Diese verhandlungsbedingte Zeitverzögerung will die Grass-roots-Bewegung vermeiden: Es soll nicht über den Freeze verhandelt, sondern diese Maßnahme soll *beschlossen* werden. Erst der darauffolgende

Schritt beiderseitiger Rüstungsreduktion solle Gegenstand von (in der Regel sehr langwierigen) Verhandlungen sein. Jeder weitere Aufschub des Einfrierens vergrößere die Gefahr der Entwicklung und Stationierung erstschlagfähiger und damit extrem destabilisierender Waffensysteme. Gerade diese Atomwaffengeneration soll in einem ersten Schritt verhindert werden, indem man die Arsenale auf gegenwärtigem Niveau einfriert.

Kennedys Haltung den *Erstschlagwaffen* gegenüber ist widersprüchlich. Er spricht sich gegen MX und Trident II aus, nicht aber gegen die eurostrategischen Pershing II und Cruise-Missiles. Eine Stationierung letzterer Systeme aber wäre mit dem ursprünglichen Freeze-Konzept unvereinbar.

Ambivalent ist auch Kennedys Position zu der Frage, welche Waffen- und Trägersysteme konkret eingefroren werden sollen. Während der Freeze-Vorschlag darauf aufbaut, daß ein Verzicht auf Entwicklung, Produktion und Stationierung *aller* neuer Waffensysteme prinzipiell überprüfbar ist, interpretieren Kennedy/Hatfield ihre gemeinsame Resolution fragwürdig offen: ».. . was nicht überprüft werden kann, wird nicht eingefroren werden.«[28]

Schließlich sollte auch noch berücksichtigt werden, daß Kennedy den Vorschlag ablehnt, die USA sollten einen Verzicht auf den Ersteinsatz von Atomwaffen erklären und er (als Kompensation für das Einfrieren atomarer Waffensysteme) für eine Stärkung der konventionellen Rüstung eintritt.

Dergleichen unterschiedliche Beurteilungen sind darauf zurückzuführen, daß Kennedy nach wie vor das Konzept der Rüstungskontrolle und Rüstungssteuerung vertritt, während sich die Freeze-Kampagne als Teil einer Abrüstungsbewegung versteht, die die Hochrüstung nicht kontrollieren, sondern dadurch langfristig beseitigen will, daß man zum jetzigen Zeitpunkt mit einem ersten Schritt die rüstungspolitischen Funktionsmechanismen im atomaren *und* konventionellen Bereich blockiert.

Für die Freeze-Kampagne bedeuten diese Meinungsverschiedenheiten aber keinesweg, daß Kennedy deshalb nicht mehr bündnisfähig wäre. Sie sind, gemessen an der politischen Aufgabe, weniger wichtig als die erheblichen Differenzen im politischen und wirtschaftlichen Establishment, die sich in der Kennedy/Hatfield-Resolution niederschlagen; angesichts dieser realen Fraktionierungen wird auch der Umstand politisch sekundär, daß Kennedy erst nach den unerwarteten Erfolgen der Freeze-Kampagne sich des Themas in der Öffentlichkeit annahm. Für die Freeze-Aktivisten zählen augenblicklich nicht die politischen Ambitionen des Senators, sondern die Tatsache, daß er zu einem wichtigen Faktor in der Anti-Reagan-Koalition geworden ist.

Die Vertreter der Freeze sehen ihre Aufgabe darin, das Bündnis mit den um Kennedy gruppierten Kräften zunächst zu festigen; durch dieses Zusammengehen Meinungsverschiedenheiten innerhalb der herrschenden Kreise in der gegebenen Situation auszunutzen und dadurch mit Blick auf die Zukunft zu bestärken; die Grass-roots-Bewegung weiter auszubauen, um nachhaltigeren Druck auf die Rüstungskontrollfraktion (im Kongreß) ausüben zu können und um die Voraussetzungen dafür zu schaffen, daß Kennedy möglicherweise seine ambivalenten Positionen künftig im Sinne der Freeze-Kampagne korrigiert.

Entscheidend ist mithin die Frage, ob es der Grass-roots-Opposition gelingen wird, die Kraft und das Geschick aufzubringen, um innerhalb dieser diffizilen Koalition Kennedy u. a. zu einer unzweideutigen Haltung zu drängen. Darüber und über die Frage, wie dauerhaft ein solches Zusammengehen von parlamentarischer und außerparlamentarischer Opposition sein kann, wird allein die politische Praxis entscheiden. Auch wird erst die Praxis erweisen, ob und wie die vielfach angesprochenen Gefahren einer Personalisierung der Kampagne oder der Instrumentalisierung durch die Demokratische Partei gebannt werden können.

Wie die vergangenen Monate zeigen, sind Erfolgsmöglichkeiten durchaus gegeben:

– Obgleich das Freeze-Clearing-House den Zeitpunkt für eine Parlamentsinitiative als verfrüht ansah, war es doch dieser Schritt, der dem Freeze eine bis dahin unerreichte Publizität verschafft hat.

– Positiv ist auch zu vermerken, daß sich im Zuge der Kennedy/Hatfield-Initiative der Handlungsspielraum und die Bündnismöglichkeiten der Freeze-Kampagne verbessert haben, insbesondere jenen mittelständischen Gruppen gegenüber, die der Abrüstungs- und außerparlamentarischen Bewegung traditionell ablehnend begegnen.

Neben aufklärender Öffentlichkeitsarbeit und dem Aufbau klassen- und parteienübergreifender Koalitionen wird sich die Freeze-Kampagne in nächster Zeit *drittens* mit dem Problem der *Diversion* oder *Kooption* auseinandersetzen müssen. Immer deutlicher zeichnet sich nämlich in beiden Häusern des Kongresses das Bestreben ab, den Freeze politisch und propagandistisch durch eine Reihe von Alternativanträgen zu unterlaufen. Am bekanntesten ist die von der Regierung unterstützte Jackson/Warner-Senatsresolution, die den Begriff des Freeze aufnimmt und fordert, die Atomwaffenarsenale *nach* Produktion und Stationierung der von der Reagan-Regierung anvisierten neuen Waffensysteme einzufrieren. Diese Umdeutung der Forderungen der Friedensbewegung ist allzu offensichtlich, als daß sie bisher bei den Aufrüstungsgegnern hätte Anklang finden können.

Kritik am ursprünglichen Freeze-Konzept kommt auch aus den Reihen langjähriger Vertreter der Politik der Rüstungskontrolle. Sie erhalten zunehmende Unterstützung in ihrem Bemühen, nicht nur zum SALT-II-Vertrag zurückzukehren, sondern diesen alternativ zum »Einfrieren« zu stellen. Damit würden scheinbar zwei drängende Probleme in einem geschickten Schachzug gelöst. Man gebe dem öffentlichen Druck nach Wiederaufnahme der Rüstungskontroll- und Abrüstungsverhandlungen nach; gerade im Licht der jahrelang massiven Opposition der Reagan-Regierung gegen SALT II müsse eine solche Maßnahme als substantieller Fortschritt erscheinen. Und zugleich sei es unter dem Schirm von SALT II möglich, die »Modernisierung« des amerikanisch-strategischen Potentials voranzutreiben, »einschließlich der Stationierung luftgestützter Cruise-Missiles langer Reichweite, der MX-Raketen und des Trident-Unterseeboot-Systems.« (Gary Hart, demokratischer Senator aus Colorado).[29] Ähnlich die New York Times: SALT-II würde den Bau aller vorgeschlagenen Waffensysteme erlauben. Je länger die USA eine Ratifizierung hinauszögerten, »desto mehr Gewinn wird sich der Kreml erhoffen – in den Straßen.«[30]

Auch in diesem Fall wird die ursprüngliche Absicht einer als fortschrittlich vorgestellten Maßnahme in ihr Gegenteil verkehrt. In den seit 1972 geführten SALT-II-Verhandlungen ging es nämlich stets darum, einen ersten Schritt zur Verhinderung destabilisierender Erstschlagswaffen zu tun. Mit anderen Worten: SALT II wollte gerade eine Entwicklung verhindern, die jetzt unter dem Deckmantel dieses bisher umfangreichsten Rüstungskontrollabkommens propagandistisch geschützt forciert werden soll.

Eine bereits aus den SALT-Diskussionen bekannte Taktik des gegnerischen Lagers besteht darin, scheinbar von links kommend die unterbreiteten Vorschläge als nicht ausreichend zu kritisieren. Die Senatoren Charles Mathias, Gary Hart und David Durenberger stehen stellvertretend für die Gruppe jener, die von dieser Position aus den »Freeze« ablehnen. Sie weisen in ihrer Argumentation auch immer wieder darauf hin, daß der Freeze eine »simplizistische Idee« sei: »Ein Einfrieren ist leicht verständlich. Es ist dramatisch. Es ist einfach. Aber die mit der Reduzierung atomarer Waffen verknüpften Fragen sind nicht einfach, und fertige Patentlösungen können uns mehr schaden als nutzen« (David Durenberger).[31]

Der Vorwurf an die Freeze-Bewegung, unzureichend und in unzulässiger Weise vereinfachend zu sein, gehört auch zu den Standardthemen von »*Ground Zero*«. Diese von Roger Molander, einem langjährigen, für Nuklearstrategie zuständigen Mitglied des nationalen Sicherheitsrates, ins Leben gerufene Gruppe wird gemeinhin in der westeuropäischen Berichterstattung der Friedensbewegung zugerechnet, bisweilen sogar als deren wichtigster Teil ausgegeben. Zahlreiche amerikanische Abrüstungsorganisationen stehen Ground Zero freilich skeptisch bis ablehnend gegenüber – mit gutem Grund.

In der öffentlichen Selbstdarstellung betont Ground Zero, eine unabhängige, überparteiliche Organisation zu sein, die in den laufenden politischen Auseinandersetzungen nicht Partei ergreifen, sondern lediglich in Sachen Atompolitik erzieherisch-aufklärend wirken wolle. »Ground Zero wird zu spezifischen Fragen keine Position beziehen – außer der, daß der Nuklearkrieg eine Option ist, die kein Amerikaner zu akzeptieren bereit sein sollte.«[32] Dieses Bekenntnis steht freilich in eklatantem Widerspruch zur bisherigen politischen Praxis: Diese Praxis läßt sich nämlich problemlos als großangelegte außerparlamentarische *Opposition* gegen den Freeze charakterisieren.

Dazu gehört nicht nur, vom Standpunkt des langjährigen »Experten« das »Einfrieren« als naiven Vorschlag unqualifizierter Laien abzukanzeln: »Rüstungskontrolle ist komplex. . . . Es ist nicht gut, die Leute zu dem Gedanken zu ermutigen, der nukleare Holocaust könne durch einfache technische Eingriffe verhindert werden.«[33] Wichtiger noch erscheint die Tatsache, daß Ground Zero auch in zentralen Fragen der Begründung eines sofortigen Einfrierens von Atomwaffen faktisch Gegenpropaganda betreibt. So wird z. B. die auch von der Reagan-Regierung vertretene Auffassung verbreitet, die amerikanischen Interkontinentalraketen seien inzwischen gegen einen sowjetischen Erstschlag »verwundbar« geworden[34] – ein Argument, das lediglich zur Begründung der »Modernisierung« amerikanischer Systeme taugt, ansonsten aber den Stand der gegenseitigen technologischen Fähigkeiten verzerrt und mit keinem Wort die nachgeordnete Bedeutung landgestützter Systeme innerhalb der amerikanischen Waffentriade erwähnt. Demgegenüber fehlt jeder Hinweis auf die Gefährlichkeit von Erstschlagssystemen wie MX, Trident, Pershing II; die Systeme, deren weitere Entwicklung und Verbreitung die amerikanische Friedensbewegung gerade verhindern will, erscheinen lediglich als zusätzliche Waffen in einem ohnehin übervollen Arsenal oder – im Falle der Pershing – als gleichgewichtbewahrende und daher notwendige Antwort auf die »Bedrohung« durch die sowjetische SS-20.[35]

Prinzipiell dienen – so Ground Zero – amerikanische Atomwaffen

strategischen Waffen würden u. a. zwei entscheidende Voraussetzungen des Einfrierens von Atomwaffen auf dem gegenwärtigen Stand untergraben: das ungefähre beiderseitige Gleichgewicht und die Verifises traditionelle Versatzstück des kalten Krieges wird ausführlichst in der wichtigsten Schrift von Ground Zero (»Nuclear War. What's in it FOR YOU«) aufgegriffen. Ground Zero argumentiert dort nicht nur mit der Jahrhundertlüge der sowjetischen Bedrohung, sondern hält auch die üblichen Vorbehalte und Vorurteile wach, die abzubauen die Friedensbewegung als eine ihrer wichtigsten Aufgaben ansieht.

Da Ground Zero die Kennedy/Hatfield-Resolution nicht unterstützt, mit den Friedensgruppen an der Basis *prinzipiell* keine Bündnisse eingeht und sich auch gegen die Demonstration am 12. 6. in New York aussprach, verfügt diese Organisation vermutlich über den geringsten Rückhalt in der Öffentlichkeit. Dies sollte aber keineswegs der alleinige Maßstab für die Beurteilung ihrer politischen Wirksamkeit sein. Ihre mittelständische und bildungsbürgerliche Zielgruppe ist nämlich nach wie vor gerade für die Freeze-Kampagne ein wichtiges bündnisfähiges Potential; die noch abwartende oder unsichere Haltung dieser Gruppen aufzugreifen und gegen den Freeze zu wenden, scheint gegenwärtig die wichtigste Funktion von Ground Zero zu sein. Und solange die finanziellen Mittel so reichlich fließen wie bisher (u. a. aus der Rockefeller-Stiftung), braucht Ground Zero keine Massenorganisation zu werden, um in diesem Sinne erfolgreich zu wirken – möglicherweise in nächster Zeit auch in Westeuropa und Japan.[36]

Notwendige Kooperation mit Westeuropa

In den letzten Monaten hat sich bei den amerikanischen Friedensgruppen immer mehr die Erkenntnis durchgesetzt, daß eine Verbesserung der politischen Realisierungschancen für den »Freeze« nicht allein von der innenpolitischen Bündnisarbeit in den USA selbst abhängt, sondern auch in hohem Maße von der Zusammenarbeit mit der westeuropäischen Friedensbewegung bestimmt wird.

Lange Zeit war nur wenig über die für Westeuropa vorgesehenen Cruise-Missiles und Pershing II sowie den europäischen Widerstand dagegen bekannt. Lediglich fünf Organisationen sprachen sich entschieden auch gegen diese Waffensysteme aus (Women's International League for Peace and Freedom, Women Strike for Peace, SANE, Coalition for a New Foreign and Military Policy und U. S. Peace Council). Inzwischen hat allerdings auch die Freeze-Bewegung das Thema in seiner Brisanz erkannt und aufgegriffen. Mit der Stationierung der euro-

nur der »Abschreckung«, sind also politisch wie militärisch defensiver Natur. Hauptaufgabe amerikanischer Außenpolitik sei nach wie vor, die »Russen« in ihrem aggressiven Expansionskurs zu »zähmen«. Diezierbarkeit der atomaren bzw. atomwaffenfähigen Systeme (die Cruise-Missiles entziehen sich wegen ihrer geringen Größe und hohen Mobilität den bestehenden Überprüfungsmöglichkeiten). Sollte ab 1983 in Westeuropa stationiert werden, würde der amerikanische Freeze-Vorschlag zumindest obsolet, wenn nicht gar irrelevant. Die Solidarität mit der westeuropäischen Friedensbewegung in ihrem Kampf gegen neue Mittelstreckenraketen liegt also auch im ureigensten Interesse der amerikanischen Freeze-Kampagne.

Ursprünglich hatte es im Bundesausschuß der Freeze-Bewegung Bedenken gegeben, gegen Cruise-Missiles und Pershing II aufzutreten: konservative Unterstützer des Freeze sollten durch eine Ausweitung des Forderungskatalogs nicht abgeschreckt werden. Aber die Organisationsstruktur der Bewegung wirkte schon bald als Korrektiv. Da die lokalen Freeze-Gruppen ihr politisches Programm eigenständig bestimmen, setzte sich die Cruise- und Pershing-Initiative seit Winter 1981/82 in zahlreichen Ortsorganisationen durch – mit wohlwollender Unterstützung des Bundesausschusses. Den Anstoß zu dieser Kampagne hatten Mitglieder der »Bewegung für eine neue Gesellschaft« in Philadelphia gegeben, einer bereits 1971 von den Quäkern gegründeten nationalen Organisation. Bereits nach wenigen Wochen hatten sich 17 städtische Gruppen der Kampagne »Stoppt die Cruise und Pershing II« angeschlossen und veranstalteten Anfang Juni in verschiedenen Landesteilen erstmals Demonstrationen. Seit dieser Zeit sind weitere Gruppen dazugekommen, und auch der Freeze-Bundesausschuß greift das Thema in seinen Rundbriefen verstärkt auf: Man sei zwar prinzipiell gegen *alle* Erstschlagwaffen und nicht nicht allein gegen die Stationierung eines besonderen Waffentyps. Aber die Cruise und Pershing II verdienten besondere Aufmerksamkeit, da sie in wenigen Monaten zur Stationierung vorgesehen seien und damit »die Gefahr eines Atomkrieges erheblich steigern« würden.[37]

»Wenn politischer Druck in Europa und den Vereinigten Staaten die amerikanische und sowjetische Regierung dazu bringen, die Einführung weiterer Nuklearwaffen in Europa zu stoppen, dann sollten weitere Schritte hin zur Verringerung der Atomkriegsgefahr in Europa verfolgt werden.«[38]

Noch ist nicht absehbar, welche konkreten Formen eine so verstandene längerfristige Zusammenarbeit annehmen soll – aber ein wichtiger Anfang ist gemacht.

41

Anmerkungen

1 Der Spiegel, Nr. 16, 1982, S. 160 ff.

2 Vgl. Mark Solomon, The Peace Movement in the United States, o.O., 1982, S. 5/6 (unveröffentlichtes Manuskript).

3 Zu den 30er Jahren vgl. Heinrich W. Ahlemeyer, A Frantic Desire for Peace: The American Peace Movement in the Interwar Period, in: Englisch-Amerikanische Studien, 3/1981, S. 450–64. Zur Vietnam-Bewegung vgl. Hans-Jürgen Benedickt, Vom Protest zum Widerstand. Die Vietnamkriegs-Opposition in den USA und in der BRD, in: Friedensanalysen, Bd. 4, Frankfurt/M. 1977, S. 79–107.

4 H. R. Haldeman, Joseph DiMona, The Ends of Power, New York 1978.

5 Henry Kissinger, Memoiren. 1973–1974, München 1982.

6 Sidney Lens, How Deep a Freeze?, in: The Progressive, May 1982, S. 16.

7 Die folgenden Ausführungen stützen sich auf Gespräche mit und schriftliche Abhandlungen von *Peter D. Jones* und *Bill Moyer*. Peter D. Jones, Ten Year Overview of the US Peace Movement, o.O., August 1982 (unveröffentlichtes Manuskript); Bill Moyer, Thoughts about the U.S. Disarmament Movement, o.O., Juli 1982 (unveröffentlichtes Manuskript). Peter D. Jones ist ein englischer Friedensaktivist, der jahrelang mit Ökologie- und Abrüstungsinitiativen in den USA gearbeitet hat; lebt abwechselnd in Bath (England), Australien und den USA. Bill Moyer ist seit 15 Jahren in der amerikanischen Anti-Kernkraft- und Friedensbewegung aktiv, u. a. mit dem American Friends Service Committee (AFSC). Er verfaßte in jüngster Zeit den Aufruf gegen Pershing II und Cruise-Missiles (vgl. Dok., Teil 2, Dok. 14), der derzeit mit großem Erfolg in der US-Friedensbewegung zirkuliert. Lebt z. Z. in Leeds (England).

8 Sidney Lens, The Doomsday Strategy, in: The Progressive, February 1976, S. 12–35.

9 Arthur M. Schlesinger, Das erschütterte Vertrauen, Bern, München 1969.

10 So Bernard W. Rogers, NATO-Oberbefehlshaber, in einem »Spiegel«-Gespräch, in: Der Spiegel, Nr. 34/1982, S. 117 ff.

11 Zu diesen Aktionsformen vgl. das sehr instruktive Handbuch von SANE, Organizer's Manual, Washington D.C., o.J.

12 Henry David Thoreau (1817–62) war ein stark von der englischen Romantik beeinflußter Schriftsteller des amerikanischen Transzendentalismus. Zahlreiche Schriften zur Sklavenbefreiung und über die Bürgerpflicht zu politischem Ungehorsam. Sein Hauptwerk ist »Walden, or Life in the Woods« (1854).

13 Martin Luther King, zit. n. einem Flugblatt der Civil Disobedience Campaign, Blockade the Bombmakers, New York, June 1982.

14 Zu Boston vgl. Mark Solomon, Reagan stößt auf Widerstand. Die neue Friedensbewegung in Amerika, in: Blätter für deutsche und internationale Politik, 4/1982, S. 397–429, hier S. 426–29. Zu Madison vgl. Isthmus, Vol. 7, No. 31, 30. 7. 1982, Madison, Wisconsin, S. 5/6. Einen Gesamtüberblick gibt auch Keith Chamberlin, Die Friedensbewegung der USA, in: Die neue Friedensbewegung. Analysen aus der Friedensforschung (Red. Reiner Steinweg), Frankfurt/M. 1982, S. 310–332.

15 Die Dokumentenauswahl im vorliegenden Band orientiert sich an dieser Struktur.

16 Solomon, Reagan . . ., a.a.O., S. 405.

17 Ebd., S. 404.

18 Jonathan Schell, The Fate of the Earth, New York 1982. Das Buch liegt inzwischen auch in einer deutschen Übersetzung vor.

19 Solomon, Reagan . . ., a.a.O., S. 403.

20 Ed Hedemann, The Freeze: A Step Backwards, in: War Resisters League News, May/June 1981, S. 5.

21 Vgl. Solomon, Reagan . . ., a.a.O., S. 403/404.

22 Lens, How deep a Freeze?, a.a.O., S. 17.

23 Solomon, Reagan . . ., a.a.O., S. 404.

24 Nach Marion Anderson, Bombs or Bread: Black Unemployment and the Pentagon Budget. Employment Research Associates, Lansing (Michigan), S. 1.

25 Solomon, Reagan . . ., a.a.O., S. 409/410.

26 Laut New York Times, 30. 5. 1982. Die Umfrage wurde in Form von Telefoninterviews zwischen dem 19. und 23. Mai mit 1470 Erwachsenen in den gesamten USA durchgeführt.

27 Vgl. die Umfragen von Washington Post/ABC, Gallup, NBC/Associated Press oder Time.

28 Edward M. Kennedy, Mark O. Hatfield, The Freeze is Better, in: Washington Post, 16. 5. 1982, S. C 8.

29 Gary Hart, SALT II Ratification is Security Need No. 1, in: New York Times, 2. 5. 1982.

30 Kommentar in New York Times, 21. 3. 1982, The Answer to Freeze is SALT.

31 David Durenberger, zit. n. FAS Public Interest Report, Journal of the Federation of American Scientists, April 1982, S. 8.

32 Flugblatt von Ground Zero zur Ground Zero-Woche, 18.–25. 4. 1982.

33 Roger Molander, zit. n. New York Times, 15. 3. 1982.

34 Vgl. Ground Zero, Nuclear War. What's in it FOR YOU?, New York 1982.

35 Ebd., S. 214.

36 Auf die mögliche Internationalisierung der Ground-Zero-Arbeit wird hingewiesen in: Report from Ground Zero, Vol. 1, No. 6, June 1982.

37 The Freeze Update, St. Louis, Ms., June 1982.

38 Matthew Evangelista, Randall Forsberg, Mark Niedergang, END and a Nuclear Weapon Freeze, in: Armament and Disarmament Information Unit (ADIU)-Report, Vol. 3, No. 4, July/August 1981, S. 5.

Teil 1

»Freeze Now!«

Jede Einschätzung der Freeze-Bewegung muß zweierlei in Rechnung stellen: erstens die auf *drei bis fünf Jahre* konzipierte *Strategie* der Bewegung (vgl. Dok. 7). Eine parlamentarische Initiative hält die Grassroots-Opposition erst in dem Augenblick für sinnvoll, wenn eine ausreichende Unterstützung in allen Landesteilen aufgebaut ist. Im ersten Schritt sollen Zeichen gesetzt und das mobilisierbare Potential demonstriert werden (u. a. durch Abstimmungen über Freeze-Referenda bei Wahlen). Dann soll über die ursprünglichen Trägergruppen hinaus weitere Unterstützung gewonnen werden. Erst im dritten Schritt werden Politiker und Parlamente zur eigentlichen Zielgruppe. Vor dem Hintergrund massenhafter Zustimmung soll der Freeze zum Gegenstand einer nationalen politischen Auseinandersetzung werden; damit sei eine realistische Chance gegeben, weitere Kongreßabgeordnete zu einer rüstungskritischen Position zu drängen und die Realisierungsbedingungen des Freeze zu verbessern. Abschließend komme es schließlich darauf an, mit dem Freeze die offizielle Militär- und Außenpolitik der USA grundlegend zu ändern.

Zweitens muß stets der stark dezentralisierte Charakter der Bewegung im Auge behalten werden. Das Clearing-House in St. Louis dient lediglich dazu, die Arbeit der lokalen Gruppen zu koordinieren und zu unterstützen; auf der Basis des Freeze-Vorschlags arbeiten die örtlichen Initiativen eigenständig. Entsprechend differenziert ist das politische Profil der Kampagne. Verallgemeinernde Kritiken an »der« Freeze-Bewegung sind daher nicht möglich (vgl. Dok. 17).

Die vorliegenden Dokumente stellen zunächst die *programmatische Grundlage* des Freeze (Dok. 1) vor und anschließend die *Antworten* auf wichtige *Fragestellungen* zum Thema »Einfrieren« (z. B. die Überprüfbarkeit, die Einschätzung von Reagans START-Vorschlag, das Verhältnis zur westeuropäischen Friedensbewegung: Dok. 3–6). Innerhalb der amerikanischen Friedensbewegung ist der Freeze-Vorschlag zwar die mehrheitlich akzeptierte Forderung, aber dennoch nicht unumstritten. Die in den Dok. 8–16 wiedergegebenen Positionen bezeichnen den Stand der *aktuellen Auseinandersetzung*. Aus der Fülle der *örtlichen Initiativen* haben wir die Beispiele New Haven und Bridgeport herausgegriffen: sie vermitteln nicht nur wichtige Einblicke in die Arbeit »vor Ort«, sondern zeigen auch programmatisch-politische Lernprozesse auf, die sich aus der Arbeit mit dem Freeze-Vorschlag entwickeln können (Dok. 17).

Bisher hatte der Freeze einen überwältigenden Erfolg. Bis zum Mai 1982 waren Freeze-Resolutionen verabschiedet worden in 309 Bürgerversammlungen (Town-Meetings) Neuenglands, 33 Stadträten,

10 Landräten und in zumindest einer Kammer von 11 Staatsparlamenten. Gegenwärtig gibt es in 43 Staaten Freeze-Initiativen. Im November wird der Freeze-Vorschlag in einem der politisch wichtigsten Bundesstaaten, Kalifornien, bei der Gouverneurs- und den Teilwahlen zum Senat zur Abstimmung stehen. Meinungsumfragen deuten bereits jetzt auf eine Unterstützung bis zu 72% hin.[1] Zu weiteren Abstimmungen wird es im November in Arizona, Delaware, Maryland, Massachusetts, Michigan, New York, Oregon und Washington, D.C., kommen.

---

1 Vgl. hierzu auch die Dokumente in den Blättern für deutsche und internationale Politik, 4/82, S. 419–21.

Dokumente

1. Aufruf der Freeze-Kampagne für einen Stopp des nuklearen Wettrüstens

Dokument 1

Aufruf der »Freeze Campaign« für einen Stopp des nuklearen Wettrüstens

Um die nationale und internationale Sicherheit zu erhöhen, sollten die Vereinigten Staaten und die Sowjetunion das atomare Wettrüsten beenden. Sie sollten sich über ein beiderseitiges Einfrieren hinsichtlich des Testens, der Herstellung und der Stationierung von Atomwaffen sowie von Raketen und Flugzeugen, die in erster Linie als atomare Trägersysteme vorgesehen sind, verständigen. Dies ist ein wesentlicher, überprüfbarer erster Schritt, das Risiko eines Atomkrieges zu vermindern und die atomaren Arsenale zu verringern.

Der Schrecken eines atomaren Holocausts wird weltweit erkannt. Die Vereinigten Staaten und die Sowjetunion besitzen schon heute 50 000 Atomwaffen. Bereits ein Bruchteil dieser Waffen kann innerhalb einer halben Stunde alle Städte in der nördlichen Hemisphäre zerstören. Dennoch planen die USA und die UdSSR, in den nächsten 10 Jahren zusammen mit einer neuen Generation von atomaren Raketen und Flugzeugen mehr als 20 000 weitere Atomsprengköpfe herzustellen.

Falls das Waffenprogramm für die nächsten 10 Jahre nicht gestoppt wird, wird es die atomaren Stolperdrähte enger ziehen. Counterforce-Systeme und andere Systeme für die »nukleare Kriegführung« werden die Fähigkeiten der USA und der UdSSR erhöhen, die Atomstreitmacht des Gegners und andere militärische Ziele anzugreifen. Dies wird den Druck auf beide Seiten steigern, in einer Krise ihre Atomwaffen eher einzusetzen, als das Risiko einzugehen, sie durch einen Erstschlag zu verlieren.

Diese Entwicklungen erhöhen die Bereitschaft zu einem massiven atomaren Schlagabtausch zu einer Zeit, in der ökonomische Schwierigkeiten, politische Zwietracht, Revolutionen und der Wettbewerb um die Energieversorgung vermutlich weltweit zunehmen werden. Gleichzeitig werden vermutlich weitere Länder Atomwaffen erwerben. Wenn wir diese kombinierten Entwicklungstrends nicht ändern, wird die Atomkriegsgefahr in den 80er und 90er Jahren größer als jemals zuvor sein.

Statt diese Entwicklung in eine gefährliche Zukunft zuzulassen, sollten die Vereinigten Staaten und die Sowjetunion das atomare Wettrüsten beenden.

Das Einfrieren der atomaren Raketen und Flugzeuge kann durch vorhandene nationale Methoden überprüft werden. Ein vollständiges Einfrieren kann leichter überprüft werden als die komplexen SALT-I- und SALT-II-Abkommen. Das Einfrieren der Herstellung von Atomsprengköpfen könnte durch die Sicherheitsvorkehrungen der Internationalen Atomenergiebehörde überprüft werden. Wenn die Herstellung von Atomwaffen und von für die Produktion von Waffen geeignetem angereichertem Material beendet und die Sicherheitsvorkehrungen der Atomenergiebehörde auf die amerikanischen und sowjetischen Atomprogramme angewendet werden würden, würde dies für andere Länder den Anreiz erhöhen, dem Nichtweiterverbreitungsvertrag beizutreten, auf den Erwerb eigener Atomwaffen zu verzichten und die gleichen Sicherheitsvorkehrungen zu akzeptieren.

Ein Einfrieren würde die bestehende nukleare Parität zwischen den Vereinigten Staaten und der Sowjetunion konstant halten. Indem auf beiden Seiten die Herstellung von Counterforce-Waffen ausgeschlossen sein würde, entfielen auf beiden Seiten die Vorwände für weiteres Rüsten. Nach einer sofortigen Verständigung über ein Einfrieren sollten die Bedingungen dafür später in der Form eines dauerhafteren Vertrages ausgehandelt werden.

Das Einfrieren von Atomwaffen würde in Verbindung mit Regierungsprogrammen zur Umstellung der Atomindustrie von 1981 bis 1990 zu Einsparungen von mindestens je 100 Mrd. Dollar (in heutigen Preisen) bei den amerikanischen und sowjetischen Militärausgaben führen. Dies würde die Inflationsrate verringern.

Die Einsparungen könnten dazu verwendet werden, den Haushalt auszugleichen, die Steuern zu senken, die Dienstleistungen zu verbessern, erneuerbare Energieformen zu subventionieren oder die Hilfeleistungen an die von Armut geplagten Gebiete in der Dritten Welt zu erhöhen. Das Einfrieren der Atomwaffen würde außerdem die Beschäftigungsrate erhöhen, indem Personal in arbeitsintensivere Zivilberufe umgelenkt werden würde. Die Beendigung des amerikanisch-sowjetischen atomaren Wettrüstens ist der einzige und sinnvollste Schritt, der jetzt unternommen werden kann, um die Wahrscheinlichkeit eines Atomkrieges zu verringern und die Verbreitung von Atomwaffen an weitere Länder zu verhindern. Dieser Schritt ist ein notwendiger Auftakt, um internationale Bedingungen zu schaffen, unter denen

– weitere Schritte in Richtung auf eine stabile und friedliche internationale Ordnung gemacht werden können;

– die Drohung eines Ersteinsatzes von Atomwaffen beendet werden kann;

– das Einfrieren auf andere Nationen ausgedehnt werden kann, und

– die nuklearen Arsenale auf allen Seiten drastisch verkleinert oder vollständig abgebaut werden können, um die Welt wirklich vor der atomaren Zerstörung zu sichern.

(Dieser Aufruf wurde bis März 1982 von über einer Million Amerikanern unterschrieben, darunter zahlreiche Kongreßabgeordnete.)

Zusatzerklärung zur Unterstützung (Backup Statement) des Vorschlags, den atomaren Rüstungswettlauf einzufrieren

Umfang des Einfrierens

1. Unterirdische Atomversuche sollten ausgesetzt werden, bis endgültige Vereinbarungen über einen umfassenden Vertrag zur Ächtung der Atomversuche getroffen werden.

2. *Eingefroren werden sollten* die Erprobung, Herstellung und Verbreitung aller Raketen und neuen Flugzeuge, deren Nutzlast ganz oder hauptsächlich aus Atomwaffen besteht. Hierzu gehören:

Amerikanische Trägersysteme*	Sowjetische Trägersysteme*
In der Produktion:	*In der Produktion:*
Verbesserte Version der »Minuteman« (ICBM)	SS-17, SS-18, SS-19 (ICBM)
Trident I (SLBM)	SS-N-18 (SLBM für Delta-Unterseeboote)
	SS-20 (IRBM)
	Bomber »Backfire«
In der Entwicklung:	*In der Entwicklung:*
MX (ICBM)	Verbesserte oder Nachfolgeversionen
Trident II (SLBM)	der Interkontinentalraketen SS-17,
Marschflugkörper »Cruise-Missile« (ALCM)	SS-18 und SS-19, sowie der seegestützten SS-N-18
Boden- und seegestützte Langstrecken-Marschflugkörper	
Pershing II (IRBM)	

3. Die Anzahl der an Land und auf Unterseebooten vorhandenen Abschußvorrichtungen sollte eingefroren werden. Neue Unterseeboote könnten gebaut werden; allerdings ohne dadurch die Anzahl der Abschußvorrichtungen zu erhöhen.

4. Jegliche Umrüstung auf Mehrfachsprengköpfe und sonstige Veränderungen vorhandener Gefechtsköpfe sollten nicht mehr erlaubt sein.

Alle obigen Maßnahmen können mit großer Zuverlässigkeit im Rahmen der existierenden nationalen Kontrollmöglichkeiten überwacht werden.

Die folgenden Maßnahmen können nicht mit der gleichen Zuverlässigkeit überwacht werden; es sollten jedoch Anstrengungen zu ihrer Einbeziehung unternommen werden.

5. Die Herstellung spaltbaren Materials (angereichertes Uran und Plutonium) für Rüstungszwecke sollte eingestellt werden.

6. Die Herstellung zusätzlicher Atomwaffen (Bomben) sollte eingestellt werden.

Zwei Hauptargumente sprechen für den Versuch, diese schwieriger zu kontrollierenden Schritte mit einzubeziehen. Erstens wird bei einem Herstellungsstopp für zusätzliche und neue Trägersysteme kein Bedarf an zusätzlichen Bomben mehr bestehen. Daher würde die Produktion von waffenfähigem Spaltmaterial und von Bomben wahrscheinlich ohnehin zum Stillstand kommen. Zweitens würde eine weltweite Ächtung der Herstellung von waffenfähigem Spaltmaterial und von Atombomben – überwacht durch einen internationalen Inspektionsmechanismus des Typs, wie er jetzt für atomwaffenfreie Staaten lediglich im Rahmen des Atomwaffensperrvertrages und der Internationalen Atomenergie-Agentur (IAEA) existiert – diesen Vertrag erheblich stärken (dessen Überprüfung nach fünf Jahren Laufzeit im Jahre 1980 fällig ist) und die Aussichten verbessern, eine weitere Verbreitung von Atomwaffen zu verhindern.

Vereinbarung des Einfrierens

Die Regierungen der USA und der Sowjetunion sollten ein sofortiges Moratorium verkünden, das jede weitere Erprobung, Herstellung und Verbreitung atomarer Waffen und atomarer Trägersysteme betrifft und mit den national zur Verfügung stehenden Mitteln kontrolliert wird. Dem Einfrieren würden dann Verhandlungen über die Einbeziehung des Moratoriums in einen Vertrag folgen. Die Verhandlungen würden sich auch auf zusätzliche Kontrollmaßnahmen wie zum Beispiel Inspektionen durch die IAEA erstrecken sowie auf die möglichen Ausnahmen vom vereinbarten Einfrieren, zum Beispiel auf gelegentliche streng begrenzte Zuverlässigkeitstests.

Dieses Verfahren folgt dem Beispiel des Atomtest-Moratoriums von 1958 bis 1961, als die Versuche ausgesetzt wurden, während die USA, die UdSSR und Großbritannien über ein Verbot der Atomversuche verhandelten. Da die SALT-Verhandlungen abgebrochen wurden, ist die Initiative ein wichtiger Schritt auf dem Wege zu erneuten Verhandlungen der USA und der UdSSR über das atomare Wettrüsten. [. . .]

Gründe für einen atomaren Rüstungsstopp

Es gibt viele Gründe für einen Stopp des atomaren Wettrüstens zum gegenwärtigen Zeitpunkt:

Parität: Es herrscht weitgehend Übereinstimmung darüber, daß gegenwärtig eine stabile und annehmbare Parität zwischen den atomaren Streitkräften der USA und der Sowjetunion besteht.

Entwicklungen, die auf eine »atomare Kriegführung« abzielen, werden vermieden: Die nächste Generation amerikanischer und sowjetischer Atomwaffen verbessert die Voraussetzungen für eine »atomare Kriegführung«, d. h. diese Waffen verbessern die Fähigkeit, die Streitkräfte des Gegners in einem atomaren Schlagabtausch zu vernichten, von dem man hofft, daß er begrenzt bleibt. Wenn solche Möglichkeiten zur Verfügung stehen, wird der Sinn der Parität ausgehöhlt, die Entwicklung neuer Waffen forciert und im Fall einer Krise die Wahrscheinlichkeit eines Atomkrieges erhöht, vor allem dann, wenn der Konflikt bereits mit konventionellen Waffen ausgetragen wird. Es ist von vorrangiger Wichtigkeit, diese Entwicklungen aufzuhalten.

Stopp der MX: Insbesondere würde ein Einfrieren die Installation neuer sowjetischer Interkontinentalraketen verhindern, von denen man annimmt, daß sie die amerikanischen Interkontinentalraketen für einen Präventivschlag verwundbar machen. Dadurch würde dann auch die teure und umweltschädliche mobile Interkontinentalrakete MX überflüssig, mit der die USA über die Möglichkeit eines Gegenschlages gegen sowjetische Interkontinentalraketen verfügen wollen. Dies wiederum würde es nicht mehr erforderlich machen, daß die UdSSR in den 90er Jahren ihre eigenen mobilen Interkontinentalraketen installiert.

Bewahrung des Gleichgewichts in Europa: Ein Einfrieren der Atomrüstung würde ferner die Verschlechterung des atomaren Gleichgewichts in Europa verhindern. Gegenwärtig hat die UdSSR rund 100 von ihren 600 Mittelstreckenraketen durch die neue SS-20 ersetzt und etwa 100 ihrer 700 Mittelstreckenbomber durch den Typ »Backfire«. Der Rest dieser sowjetischen Atomstreitkräfte im Mittelstreckenbereich könnte mit SS-20 und Backfire-Bombern ausgerüstet werden, lange bevor die geplante Installation von 572 amerikanischen Pershing-II-Raketen und Marschflugkörpern abgeschlossen ist. Wenn die Verhandlungen erst nach der Einführung zusätzlicher sowjetischer Mittelstreckenwaffen begonnen werden, wird es wahrscheinlich in Europa mehr Atomwaffen und weniger Sicherheit geben, als das heute der Fall ist. Es ist wichtig, das Einfrieren zu vereinbaren, bevor sich die Zahl der sowjetischen Waffen erheblich vergrößert, bevor sich die USA durch zunehmenden Druck zu Gegenmaßnahmen veranlaßt sehen und bevor sich beide Seiten gezwungen sehen, das Niveau ihrer atomaren Streitkräfte ständig weiter anzuheben.

Stopp der Weiterverbreitung von Atomwaffen: Es besteht eine geringe Chance, die Weiterverbreitung von Atomwaffen zu stoppen, wenn die beiden Supermächte den größten Teil ihres atomaren Wettrüstens einstellen. Das Einfrieren würde den USA und der UdSSR dabei helfen, ihren rechtlichen und politischen Verpflichtungen im Rahmen des Atomwaffensperrvertrages nachzukommen, und dies würde den Verzicht anderer Länder auf Atomwaffen eher ermöglichen und in den Bereich des politisch Machbaren rücken. Zusätzlich würde ein amerikanisch-sowjetisches Einfrieren andere Länder zu einem Stopp ihrer atomaren Rüstungsprogramme ermutigen, von denen man weiß oder annimmt, daß sie bereits über atomare Waffen oder atomare Rüstungstechnologie verfügen. Es sind dies die Länder Großbritannien, Frankreich und China, die über öffentlich anerkannte Atomwaffenprogramme verfügen, sowie Indien, Israel und Südafrika, die über ihre Rüstungsprogramme nichts veröffentlicht haben.

Zeitplan: Es besteht die einzigartige Möglichkeit, die amerikanischen und sowjetischen Atomwaffen während der Jahre 1980 bis 1982 einzufrieren. Die geplanten neuen amerikanischen und sowjetischen Interkontinentalraketen und die amerikanischen Pershing II und Marschflugkörper sind erst 1982 oder später für die Produktion vorgesehen. Die Sowjets haben bereits angeboten, ihre Atomstreitkräfte im Mittelstreckenbereich zu reduzieren, die allmählich durch die

SS-20 und den Backfire-Bomber abgelöst werden sollen. Angesichts des Druckes auf beiden Seiten, auf die weitere Installation neuer Waffen jeweils zu reagieren, könnte sich erst Ende der 90er Jahre wieder eine ähnlich günstige Gelegenheit für ein Einfrieren bieten.

Öffentliche Wirksamkeit: Die überwiegende Mehrheit der Bevölkerung geht Kampagnen gegen einzelne Waffen (zum Beispiel gegen die ABM, B-1 oder MX) aus dem Wege, bei denen technisch und quantitativ argumentiert wird und unilaterale Maßnahmen befürwortet werden. Die Argumente und Gegenargumente zum SALT-II-Vertrag sind dem Durchschnittsbürger zu hoch. Die meisten Menschen würden jedoch eine so direkte und allgemeine Maßnahme wie den totalen Stopp jeder weiteren Entwicklung und Herstellung von Atomwaffen verstehen. Und ohne Zögern würden die meisten Menschen diesen Vorschlag unterstützen, sofern aus ihm hervorgeht, daß er sich ebenso auf die UdSSR wie auf unser eigenes Land bezieht. Ein solcher Vorschlag würde in der Öffentlichkeit überwältigende Unterstützung finden.

Wirtschaftliche Vorteile: Obwohl die atomaren Streitkräfte nur einen kleinen Bruchteil der amerikanischen und sowjetischen Militärausgaben beanspruchen, kosten sie jedes Land jährlich zig Milliarden Dollar. Ungefähr die Hälfte dieser Mittel wird für die bestehenden Streitkräfte ausgegeben, während die andere Hälfte im Haushalt für die Erprobung, Herstellung und Verbreitung neuer Sprengköpfe und Trägersysteme im Laufe des nächsten Jahrzehnts vorgesehen ist. Ein Einfrieren der Atomwaffen würde in Verbindung mit einer von der Regierung unterstützten Umstellung der Atomwaffenindustrie auf zivile Produkte mehrere wirtschaftliche Vorteile haben:

– Jeweils 50 bis 75 Mrd. Dollar an unnötigen Militärausgaben (zusammen 100 bis 150 Mrd. Dollar) bleiben den Regierungen der USA und der Sowjetunion erspart.

– Die eingesparten Mittel könnten verwendet werden, um den Haushalt auszugleichen, Steuern zu senken, gegenwärtig gekürzte Dienstleistungen zu verbessern, eine private und kommerzielle Umstellung auf sichere und sich selbst erneuernde Energiequellen zu subventionieren oder die Wirtschaftshilfe für die Elendsgebiete der Dritten Welt zu erhöhen und auf diese Weise einige Pulverfässer internationaler Konflikte zu entschärfen.

– Durch die Umsetzung von Arbeitskräften in den arbeitsintensiveren Zivilbereich würde im nationalen Maßstab die Zahl der Beschäftigten steigen. Gleichzeitig würde der hohe Inflationsdruck der Rüstungsausgaben verringert. [. . .]

Initiativen für ein Einfrieren der Atomwaffen

Sowohl die Vereinigten Staaten als auch die Sowjetunion könnten das Einfrieren dadurch beschleunigen, daß sie bescheidene unilaterale Schritte unternehmen: ihren guten Willen demonstrieren, sich in der richtigen Richtung bewegen und es dem anderen Land erleichtern, ähnliche Maßnahmen zu ergreifen.

So könnte zum Beispiel jedes Land:

1. Die atomaren Testexplosionen für drei Monate aussetzen und dieses Moratorium bei entsprechendem Verhalten der anderen Seite verlängern;

2. ankündigen, daß die Rüstungsausgaben im kommenden Haushaltsjahr die des laufenden Jahres nicht übersteigen werden, und sich bereiterklären, dem Abrüstungszentrum der Vereinten Nationen Beweismaterial für die Einhaltung dieser Ankündigung zur Verfügung zu stellen;

3. für einen bestimmten Zeitraum die weitere Einführung einer neuen strategischen Waffe oder die Verbesserung einer vorhandenen Waffe stoppen.

Vorschläge für Aktionen

1. Unterstützen Sie den Aufruf, indem Sie den untenstehenden Abschnitt ausfüllen und einsenden. Machen Sie Kopien von dem Aufruf und verschicken Sie sie an drei Freunde. Vergessen Sie nicht, zusammen mit den übrigen Unterzeichnern Kopien des Aufrufes mit Ihrer Unterschrift an Ihre Abgeordneten, Senatoren und an das Weiße Haus zu schicken. Schreiben Sie an Ihren Abgeordneten (U.S. House of Representatives, Washington, D.C. 20 515) oder Ihren Senator (U.S. Senate, Washington, D.C. 20 510).

2. Wählen Sie in Ihrem Bevölkerungskreis drei führende Persönlichkeiten aus: Gewerkschaftsführer oder Unternehmer, Geistliche, Wissenschaftler, Ärzte, Anwälte, Beamte im öffentlichen Dienst, Künstler oder Musiker, führende Vertreter der Bevölkerung usw. Schicken Sie ihnen den Aufruf und rufen Sie sie anschließend an. Diskutieren Sie mit ihnen über den Aufruf, wenn sie dazu bereit sind. Vergessen Sie nicht, die Namen derjenigen, die den Aufruf unterstützen, an die untenstehende Adresse zu schicken.

3. Veranlassen Sie die Organisationen, denen Sie angehören, dazu, den Aufruf zu unterstützen, und berichten Sie über die Unterstützung brieflich an die untenstehende Adresse.

4. Nehmen Sie an Veranstaltungen und öffentlichen Diskussionen mit Kandidaten teil, die sich auf nationaler oder örtlicher Ebene zur Wahl stellen. Bringen Sie für die Kandidaten und die Zuhörer Kopien des Aufrufs mit. Fragen Sie die Kandidaten in aller Öffentlichkeit, ob sie den Aufruf unterstützen.

5. Falls in Ihrem Bundesstaat die gesetzlichen Möglichkeiten dazu bestehen, prüfen Sie, ob der Aufruf in ein Volksbegehren umgewandelt werden kann, das der Bevölkerung des betreffenden Staates zur Entscheidung vorgelegt wird.

* Abkürzungen: ICBM = Interkontinentralraketen, SLBM = seegestützte ballistische Raketen, IRBM = Mittelstreckenraketen, ALCM = luftgestützte Marschflugkörper; d. Hrsg.

Quelle: Call to Halt the Nuclear Arms Race. Proposal for a Mutual US-Soviet Nuclear Weapons Freeze, Material der Nuclear Weapons Freeze Campaign, National Clearing House, 4144 Lindell Blvd., Suite 404, St. Louis, Mo. 63 108.

2. Freeze: Fragen und Antworten

a) Nationale Sicherheit und »rote Gefahr«

Dokument 2

Die rote Gefahr – Einwände und Antworten
Vom American Friends Service Committee

[. . .]

[Einwand:] *Aber das sowjetische System ist doch ganz anders. Selbst wenn die Bevölkerung Frieden will, die Regierung richtet sich nicht nach dem Willen der Bevölkerung.*

[Antwort:] Ja, das sowjetische System ist anders. [. . .] Aber auch wenn die UdSSR nicht in unserem Sinne demokratisch ist, sollten wir zur Kenntnis nehmen, daß es innerhalb der sowjetischen Regierung gegensätzliche Meinungen gibt. Die von uns praktizierte Politik beeinflußt die sowjetische Politik. Wenn wir weiterhin aufrüsten, dann liefern wir denjenigen in der Sowjetunion Argumente, die mit der militärischen Stärke der USA die weitere Aufrüstung der Sowjetunion rechtfertigen.

Vielen Amerikanern fehlt es an Verständnis für die historischen Erfahrungen, die die sowjetische Bevölkerung mit Kriegen gemacht hat. Dreimal in diesem Jahrhundert hat es eine Invasion der UdSSR durch westliche Truppen gegeben: während des Ersten Weltkrieges durch die Deutschen, dann 1920 kurz nach der russischen Revolution, als 14 westliche Länder einschließlich der USA eine Invasion starteten mit dem Ziel, die Revolution zu zerschlagen, und schließlich während des Zweiten Weltkrieges, als die deutschen Nazis tief in die UdSSR vorstießen, 73 000 Dörfer und Städte zerstörten und 20 Millionen sowjetische Bürger umbrachten. Kein Russe blieb davon unbetroffen.

Diese Erfahrungen haben tiefe psychologische Narben in der sowjetischen Bevölkerung und ihrer Regierung hinterlassen und zu einer fast paranoiden Angst vor dem Krieg und einer äußeren militärischen Bedrohung geführt. [. . .]

Der jüngste Plan der USA und der NATO, 572 neue Atomraketen in Europa, und zwar in erster Linie auf deutschem Boden, zu stationieren, hat in der Sowjetunion immense Befürchtungen ausgelöst. Die Besorgnis über diese neuen »eurostrategischen« Waffen war so groß, daß Präsident Breschnew sich im Oktober 1979 zu dem beispiellosen Schritt veranlaßt sah, eine einseitige Verringerung der sowjetischen Truppen (15 % aller sowjetischen Soldaten des Warschauer Paktes) und Waffen in Ostdeutschland anzukündigen und gleichzeitig eine einseitige Verringerung der in Rußland stationierten modernsten sowjetischen Mittelstreckenraketen anzubieten. Sein Angebot wurde von den USA kaum näher geprüft und als unerheblich abgetan.

Die Sowjetunion hat dem Westen weitere Vorschläge unterbreitet, denen nie ernsthaft nachgegangen wurde; wir werden also nie wissen, wie ernst es den Sowjets mit diesen Vorschlägen war. Diese Vorschläge sahen unter anderem vor: Kürzung der Militärbudgets auf Prozentbasis; Ächtung der Massenvernichtungsmittel; Rahmenpläne für eine allgemeine und vollständige Abrüstung; Truppenabbau in Mitteleuropa; umfassende Testverbote; sowie Verpflichtungen, niemals als erste Seite mit dem Einsatz von Atomwaffen zu beginnen oder sie gegen Staaten einzusetzen, die keine Atomwaffen besitzen. Den meisten amerikanischen Staatsbürgern sind diese Initiativen praktisch unbekannt. [. . .]

[Einwand:] *Aber es gibt doch eine sowjetische Expansion seit dem Zweiten Weltkrieg. Denken Sie daran, was in Ungarn, der Tschechoslowakei und jetzt in Afghanistan passiert ist. Sind sie jetzt nicht auch schon in Afrika, und sollten wir uns nicht doch darauf vorbereiten, diesem sowjetischen Expansionismus ein Ende zu machen?*
[Antwort:] [. . .] Im allgemeinen sind die Russen bei ihren außenpolitischen Maßnahmen bisher sehr vorsichtig gewesen; sie schlagen allerdings hart zu, wenn sie den Eindruck haben, eine ihrer »Pufferzonen« oder ihre Kontrolle über eine dieser »Pufferzonen« würde ihnen entgleiten, wie das in Ungarn, der Tschechoslowakei und Afghanistan der Fall war. Ein besonderes Interesse widmen die Sowjets ihren Grenzen, und im Rahmen der weltpolitischen Möglichkeiten und ihrer eigenen Mittel haben sie sich zur militärischen und wirtschaftlichen Unterstützung revolutionärer Regierungen im Ausland verpflichtet. [. . .] Außerhalb der direkt an die Sowjetunion grenzenden Staaten haben die Sowjets nie Truppen eingesetzt oder eine direkte militärische Intervention gestartet.

Direkte Interventionen der UdSSR gab es von 1948 bis 1980 in drei Fällen: in Ungarn, der Tschechoslowakei und Afghanistan. Im gleichen Zeitraum haben die USA im Durchschnitt alle 18 Monate militärisch eingegriffen (durch die Entsendung von US-Truppen), und zwar in Ländern wie Guatemala (1954), Libanon (1956), Vietnam (1960), Dominikanische Republik (1965), Kongo (1960), Iran (1953), Laos (1960) und Kambodscha (1970). Alle diese Interventionen, die dazu beitragen sollten, ausgebrochene Revolutionen niederzuschlagen, wurden von der amerikanischen Regierung mit dem Hinweis gerechtfertigt, dadurch solle »der Kommunismus aufgehalten werden«. Von den 60 nationalen Revolutionen, die nach dem Zweiten Weltkrieg überall in der Welt ausbrachen, waren jedoch nur zwei (Vietnam und China) Revolutionen unter kommunistischer Führung. Die Sowjets halfen sowohl Vietnam als auch China erst, nachdem die aufständischen Völker lange allein gekämpft hatten.

Tatsache ist ganz einfach, daß die USA das einzige Land sind, das seine Stärke mit militärischen Mitteln weltweit einsetzen und präsent halten kann, wie aus einem Bericht des Vorsitzenden der Vereinigten Stabschefs aus dem Jahre 1979 hervorgeht. Gegenwärtig und auch in absehbarer Zukunft kann es keine »Expansion« der Sowjetunion in die Dritte Welt geben, weil der UdSSR die dazu erforderlichen militärischen Mittel fehlen wie zum Beispiel ein starkes Marineinfanteriekorps, starke Truppentransportverbände der Luftwaffe, Flugzeugträger der

Marine, umfangreiche Nachschubverbände zur Bodenversorgung, Amphibienfahrzeuge für Angriffszwecke und Truppentransport usw. Aus diesen Gründen gelangte die RAND-Corporation zu dem Schluß, daß »das allgemeine Potential der Sowjetunion für militärische Einsätze im Ausland auch nur entfernt an dasjenige der USA heranreicht« und nicht ausreichen würde, eine Besetzung oder Invasion in Gebieten außerhalb der an die UdSSR grenzenden Staaten aufrechtzuerhalten.

Die USA sind das einzige Land, das Hunderttausende seiner Soldaten (540 000) in über 200 Militärstützpunkten und militärischen Einrichtungen in allen Teilen der Welt stationiert hat. Außerdem machen sie umfangreichen Gebrauch von Militärhilfe, militärischer Ausbildung und der Entsendung von Militärberatern (gegenwärtig gibt es für diese Maßnahmen mindestens 61 Empfängerländer, darunter neun in Afrika). Die Sowjetunion ahmt dieses Verhalten in Angola und Äthiopien nach. Statt darin wie bisher eine Bedrohung unserer wirtschaftlichen Interessen zu sehen, sollten wir ihre Maßnahmen im Lichte unseres eigenen Verhaltens betrachten.
[. . .]

[Einwand:] *Wie steht es mit dem sowjetischen Einmarsch in Afghanistan? Ist damit nicht bewiesen, daß die Sowjetunion danach strebt, ihr Territorium auszudehnen?*
[Antwort:] Die sowjetische Auffassung, nach der Afghanistan in der Einflußsphäre der UdSSR liegt, existiert seit langem, und es ist weder neu noch gut, daß die Sowjets bereit sind, in angrenzenden Territorien militärische Gewalt anzuwenden, wenn sie meinen, ihre Sicherheit sei bedroht. Der Einmarsch in Afghanistan wird mit Sicherheit als ein brutales, unmoralisches und tragisches Abenteuer in Erinnerung bleiben. Es war typisches Großmachtverhalten, als die Sowjets Afghanistan militärisch besetzten, als sie im Begriff waren, den politischen Einfluß zu verlieren, den sie dort seit vielen Jahren besaßen. [. . .]

Die Rebellen, die die unpopuläre prosowjetische Regierung bekämpften, begannen im Jahre 1978 massive Unterstützung von Ägypten, Kuweit, dem Iran, Saudi-Arabien und China zu erhalten. Später gab die CIA zu, ebenfalls Waffen und Nachschubgüter geliefert zu haben. [. . .]

Zu diesen inneren Entwicklungen kommt noch eine beträchtliche militärische Aktivität der USA einschließlich der Bildung einer NATO-ähnlichen Struktur im Gebiet des Persischen Golfs als Reaktion auf die Geiselnahme im Iran. Der sowjetische Einmarsch nach Afghanistan erfolgte präzise zu dem Zeitpunkt, an dem die USA ihre größte militärische Präsenz im Persischen Golf erreicht hatten: zwei Flugzeugträger-Kampfverbände mit 25 Zerstörern, 150 Kampfbombern, 590 Hubschraubern und Kampftruppen in einer Stärke von 40 000 Mann. Aus sowjetischer Perspektive mag man durchaus geglaubt haben, die USA seien der Versuchung erlegen, sich eines destabilisierten Afghanistans zu bemächtigen und es in einen neuen Horchposten an der Südgrenze der Sowjetunion zu verwandeln. Hätten die USA sich anders verhalten, wenn die Sowjets eine ebensolche Militärmacht im Golf von Mexiko zusammengezogen hätten?

[. . .] Gleichzeitig gab das Verhalten der USA gegenüber der UdSSR im Jahre 1979 wenig Anlaß zu sowjetischer Zurückhaltung. In den USA war die Rede von einer militärischen Allianz mit China, der SALT-II-Vertrag wurde nicht ratifiziert, der Verteidigungshaushalt wurde wesentlich erhöht, Pläne für die Installation neuer Atomwaffen in Europa wurden bekannt, und es war ein allgemeines Scheitern der Entspannungspolitik festzustellen – all das führte zum Abbau der Hemmungen, die die Sowjets vielleicht hätten veranlassen können, sich aus Afghanistan herauszuhalten. [. . .]

[Einwand:] *Haben die USA nicht die Verantwortung, in allen Teilen der Welt die Freiheit zu verteidigen und unsere Verbündeten zu unterstützen?*
[Antwort:] [. . .] Zunächst einmal muß man darüber diskutieren, welche »Freiheit« und welche »Freunde« unsere Regierung verteidigt. Häufig genug stellt sich heraus, daß es sich bei unseren »nationalen Interessen« um die wirtschaftlichen Interessen einiger weniger handelt.

Die USA haben Militärpakte mit 42 Ländern und Verträge, Regierungsabkommen, Vereinbarungen über Waffenverkäufe sowie militärische Bündnisse und Assoziationen mit 92 Ländern abgeschlossen. Die USA haben in massivem Umfange militärische und wirtschaftliche Auslandshilfe geleistet (176 Milliarden Dollar seit 1945) und im Haushaltsjahr 1979 an 90 Auslandsstaaten Waffen im Wert von 13 Milliarden Dollar verkauft. Das sind 56 % des gesamten weltweiten Waffenhandels, mehr als Rußland, Frankreich, Großbritannien und China zusammen an Waffengeschäften abwickeln.

[. . .] Tatsache ist, daß die zehn Hauptempfänger amerikanischer Militär- und Wirtschaftshilfe nach Angaben von amnesty international zugleich auch die zehn größten Diktaturen oder Verletzer der Menschenrechte sind: Südkorea, die Philippinen, Indonesien, Thailand, Chile, Argentinien, Uruguay, Haiti, Brasilien und vormals der Iran. Kann es irgendeinen Grund dafür geben, daß die Unterstützung, die die USA diesen Regierungen zukommen lassen, als »Verteidigung der Freiheit« gerechtfertigt wird? [. . .] Diese Regierungen erlauben den USA, auf ihrem Territorium Luftwaffen- und Marinestützpunkte zu unterhalten und offerieren ein »günstiges Investitionsklima« für die multinationalen Konzerne der USA: niedrige Löhne, keine Gewerkschaften, keine Streiks, billige Rohstoffe und keine Regierungsauflagen. In all diesen Ländern herrschen »günstige« Bedingungen für die Geschäftsinteressen der USA. [. . .]

In dem jedes Jahr neu vorgelegten Jahresbericht unseres Verteidigungsministers heißt es, der Schutz für die von Privatunternehmen getätigten Investitionen im Werte von 168 Milliarden Dollar sei zusammen mit dem »freien Zugang zu den Rohstoffen« und der Gewährleistung ihres »ständigen Flusses« Hintergrund und Zweck unserer bewaffneten Streitkräfte.

Seit Mitte dieses Jahrhunderts sind die USA bei der Befriedigung ihres Rohstoffbedarfs nicht mehr autark. Ein früherer Marineminister hat übrigens darauf hingewiesen, daß »69 von 72 lebenswichtigen Rohstoffen, ohne die unsere Industrie nicht funktionieren könnte, ganz oder teilweise von den USA importiert werden«. Die USA, d. h. 6 % der Weltbevölkerung, verbrauchen tatsächlich

40 % des weltweiten Angebotes an Rohstoffen und Ausgangsmaterialien, die hauptsächlich aus der Dritten Welt beschafft werden.

Aus diesem Grunde wird der größte Teil der im Militärhaushalt der USA vorgesehenen Mittel (80 %) für Truppenverbände ausgegeben, durch deren Einsatz auch in großer Entfernung die Stärke der USA demonstriert werden kann, während nur 20 % für die eigentliche Kontinentalverteidigung der USA bestimmt sind. [. . .]

Viele Menschen würden der Behauptung zustimmen, daß wir eine neue Außenpolitik brauchen, die die legitimen Rechte der jeweiligen einheimischen Bevölkerung und die Notwendigkeit einer gerechten Entschädigung für die ihnen entzogenen Rohstoffe anerkennt. Um friedliche und vom Geist der Zusammenarbeit bestimmte Beziehungen mit der Dritten Welt zu gewährleisten, sollten sich die USA für eine starke blockfreie und unabhängige Bewegung einsetzen, die frei ist von jeder Einmischung der Supermächte, und sie sollten mithelfen, eine solche Bewegung aufzubauen, die sich als stärkste Barriere gegenüber einem Vordringen der Sowjetunion in der Dritten Welt erweisen würde. [. . .]

[Einwand:] *Alles, was Sie sagen, klingt doch recht riskant. Wie können wir uns auf ein derartiges ungeprüftes System verlassen, wenn unsere Sicherheit auf dem Spiel steht?*

[Antwort:] Das gegenwärtige ungeprüfte System der Sicherheit beruht darauf, die Risiken einer Katastrophe zu vergrößern. Gerade weil unsere Sicherheit auf dem Spiel steht, ist ein nichtmilitärisches Sicherheitssystem so sinnvoll. Unsere gegenwärtige Unsicherheit – auf militärischem, wirtschaftlichem und politischem Gebiet – ist zum großen Teil auf unser Unvermögen zurückzuführen, eine durchführbare und praktische Methode der Konfliktlösung zu entwickeln. [. . .]

Für viele ist das Ganze letztlich nur eine Frage ausgewogener Risiken. Sie hoffen, daß sich die Situation durch den Bau von noch mehr Waffen irgendwie stabilisieren wird, daß wir es lernen werden, mit dem Gleichgewicht des Schreckens zu leben. Wir können nur hoffen, daß die 35 oder mehr Länder, die wahrscheinlich – wenn nichts gegen den derzeitigen Trend unternommen wird – in Kürze Atomwaffen besitzen werden, sich nicht eines Tages verkalkulieren und in einer internationalen Krisensituation mit einem atomaren Schlagabtausch beginnen. Oder wir können jetzt beginnen, Schritte zu einer Umkehrung des Wettrüstens zu prüfen und zu befürworten und alternative internationale Sicherheitssysteme zu entwickeln. [. . .]

Die in dieser Broschüre formulierten Gedanken sind optimistische Überlegungen, die sich auf Tatsachen gründen und auf einen Mangel an Bereitschaft, alles so weiterlaufen zu lassen wie bisher. Wir akzeptieren die Formel nicht, daß etwas, nur weil es heute so ist, auch immer so bleiben muß. Es ist nützlich, sich daran zu erinnern, daß die Menschen einst überzeugt waren, die Sklaverei könne niemals abgeschafft werden, weil sie ein »natürlicher Bestandteil des Lebens« war und »man die Menschen nicht verändern kann«. Die Abolitionisten wurden »verrückt« und »idealistisch« und »naiv« genannt.

Der Hinweis darauf, daß Menschen immer gekämpft haben, ist eine Sache.

Eine andere ist es, wenn behauptet wird, es habe immer Krieg gegeben, und daher werde es ihn auch weiterhin geben. Die Menschen, die ein alternatives Sicherheitssystem befürworten, sind nicht naiv. Sie haben erkannt, daß es naiv ist, den alten Weg weiterhin zu beschreiten und zu glauben, es werde schon zu keinem Einsatz von Atomwaffen kommen, oder Kriegsvorbereitungen für den richtigen Weg zum Frieden zu halten.

Es mag schwerfallen, sich die Abrüstung – eine Welt ohne Krieg – vorzustellen, aber ist es nicht ebenso schwierig, sich vorzustellen, wie die Welt nach einem Atomkrieg aussieht? Die Wahl, die wir heute treffen, wird mit Sicherheit darüber entscheiden, welche Welt unsere Kinder morgen zu Gesicht bekommen. [. . .]

Quelle: American Friends Service Committee, Disarmament Program, Questions and Answers on the Soviet Threat and National Security, Philadelphia 1981, S. 9–18, 25–26.

b) Ist ein »Einfrieren« überprüfbar?

Dokument 3

Die Überprüfung eines Einfrierens der Atomwaffen
Von Mark Niedergang

[. . .] Man kann mit Fug und Recht behaupten, daß ein Abkommen über ein beiderseitiges Einfrieren der Atomwaffen so formuliert werden kann, daß eine hinreichende Verifikation möglich ist. Es gibt zwar potentielle Hindernisse, aber die damit verbundenen Probleme können gelöst werden, da sie mehr politischer als technischer Natur sind. Dies ist bei den meisten Vorschlägen zur Rüstungskontrolle der Fall. Das Internationale Friedensforschungs-Institut in Stockholm (SIPRI – d. Hrsg.) erklärt dazu: »Es heißt immer, die Verifikation sei das Haupthindernis, . . . die Geschichte zeigt jedoch, daß die Probleme der Verifikation leicht gelöst werden können, wenn der politische Wille zum Abschluß eines Abkommens vorhanden ist.« [. . .]

Wie werden Vereinbarungen zur Rüstungskontrolle verifiziert?
Die meisten Vereinbarungen zur Rüstungskontrolle werden heute durch die sogenannten »nationalen technischen Mittel« überwacht. Dabei handelt es sich um Spionagesatelliten (Aufklärungssatelliten), Flugzeuge und Horchposten auf Schiffen und im Küstengebiet, die mit Foto-, Infrarot-, Radar- und anderen elektronischen Sensoren ausgerüstet sind. Die in Satelliten eingebauten Kameras, die jeden Quadratzentimeter der UdSSR erfassen, sollen sogar so genau sein, »daß das Nummernschild eines Autos auf dem Film zu erkennen ist«. Kameras für Nahaufnahmen können ihre Zoom-Objektive auf alles Verdächtige richten und ultragenaue Fotos schießen. »Raketensilos, Anlagen zur Startüberwachung, Luftwaffenstützpunkte, Bombenflugzeuge am Boden, Marinebasen und Unter-

seeboote im Hafen – alles ist klar zu erkennen. Fabriken, U-Boot-Werften, Autostraßen und Eisenbahnen sind klar und deutlich zu erkennen.« [. . .]

Täuschungsversuche: wenig Nutzen bei großem Risiko

Am meisten befürchten die Leute, daß die Sowjets nach ihrer Zustimmung zum Einfrieren insgeheim eine Superwaffe entwickeln und gegen uns einsetzen. Eine solche Entwicklung ist jedoch völlig unwahrscheinlich, da es fast zehn Jahre dauert, bis eine Neuentwicklung auf dem Gebiet des Wettrüstens ausgereift ist. Der Kongreßabgeordnete Les Aspin hat sich über die verschiedenen Stufen dieses Prozesses wie folgt geäußert: »Die Einführung einer neuen strategischen Waffe muß mindestens fünf Stadien durchlaufen: Forschung, Entwicklung, Erprobung, Produktion und Installierung. In jedem dieser Stadien sind die Möglichkeiten der USA, geheime Aktivitäten der UdSSR zu entdecken, gut bis sehr gut. Der entscheidende Punkt ist jedoch, daß die Russen alle fünf Stadien tarnen müßten, und dafür, daß ihnen das gelingt, stehen die Chancen außerordentlich schlecht.«

Es sollte unterstrichen werden, daß die Erprobung einer neuen strategischen Waffe im allgemeinen ein bis drei Jahre erfordert und daß die Installierung einer nennenswerten Anzahl eines neuen Waffentyps normalerweise drei bis fünf Jahre dauert, manchmal sogar noch länger. Diese beiden Stadien, die leicht zu entdecken sind, liefern überaus verläßliches Beweismaterial für neue Entwicklungen, und zwar schon lange bevor sie das militärische Gleichgewicht verändern. [. . .]

Die führenden Regierungsvertreter würden den unerheblichen Vorteil, den eine geheime Herstellung vielleicht bewirken könnte, gegen die großen Risiken und die Vertragsstrafen im Falle einer Entdeckung abzuwägen haben. Je größer der Verstoß wäre, um so größer wäre auch das Risiko einer Entdeckung. Der Preis, der im Fall einer solchen Bloßstellung im Hinblick auf das internationale Prestige, künftige internationale Beziehungen und künftige Vereinbarungen zu zahlen wäre, würde furchtbar sein. [. . .]

Die sowjetische Haltung zu einer Inspektion an Ort und Stelle

Die sicherste Möglichkeit einer Nachprüfung, daß keine Täuschungsmanöver stattfinden, wäre ein persönlicher Besuch und eine direkte Prüfung des Geländes. Dies wird als »Inspektion an Ort und Stelle« bezeichnet.

Zwar können die meisten Punkte des vorgeschlagenen Freeze-Abkommens ohne Inspektion an Ort und Stelle überprüft werden, für einige wäre diese Form der Kontrolle jedoch zweifellos von Vorteil. In der Vergangenheit ist die Forderung nach Inspektionen an Ort und Stelle in übertriebenem Ausmaß von denjenigen erhoben worden, die das Wettrüsten fortsetzen wollten, um auf diese Weise Vereinbarungen über eine Rüstungskontrolle zu blockieren. Es ist daher wichtig zu gewährleisten, die ohne Inspektion an Ort und Stelle schwieriger zu verifizierenden Teile einer Freeze-Vereinbarung nicht gegen diejenigen auszuspielen, bei denen eine unabhängige Verifikation möglich ist.

Die UdSSR hat sich in der Vergangenheit gegen jede Art von Inspektion an Ort und Stelle gesträubt. [. . .]

Zu einem Durchbruch kam es während der Verhandlungen des Jahres 1978 über einen umfassenden Teststoppvertrag. Amerikanische und britische Unterhändler erreichten ein bedeutsames Zugeständnis der Sowjetunion, die ihre Bereitschaft erklärte, die Installation von zehn seismischen Stationen – sogenannten »Schwarzen Kästen«, die jeden sowjetischen Atomwaffentest genau aufzeichnen würden – auf russischem Boden zuzulassen. Gleichzeitig erklärte sich die UdSSR auch bereit, Inspektionen an Ort und Stelle unter bestimmten Umständen zur Überprüfung der von den seismischen Stationen gelieferten Daten zuzulassen.

Man sollte meinen, angesichts immer härterer Forderungen der USA nach Inspektionen an Ort und Stelle würde es immer unwahrscheinlicher, daß die UdSSR einem Vorschlag zur Rüstungskontrolle zustimmt. Juri Karpalow, Erster Sekretär der sowjetischen Botschaft in Washington, D. C., hat jedoch erklärt: »Je umfassender der Inhalt des betreffenden Vertrages ist, in um so größerem Maße würden wir Inspektionen an Ort und Stelle zustimmen.« Daher kann der Freeze-Vorschlag durchaus auf mehr Entgegenkommen der Sowjetunion in der Frage der Verifikation stoßen, als man möglicherweise erwarten könnte. [. . .]

Verifikation des Produktionsverbots
Ob ein Verbot der Produktion atomarer Gefechtsköpfe und als Atomwaffenträger geeigneter Flugzeuge und Raketen ausreichend überwacht werden kann, ist einer der umstrittensten Aspekte des Freeze-Vorschlags. Einige Analytiker haben angeregt, die Produktion auszunehmen. Aber »wenn das Einfrieren auf die Erprobung und Installierung von Raketen und Flugzeugen beschränkt wird und die Produktionsvorgänge außer acht läßt, die in geschlossenen Fabrikhallen stattfinden, dann wird das mit größter Wahrscheinlichkeit dazu führen, daß die Militärs einer oder beider Seiten darauf beharren, sich nur an den Wortlaut des Verbots zu halten. Sie werden auch weiterhin zusätzliche Raketen und Flugzeuge und die dazugehörigen Gefechtsköpfe produzieren und sie in unbeschränktem Umfange lagern oder aber das Einfrieren als ein zeitlich begrenztes, zwei- oder dreijähriges Moratorium betrachten. . . . In beiden Fällen würden Absicht und Zweck des Einfrierens vollständig unterlaufen.« (Randall Forsberg)

Der umfassende Charakter des Freeze-Vorschlags beinhaltet, daß eine Verifikation des gesamten Pakets bedeutend einfacher wäre als eine Verifikation der einzelnen Teile. Zuverlässige Überwachung eines Gliedes in der Produktionskette könnte die Schwächen bei der Überwachung anderer Glieder kompensieren. Jeder dieser drei Aspekte der Produktion atomarer Waffensysteme stellt gegenüber Täuschungsversuchen ein schwierig zu umgehendes Hindernis dar.

Produktion von spaltbarem Material, das für Waffenzwecke geeignet ist:
Die Internationale Atomenergie-Agentur (IAEA) führt Inspektionen an Ort und Stelle durch und verwendet gegen Eingriffe gesicherte Kameras, um zu gewährleisten, daß Plutonium (ein Abfallprodukt von Kernreaktoren) und angereicher-

tes Uran nicht von atomwaffenfreien Staaten, die den Atomwaffensperrvertrag unterzeichnet haben, entnommen und zu Kernbrennstoff für den Bau von Atombomben wiederaufbereitet werden. Die Sicherheitsbestimmungen der IAEA könnten auf die USA und die UdSSR ausgedehnt werden. [. . .]

Als Ergänzung oder Alternative könnte das Produktionsverbot für waffenfähiges Spaltmaterial dadurch verifiziert werden, daß die völlige Schließung der wenigen Fabriken überprüft würde, in denen das Rohmaterial zu Waffen verarbeitet wird. Daß die Produktion in diesen wenigen hochspezialisierten Großfabriken ruht, könnte durch Satelliten mit Infrarotsensoren überwacht werden, die bei einer Inbetriebnahme die Hitzeentwicklung registrieren. [. . .]

Produktion atomarer Gefechtsköpfe:
Es gibt nur drei Fabriken, die für die Herstellung von atomaren Gefechtsköpfen in den USA von zentraler Bedeutung sind: Rocky Flats in der Nähe von Denver, Colorado, wo die Plutoniumzünder für die Spaltungskomponente von Bomben hergestellt werden; Oak Ridge in Tennessee als Hersteller des Lithiumdeuterids, das für die Fusionskomponente von Bomben benötigt wird; und die Pantex-Werke in Amarillo, Texas, wo die Spaltungs-, Fusions- und nichtnuklearen Teile der Bomben zusammengesetzt werden. Es ist wahrscheinlich, daß in der Sowjetunion eine ebenso kleine Anzahl von Anlagen zur Bomben- und Komponentenproduktion existiert und daß sie bekannt sind und von amerikanischen Satelliten überwacht werden. Da das Einfrieren ein vollständiges Verbot bedeuten würde, wäre jede Aktivität in der Nähe dieser Fabriken – etwa das Eintreffen oder Abfahren von Lastwagen oder Güterwaggons – sofort verdächtig.

Produktion von Raketen und Flugzeugen, die als Trägersysteme für Atomwaffen geeignet sind:
Ein Einfrieren der Herstellung von Raketen und Flugzeugen, die für den Einsatz von Atomwaffen vorgesehen sind, läßt sich durch Überwachungssatelliten kontrollieren. Dafür gibt es drei Gründe: 1.die beträchtliche Größe und bekannte Lage der existierenden Produktionsanlagen; 2. die bekannte Lage der Transportwege, auf denen wichtige Komponenten zur Endmontage gebracht werden; und 3. der geringe Umfang und die bekannte Lage der Raketen- und Flugzeug-bestände, die noch nicht installiert worden sind. [. . .]

Im »Posture Statement« der Vereinigten Stabschefs der USA vom Februar 1982 hieß es: »Die Sowjets sind offensichtlich bereit, mit dem Flugtest von zwei neuen feststoffgetriebenen Interkontinentalraketen zu beginnen, die einzeln oder gleichzeitig bis zur Mitte der 80er Jahre das Stadium der Einsatzfähigkeit erreicht haben könnten.«

Diese Feststellungen deuten darauf hin, daß die Planungs-, Entwicklungs- und Produktionsanlagen der Sowjetunion so weitgehend bekannt sind, daß Aktivitäten in den frühen Stadien der Entwicklung noch vor dem Flugtest mit beträchtlicher Genauigkeit identifiziert werden können. Die Serienproduktion der gleichen Waffen sollte sogar noch leichter festzustellen sein.

Installation

Ein bedeutsamer Vorteil des Einfrierens liegt darin, daß ein vollständiges Verbot jeder neuen Installierung von Waffen leichter zu verifizieren sein dürfte als die komplizierten Beschränkungen der Installierung verschiedener Kategorien neuer Waffensysteme, wie sie in den Abkommen SALT I und SALT II enthalten sind. [. . .]

Die Installierung von Marschflugkörpern mag mit unabhängigen Mitteln nicht direkt zu überprüfen sein, sie kann jedoch durch eine Kontrolle der Anzahl und Ladekapazität der luft-, see- und bodengestützten Abschußvorrichtungen und Startanlagen ermittelt werden. Dieses Verfahren wurde mit SALT II beschritten, wobei die Anzahl der von Flugzeugen aus gestarteten Marschflugkörpern (ALCM) dadurch kontrolliert wird, daß die Bomber, die mit Marschflugkörpern ausgerüstet werden dürfen, und die Marschflugkörper, die jedes Bombenflugzeug mitführen darf, zahlenmäßig beschränkt werden.

Schlußbemerkung

Wenn die Gegner eines Einfrierens von den Schwierigkeiten der Verifikation sprechen, ist eine politische Antwort unter Umständen hilfreicher als eine technische. Jede Atomwaffenpolitik enthält Risiken. Die absolute Sicherheit bei der Verifikation jedes einzelnen Bestandteils des als Paket vorgelegten Vorschlages für ein Einfrieren der Atomwaffen, wie sie von manchen Leuten gefordert wird, ist unvernünftig. Vernünftiger ist es, die Risiken bei einer Verletzung des Einfrierens abzuwägen gegen die Risiken der Alternative: eines teuren und destabilisierenden atomaren Wettrüstens, durch das sich die Wahrscheinlichkeit eines Atomkrieges erhöht.

Quelle: Mark Niedergang (Institute for Defense and Disarmament Studies), Verification of a Nuclear Weapons Freeze, in: Freeze Newsletter, Vol. 2, No. 4, April 1982, S. 13–16.

c) »START« – Alternative zu Freeze?

Dokument 4

Eine Antwort auf den »START«-Vorschlag
Von Randall Forsberg

[. . .] Die gute Nachricht im Hinblick auf die von Präsident Reagan am 9. Mai abgegebene START-Erklärung besteht darin, daß hier der Vorschlag gemacht wird, die Zahl der amerikanischen und sowjetischen Atomsprengköpfe auf Interkontinentalraketen um ein Drittel zu verringern.

Die schlechte Nachricht, die mit dem START-Vorschlag verbunden ist, besteht in folgendem:

Erstens werden ganz bestimmte »Verringerungen« vorgeschlagen (maximal 2500 Sprengköpfe auf bodengestützten Interkontinentalraketen und 2500 Sprengköpfe auf Unterseebooten), die es den USA erlauben würden, lediglich ihre ältesten Raketen auszumustern und gleichzeitig die geplanten neuen Waffen zu bauen, während die UdSSR gezwungen wäre, mehr als die Hälfte ihrer neuen, ralativ unverwundbaren bodengestützten Raketen zu verschrotten und sie durch weniger geschützte, auf U-Booten stationierte Raketen zu ersetzen. Finanziell wie militärisch würde dieser Vorschlag die UdSSR mehr kosten als die USA.

Zweitens würde, und dies ist vielleicht noch wichtiger, der START-Vorschlag das atomare Wettrüsten nicht beenden, er würde nicht einmal die gefährlichsten und destabilisierenden neuen Systeme in ihrer Entwicklung behindern: auf amerikanischer Seite die präventivschlagfähigen Systeme MX, Trident II, Pershing II und Cruise-Missiles, sowie auf sowjetischer Seite die präventivschlagfähigen Interkontinentalraketen mit verbesserter Zielgenauigkeit. [. . .]

Auswirkungen von START auf die Waffensysteme der USA

Nach dem START-Vorschlag Präsident Reagans stände es den USA frei, die geplanten 100 MX-Raketen zu installieren (1000 Sprengköpfe) und dies durch einige Verringerungen bei älteren bodengestützten US-Interkontinentalraketen zu kompensieren (52 vom Typ Titan und 450 vom Typ Minuteman II, beide mit einem Sprengkopf, sowie 50 nicht verbesserte Minuteman III, die jeweils mit drei Sprengköpfen bestückt sind).

Damit würden die USA über 1900 »präventivschlagfähige« Sprengköpfe auf bodengestützten Interkontinentalraketen verfügen (1000 beim Typ MX plus 900 bei der verbesserten Version des Typs Minuteman III) – bei weitem mehr als genug, um mit einem ersten Schlag im Verhältnis 2:1 (zwei Sprengköpfe auf ein Raketensilo) gegen die aufgrund des Vorschlages reduzierten bodengestützten Interkontinentalwaffen der Sowjetunion drohen zu können. (Gegenwärtig verfügen die Sowjets über rund 1400 Interkontinentralraketen; nach Verwirklichung des START-Vorschlages würde sich diese Zahl nur noch auf rund 500 Interkontinentalraketen belaufen.)

In gleicher Weise würde Reagans START-Vorschlag es auf dem Gebiet der von U-Booten abgeschossenen Raketen erlauben, die gegenwärtig gebauten 10 Unterseeboote, die mit Raketen vom Typ Trident I ausgerüstet werden, statt dessen mit der präventivschlagfähigen Rakete Trident II (10 Sprengköpfe) zu bestücken. Der Vorschlag würde die Ausmusterung der meisten oder aller 31 mit Poseidon-Raketen ausgerüsteten Unterseeboote erfordern, die zur Zeit in Betrieb sind, um bei den U-Booten die vorgesehene Verringerung um rund 2000 Sprengköpfe zu erreichen; diese Ausmusterung wird jedoch ohnehin für die 90er Jahre erwartet, da die Dienstzeit dieser Unterseeboote dann 30 Jahre betragen wird.

Alles in allem würde der Vorschlag die gesamte derzeit geplante amerikanische Produktion präventivschlagfähiger Boden- und U-Boot-Raketen weiterhin ermöglichen und nur bei den älteren Waffen Verringerungen erforderlich machen. Zusätzlich würde er die geplante Einführung der rund 7000 boden- und seegestützten strategischen Marschflugkörper in keiner Weise beschränken, für die es auf der sowjetischen Seite keine Entsprechung gibt. [. . .]

Ergebnis dieser Veränderungen wäre, daß der sowjetische Bestand an strategischen Raketen auf ein Drittel seiner gegenwärtigen Stärke schrumpfen würde (840 statt 2350 Raketen), wobei die Zahl der installierten Sprengköpfe bis zur Hälfte des gegenwärtigen Bestandes verringert würde. Die sowjetischen Interkontinentalraketen würden auch weiterhin in der Lage sein, die amerikanischen Interkontinentalraketen auszuschalten (2500 Sprengköpfe gegen 600 Ziele – ein Verhältnis 4:1, das dem auf amerikanischer Seite erzielten Verhältnis vergleichbar ist), würden jedoch selbst gegenüber einem ersten Schlag der USA überaus verwundbar werden. Da die amerikanischen Möglichkeiten der U-Boot-Bekämpfung denjenigen der UdSSR weit überlegen sind, würde der Reagan-Vorschlag sowohl die landgestützten als auch die auf Unterseebooten stationierten sowjetischen Raketen gegenüber einem präventiven Angriff der USA verwundbar machen. (Auf amerikanischer Seite wären nur die landgestützten Raketen verwundbar.) [. . .]

Hier liegt der schwache Punkt in Präsident Reagans Argument, eine angedrohte (oder definitive) Aufrüstung der USA werde zu Verringerungen auf sowjetischer Seite führen: es ist weit wahrscheinlicher, daß die amerikanische Produktion von mehr präventivschlagfähigen Raketen zu weiteren Aufrüstungsmaßnahmen der Sowjetunion führen wird.

Quelle: Randall Forsberg, Response to »START«, in: The Freeze Update, Nuclear Weapons Freeze Campaign, National Clearing House, St. Louis, Mo. 63 108, June 1982, S. 6/7.

d) Freeze und westeuropäische Friedensbewegung

Dokument 5

Erklärung der Freeze-Kampagne anläßlich des NATO-Gipfeltreffens im Juni 1982

[. . .] Das Einfrieren muß sich auf sämtliche neuen Waffen beider Seiten erstrecken. Dazu gehören die amerikanischen Pershing II und Cruise-Missiles, die ab 1983 in Europa installiert werden sollen. Es würde außerdem jede weitere Produktion und Aufstellung der sowjetischen Mittelstreckenrakete SS-20 und des Bombers vom Typ Backfire, sowie die Weiterentwicklung sowjetischer Marschflugkörper verhindern.

Wenn ein umfassendes bilaterales Einfrieren nicht bis 1983 verwirklicht ist und der Entwicklung der neuen amerikanischen Raketen zuvorkommt, dann wird sich das Risiko eines Atomkrieges beträchtlich erhöhen. Die zunehmende Zielgenauigkeit und Reichweite der neuen Raketen in Verbindung mit der kurzen Anflugzeit der Pershing II und der Tatsache, daß die Cruise-Missiles beim Anflug nicht zu orten sind, werden die Sowjetunion gegenüber einem atomaren Angriff verwundbarer machen. Diese höhere Verwundbarkeit könnte die Sowjets veranlassen, als Gegenmaßnahme ein überaus gefährliches System einzuführen, das bereits nach dem ersten Registrieren eines Angriffs automatisch den Gegenschlag auslöst (»launch-on-warning response«).

Wir wollen jedoch noch einmal wiederholen, daß sich unser Widerstand nicht einfach gegen die Einführung des einen oder anderen besonderen Waffensystems durch die eine oder andere Seite richtet. Unser Widerstand gilt der Erprobung, Herstellung und Einführung aller Atomwaffensysteme auf beiden Seiten. Außer den bereits erwähnten amerikanischen und sowjetischen Mittelstreckenwaffen gehören dazu auf amerikanischer Seite die Raketen vom Typ MX und Trident II, die Bomber B-1 und Stealth und die neuen taktischen Kurzstreckenwaffen, die in Europa und anderswo installiert werden sollen. Auf sowjetischer Seite gehören dazu die weitere Ausrüstung der Interkontinentalrakete SS-18 mit Mehrfachsprengköpfen, die Installation sonstiger Interkontinentralraketen, die weitere Modernisierung der mit strategischen Raketen bestückten sowjetischen U-Boot-Flotte, die Entwicklung eines neuen strategischen Bombenflugzeuges und die Herstellung neuer taktischer Atomwaffen.

Der Teufelskreis technischer Fortschritte im Bereich der amerikanischen und sowjetischen Atomrüstung kann nur durch ein umfassendes bilaterales Einfrieren durchbrochen werden. Wir hoffen, daß sich die Völker und Regierungen Eruopas, im Osten ebenso wie im Westen, uns und unserer Forderung nach einem solchen Einfrieren anschließen werden, das einen entscheidenden ersten Schritt auf dem Wege zu einer atomaren Abrüstung aller Länder markieren würde.

Abschließend wollen wir unsere nachdrückliche Unterstützung für die europäischen Friedensbewegungen und ihr Ziel zum Ausdruck bringen, ein atomwaffenfreies Europa zu schaffen, das sich von Polen bis Portugal erstreckt. Wir glauben, daß ein amerikanisch-sowjetisches Einfrieren der Atomwaffen ein wichtiger Schritt zur Verwirklichung dieses Ziels wäre.

•

Quelle: Statement by the National Committee of the Nuclear Weapons Freeze Campaign U.S.A., on the occasion of the NATO summit meeting in Europe, June, 1982, in: The Freeze Update, Nuclear Weapons Freeze Campaign, National Clearinghouse, St. Louis, Mo. 63 108, June 1982, S. 1.

Dokument 6

Die atomare Abrüstung in Europa und das Einfrieren der Atomwaffen
Von Matthew Evangelista, Randall Forsberg und Mark Niedergang

[. . .] Ein Stopp der Entwicklung, Erprobung und Herstellung nicht nur der atomaren Gefechtsköpfe, sondern auch aller neuen Raketen und Flugzeugtypen, die als Trägersysteme für nukleare Gefechtsköpfe vorgesehen sind, würde das atomare Wettrüsten der Supermächte in wirksamer Weise zum Stillstand bringen. Wenn man sich in Europa ein vergleichbares Ziel setzen würde, dann bestände das in der Verhinderung neuer britischer und französischer Atomwaffen. Dies ist ein Teilziel auf dem Weg zur atomaren Abrüstung, das es wert ist, getrennt formuliert und unterstützt zu werden. [. . .]

Wir möchten im Rahmen dieser Diskussion als ein vorläufiges Ziel der europäischen Bewegung für atomare Abrüstung (END – d. Hrsg.) eine engere Zusammenarbeit, als sie zur Zeit gegeben ist, vorschlagen – als einen populären und praktikablen ersten Schritt auf dem Wege zu einer Beseitigung der Atomwaffen aus Europa. Ein solcher Schritt wird bereits von großen Teilen der europäischen Anti-Atombewegung gefordert. In Großbritannien konzentrieren sich örtliche Gruppen weniger auf die eigentliche atomare Abrüstung und stärker auf den Widerstand gegen die Einführung der neuen amerikanischen Cruise-Missiles und der neuen britischen Trident-Unterseeboote. In ähnlicher Weise arbeiten in Belgien, den Niederlanden und Westdeutschland sozialdemokratische Parteien mit den Anhängern der Friedensbewegung zusammen, um den NATO-Beschluß vom Dezember 1979 rückgängig zu machen. [. . .]

Um ein Einfrieren der Atomwaffen in Europa zu erreichen, müßte diesen kurzfristigen Zielen zweierlei hinzugefügt werden: 1. mehr Druck auf Frankreich, um dieses Land zu einer Einstellung seiner Atomwaffenproduktion zu bewegen, und 2. mehr Druck auf die NATO, um eine »Modernisierung« anderer atomarer Kurzstreckenwaffen zu verhindern. Außerdem wäre es erforderlich, daß man in Europa Unterstützung für die Bemühungen in den USA zum Ausdruck bringt, die Atomprogramme der Supermächte zu stoppen. In den USA würde die Freeze-Kampagne ihre Ziele in anderer Richtung ausweiten. So könnte zum Beispiel Literatur veröffentlicht werden, die das Konzept des Einfrierens nicht nur auf die beiden Supermächte beschränkt, sondern auf alle Hersteller von Atomwaffen ausdehnt. Ein übergeordnetes gemeinsames Ziel – das Ziel, die Entwicklung, Erprobung, Herstellung und Installierung aller zusätzlichen Atomwaffen durch Großbritannien und Frankreich ebenso zu verhindern wie durch die Sowjetunion und die Vereinigten Staaten – nicht als Konkurrenz oder Alternative, sondern als einigender Rahmen für unsere jeweiligen Anstrengungen, würde nach unserer Meinung beide Seiten stärken und internationalisieren.

Wenn politischer Druck in Europa und den Vereinigten Staaten die Regierungen der USA und der Sowjetunion dazu veranlaßt, die Einführung weiterer Atomwaffen nach Europa einzustellen, dann sollten weitere Schritte unternommen werden, um die Gefahr eines Atomkrieges in Europa zu verringern. Die Schaffung atomwaffenfreier Zonen in verschiedenen Teilen Europas, wie sie von Vertretern der europäischen Bewegungen für atomare Abrüstung vorgeschlagen werden, könnte die Gefahr eines atomaren Krieges beträchtlich reduzieren. Einer der Vorteile der vorgeschlagenen atomwaffenfreien Zone »von Polen bis Portugal« liegt darin, daß osteuropäische Länder die atomare Abrüstung in Europa nachhaltig befürwortet haben. Mehrere solcher Vorschläge, die nach dem damaligen polnischen Außenminister Adam Rapacki benannt sind, wurden Ende der 50er und Anfang der 60er Jahre gemacht. 1957, 1968 und 1972 hat Rumänien Vorschläge für eine atomwaffenfreie Zone auf dem Balkan unterbreitet. Wenn der Westen den politischen Willen dazu aufbringen könnte, dann würden Pläne wie diese oder der Plan für eine atomwaffenfreie Zone der nordischen Staaten [. . .] im Bereich des Möglichen liegen. [. . .]

Quelle: Matthew Evangelista, Randall Forsberg, Mark Niedergang, END and a Nuclear Weapon Freeze, in: Armament and Disarmament Information Unit (ADIU)-Report, Vol. 3, No. 4, July/August 1981, S. 5.

e) Perspektiven der weiteren Arbeit

Dokument 7

Eine Mitteilung vom Koordinator der Kampagne für das Einfrieren der Atomwaffen

[. . .] Ich habe im folgenden einige der Hauptpunkte zusammengestellt, von denen ich meine, daß wir sie in den vor uns liegenden Monaten besonders beachten müssen:

1) Fragen der Strategie: Von den vier Zielen unserer überregionalen Strategie für das Jahr 1982, die von der National Freeze Conference (Denver, 19.–21. Februar) beschlossen wurden, haben wir mit dem dritten und vierten bereits große Fortschritte erzielt: »die Öffentlichkeit in allen Teilen der USA mit dem Einfrieren nachhaltig vertraut zu machen« und »den Prozeß zu beschleunigen, auf überparteilicher Ebene Einfluß auf die amerikanischen Politiker zu gewinnen«. Dieser frühzeitige Erfolg kam überraschend und macht es für uns noch dringender, unser Ziel Nummer eins zu erreichen, »die Basis unserer Unterstützung durch die Bevölkerung beträchtlich zu verbreitern«. Insbesondere müssen wir intensiver daran arbeiten, Menschen aus den Minderheiten, aus der Arbeiterschaft und den selbständigen Berufen für uns zu gewinnen; aus diesem Grunde gilt es, auch unser zweites Ziel mit Nachdruck anzustreben, »die Kampagne deutlich mit den wirtschaftlichen Hauptproblemen in Verbindung zu bringen«. Ohne eine wesentlich breitere Basis werden wir uns bei den amerikanischen Politikern niemals durchsetzen. Alles hängt miteinander zusammen.

2) *Erledigung unserer Hausaufgaben:* Es reicht nicht, wenn man die Leute dazu bringt, unsere Petitionen zu unterzeichnen und für unsere Resolutionen und Volksbegehren zu stimmen. Wir müssen den Menschen helfen zu verstehen, *warum* ein Einfrieren der Atomwaffen notwendig und zugleich auch machbar ist. Und wir müssen mit *uns selbst* beginnen! Wie viele von uns sind darauf vorbereitet, zum Beispiel auf die drei Haupteinwände zu antworten, die von der Regierung gegen ein Einfrieren geltend gemacht werden – daß nämlich ein Einfrieren die USA in gefährlicher Weise benachteiligen würde, daß es nicht überprüfbar sei und daß es die Versuche unterlaufen würde, einen wirklichen Rüstungsabbau auszuhandeln? Natürlich sind die überzeugendsten Argumente nicht technischer Natur, sondern betreffen umfassendere Themen wie Ethik und Überleben. Aber wenn wir den Eindruck erwecken, wir würden von der technischen Seite nichts verstehen, dann verliert unsere öffentliche Rolle als Vermittler von Informationen viel von ihrer Wirksamkeit. Kurz gesagt, wir *müssen* unsere Hausaufgaben erledigen.

3) *Welche Anforderungen muß ein Vorschlag zum Einfrieren der Atomwaffen erfüllen?* Der Bundesausschuß der Kampagne für ein Einfrieren der Atomwaffen hat vor kurzem mit überwältigender Mehrheit beschlossen, die Kennedy/Hatfield/Markey/Conte/Bingham-Resolution zu unterstützen, in der »Einfrieren und Verringerung der Atomwaffen« gefordert wird und die am 10. März im Kongreß eingebracht wurde. (Die Kampagne als solche unterstützt offiziell nichts, da sie nicht für die Hunderte von Gruppen und Organisationen sprechen kann, aus denen die Kampagne sich zusammensetzt.) Diese Resolution halten die meisten Anhänger der Kampagne für eine klare Formulierung unserer Ziele. Auf der anderen Seite wurden bereits oder werden in Kürze mehrere andere Resolutionen zur Rüstungskontrolle eingebracht, die *nicht* mit unseren Zielen übereinstimmen. So wird zum Beispiel in einer Resolution, die von den Senatoren Jackson und Warner eingebracht werden soll, ein »Einfrieren« gefordert, allerdings erst »nach einem Ausgleich und einer entscheidenden Verringerung der Rüstungskontingente« – womit in Wirklichkeit das Programm der Regierung unterstützt wird, zunächst mehr Waffen zu bauen, dann Verringerungen auszuhandeln und zuletzt schließlich Verhandlungen über ein Einfrieren zu führen.

Es wird viele Versuche geben, die Idee eines Einfrierens aufzugreifen und zu verändern. Deshalb brauchen wir einen Maßstab, anhand dessen wir beurteilen können, ob etwas unserer Unterstützung wert ist oder nicht. Glücklicherweise haben wir einen solchen Maßstab: unseren ursprünglichen Kampagne-Vorschlag, dessen Wortlaut sich in Fettdruck am Anfang des »Aufrufs zur Einstellung des atomaren Wettrüstens« befindet. Während wir auf Kongreßebene die Kennedy/Hatfield-Resolution unterstützen, müssen wir unsere Aufmerksamkeit auch weiterhin auf unsere eigene Version des Einfrierens konzentrieren. Wir müssen uns jederzeit klar darüber sein, was wir wollen: ». . . ein beiderseitiges Einfrieren der Erprobung, Herstellung und Einführung atomarer Waffen . . . als einen wesentlichen, überprüfbaren *ersten* Schritt . . .«. [. . .]

5) *Was ist nach der Unterstützung durch den Kongreß noch zu tun?* Eine Reihe örtlicher Mitarbeiter der Kampagne hat uns gefragt: Was bleibt jetzt noch zu tun,

nachdem unser örtliches Kongreßmitglied das Einfrieren der Atomwaffen unterstützt? Die Antwort lautet: Sehr viel. Hat sich bereits jeder örtliche Amtsträger und jedes politische Gremium am Ort für das Einfrieren ausgesprochen? Haben die normalen Bürger bereits eine Chance gehabt, ihre Unterstützung zum Ausdruck zu bringen, etwa durch eine örtliche Volksbefragung oder im Rahmen einer Unterschriftensammlung für eine Petition auf Ortsebene? Haben sich die örtliche Handelskammer, der Ärzteverband, die Institutionen zur Bekämpfung der Armut, die Elternbeiräte und Lehrerverbände bereits angeschlossen? Haben die örtlichen Zeitungen in ihren Leitartikeln bereits positiv zum Einfrieren Stellung genommen? Gibt es bereits eine tiefgreifende Aufklärung am Ort über Probleme, die mit dem Einfrieren in Verbindung stehen, insbesondere über Fragen, die direkt mit der örtlichen Umgebung zu tun haben, z. B. über örtliche Pläne zur Zivilverteidigung? [. . .]

Und bisher geht es nur um nicht bindende Resolutionen des Kongresses. Wenn es sich für den Kongreß als notwendig erweisen sollte, bindende Beschlüsse zu Fragen des Haushalts zu fassen – z. B. Mittel für neue Waffensysteme so lange zu sperren, bis der Präsident den Sowjets ein Einfrieren der Atomwaffen vorgeschlagen hat –, dann wird der Druck der örtlichen Wähler sogar noch wichtiger werden. Auf lange Sicht gibt es einfach nichts, das eine breite, engagierte und gutinformierte Masse der Bevölkerung auf örtlicher Ebene ersetzen könnte. [. . .]

Randy Kehler (Koordinator der Kampagne auf Bundesebene)

Quelle: Message from the National Coordinator, in: Freeze Newsletter, Vol. 2, No. 4, April 1982, S. 6, 19

3. Auseinandersetzungen über den Freeze

a) Zum Stand der Diskussion

Dokument 8

Die Kampagne für ein atomares Einfrieren definiert ihre Hauptziele

[. . .] Mark Niedergang vom Institut für Verteidigungs- und Abrüstungs-Studien (Institute for Defense and Disarmament Studies – IDDS) erklärte gegenüber dem GUARDIAN, die Senatoren Edward Kennedy (Dem., Massachusetts) und Mark Hatfield (Rep., Oregon), die am 10. März einen Antrag im Senat über ein Einfrieren der Atomwaffen einbrachten, hätten dies »aus eigenem Antrieb getan«. Currie Burris vom Bundesausschuß der Kampagne meinte zum GUARDIAN: »Sie haben von ihren Wählern einiges zu hören bekommen.«

»Jetzt ist nicht der Zeitpunkt, eine Abstimmung herbeizuführen«, meinte Burris weiter. »Wir werden das erst dann tun, wenn die Möglichkeit besteht, daß die Abstimmung positiv ausfällt, und vor dem kommenden Jahr oder später wird das nicht der Fall sein.«

Verschiedene Organisatoren der Kampagne waren auch enttäuscht von der Sprache der Hatfield/Kennedy-Resolution, in der nicht ein sofortiges Einfrieren gefordert wird, sondern amerikanische und sowjetische Bemühungen um »eine Einigung darüber, wann und wie« ein »beiderseitiges und kontrollierbares« Einfrieren erreicht werden kann. Das könnte sowohl den USA als auch der UdSSR eine Hintertür offenlassen, endlose Verzögerungsmanöver zu beginnen, erklärten einige aktive Mitarbeiter der Kampagne. Auf der anderen Seite wird in der Hatfield/Kennedy-Resolution ein Rüstungsabbau gefordert; die Kampagne für ein Einfrieren der Atomwaffen tut das zum gegenwärtigen Zeitpunkt nicht.

Die durch den Vorstoß im Kongreß bewirkte Publicity »war sehr positiv und verschaffte uns ganz klar eine Aufmerksamkeit, mit der wir nicht gerechnet hatten«, erklärte Randy Kehler, einer der Leiter der von der Kampagne unterhaltenen Zentralstelle, gegenüber dem GUARDIAN. »Andererseits macht sie uns auch vorsichtig. Ein Blitzerfolg in den Medien macht noch keine Bewegung. Langfristig haben wir noch eine Menge zu tun. Unseren Höhepunkt haben wir nirgendwo auch nur annähernd erreicht.«

Eine Reihe aktiver Mitarbeiter der Kampagne diskutierte mit dem GUARDIAN Fragen der Strategie. »Die Zentralstelle sorgt für die Koordination auf Bundesebene, am Ort haben die Gruppen jedoch das Recht auf Selbstbestimmung«, meinte Karin Fierke. Und sie fügte hinzu: »Örtlich werden Strategien entwickelt, die zu den Bedingungen am Ort passen.« Mark Niedergang erklärte: »Wir versuchen, die Verbindung herzustellen zwischen den Interessen der Leute und einem Einfrieren der Atomwaffen. Einige Gruppen bringen Themen ein wie

El Salvador oder die Interventionspolitik, während andere das nicht tun.« Currie Burris gefiel »die in starkem Maße vorhandene gemeinsame Auffassung, daß die Kampagne für das Einfrieren mit wirtschaftlichen Themen und mit dem Militärhaushalt in Verbindung gebracht werden muß. Und wir müssen unsere Verbindungen zu den Minderheiten verstärken.«

Die Kampagne wird bei den Wahlen des Jahres 1982 keine bestimmten Kandidaten unterstützen. Burris meinte jedoch, viele aktive Mitarbeiter der Kampagne würden »einen Schattenwahlkampf führen und zu jeder öffentlichen Versammlung gehen, auf der Kandidaten sprechen, um dort die Frage eines Einfrierens der Atomwaffen aufzuwerfen und so zu einem Bestandteil der Diskussion zu machen«.

Burris wies auf ein Problem hin, das für die Abrüstung und für die Kampagne von großer Wichtigkeit ist. »Wir müssen einfach genug Schlagkraft entwickeln, um die Aufstellung der Pershing-Raketen und Cruise-Missiles in Europa zu verhindern. Ihre Installation ist für 1983 vorgesehen – für die Kampagne wäre das verhängnisvoll.« Diese Raketen sind außerordentlich beweglich und es ist fast unmöglich, ihren Standort festzustellen.

Ein weiterer Mitarbeiter, der darum bat, seinen Namen nicht zu nennen, meinte: »Innerhalb der Kampagne für das Einfrieren müssen wir die wirtschaftlichen Themen sogar noch stärker in den Vordergrund stellen. Warum werden diese Waffen, von einem wirtschaftlichen Standpunkt aus betrachtet, überhaupt produziert? Und welchen Zweck, außenpolitisch gesehen, haben die Atomwaffen? Welche Beziehung besteht zwischen atomaren Waffen und der Beherrschung der Dritten Welt durch die USA?« Und er fuhr fort: »Wir müssen die verschiedenen Aspekte miteinander in Verbindung bringen, wo immer das angezeigt ist, und nicht alles auf einmal tun. Wir müssen zunächst einen ersten Schritt unternehmen und dann Wege finden, wie wir die Leute dazu bringen, sich auch anderen Themen zuzuwenden.«

Auch andere Vertreter der Abrüstungsbewegung äußerten ihre Meinung zur Kampagne für das Einfrieren der Atomwaffen. Dave McReynolds, seit langem in der Friedensbewegung aktiv und Mitunterzeichner des ursprünglichen Aufrufs zum Einfrieren der Atomwaffen, unterstützt die Kampagne, äußerte jedoch gegenüber dem GUARDIAN in einer Reihe von Punkten seine Besorgnis: »Die Kampagne akzeptiert Rüstungskontrolle anstelle einer wirklichen Rüstungsbeschränkung.« Und er fügte hinzu: »Auf Bundesebene hat die Kampagne die Frage der konventionellen Waffen und die Frage der Intervention [der USA in der Dritten Welt] nicht mit einbezogen.«

»Die Kampagne für das Einfrieren der Atomwaffen beginnt, durch die Wirtschaftskrise nach links gedrängt zu werden. Sie muß sich in stärkerem Maße dem Problem widmen, daß Geld statt für militärische Zwecke zur Befriedigung ziviler Bedürfnisse verwendet werden muß«, meinte McReynolds weiter. »Es ist gut, daß die Kampagne versucht, Mittelamerika mit einzubeziehen. Aber wenn man versucht, so seriös wie nur möglich zu sein, dann besteht immer die Gefahr, daß Pazifisten sich selbst maßregeln und bemüht sind, die Linke aus der Bewegung auszuschließen.« Nach dieser Warnung erklärte McReynolds abschließend: »Die Kampagne stellt nicht das gesamte System antisowjetischer Vorurteile in Frage. Das ist etwas, das die Linke tun sollte.« [. . .]

Der aktive Abrüstungsbefürworter Jon Saxton erklärte, er hege im Hinblick auf die Kampagne für das Einfrieren der Atomwaffen »Zweifel, aber auch Hoffnungen«. Seine stärkste Besorgnis äußerte Saxton über die Gefahr der Kooptierung. »In der 35jährigen Geschichte der amerikanischen Abrüstungsbewegung ist es für diese Bewegung immer gefährlich gewesen, wenn gewählte Politiker sich des Abrüstungsthemas bemächtigen und es uns aus der Hand nehmen. Das hat in der Vergangenheit immer zur Aufsplitterung und Auflösung der Abrüstungsbewegungen geführt.« Es hat ihn argwöhnisch gemacht, daß »die Demokratische Partei das Einfrieren so schnell aufgegriffen hat – es könnte durchaus sein, daß sie nur für sich daraus Kapital schlagen will« –, und er warnte davor, daß Reagan »vielleicht sogar einige Aspekte des Einfrierens akzeptieren könnte«, ohne sich mit den inhaltlichen Forderungen zu identifizieren, und daß er auf diese Weise die Bewegung unterlaufen könnte.

»Natürlich könnte man uns kooptieren«, meinte Randy Kehler, einer der Organisatoren der Kampagne. »Wir könnten von der Regierung kooptiert werden, und wir könnten vom Establishment der Rüstungskontrolle kooptiert werden.« Die Methode, das zu vermeiden, besteht nach Kehlers Ansicht darin, »zu gewährleisten, daß wir die Bevölkerung hinter uns haben. Wir müssen unsere Basis ausbauen.«

Auch Mark Niedergang griff dieses Thema noch einmal auf: »Wir müssen unsere Basis verbreitern und sie ausdehnen auf die Minderheiten, die Armen, die Umweltbewegung, die Gewerkschaften und zugleich auch auf den Mittelstand.« Und er schloß mit den Worten: »Die Kampagne für das Einfrieren der Atomwaffen ist jetzt ein legitimes Diskussionsthema. Wir müssen dafür sorgen, daß sie zu einer wirklichen Kraft in der amerikanischen Politik wird.«

Quelle: Nuclear freeze campaign sets major goals, in: Guardian (New York), 24. 3. 1982, S. 5.

b) Was heißt »erster Schritt«?

Dokument 9

Wenn wir alle ein einziges Ziel haben, dann können wir das Wettrüsten stoppen!
Von Randall Forsberg

[. . .] wir kennen die Forderung nach einem Produktionsstopp für atomare Waffen seit 1945, sie ist jedoch nie das vorrangige Ziel der Abrüstungsbemühungen gewesen. Statt dessen waren die Anstrengungen in der Vergangenheit immer aufgesplittert und verteilten sich auf viele miteinander konkurrierende Ziele. Hinzu kommt noch, daß sich diese Ziele um die Extreme gruppierten: einerseits wurden recht begrenzte Maßnahmen befürwortet, die selbst im Erfolgsfall das Wettrüsten nicht beendet hätten, andererseits wurde die vollständige Abschaffung der Atomwaffen oder auch ganz allgemein des Krieges und der Waffen gefordert.

Wenn sie Aussicht auf Erfolg haben sollen, dann müssen sich die Abrüstungsbemühungen auf einen vernünftigen ersten Schritt konzentrieren, einen Schritt, der einen unbezweifelbaren Fortschritt darstellt, für den jedoch auch eine vernünftige Aussicht besteht, innerhalb einiger Jahre verwirklicht zu werden.

Die Forderung nach Einstellung der Atomwaffenproduktion ist ein geeigneter erster Schritt, weil sie auf der Mitte zwischen den größeren Zielen liegt, die wir verwirklicht sehen möchten und bei denen wir Gründe für die Annahme haben, daß sie sich in der nahen Zukunft erreichen lassen. Zum gegenwärtigen Zeitpunkt ist diese Forderung am besten dafür geeignet, daß wir alle Anstrengungen gemeinsam darauf konzentrieren, um Fortschritte im Kampf gegen das Wettrüsten zu machen.

[. . .] ich würde gegenüber dem Einwand, ein Einfrieren der Atomwaffen sei ein zu ehrgeiziges Ziel, darauf hinweisen, daß diese Forderung, wenn man sie der breiten Öffentlichkeit vorstellt, weit davon entfernt ist, zu ehrgeizig zu sein, und die Fähigkeit besitzt, die Unterstützung durch eine überwältigende Mehrheit von Menschen zu mobilisieren. Wer wird eine Fortsetzung des atomaren Wettrüstens befürworten? Wer würde einen Produktionsstopp für atomare Waffen ablehnen, wenn gezeigt würde, daß es sich dabei um ein Ziel handelt, das die Regierungen sämtlicher Seiten potentiell akzeptieren können und das grundsätzlich durch nationale Inspektionseinrichtungen überprüft werden kann? [. . .]

Dies ist ein entscheidender Punkt, denn seit dem Zweiten Weltkrieg ist die Abrüstung noch nie von der Bevölkerung, von der Mehrheit der Bevölkerung unterstützt worden.

Diese Unterstützung wurde nie mobilisiert, weil die kleinen aus Experten bestehenden und engagierten Gruppen, die sich für die Abrüstung einsetzen, sich nie auf eine konkrete Maßnahme einigen und sie als erwünschten ersten Schritt auf diesem Wege propagieren konnten; sie haben der Öffentlichkeit nie eine glaubwürdige Alternative zur herrschenden Rüstungspolitik angeboten.

Keine wichtige Bemühung um Abrüstung kann Erfolg haben ohne Unterstützung durch die Mittelschicht, die gemäßigten Bürger in Europa, in den USA und in Japan. Der Gedanke einer Abschaffung der Atomwaffen bedeutet für diese Gruppe eine zu große Veränderung, die sie daher nicht in einem Schritt akzeptieren wird. Begrenzte Maßnahmen wie ein vertraglich geregeltes Testverbot oder SALT II sind zu kompliziert, schwierig zu verstehen und zu nebensächlich, um bei der Mehrheit der Bevölkerung engagiertes Interesse auszulösen.

Wir brauchen eine dramatische, einfache, gemäßigte und dennoch wirksame Forderung, um die Mittelschicht zu mobilisieren und sie zu veranlassen, sich aktiv den Reihen derer anzuschließen, die sich dem Wettrüsten widersetzen. Die Forderung nach einem Einfrieren ist also in der Tat ehrgeiziger als begrenzte Maßnahmen zur Rüstungskontrolle, aber sie ist potentiell auch viel stärker geeignet, in der allgemeinen Öffentlichkeit Engagement zu erzeugen. Und das wiederum ist eine Bedingung *sine qua non* für den Erfolg der Abrüstungsbemühungen.

[. . .] ich würde denjenigen, die vielleicht meinen, ein Produktionsstopp für alle weiteren Atomwaffen sei ein zu bescheidenes Ziel, das unsere Anstrengungen nicht wert sei, nur antworten können, daß ich in dieser Frage anderer Meinung bin. Wie können wir hoffen, die Atomwaffenbestände um die Hälfte zu verringern, wenn die Produktion neuer Atomwaffen in einem höheren Tempo als jemals zuvor gesteigert wird? Wie können wir die Abschaffung der Atomwaffen erreichen, wenn einer der ihnen zugrundeliegenden Zwecke – die Abschreckung einer kriegerischen Auseinandersetzung vom Typ des Zweiten Weltkrieges zwischen den riesigen, konventionell bewaffneten stehenden Heeren der Industrieländer – heute noch immer so überzeugend wirkt wie eh und je? [. . .]

Quelle: Randall Forsberg, If we share a single goal, we can. . . Stop the Arms Race!, Vortrag bei der vom Weltkirchenrat veranstalteten öffentlichen Anhörung zum Thema »Atomwaffen und Abrüstung«. Sitzung VII: Wege zur Abrüstung. Amsterdam, 25.11. 1981, in: Christianity and Crisis, 18.1. 1982, S. 384–385.

Dokument 10

*Das Einfrieren der Atomwaffen – ein erster Schritt
in Richtung Abrüstung
Von Steve Ladd*

[. . .] Wichtiger als ihre Zahl ist jedoch die Art der Waffen, deren Herstellung geplant ist. Die meisten von ihnen eignen sich für einen ersten Schlag, es sind Waffen zur »Führung« eines längeren Atomkrieges. Wenn diese Waffen produziert und eingeführt werden, dann wird sich das Risiko eines atomaren Krieges dramatisch erhöhen, während kontrollierbare Maßnahmen zur Rüstungsbeschränkung und zum Rüstungsabbau, von der Abrüstung ganz abgesehen, fast unmöglich werden könnten.

Diese Waffen auf beiden Seiten zu stoppen, hat daher *unbedingten Vorrang*. Wenn wir die Entwicklung dieser Waffen nicht aufhalten können, werden wir nie in der Lage sein, die gegenwärtig in den Arsenalen der USA und der Sowjetunion vorhandenen 50 000 atomaren Sprengköpfe zu verringern und schließlich ganz zu beseitigen. Offen gesagt, wenn wir die zersplitterte, kleine und relativ einflußlose Bewegung bleiben, die wir heute sind, dann werden wir diese Waffen *nie* aufhalten oder auch nur die Entfernung einer einzigen Waffe aus unseren derzeitigen Arsenalen erreichen können.

[. . .] die harte Wirklichkeit ist, daß selbst eine Verwirklichung des offensichtlich vernünftigen und bescheidenen Vorschlages, die atomaren Waffen einzufrieren, eine sehr schwierige Aufgabe sein wird, die eine massive Volksbewegung erfordert, wie sie heute noch nicht existiert. Und es werden mehr als nur ein paar Jahre dafür notwendig sein. Der erschreckende Stand des Wettrüstens, das gegenwärtige politische Klima und das Fehlen einer großen Bewegung, die sich dem Wettrüsten widersetzt, all das erfordert, daß wir uns erst einmal Gedanken über praktische und unmittelbar anstehende Probleme machen. [. . .]

Während wir das Konzept der Kampagne unterstützen, können wir mit dazu beitragen, daß das Einfrieren *nur ein erster Schritt* ist und kein Selbstzweck. Wir können uns auch für unilaterale Schritte einsetzen. Die Rolle der Internationale der Kriegsdienstgegner innerhalb dieser Kampagne könnte unter anderem darin bestehen, Material auszuarbeiten und Aktionen zu entwickeln, mit denen wir deutlich machen, daß die beste Art und Weise, ein bilaterales Einfrieren zu erreichen, für die USA darin bestehen würde, es einseitig zu verwirklichen. Außerdem könnten wir einen umfassenden Abrüstungsplan entwerfen, in dem das Einfrieren der Atomwaffen als erster Schritt fungiert. [. . .]

Quelle: Steve Ladd, The Freeze: First Step Approach to Disarmament, in: War Resisters League (WRL) News, May/June 1981, S. 4

Dokument 11

Wird der erste Schritt der letzte sein?
Von Seymour Melman

[. . .] Angesichts der gegenwärtigen Situation der Kampagne und der zwiespältigen Haltung führender amerikanischer Politiker könnte dieser ansonsten lobenswerte »erste Schritt« [. . .] zum letzten Schritt eines unheilvollen Marsches gen Armageddon werden. Wenn dieser vorgeschlagene erste Schritt nicht zwingend zur Folge hat und garantiert, daß auch der zweite, dritte und die nächstfolgenden Schritte unternommen werden, dann könnte aus der angestrebten Umkehrung des Wettrüstens eine bloße Farce werden.

Wenn man die Lehren aus den bisherigen Präzedenzfällen zieht, dann kann man darüber spekulieren, was sich aus der Kampagne für ein Einfrieren der Atomwaffen, so wie sie jetzt formuliert ist, ergeben könnte.

Gehen wir vom gegenwärtigen Zeitpunkt als dem Punkt Null aus, dem Beginn der bundesweiten Kampagne, die sich zum Ziel gesetzt hat, jede weitere Produktion atomarer Sprengköpfe einzufrieren. Angesichts der offensichtlichen Popularität dieses Gedankens, die sich bereits in den verschiedenen Meinungsumfragen niederschlägt, können wir davon ausgehen, daß diese Bewegung Ausmaße erreicht, die viele Kandidaten für öffentliche Ämter veranlassen werden, sich der erfolgreichen Sache anzuschließen.

Wenn dann die Vorwahlen zur Nominierung des Präsidentschaftskandidaten näherrücken, wetteifern die Spitzenbewerber der Demokratischen Partei um die

Gunst des für ein Einfrieren der Atomwaffen engagierten Wählerpotentials, das ständig größer wird und schließlich im Januar 1985 einen Ted Kennedy oder einen Fritz Mondale ins Weiße Haus bringt. Das geschieht dann im dritten Jahr der Kampagne.

Der neue Präsident beginnt, eingedenk seiner Verpflichtung gegenüber der Kampagne, unverzüglich mit dem Auswechseln des Regierungsapparates, um die Sache weiter voranzubringen. Schließlich ist ein neues Expertenteam für Fragen der Rüstungskontrolle zusammengestellt und wird beauftragt, einen Plan auszuarbeiten, vor dem Kongreß werden Anhörungen veranstaltet, öffentliche Diskussionen werden angeregt und Unterhändler mit internationaler Erfahrung für die Konfrontation mit den Sowjets angeheuert. Gegen Ende des Jahres erhalten die Sowjets die Aufforderung zu Gesprächen auf höchster Ebene. Mittlerweile schreibt man das Jahr vier.

Was durch das »Einfrieren« eingefroren wird

Wir wollen großzügigerweise annehmen, daß die Sowjets ihrerseits ihre Hausaufgaben erledigt haben und bereit und willens sind, sich hinzusetzen und zu verhandeln. Angesichts der endlosen Fülle von Themen, die es zu klären gilt – Termine, Megatonnenwerte, Anzahlen, Konstellationen, Standorte, Inspektionen zur gegenseitigen Kontrolle –, werden sich diese Gespräche über mindestens sechs Monate hinziehen; alles andere wäre ein Wunder. Aber irgendwann im Sommer oder Herbst des Jahres 1986 paraphieren die führenden Politiker der USA und der Sowjetunion ein historisches Abkommen, die weitere Produktion aller Atomwaffen einzustellen. Natürlich ist wegen der besonderen Art und Weise, in der die Waffenproduktion funktioniert, das Abkommen so abgefaßt, daß es in, sagen wir, sechs Monaten in Kraft tritt, so daß die Zulieferungsbestände aufgebraucht und die Fabriken ohne nachteilige Folgen stillgelegt werden können. Damit ist ungefähr das Ende des fünften Jahres erreicht. Ein formales Ziel ist jedoch erreicht worden: die Atomwaffenproduktion ist eingefroren.

Aber was haben wir damit wirklich eingefroren? Mit Sicherheit nicht die 25 000 bis 30 000 atomaren Sprengköpfe, die sich 1982, als die Kampagne für das Einfrieren begann, in den Arsenalen der USA befanden. In jenem Jahr hatte Präsident Reagan bereits Pläne in Gang gesetzt, das atomare Waffenarsenal durch rund 17 000 weitere Sprengköpfe aufzustocken und damit – abzüglich der Ausmusterung einiger älterer Sprengköpfe – die Gesamtzahl auf 40 000 bis 45 000 zu erhöhen. Wir würden also die Atomwaffenbestände auf einem Niveau einfrieren, das zu rund 50–60% über dem des Jahres 1982 läge, und die damaligen Bestände reichten bereits aus, um sämtliche sowjetischen Städte mit 100 000 oder mehr Einwohnern vierzigmal hintereinander zu zerstören. Also können wir sie jetzt sechzigmal zerstören.

Natürlich haben die Kommissare in Moskau während dieser Periode auch nicht untätig herumgesessen. Wir können von der sicheren Annahme ausgehen, daß sie mit der Aufrüstung der USA gleichgezogen oder diese sogar übertroffen haben.

Was haben wir also eingefroren? Mehr als 100 000 atomare Sprengköpfe. Was haben wir nicht eingefroren? Zunächst einmal die Trägersysteme. Neue Raketen, »unsichtbare Bomber« und immer und immer mehr lautlose Unterseeboote werden die Garantie dafür bieten, daß das atomare Wettrüsten schnell weitergeht. Und wir werden die »defensiven« Waffen einer atomaren Kriegführung nicht eingefroren haben wie zum Beispiel neue Antiraketensysteme, die die Wahrscheinlichkeit eines atomaren Krieges nur noch realer werden lassen.

Und natürlich werden wir nicht an neue und stärkere konventionelle, nicht-atomare Waffen gedacht haben, die schon längst vor dem Beginn der Kampagne nahezu die gleiche Vernichtungskapazität besaßen wie die atomaren Gefechtsfeldwaffen.

Tatsächlich darf man als sicher annehmen, daß das Pentagon und die Waffenexperten dafür, daß sie das Einfrieren der Atomwaffen akzeptieren, belohnt oder abgefunden werden: sie werden eine Blankogenehmigung für eine monumentale Ausweitung aller Aspekte des Wettrüstens bekommen, Sprengköpfe ausgenommen.

Unser historischer Sieg wird nach Asche schmecken.

Lehren aus dem Testverbot des Jahres 1963

Aber es wird nicht das erste Mal sein, daß wir diesen Geschmack zu spüren bekommen. Die oben beschriebene Szenenfolge basiert in etwa auf den Erfahrungen, die nach einem gleichfalls historischen Atomwaffenabkommen gemacht wurden, dem atomaren Testverbot des Jahres 1963. Auch dieser Vertrag wurde seinerzeit als ein »erster Schritt« auf dem Wege zu einer allgemeinen Abrüstung begrüßt. Tatsächlich erwies er sich dann als erster Schritt in Richtung auf die Katastrophe in Vietnam. Präsident Kennedy entschädigte die Generale und die zivilen Falken, die Rüstungsindustrie und die wissenschaftlichen Waffenexperten durch eine dramatische Eskalation des Wettrüstens an jeder Front. Die Atomwaffen-Mafia erklärte sich einverstanden, ihre Tests unter die Erde zu verlegen und erhielt dafür als Gegenleistung bei weitem umfangreichere Möglichkeiten auf den Gebieten der Forschung und Erprobung.

Als leitender Mitarbeiter von SANE habe ich an der Kampagne teilgenommen, deren Ergebnis das partielle Testverbot war. Damals scheiterten wir, weil uns Voraussicht und Verständnis fehlten, und wir hatten keinen Präzedenzfall, auf den wir unsere Überlegungen stützen konnten. Heute haben wir einen.

Die elementarste Lektion, die wir gelernt haben, besagt, daß es so etwas wie einen »ersten Schritt« nur dann gibt, wenn er Bestandteil einer zusammenhängenden und von vornherein festgelegten Folge von Schritten ist. Der obenstehend geschätzte Zeitraum für das Formulieren und Aushandeln eines Einfrierens der Atomwaffenproduktion reicht aus, um parallel dazu einen Plan für einen umfassenden Abbau des Wettrüstens sowohl auf atomarem als auch auf konventionellem Gebiet zu formulieren und auszuhandeln.

Die zweite Lektion besagt: Die Bedingungen des Abkommens – die schrittweise Umkehrung des Wettrüstens – müssen für die Regierung formuliert werden und nicht von ihr. Das bedeutet, private Gremien und Organisationen, die sich für das betreffende Ziel engagieren, müssen die Führung übernehmen, das

Programm entwerfen und es der Regierung präsentieren, damit diese darüber mit der Sowjetunion verhandelt.

Drittens muß die Regierung, die über das Abkommen verhandelt, eine Regierung sein, die ihrer Natur nach darauf festgelegt ist, jeden der aufeinanderfolgenden Schritte bis hin zu einer Umkehrung des Wettrüstens zu tun. Das bedeutet, daß kein Präsidentschaftskandidat die Stimmen derer, die sich für dieses Umkehren einsetzen, bekommen wird, sofern er sich nicht eindeutig in diesem Sinne verpflichtet hat.

Schließlich muß die umfangreiche Liste der durchzuführenden Maßnahmen planmäßige Schritte enthalten zur Umwandlung der permanenten Kriegswirtschaft in eine dauerhafte und produktive Friedenswirtschaft. Das ist die notwendige und wünschenswerte Alternative zu einer »Abfindung« des militärisch-industriellen Komplexes.

Bis jetzt hat die Kampagne für ein Einfrieren der Atomwaffen eine nützliche Rolle dabei gespielt, die öffentliche Aufmerksamkeit verstärkt auf dieses lebenswichtige Thema zu richten. Nun ist es an der Zeit, ein Programm aufzustellen. Das ist der nächste Schritt zum Frieden.

Quelle: Seymour Melman, Will the First Step be the Last? in: New York Mobilizer, Spring 1982, S. 6/7.

c) Freeze und Abrüstung: ein Gegensatz?

Dokument 12

Wie tief soll eingefroren werden?
Von Sidney Lens

[. . .] Es besteht tatsächlich die Möglichkeit, daß die organisierte Friedensbewegung – und insbesondere die Freeze-Kampagne – hinter ihrem natürlichen und potentiellen Anhängerpotential in der amerikanischen Bevölkerung zurückbleiben wird. Bevor wir zu laut und zu lange über das in den vergangenen Monaten Erreichte jubeln, sollten wir einige schwerwiegende Probleme zur Kenntnis nehmen, die mit dem Freeze-Vorschlag verbunden sind – Probleme, die aus einem Übermaß an Vorsicht bei den Organisatoren der Bewegung resultieren.

Die in den meisten Teilen des Landes in Umlauf gesetzte Petition bleibt zum Beispiel sogar deutlich hinter der Sprache der Kongreßresolution zurück, die ihrerseits ein recht schüchternes Dokument ist. Die Unterzeichner der Kongreßresolution fordern Verhandlungen, nachdem die Atomwaffen eingefroren sind, um eine *Verringerung* der Atomwaffenarsenale auf beiden Seiten zu erreichen. Demgegenüber wird in der Petition lediglich festgestellt, das Einfrieren sei »ein wesentlicher, überprüfbarer erster Schritt, [. . .] die atomaren Arsenale zu verringern«, jedoch werden keine weiteren Schritte – weder einseitige noch bilaterale – angeführt, mit denen eine solche Verringerung zu erreichen ist.

Ein Einfrieren allein würde die Vereinigten Staaten und die Sowjetunion lediglich verpflichten, die Produktion und Installierung neuer Gefechtsköpfe und Trägersysteme einzustellen. Damit blieben rund 30 000 amerikanische und rund 20 000 sowjetische Sprengköpfe unangetastet, die zusammen mehr Sprengkraft besitzen als eine Million Bomben des Typs, der 1945 Hiroshima verwüstete. Die *Ausgangs*forderung der Kampagne für das Einfrieren ist daher außerordentlich bescheiden, und ihre Verwirklichung würde das Risiko einer atomaren Katastrophe kaum verringern.

Das Wort *überprüfbar* im Text der Kampagne wirft ein weiteres Problem auf. Die Frage der Verifikation ist drei Jahrzehnte lang als Vorwand benutzt worden, um Abrüstungsvorschläge zurückweisen zu können. Der Baruch-Plan aus dem Jahre 1946 sah vor, daß vor allen Abrüstungsmaßnahmen die Sowjets erst einmal Prüfungsteams der Vereinten Nationen zwecks kartographischer Erfassung des sowjetischen Territoriums und Inspektion der militärischen Einrichtungen die Einreise gestatten sollten. 1955, als die Sowjets im Prinzip den amerikanisch-französisch-britischen Abrüstungsplan akzeptierten, der die Atomwaffen abgeschafft und die konventionellen Streitkräfte erheblich reduziert hätte, zog Präsident Eisenhower den Plan zurück und ersetzte ihn durch ein unannehmbares System der Verifikation. Es war die Frage der Verifikation, die das erste SALT-Abkommen über einen Abrüstungsplan in eine bloße Maßnahme zur »Rüstungskontrolle« verwandelte, obwohl der Begriff der Verifikation durch die heute gegebene Möglichkeit der Satellitenüberwachung überholt ist.

Die Freeze-Kampagne könnte als solche leicht vereinnahmt und in eine Bemühung um »Rüstungskontrolle« umfunktioniert werden. Die Gefahr liegt darin, daß die Bewegung in ihrem Eifer, Massenunterstützung auf die Beine zu bringen und Befürworter im Kongreß zu werben, ihre Forderungen bis zu einem Punkt verwässert, an dem sie bedeutungslos werden. Schließlich stimmen die meisten Senatoren und Mitglieder des Repräsentantenhauses, die den Aufruf für ein Einfrieren der Atomwaffen unterstützt haben, regelmäßig und ohne zu protestieren für Erhöhungen des Militärbudgets. Sie mögen zur Zeit einen Stillstand des Wettrüstens befürworten oder sogar eine Verringerung der von jeder der beiden Supermächte angehäuften Atomwaffenbestände, aber sie würden trotzdem darauf bestehen, daß das, was vom früheren Verteidigungsminister Robert S. McNamara als »gegenseitig sicher wirksame Vernichtung« (»mutually assured destruction, MAD« – d. Hrsg.) bezeichnet wurde, in »ausreichendem Maße« gewährleistet ist.

Ein solches Ziel ist nicht gut genug für diejenigen von uns, denen es um das Überleben der Menschheit geht. Wir können uns nicht zufriedengeben mit einem Einfrieren, das unsere Zukunft auch weiterhin an das atomare Monster verpfändet. Unser Ziel sollte dasjenige der Internationalen Friedenspetition sein, in der die beiden Supermächte nicht nur aufgefordert werden, die Atomwaffen einzufrieren, sondern darüber hinaus zu einer »schrittweisen, aber schnellen Vernichtung der gegenwärtigen Bestände«.

Wir sollten das Einfrieren nur als ersten Schritt zu unserem *wirklichen* Ziel betrachten, und wir haben die moralische Verpflichtung, dieses Ziel weder zu tarnen noch zu verheimlichen. Es ist die Abschaffung aller Atomwaffen auf diesem Planeten. Es mag so aussehen, als liege dieses Ziel noch in weiter Ferne oder sei sogar – heute jedenfalls – unmöglich zu erreichen. Aber wer hätte es noch vor sechs Jahren für möglich gehalten, daß sich so viele Amerikaner eines Tages einer Kampagne für das Einfrieren der Atomwaffen anschließen würden?

Quelle: Sidney Lens, How Deep a Freeze?, in: The Progressive, May 1982, S. 17.

Dokument 13

Die Freeze-Kampagne: Abrüstung im Vakuum
Von Jon Saxton

[. . .]

Die Rolle der Atomwaffen
Ein ernstes Problem der Freeze-Kampagne liegt darin, daß sie die Frage der Atomwaffen bewußt aus deren gesellschaftlichem, politischem und historischem Kontext herauslöst. Die Kampagne stellt die Rüstungsfrage als ein rätselhaftes Hindernis auf dem Wege zum Weltfrieden dar. Auf diese Weise läßt sie wenig übrig, worauf sich eine Analyse oder ein Verständnis der Rüstungsfrage gründen kann. [. . .[

So wird zum Beispiel die beiderseitige Anhäufung von Waffen durch die USA und die UdSSR als »atomarer Rüstungswettlauf« dargestellt. Die Metapher vom Wettlauf erweckt die Vorstellung von einer Art Pferderennen, bei dem es vor allem darauf ankommt, sich als Stärkster oder Schnellster zu erweisen. In ähnlicher Weise wird die Rüstung als »atomarer Wahnsinn« bezeichnet, wobei die psychologischen Untertöne dieses Begriffs die Rüstungsfrage als geistige Verirrung erscheinen lassen, als die Auswirkung einer bizarren Psychose. Beide Formulierungen legen den Schluß nahe, es bedürfe nur eines rationalen Faktors, z. B. der öffentlichen Meinung, um unsere führenden Politiker von einem so unmenschlichen und irrationalen Wettbewerbsdenken abzubringen oder sie aus ihrer Manie wachzurütteln, nach immer Größerem und Besserem zu streben.

Diese Formulierungen und andere von der gleichen Art werden verwendet anstelle einer konkreten Analyse zur Klärung der Frage, warum oder wie wir in die gegenwärtige Situation geraten sind. Eine solche Analyse und das auf ihr basierende Verständnis ist wesentlich für die Ausarbeitung wirksamer und einleuchtender Strategien. Davon ausgehend wollen wir die folgenden Überlegungen anstellen.

Es ist sehr verlockend, zu dem Schluß zu gelangen, daß die massive Anhäufung von Waffen ein unlogischer Akt ist, der von unlogischen Leuten begangen wird.

Bei dieser Interpretation des Problems wird jedoch übersehen, daß diese Waffen und ihre Erforschung, Entwicklung, Erprobung und Stationierung keineswegs eine Ausnahmeerscheinung darstellen, sondern integraler Bestandteil des politischen und wirtschaftlichen Systems der USA sind. Diese Waffen und den militärisch-industriellen Komplex, zu dem sie gehören, als Fehlentwicklung anzusehen, die wie das übermäßige Wachstum einer Hecke beschnitten werden kann, heißt, Wurzeln für Äste zu halten. Die militärische Dominanz der USA wurzelt im Arsenal der Atomwaffen, diese sind entscheidend für die Fähigkeit der Vereinigten Staaten, gegen die Völker in aller Welt und im eigenen Land zu intervenieren. [. . .]

Der Kampf gegen Atomwaffen muß auf den Kämpfen gegen alle Arten amerikanischer Intervention aufbauen. Ohne Bezug zu diesen anderen Kämpfen erscheint die Vorstellung eines Einfrierens lediglich als hoffnungsschwangere technische Antwort auf ein rätselhaftes politisches Problem und könnte somit letztendlich bestimmte Mythen und Mißverständnisse über die Rolle von Atomwaffen verfestigen.

Ost-West-Konflikt: Ursache oder Deckmantel?

Ein großer Mythos, den die Begründung für ein Einfrieren anscheinend verfestigt, ist die Vorstellung, daß die wichtigsten Konfliktherde in der Welt in den Beziehungen zwischen den USA und der UdSSR liegen. Sicherlich gibt es gewaltigen Zündstoff zwischen ihnen [. . .]. Aber einige ganz entscheidende Momente weltpolitischer Konflikte läßt der Freeze-Vorschlag links liegen. Zum Beispiel die allgemein bekannten Fälle wie Vietnam und El Salvador, wo die amerikanische Wirtschafts- und Militärpolitik noch immer zu Tod und Zerstörung beitragen. Es gibt noch viele andere Beispiele. Die Drohung, »alle uns zur Verfügung stehenden Mittel einzusetzen«, um die UdSSR, China und Kuba von unseren imperialen Interventionen fernzuhalten, war und ist noch immer ernstzunehmen.

Bisher konnten diese Atomwaffen noch kein ausschlaggebender Faktor im Kampf gegen einheimisch revolutionäre Bewegungen sein. Der gegenwärtige Aufbau unserer konventionellen Streitkräfte soll hier offensichtlich Abhilfe schaffen. Aber ohne das Atom könnten die Vereinigten Staaten nicht darauf setzen, dermaßen abenteuerlich vorzugehen. Auch sollten wir nicht vergessen, daß die Entwicklung der Neutronenbombe dazu dient, Atomwaffen für »Aufstandsbekämpfung« brauchbar zu machen – eine außerordentlich gefährliche, aber aufschlußreiche Entwicklung. [. . .]

Und hinter der Stärke ihres Atomwaffenarsenals schaffen, unterstützen und erzwingen die USA imperialistische, rassistische, sexistische und sonstige Formen der Unterdrückung in allen Teilen der Welt, die in den meisten Fällen wenig oder nichts mit einer »sowjetischen Bedrohung« zu tun haben. Da diese Tatsache aus der Gesamtkonzeption der Freeze-Kampagne ausgeklammert wird, erscheinen Verbindungen zu einheimischen Solidaritätsbewegungen mit den betroffenen Völkern und zu den antirassistischen, antisexistischen und den vielfältigen Kämpfen anderer unterdrückter Völker als irrelevant; man nimmt von ihnen keine Notiz, weil man sich um das eine, freilich abstrakt bleibende, *große* Problem zu kümmern hat. Wie im folgenden noch deutlich werden wird, bedeutet unser Versäumnis, zu diesen Bewegungen direkten Kontakt aufzunehmen, eine Vernachlässigung unseres eigenen Kampfes und des Kampfes unserer Verbündeten.

Eine Frage der Taktik?

Angesichts der Wechselbeziehung zwischen der Rüstungsfrage und der amerikanischen Außenpolitik ist es notwendig, die Frage zu stellen, wieso die Freeze-Kampagne sorgfältig eine Sprache vermieden hat, die diese Wechselbeziehung zum Ausdruck bringen würde. Ein Grund ist offenbar taktischer Natur: Wenn man diese Frage mit anderen Problemen in Verbindung bringen würde, könnte irgendwie die Möglichkeit breitester Unterstützung beeinträchtigt werden. Man sucht den kleinsten gemeinsamen Nenner, weil man meint, diese einfache Darstellung sei am verständlichsten und am ehesten zu akzeptieren für Leute, die Schwierigkeiten haben, all diese verschiedenen Dinge auseinanderzuhalten. Tatsächlich kann man die Kampagne unterstützen, ohne in *irgendeinem* Punkt *irgendeines* Problems *irgendeine* politische Stellung zu beziehen. Im Strategiepapier heißt es ja auch: »Die Freeze-Kampagne geht quer durch die traditionellen politischen Lager und richtet sich an alle diejenigen, die über die atomare Bedrohung unseres Überlebens besorgt sind.« [. . .]

Es bleibt die Frage: Wie schätzen wir den Erfolg unserer Arbeit ein? Wenn man berücksichtigt, was ich bereits ausgeführt habe, ist es dann nicht durchaus möglich, daß der bisherige Erfolg der Freeze-Kampagne auf ihrer Neigung beruht, gewissen Mythen (Ost-West-Konflikt) oder Mißverständnissen (Atomwaffen als technische Abnormität) Vorschub zu leisten oder sie zu verewigen?

Das Einfrieren im eigenen Lande

Diese Frage führt uns zurück zu dem Problem, welchen Stellenwert die Kampagne im Hinblick auf die anderen Themen und Auseinandersetzungen einnimmt, die gegenwärtig in den USA anstehen. Eines der störendsten Dinge im Charakter der Kampagne ist in diesem Zusammenhang ihre Unfähigkeit, einige der offenkundigsten Verbindungen herzustellen, zum Beispiel zur Frage der Kernenergie. Seit Jahren haben sich die Organisatoren der Abrüstungsbewegung bemüht, den Gegnern der Kernenergie den engen Zusammenhang zwischen Atomenergie und Atomwaffen klarzumachen. Ebenso haben die Gegner der Kernenergie versucht, die Atomwaffengegner von der Wichtigkeit der Energiefrage zu überzeugen. Diese Bemühungen waren erfolgreich, und viele Gruppen befassen sich mittlerweile routinemäßig mit diesen Zusammenhängen. Wie soll man es angesichts dieser Tatsache erklären, daß ein großer Teil der Abrüstungsbewegung die Frage der Kernenergie einfach ausgeklammert hat? Pläne, den Abfall von Kernkraftwerken wiederaufzubereiten und für die Plutoniumproduktion zu verwenden, zeigen ebenso wie der vor kurzem erfolgte israelische Angriff auf den irakischen Kernreaktor, daß diese Probleme untrennbar miteinander verbunden sind.

Verbindungen zu anderen Fragen wie Rassismus, Sexismus, Kürzungen im Sozialbereich – Reagan & Co. haben uns die Mühe erspart, diese Verbindungen erst selbst herstellen zu müssen – werden in der Literatur der Kampagne ausgeklammert. Die direkten Zusammenhänge zwischen Atomwaffen, Rüstungsausgaben, Haushaltskürzungen und Angriffen auf die grundlegenden Bedürfnisse der Bevölkerung werden Tag für Tag auf den Titelseiten unserer Zeitungen dargestellt. Zwei Demonstrationen, die in diesem Jahr mit insgesamt über einer halben Million Teilnehmern in Washington, D. C., stattgefunden haben, zeigen das Ausmaß, in dem die Menschen diese Zusammenhänge allmählich begreifen.

Es hat den Anschein, als würde letztlich alles, was als stärkste Seite der Kampagne gilt, ihre ausschließliche Orientierung an der Praxis und ihre Einfachheit, wieder aufgehoben durch die künstliche Abtrennung und Isolierung der Atomwaffenfrage. Können wir wirklich davon ausgehen, daß eine Fortsetzung dieser mythischen Trennung uns helfen wird, kurzfristig und langfristig unsere Ziele zu erreichen? [. . .]

Zusammenfassung
[. . .]
Der springende Punkt ist, daß die Atomwaffen nicht das eigentliche Problem sind, sondern nur ein zweifellos gefährliches Symptom. Ein Einfrieren dieser Waffen würde die Möglichkeiten der Vernichtung nicht nennenswert verringern, wenn es nicht begleitet wird von einer Reihe völlig neuer Prioritäten für dieses Land. Die Bedingungen für das Setzen solcher Prioritäten können nur an der Basis geschaffen werden, in den breitesten Schichten der Gesellschaft und im Zusammenhang mit den Bewegungen, die gegen all das kämpfen, was unser Leben und unsere Freiheit bedroht. Für uns als Organisatoren besteht gegenwärtig die vielleicht wichtigste Aufgabe darin, mehr und bessere Möglichkeiten ausfindig zu machen, die Bedingungen für eine solche Einheit zu schaffen. [. . .]

Wie sich die Kampagne für das Einfrieren der Atomwaffen auch entwickeln mag, es ist meine feste Überzeugung, daß die Abrüstungsbewegung erst dann wirklich effektiv werden wird, wenn sie sich selbst bemüht, Teil einer breiteren antiimperialistischen, antirassistischen, antisexistischen und – in der umfassendsten Bedeutung des Wortes – antiinterventionistischen Bewegung zu werden.

Quelle: Jon Saxton, Nuclear Freeze Campaign: Disarmament in a Vacuum, in: WIN, 1. 12. 1981, Vol. 17, No. 21, S. 11, 13–14, 16.

Dokument 14

Das Einfrieren der Atomwaffen – ein Schritt zurück
Von Ed Hedemann

[. . .]

Probleme mit der Kampagne

Problematisch an der Kampagne sind ihre beschränkte Sichtweise, die es versäumt, die Abrüstung als Ziel hinzustellen; ihre taktische Enge durch das Ausklammern der direkten Aktion; und ihre unrealistische Strategie, die davon ausgeht, daß *nur* Appelle an das Establishment die Bewegung aufrechterhalten und wesentliche Veränderungen bewirken werden.

Die Abrüstungsbewegung muß ihre Forderung nach Abrüstung ganz in den Vordergrund stellen und deutlich machen, daß das Einfrieren neuer Atomwaffensysteme *nur* ein Schritt auf dem Wege zu diesem Ziel darstellt. Die Kampagne, die ein Sichabfinden mit dem gegenwärtigen Gleichgewicht des Schreckens beinhaltet, weist nicht einmal darauf hin, wie lange das Einfrieren aufrechterhalten werden soll und wann die Abrüstung eigentlich beginnt. [. . .]

Die Kampagne für das Einfrieren der Atomwaffen ist der letzte in einer ganzen Reihe politischer Rückzüge, die die Bewegung seit 1977 gemacht hat. Vor vier Jahren brachte die »Mobilisierung für das Überleben« vor der UN-Sondersitzung zum Thema Abrüstung eine Petition in Umlauf, in der eine Verringerung der gelagerten Atomwaffenbestände, eine Kürzung der Rüstungsausgaben und eine Einstellung der Ausfuhr von Waffen und Nukleartechnologie zusätzlich zu einem *einseitigen* Einfrieren der Atomwaffen gefordert wurde. Danach kam dann die politisch konservativere, aber noch immer unilaterale Petition der Moratoriumsbewegung. Und jetzt die Kampagne für das Einfrieren der Atomwaffen.

Die grundsätzliche Strategie dieser Kampagne möchte Veränderungen primär durch meinungsbildende Mittel bewirken wie Petitionen, Volksbefragungen, Resolutionen, Leserbriefe, Besuche bei Kongreßmitgliedern und Zeitungsanzeigen, *während gleichzeitig versucht wird, die direkten Aktionen einzuschränken*. Dies ist eine Strategie, deren Scheitern bereits programmiert ist. Es genügt nicht, einfach die allgemeine Öffentlichkeit zu überzeugen, wenn man die Politik der Regierung verändern will. So befürwortet zum Beispiel die überwältigende Mehrheit der Amerikaner seit Jahrzehnten schärfere Waffenbestimmungen, und trotzdem lehnt der Kongreß nach wie vor Maßnahmen zur Einschränkung des Schußwaffengebrauchs ab. Es ist eine gefährliche Illusion, zu meinen, die Inhaber der Macht würden diese Macht kampflos aus der Hand geben. Historisch sind die bedeutsamsten gesellschaftlichen und politischen Veränderungen *nicht* dadurch erreicht worden, daß man sich zur Durchsetzung gemäßigter Ziele begrenzter Taktiken bedient hat. [. . .]

Kampagnen brauchen oft zum richtigen Zeitpunkt eingesetzte Katalysatoren, um die Leute in Bewegung zu bringen. Die Bürgerrechtsbewegung im Süden wurde durch dramatische Kampagnen und Aktionen vorwärtsgetrieben. [. . .] Die erfolgreiche Kampagne zur Aufhebung der Rassentrennung in der Innenstadt von Birmingham bestand aus einer Serie gewaltloser direkter Aktionen. [. . .] Es war der massive zivile Ungehorsam auf dem Gelände des Kernkraftwerks Seabrook, der 1977 die Anti-Atombewegung zusammenschweißte und den zündenden Funken darstellte, der bewirkte, daß sich in allen Teilen des Landes die Kernkraftgegner organisierten. Und natürlich wurde auch der Vietnam-Kkrieg nicht durch bloße meinungsbildende Maßnahmen und durch Appelle an die Regierung beendet. [. . .]

Wenn das Einfrieren Erfolg haben soll, dann müssen unsere Literatur, unsere Rhetorik und unser Programm über ein Einfrieren hinausweisen, und zwar auf die Abrüstung als solche. Damit wird eine bestimmte Position legitimiert, und zugleich wird dadurch zusätzlich der in der Bewegung vorhandenen Tendenz vorgebeugt, nach dem Erreichen eines Einfrierens wieder zum Erliegen zu kommen, so wie die Kampagne gegen den B-1-Bomber eingestellt wurde, als das B-1-Projekt in der Versenkung verschwand und wie es bei der Bewegung gegen die Atombombe der Fall war, als der Vertrag über ein partielles Atomtestverbot abgeschlossen wurde. Ferner sollten Straßenaktivitäten und die Taktik der direkten Aktion als wesentlicher Bestandteil in das Programm aufgenommen und nicht erst nachträglich erwogen werden. [. . .]

Quelle: Ed Hedeman, The Freeze: A Step Backwards, in: War Resisters League (WRL) News, May/June 1981, S. 5, 7.

d) Freeze als Arbeitsfeld der US-Linken

Dokument 15

Friert das Wettrüsten ein!
Von der Redaktion des »Guardian«

[. . .]
Linke sollten sich in der Kampagne für ein Einfrieren der Atomwaffen engagieren. Diese Kampagne, wenn sie sich an der Basis organisiert, verfügt über das Potential, genügend Unterstützung durch die Bevölkerung zu mobilisieren, um sich zu einem bedeutsamen Hindernis für die atomaren Kriegsvorbereitungen der USA zu entwickeln.

Die Kampagne hat gewisse Grenzen. Es gibt eine Tendenz, die USA und die UdSSR im Hinblick auf die atomare Gefahr miteinander gleichzusetzen und damit genau den Antisowjetismus zu fördern, der eine der Ursachen für die unter Führung der USA betriebenen Kriegsvorbereitungen ist. Es gibt ferner die Tendenz, die Frage der Atomwaffen aus allen politischen Zusammenhängen herauszulösen, andere Themen nicht aufzugreifen und die Atomwaffen als technologisches Problem aufzufassen. Schließlich besteht die sehr reale Gefahr, daß die Kampagne entschärft und vereinnahmt wird.

Dies alles gehört jedoch zu den Dingen, für deren Überwindung sich die Vertreter der Linken einsetzen können und sollten. Die Kampagne für das Einfrieren stellt einen umfassenden Rahmen für die politische Arbeit dar.

Bei der Unterstützung der Kampagneziele im Sinne eines ersten Schrittes zur Abrüstung kann eine Reihe von Fragen aufgeworfen werden. Aktive Mitarbeiter sollten sich auf die Forderung konzentrieren, daß die Regierung der USA das Einfrieren der Atomwaffen akzeptiert – die Sowjetunion hat den Gedanken des Einfrierens bereits akzeptiert. In diesem Zusammenhang kann die Frage gestellt werden: »Warum wollen die USA nicht auf den ›Ersteinsatz‹ atomarer Waffen verzichten, während die Sowjetunion bereits darauf verzichtet hat?« (Washington hat klar zu erkennen gegeben, daß es sich das Recht vorbehält, Atomwaffen als Antwort auf einen konventionellen Krieg einzusetzen.) [. . .]

Diese Art Fragen können im Zusammenhang mit der Freeze-Kampagne die Verbindung herstellen zwischen dem atomaren Wettrüsten und der umfassenden Militarisierung und Kriegstreiberei der USA. Die atomare Aufrüstung ist nicht zu trennen von der amerikanischen Außenpolitik und den hektischen Bestrebungen der US-Regierung, ihre Vorherrschaft wiederherzustellen, die in zunehmendem Maße von den Befreiungsbewegungen und den sozialistischen Ländern in Frage gestellt und von aufsässigen Verbündeten unterminiert wird.

Insbesondere muß der Zusammenhang zwischen der atomaren Aufrüstung und den Interventionen der USA in der Dritten Welt aufgezeigt werden. Einer der Hauptgründe für das Bestreben der USA, ihr Atomwaffenarsenal zu erweitern, ist die Errichtung eines Schutzschirms, unter dem sie in der Lage sind, in der Dritten Welt mit Drohungen und Interventionen zu operieren. Außerdem sollte betont werden, daß Kriege in der Dritten Welt von den USA leicht zu einem Dritten Weltkrieg eskaliert werden können.

Die enorme Inanspruchnahme von Mitteln, die durch das atomare Wettrüsten aufgesogen werden, betrifft alle arbeitenden Menschen, wirkt sich jedoch besonders auf die schwarze Bevölkerung und andere unterdrückte Minderheiten aus. Die Forderung, die Gesellschaft müsse die Bedürfnisse der Bevölkerung berücksichtigen, kann man auch erheben, wenn man für ein Einfrieren der Atomwaffen eintritt.

Die sich zur Zeit entwickelnde Abrüstungsbewegung hat zum ersten Mal seit Jahren bewirkt, daß traditionelle Friedensverbände, Ein-Punkt-Bewegungen und die Linke beginnen, in einer Massenbewegung zusammenzuarbeiten. Diese sich entwickelnde Bewegung verfügt über ein enormes Potential. Wie das Beispiel der europäischen Bewegung zeigt, können buchstäblich Millionen Menschen gegen das atomare Wettrüsten mobilisiert werden. Die Kampagne für das Einfrieren der Atomwaffen ist ein großer Schritt in diese Richtung.

Die Abrüstungsbewegung – und die Freeze-Kampagne – wird sich noch mit vielen Problemen auseinanderzusetzen haben. Als neue politische Massenbewegung ohne organisatorischen Rahmen und gemeinsame ideologische Traditionen wird die Abrüstungsbewegung ihre Ziele und Strategien entwickeln und präzisieren müssen. Durch eine schöpferische Mitarbeit in dieser Bewegung kann die Linke eine wichtige Rolle dabei spielen, das Potential der Bewegung voll auszuschöpfen.

Aktive Mitarbeiter in der Freeze-Kampagne sollten auf der Hut sein vor Versuchen, diese Kampagne zu vereinnahmen. Es wird Versuche geben, die Kampagne von den Initiativen an der Basis zu trennen, sie zu verwässern und ihre Sprache zu übernehmen, nicht jedoch ihren Inhalt.

Ein bestimmter Teil der herrschenden Klasse befürchtet, daß die umfassenden Bemühungen um eine atomare Überlegenheit sich als zu kostspielig erweisen werden und wird daher den Gedanken eines Einfrierens unterstützen. Das bedeutet nicht, daß die Linke sich vom Engagement für ein Einfrieren der Atomwaffen fernhalten sollte. Sie sollte sich vielmehr die Meinungsverschiedenheiten innerhalb der Bourgeoisie zunutze machen. Notwendig ist jetzt eine starke, autonome Bewegung an der Basis, die sich einsetzt für ein Einfrieren als ersten Schritt und dann fortschreitet zur Forderung nach einem echten Rüstungsabbau.

Die Linke kann innerhalb der Abrüstungsbewegung und insbesondere innerhalb der Freeze-Kampagne schöpferisch mitarbeiten, ihr volles Potential erschließen, dazu beitragen, die Ursachen des Militarismus aufzuzeigen, eine klare Analyse ausarbeiten und schließlich dazu beitragen, daß eine permanente und wirksame Antikriegsbewegung entsteht.

Quelle: Guardian Viewpoint: Freeze the Arms Race, in: Guardian (New York), 31. 3. 1982, S. 23.

Dokument 16

Ist die Freeze-Kampagne nur für Weiße da?
Von Currie Burris

[. . .]
Die Diskussion
Unter den Organisatoren der Bewegung ist es zu einer Diskussion gekommen, die ernste Fragen im Hinblick auf die Kampagne aufwirft. Grundsätzlich basiert sie auf der Beobachtung, daß bisher die meisten Anhänger und nahezu alle Organisatoren der Kampagne aus der weißen Mittelschicht stammen. Zwar hat es von schwarzer Seite wichtige Unterstützung gegeben (die Abgeordneten des Repräsentantenhauses Ron Dellums, Harold Washington, Parren Mitchell, Charles Rangel und Shirley Chisholm; der Geistliche Ben Chavis; die Bundeskonferenz schwarzer Rechtsanwälte, die Konferenz schwarzer Bürgermeister der USA und andere), aber von den Unterzeichnern des Kampagneaufrufs stammen die meisten aus weißen Bevölkerungskreisen. Ein weiterer Punkt in der Diskussion be-

zieht sich darauf, daß im grundlegenden Text der Kampagne – dem ersten Absatz des Aufrufs zu einem Einfrieren der Atomwaffen – nicht ausdrücklich gefordert wird, die bei einem Einfrieren eingesparten Mittel zur Finanzierung notwendiger Sozialleistungen zu verwenden, und daß die Kampagne daher, strategisch betrachtet, keinen Rückhalt bei der schwarzen Bevölkerung und den Minderheiten finden könne.

CALC (Clergy and Laity Concerned – d. Hrsg.) hat sich von Anfang an in der Freeze-Kampagne engagiert. Und obwohl wir nicht mit allen bisher getroffenen Entscheidungen zufrieden sind, sind wir beeindruckt vom Potential dieser Strategie. Wir meinen, es handelt sich hier um eine einfache und klare Forderung, die moralisch richtig und politisch realistisch ist. CALC ist jedoch fest entschlossen, in den 80er Jahren eine Bewegung quer durch alle Rassen aufzubauen, da wir davon ausgehen, daß es in der Ära Reagan die von den Haushaltskürzungen am meisten Betroffenen, die Armen, die Schwarzen und die Minderheiten sein werden, die den gesellschaftlichen Veränderungen dieses Jahrzehnts zum Opfer fallen. Außerdem gehen wir davon aus, daß es nur dann zu einem wirklichen gesellschaftlichen Wandel kommen kann, wenn Schwarze und Weiße sich zusammenschließen und die sich ausbreitenden Krebsgeschwüre unserer Gesellschaft – wie den Rassismus und den Militarismus – gemeinsam bekämpfen. Daher halten wir es für die wichtigste Aufgabe der Kampagne, zu einer Bewegung zu werden, in der alle Rassen vertreten sind.

Leben und Tod und die SS-20

Warum gibt es dann in diesem Lande nicht mehr Unterstützung seitens der aus der Dritten Welt stammenden Bevölkerungsgruppen? Ich glaube, offen gesagt, man hat bisher noch keinen Versuch gemacht, wirklich herauszufinden, ob es im Bereich der Minderheiten Unterstützung in größerem Umfange für diese Strategie gibt. Die Organisatoren der Kampagne haben – vielleicht aufgrund früherer Mißerfolge – bisher gezögert, die Strategie in diesem Bereich zu testen. Bislang hat jedoch niemand von den führenden schwarzen Persönlichkeiten und Organisatoren sich – wenn man sie gefragt hat – geweigert, die Freeze-Kampagne zu unterstützen. Wir müssen uns jedoch klar machen, daß es Fragen von Leben und Tod gibt, denen sich die arme Bevölkerung in diesem Lande tagtäglich gegenübersieht. In einer Zeit, in der die Mittel für Lebensmittelgutscheine, Gesundheitsfürsorge, Berufsbildungsprogramme und Wohnungsbauprogramme zusammengestrichen werden, gibt es Dinge, die sich direkter auswirken als die Anzahl der SS-20-Raketen und Cruise-Missiles in Europa. Aber wir müssen auch erkennen, daß es keiner großen Überzeugungsarbeit bedarf, um den Schwarzen und den Minderheiten klarzumachen, daß ihnen das Geld gestohlen wird, das für militärische Zwecke bestimmt ist. Das wissen die Führer der Minderheiten, und die Minderheiten selbst wissen es auch.

Was fehlt, ist ein ausgeprägter Sinn für Solidarität zwischen denen, die sich für die Abrüstung einsetzen, und den Angehörigen der schwarzen Bevölkerung und der Minderheiten. Um hier Abhilfe zu schaffen, genügt es nicht, einer vorhandenen Liste beschlossener Ziele noch ein paar soziale Forderungen anzuhängen.

Solche Listen hat es schon immer gegeben, und sie haben keine Wunder bewirkt, wenn es um die Unterstützung seitens der Minderheiten ging. Es ist überheblich und kurzsichtig, wenn man meint, soziale Lippenbekenntnisse würden die schwarze Bevölkerung zur Unterstützung veranlassen. Es ist jedoch in höchstem Maße überheblich, wenn man glaubt, die Schwarzen, die Amerikaner spanischer Abstammung und die Armen seien nur an unmittelbaren Erleichterungen im Hinblick auf belastende Haushaltskürzungen interessiert und nicht an der eigentlichen Ursache dieser Beraubung der Armen. [. . .]

Sozialer Wandel durch Zauberei
Es sollte selbstverständlich sein, daß die schwarze Bevölkerung mehr an einer Kampagne interessiert ist, wie sie auch immer aussehen mag, die tatsächlich in der Lage ist, einen ersten Schritt in Richtung auf wirkliche gesellschaftliche Veränderungen zu unternehmen, als an einer Kampagne, die ideologisch alles in einen Topf wirft, aber nicht die geringste Vorstellung davon hat, wie diese Ideen Wirklichkeit werden sollen. Ohne eine gut durchdachte, spezifische und doch flexible Strategie ist die Kampagne zum Scheitern verurteilt, mag sie auch noch so schön konzipiert worden sein. Gesellschaftliche Veränderungen geschehen nicht durch Zauberei. [. . .]

Ein ernsthaft neuer Versuch
Ich halte es für bezeichnend, daß die Forderung nach einem Einfrieren der Atomwaffen eine erste Welle der Zustimmung nach der sowjetischen Invasion in Afghanistan, dem Wiederaufleben des Carter-Militarismus und dem Rechtsruck in den USA zu verzeichnen hatte. Plötzlich wurde der Bewegung klar, daß wir uns nicht mehr in den alten ausgefahrenen Gleisen bewegen durften, sondern daß von uns ein neuer, ernsthafter Versuch gefordert wurde, Ernsthaftigkeit nicht nur mit Blick auf unsere Ideale, sondern auch hinsichtlich unserer Methoden. Es gab nur die eine Möglichkeit, nämlich etwas ausfindig zu machen, das funktionierte. Unter diesen Umständen schien der Gedanke einer Kampagne für ein bilaterales Einfrieren der Atomwaffen – auf der Grundlage des »Aufrufs zur Einstellung des Wettrüstens« – angesichts des Klimas nach SALT II vielversprechend zu sein. Das Wichtigste war jedoch die Überzeugung, daß im Unterschied zu früheren erfolglosen Petitionsbemühungen der Freeze-Kampagne ein intensiver und basisorientierter Prozeß zur Ausarbeitung einer Strategie vorhergehen mußte. Auf diese Weise sollte eine Kampagne geformt werden, die den Erfolg nicht schon für morgen verspricht, sondern ihn nach drei bis vier Jahren Schwerpunktarbeit erhoffen läßt. Das geschah zwischen dem Herbst des Jahres 1980 und dem Frühjahr des Jahres 1981. Und die Bundeskonferenz und die gegenwärtige Kampagne sind das Ergebnis dieses Strategieprozesses. Welche Fehler es zur Zeit auch immer in der Kampagne geben mag, die Menschen, die sich in ihr engagiert haben, meinen es ernst mit einer Veränderung der Bedingungen, unter denen in unserem Lande über das atomare Wettrüsten diskutiert wird.

»Das Potential demonstrieren«

Im ersten Jahr soll die Strategie der Bewegung »das Potential der Kampagne für ein Einfrieren der Atomwaffen demonstrieren«. Es ist die vordringlichste Aufgabe der Organisatoren, dieses Potential der Kampagne innerhalb der schwarzen Bevölkerung und der Minderheiten sichtbar zu machen. Der Zusammenhang zwischen dem Einfrieren und den sozialen Bedürfnissen und dem Problem der Haushaltskürzungen ist klar. Würden in diesem Jahr die Atomwaffen eingefroren, dann würden wir rund 20 Milliarden Dollar an Kosten für neue Waffen einsparen. Unter Berücksichtigung der geplanten Lebensdauer dieser vorgesehenen neuen Waffen könnten sich die Einsparungen auf hunderte von Milliarden Dollar belaufen. Dieses Geld könnte wieder der Bevölkerung zugeführt werden und Programme finanzieren, die Leben retten, statt es zu vernichten. Außerdem würde es das durch ein Einfrieren der Atomwaffen entstehende Klima der Zusammenarbeit ermöglichen, die Prioritäten unseres Landes endlich so zu verlagern, daß den Bedürfnissen der Bevölkerung entsprochen wird und gleichzeitig die Völker der Welt ihre Selbstbestimmung erhalten.

Die wichtigste Methode beim Eintreten der Kampagne für die Armen und Unterdrückten in unserem Lande besteht jedoch nicht darin, daß die Organisatoren ihre Arbeit besser erledigen, sondern darin, daß wir alle besser zusammenarbeiten. Das bedeutet: wenn es eine Demonstration für Arbeitsplätze gibt, wenn gegen die Schließung eines Krankenhauses oder gegen die Brutalität der Polizei demonstriert wird, dann sind die Anhänger der Kampagne dort vertreten und marschieren ebenfalls für diese Ziele. Wenn Schwarze endlich erleben, daß Weiße gemeinsam mit ihnen für anständige Wohnungen und Schulen demonstrieren, dann wird man schwarze und braune Gesichter auch vor dem Pentagon sehen. Menschen sind wichtiger als Slogans.

Warum auf ein Wunder warten?

[. . .]

Eine ernsthafte Analyse dessen, was heute möglich ist, muß die Erkenntnis beinhalten, daß es keine Veränderung ohne die schwarze Bevölkerung und die Minderheiten geben kann. Ohne ein Engagement derjenigen, deren tägliches Leben ein Kampf ums Überleben und gegen die militärische Besessenheit unseres Landes ist, wird uns die Leidenschaft und Energie fehlen, einen Wechsel wirklich durchzusetzen. Blinde Leidenschaft ist jedoch wie blinder Glaube selbstzerstörerisch und deutet nur auf einen Verrat derjenigen hin, denen die Führung anvertraut wurde. Leidenschaft und Engagement müssen in den Dienst realistischer Strategien und erreichbarer Ziele gestellt werden. Hier liegt die Aufgabe für die Kampagne und für die gesamte Abrüstungsarbeit auf organisatorischer Ebene. Wenn wir aufrichtig und wahrhaftig sind mit Herz und Verstand, dann dienen wir dem »ganzen Volk« und gehören selbst dazu.

Quelle: Currie Burris, Is the Freeze Campaign for Whites Only?, in: CALC Report, September 1981, S. 9–12.

4. Freeze und politische Praxis

a) Die Beispiele Bridgeport und New Haven

Dokument 17

Die Geschichte zweier Städte
Von Patricia Ginoni

Die Freeze-Kampagnen in Bridgeport und New Haven sind über die Forderung an ihre Stadträte, sich in einer Resolution für das Einfrieren auszusprechen, hinausgegangen. Die beiden Industriestädte im südwestlichen Connecticut haben die Kampagne für das Einfrieren und Umkehren des Wettrüstens durch Maßnahmen erweitert und ausgebaut, die sich direkt mit dem Antisowjetismus und der notwendigen Schaffung einer Abrüstungsbewegung auseinandersetzen, in der Angehörige der verschiedensten Rassen vertreten sind, und die sich vor allem auf die arbeitende Bevölkerung stützt.

In Bridgeport hat die örtliche Bewegung »Arbeitsplätze durch Frieden« eine Kampagne gestartet, die eine überzeugende Verbindung herstellt zwischen dem Kampf für eine Beendigung des Wettrüstens (und gegen eine weitere Unterstützung rechter Diktaturen durch die USA) und dem Kampf um Arbeitsplätze für eine Umstellung der Wirtschaft und für eine Wiederbelebung der Stadtgebiete.

In New Haven hat der Rat der Stadt nicht nur eine Freeze-Resolution verabschiedet, sondern in einem Zusatz beschlossen, eine Kopie der Resolution einer Schwesterstadt in der Sowjetunion zuzusenden. Der Rat der Stadt entschied sich dafür, im Kampf für den Frieden eine ständige Partnerschaft zwischen New Haven und Noworossisk, einer Hafenstadt am Kaukasus, anzustreben. [. . .] Bridgeport und New Haven sind beides alte Industrie- und Hafenstädte mit einer gemischtrassigen Arbeiterbevölkerung. Beide Städte gehören zu den ärmsten Gemeinden des Bundesstaates. Beide sind schwerstens betroffen von Massenentlassungen, Betriebsstillegungen, den von Reagan verfügten Haushaltskürzungen und sinkenden Steuereinnahmen. [. . .]

Der örtliche Ausschuß »Arbeitsplätze durch Frieden« von Bridgeport wird noch in diesem Jahr eine Resolution zum Thema Einfrieren vorlegen, die sich mit genau diesen wirtschaftlichen Fragen befaßt. Die Resolution hat folgenden Wortlaut: »Der Rat der Stadt Bridgeport soll den Kongreß der Vereinigten Staaten auffordern, mehr Bundesmittel für örtliche Arbeitsplätze und Programme – für ein qualifiziertes Bildungswesen, öffentliche Verkehrsmittel, verbesserte Gesundheitsfürsorge und sonstige lebenswichtige Dienstleistungen – zur Verfügung zu stellen und zu diesem Zweck den Anteil unserer Steuergelder reduzieren, der für Atomwaffen und Interventionen im Ausland – wie gegenwärtig in den Ländern Mittelamerikas – ausgegeben wird.

Diese Kürzung der Ausgaben für Waffensysteme soll dadurch ermöglicht werden, daß gemeinsam mit der Sowjetunion ein beiderseitiges Einfrieren jeder weiteren Erprobung, Herstellung und Installierung atomarer Waffen, Raketen und neuer Flugzeugtypen, die in erster Linie als Trägersysteme für Atomwaffen vorgesehen sind, vereinbart wird.«

Gary Koos, Mitglied im Ortsverein 7528 der Stahlarbeitergewerkschaft, wies darauf hin, daß die Kampagne des örtlichen Ausschusses »Arbeitsplätze durch Frieden« für eine Resolution zum Thema Einfrieren gerade erst begonnen habe. Die Gruppe hat jedoch bereits beschlossen, die Resolution nicht direkt beim Stadtrat einzubringen, sondern sie *vorher* der Bevölkerung von Bridgeport vorzulegen. [. . .]

Um eine maximale Unterstützung der Resolution zu organisieren, hat der örtliche Ausschuß von Bridgeport eine attraktive Broschüre zusammengestellt, in der nachgewiesen wird, »daß Rüstungsausgaben Arbeitsplätze kosten«.

»Wir wollen diese Broschüre als Informationsmaterial verwenden, wenn wir die Resolution für ein Einfrieren der Atomwaffen in diesem Sommer verschiedenen Zielgruppen persönlich überreichen«, erklärte Koos.

In einem Abschnitt der Broschüre zum Thema »Rüstungsausgaben und Bridgeport« wird erläutert, daß die Kosten für ein einziges Kampfflugzeug vom Typ F-14 oder für ein Aufklärungsflugzeug vom Typ TR-1 oder für einen Kampfpanzer ausreichen würden, um den gesamten Haushalt für die städtischen Schulen und Bibliotheken zu finanzieren oder Polizei und Feuerwehr oder das städtische Amt für Parks und Erholungsmaßnahmen.

In der Broschüre werden außerdem spezifische Maßnahmen aufgeführt, mit denen die ausgedehnte Verteidigungsindustrie des Staates Connecticut auf friedliche Zwecke umgestellt oder »umgerüstet« werden könnte. (United Technologies, einer der wichtigsten Rüstungskonzerne, ist der größte private Arbeitgeber in diesem Bundesstaat. Im Südosten von Connecticut beschäftigt die Werft Electric Boat, ein Tochterunternehmen von General Dynamics, über 30 000 Arbeiter.) »Electric Boat (wo gegenwärtig die Trident-Unterseeboote gebaut werden) könnte mit den vorhandenen Werftanlagen Frachtschiffe und Tanker bauen. . . . Die Firma Sikorsky Aircraft, zur Zeit Hersteller von Kampfhubschraubern, könnte statt dessen Busse, U-Bahn-Wagen und Eisenbahnwaggons bauen«, heißt es in der Broschüre.

Das Heft enthält auch einen Abschnitt über El Salvador, in dem die Krise in den USA und der Kampf gegen die Militärhilfe und die interventionistische Außenpolitik miteinander in Verbindung gebracht werden.

»Wir brauchen ein Paket wirtschaftlicher Hilfsmaßnahmen für Bridgeport, für Detroit und für andere notleidende Städte in den USA. Die salvadorianische Armee verwendet unsere Militärhilfe dazu, die eigene Bevölkerung niederzumetzeln. . . . Und die amerikanische Wirtschaftshilfe (für Mittelamerika) kommt lediglich den 14 Familien zugute, die die Wirtschaft El Salvadors kontrollieren.«

Quelle: Patricia Ginoni, The Freeze Campaign. A Tale of Two Cities, in: Daily World, 10. 6. 1982, S. 15.

b) Die Demonstration am 12. 6. 1982 in New York

Dokument 18

Kundgebungssprecher kritisieren die Kosten des atomaren Wettrüstens
Von Robin Herman

Mit der These, das atomare Wettrüsten drohe nicht nur die Menschheit auszulöschen, sondern zerstöre auch jetzt schon das Leben auf der Erde, suchten die zahlreichen Sprecher der gestrigen Abrüstungskundgebung (Demonstration einer Million Menschen am 12. 6. 1982 in New York – d. Hrsg.) deutlich zu machen, wie sehr die verschiedenen von ihnen vertretenen Bevölkerungsgruppen gegenwärtig bereits zu leiden haben.

Führende Vertreter der schwarzen und der spanischstämmigen Bevölkerung betonten den Zusammenhang zwischen hohen Rüstungsausgaben und den Kürzungen im Bereich der Armenhilfe. Gewerkschaftsvertreter forderten Arbeitsplätze statt aufwendiger Waffensysteme. Ärzte äußerten ihre Besorgnis angesichts heutiger Strahlungsmengen, und Mütter erklärten, sie seien beunruhigt über die Zukunft ihrer Kinder. [. . .]

»Glaubt nicht an das, was euch die Politiker erzählen; achtet auf das, was sie tun«, erklärte Dr. Helen Caldicott, Kinderärztin aus Australien und Vorsitzende der Ärztevereinigung für soziale Verantwortung (Physicians für Social Responsibility). »Wir denken an unsere Babies. Es gibt keine kommunistischen Babies und es gibt keine kapitalistischen Babies. Ein Baby ist ein Baby"«, erklärte sie.

Auf dem Podium fehlten bemerkenswerterweise die Politiker mit ihren Wahlkampfreden, aber das war von den Planern der Kundgebung bewußt so entschieden worden. Statt dessen wechselten sich politische Vertreter von der Basis am Mikrophon ab, wie zum Beispiel Randall Forsberg, die die Kampagne für ein Einfrieren der Atomwaffen initiierte, Kirchen- und regionale Gewerkschaftsvertreter, u.a. Rev. William Sloane Coffin Jr. als leitender Geistlicher der Riverside Church und Victor Gotbaum als Vorsitzender des Bezirksrates 37 der Gewerkschaft für Beschäftigte im öffentlichen Dienst auf Bundesstaats-, Bezirks- und Gemeindeebene (American Federation of State, County and Municipal Employees, AFSCME). [. . .]

Das atomare Wettrüsten war nicht das einzige Thema der Reden; es wurde lediglich als eine der Hauptursachen angeführt für eine Reihe weltweiter Probleme. Die Demonstranten wurden informiert über die Not der Armen Amerikas, die Unterdrückung der Frauen, rassistische Kriege in Afrika und die Unruhen in El Salvador. Alle diese Probleme wurden mit der atomaren Aufrüstung in Zusammenhang gebracht.

Rev. Herbert Daughtry, der Vorsitzende der National Black United Front, erklärte, die Programme der Armenhilfe würden zugunsten höherer Militärausgaben gekürzt. Ein Mitglied des Afrikanischen Nationalkongresses (ANC) beschuldigte Südafrika, Atomwaffen zu entwickeln, um sie gegen die schwarze Bevölkerung des afrikanischen Kontinents einzusetzen. Rubin Zemora von der Revolutionären Demokratischen Front El Salvadors erklärte, die Belieferung El Salvadors mit Waffen statt mit Lebensmitteln bringe dieses Land um. Bella S. Abzug, frühere Abgeordnete des US-Repräsentantenhauses und jetzige Vorsitzende der Frauenorganisation Women USA, wies darauf hin, daß Frauen, die bei den gewählten Amtsträgern der USA zahlenmäßig so schlecht vertreten seien, weit mehr Widerstand gegen die Militärpolitik der Regieurng Reagan entwickelten als Männer. [. . .]

Randall Forsberg blickte auf die riesige Menge der Demonstranten auf der Dag-Hammarskjöld-Plaza und rief begeistert: „Wir haben es geschafft! Die Kampagne für ein Einfrieren der Atomwaffen hat die größte Friedensbewegung mobilisiert, die es in der Geschichte der Vereinigten Staaten jemals in Friedenszeiten gegeben hat. Noch glauben es die Politiker nicht. Aber sie werden es glauben. Sie halten es für eine Modeerscheinung. Das ist es nicht. Die amerikanische Bevölkerung hat genug vom atomaren Wettrüsten. Wir fürchten uns vor dem atomaren Rüstungswettlauf, und wir haben allen Grund dazu. Solange das Wettrüsten nicht aufhört und solange wir keine Welt des Friedens und der Gerechtigkeit haben, solange werden wir auch nicht nach Hause gehen und ruhig sein. Wir werden nach Hause gehen und Aktionen organisieren.«

Elizabeth Holtzman, Staatsanwältin aus Brooklyn, äußerte sich optimistisch über den politischen Effekt der Veranstaltung. Sie erklärte: »Wenn irgend jemand der Meinung sein sollte, das Volk habe keine Macht, dann behaupte ich, daß er unrecht hat.«

Und sie fuhr fort: »Es war die Bevölkerung dieses Landes, die die Regierung gezwungen hat, den Krieg in Vietnam zu beenden. Es war die Bevölkerung dieses Landes, die die Regierenden gezwungen hat, einen Präsidenten abzusetzen, der an höchster Stelle Verbrechen begangen hatte. Das Volk dieses Landes – ja, die Völker dieser Welt – werden es erzwingen, daß die Regierenden auf sie hören.« [. . .]

Quelle: Robin Herman, Rally Speakers Decry Cost of Nuclear Arms Race, in: New York Times, 13. 6. 1982.

Teil 2

Widerstand gegen Erstschlagwaffen

Spätestens seit Carters »Direktive 59« vom Sommer 1980 wird in der Friedensbewegung die Strategie nuklearer *Erst- und Entwaffnungs-schläge* gegen die UdSSR ausführlich diskutiert. Umfangreiche Informationsarbeit leisten die traditionellen Friedensorganisationen SANE, AFSC, Women Strike for Peace und Women's International League for Peace and Freedom, ebenso das Institute for Policy Studies, das Center for Defense Information und die Coalition for a New Foreign and Military Policy (Dok. 1). Die zahlreichen Beiträge von Daniel Ellsberg (in den 60er Jahren im Pentagon tätig, veröffentlichte 1971 die Pentagon-Papiere) und Robert Aldridge (ehemaliger Raketeningenieur bei Lockheed, der 1973 aus Protest gegen Trident seine Arbeit niederlegte) können aus Platzgründen nur bruchstückhaft dokumentiert werden (Teil 8, Dok. 3); zum Verständnis der Geschichte und gegenwärtigen Entwicklung amerikanischer Nuklearstrategie sei aber nachdrücklich auf sie verwiesen.[1]

Die besondere Gefährlichkeit der Erstschlagstrategie liegt in der Verbindung von *Politik* und *Technologie* (vgl. Dok. 1, 2). Die Präsidenten Reagan und Carter haben die politische Grundsatzentscheidung getroffen, Kriegführungsoptionen zur Grundlage der Nuklearstrategie zu machen. Zugleich bietet die moderne Technologie die Möglichkeit, die dazu erforderlichen, punktgenauen Waffensysteme zu entwickeln. Gegen diese erstschlagfähigen Atomwaffen formiert sich in den USA ein immer stärkerer Widerstand.

Von Kalifornien und der »Pacific Life Community« (1976 von Robert Aldridge ins Leben gerufen) ausgehend, hat der Widerstand gegen *Trident*-Raketen und -Unterseeboote die längste Tradition. Der Pudget Sound, ein dem Staat Washington vorgelagerter Teil des Pazifik, und das dortige Bangor, Heimathafen des ersten Trident-U-Bootes, sind seit Jahren Zentren der Opposition. Der Erzbischof von Seattle, Raymond Hunthausen, formulierte den Leitgedanken des Widerstandes: *»Trident ist das Auschwitz von Pudget Sound.«* (Teil 6, Dok. 9) Gemeint ist, nicht noch einmal (wie vor 40 Jahren) unvorstellbare Vernichtungssysteme aus dem Bewußtsein zu verdrängen. Würden sie nicht heute wahrgenommen und bekämpft, könne es bereits morgen für alle zu spät sein.

Eine der bisher erfolgreichsten Aktionen war der sog. »Bangor Summer« 1977. In wochenlanger Öffentlichkeitsarbeit gelang es, die Bevölkerung des Gebietes über Trident aufzuklären und sie teilweise in die Arbeit einzubeziehen; auch arbeiteten religiöse Pazifisten und Umweltschützer fortan gemeinsam.

Aus den zahlreichen Aktivitäten gingen neue Gruppen hervor, z. B.

»Live without Trident« und »Ground Zero: Center for Nonviolent Action«, die ihrerseits zum Vorbild für Anti-Trident-Bewegungen an der Ostküste (»Atlantic Life Community«) wurden. Die Dokumente 3–6 veranschaulichen Selbstverständnis und Aktionsschwerpunkte dieser Gruppen. Dabei muß immer berücksichtigt werden, daß hier nur wenige der zahlreichen Initiativen und kreativen Aktionen vorgestellt werden können.[2]

Inzwischen hat die Friedensbewegung auch in traditionell pro-militaristischen Landesteilen Fuß gefaßt (Dok. 7). Insbesondere im Südwesten der USA formiert sich der Widerstand gegen die Stationierung der erstschlagfähigen *MX-Raketen*. Nirgendwo wird das heterogene Spektrum der Friedensbewegung und ihr ausgeprägter »Grass-roots«-Charakter so deutlich wie hier. Viehzüchter, Rancher, Indianer, Bergarbeiter, Kirchenvertreter und Umweltschützer haben zu einer bisher beispiellosen Koalition zusammengefunden. Sie wenden sich aus den verschiedensten Gründen gegen die MX (wie die Dok. 9–13 zeigen): wegen der Zerstörung von Wiedeland, der Vernichtung von Arbeitsplätzen im Bergbau, der irreparablen Umweltschäden, des Zugriffs auf den Indianern geheiligtes Land, der sozialen und ökonomischen Folgen im Zuge des gigantischen Bauvorhabens (Inflation und Zuzug von ca. 150 000 Arbeitskräften in ein dünnbesiedeltes ländliches Gebiet) und schließlich wegen der Tatsache, daß die MX den Südwesten zum Zielgebiet nuklearer Vergeltung seitens der UdSSR machen würde.

Viele Organisationen – z. B. die Nevada Cattlemen's Association, die Tri-State MX-Coalition und Teile der United Methodist Church – plädieren nach wie vor für eine »starke Verteidigung« (vgl. Dok. 9, 11); sie opponieren nicht gegen die MX als solche, sondern lediglich gegen deren Stationierung in Utah, Nevada oder angrenzenden Gebieten. Die politische Praxis hat diesbezüglich allerdings zu bemerkenswerten *Lernprozessen* geführt. Das MX-Information Center in Salt Lake City (Utah) z. B., 1979 als Bürgerinitiative gegründet, sprach sich ursprünglich lediglich gegen den Stationierungsmodus aus, revidierte Ende 1981 jedoch seine Position. Man wendet sich prinzipiell jetzt nicht allein gegen die MX, sondern auch gegen Trident, B-1- und Stealth-Bomber, Cruise-Missiles und Neutronenbombe und unterstützt zugleich den Freeze. Durch die Erfahrung gemeinsamen Widerstands sind hier offenbar Diskussionsprozesse in Gang gesetzt worden, die eine programmatische Radikalisierung der beteiligten Gruppen auch andernorts in Zukunft keineswegs ausschließen.

Dazu mögen auch die bisherigen Erfolge beigetragen haben. Der von der Great Basin MX-Alliance (in Utah und Nevada) und seit Frühjahr

1982 auch von der Tri-State MX-Coalition (in Nebraska, Colorado und Wyoming) organisierte Widerstand hat bisher verhindert, daß die ursprünglichen Stationierungspläne realisiert werden konnten.

Informationen über die weitere Entwicklung sind ebenfalls zu beziehen über die National Campaign to Stop the MX mit Sitz in Washington, D.C. (vgl. Dok. 8).

Seit Frühjahr dieses Jahres (siehe Einleitung) wird die amerikanische Friedensbewegung auch stärker gegen die *Pershing II und Cruise-Missiles* aktiv. Der Aufruf »Stop the Cruise and Pershing II Missiles« wurde vom langjährigen Friedensaktivisten Bill Moyer konzipiert und vom »Movement for a New Society« – einer 1971 gegründeten Quäker-Initiative – mit viel Erfolg publizistisch verbreitet (Dok. 14). Auch das Freeze-Clearing House und zahlreiche örtliche Freeze-Initiativen unterstützen inzwischen diese Forderung.

1 Vgl. Daniel Ellsberg, Call to Mutiny. Einleitung zur *amerikanischen* Ausgabe von E. P. Thompson, Dan Smith (Ed.), Protest and Survive, Monthly Review Press, 1981, S. I–XXVIII; Interview mit Daniel Ellsberg in Inquiry Magazine, 13. 4. 1981, S. 13–18. Die Kritik Robert Aldridges ist am ausführlichsten dargelegt in seinem Buch The Counterforce Syndrom: A Guide to U.S. Nuclear Weapons and Strategic Doctrine, Washington, D.C. 1978 (IPS).

2 Zu weiteren Aktionen gegen Trident in Kalifornien vgl. Phil McManus, Scott Kennedy, Putting Trident on the Local Agenda, in: WIN, 20. 9. 1979, Vol. XV, No. 30, S. 4–9; diess., Trident II: a local nuisance. A Neighborhood up in Arms about the Nuclear Arms Race, in: The Progressive, September 1979, S. 25/26.

Dokumente

1. Verhindert den Erstschlag!

Dokument 1

Nuklearkrieg durch »Erstschlag«

[. . .] Die gegenwärtige Atomwaffenkrise ergibt sich zum Teil aus dem vergeblichen amerikanischen Versuch, etwas von dem »Übergewicht im Bereich strategischer atomarer Schlagkraft« zurückzugewinnen, über die Amerika aufgrund von Versäumnissen der Gegenseite einst verfügte. Dieses Übergewicht bestand im wesentlichen in der Fähigkeit, einen ersten Schlag zu führen und dabei nicht mit Vergeltungsmaßnahmen rechnen zu müssen. Ein erster Schlag in den 80er Jahren ist jedoch etwas ganz anderes als ein erster Schlag zu der Zeit, als sich Raketen und Atombomber noch in ihrem Frühstadium befanden. Heute verfügen beide Seiten über eine große Vielfalt von Raketen mit Atomsprengköpfen, die kurzfristig aus unterirdischen Betonsilos abgefeuert werden können, sowie über mit Atomwaffen ausgerüstete Unterseeboote und Bombenflugzeuge. Jede Seite besitzt Tausende von leicht zu transportierenden Gefechtsköpfen sowie die Gewißheit, nach Hinnahme eines massiven ersten Schlages über die Fähigkeit eines Vergeltungsschlages zu verfügen. [. . .]

Die Risiken sind so hoch, daß kein geistig normaler führender Politiker der Sowjetunion oder der USA jemals einen Angriff aus heiterem Himmel (»bolt out of the blue attack«, im Fachjargon auch als »BOOB attack« bezeichnet) versuchen würde, weil er befürchten müßte, daß die andere Seite ihn vorher bemerkt. Die wirkliche Gefahr besteht darin, daß die für einen ersten Schlag geeigneten Waffen die Zeit verkürzen, die für eine Beurteilung der ersten Anzeichen eines Angriffs und für das Finden einer intelligenten Antwort zur Verfügung steht. Diese Waffen werden in zunehmender Weise beide Seiten schießwütig machen. In den letzten Jahren hat es drei bekanntgewordene Fälle gegeben, in denen ein falscher Alarm einen angeblichen sowjetischen Angriff signalisierte. Senator Mark Hatfield (Rep., Oregon) meint sogar, ein solcher falscher Alarm ereigne sich jeden Monat mehrere Male.

Wenn sich ein Angriff gegen eine Rakete richtet, die noch nicht gestartet wurde, dann liegt es in der Natur der Sache, daß damit die Zurückhaltung bestraft wird, die sich derjenige auferlegt hat, der diese Rakete noch im Silo oder im Unterseeboot belassen hat, statt sie abzufeuern. Es sollte völlig klar sein, daß es nicht der Abschreckung dient, wenn Zurückhaltung bestraft wird. Wenn jede Seite über eine genügend hohe Anzahl von Waffen verfügt, mit denen ein erster Schlag ausgeführt werden kann, dann kann es sich die andere Seite nicht leisten zu warten oder zunächst noch alles in Reserve zu halten, wenn sie erst einmal zu der Auffassung gelangt ist, der Krieg habe begonnen.

»In dem Maße wie die technischen Fähigkeiten der Waffen zunehmen«, erklärte der frühere Abrüstungsbeauftragte Gerald C. Smith vor dem Außenpolitischen Ausschuß des Senats im Jahre 1981, »wird für jede Seite ein stärkerer Anreiz bestehen, in einer Krise als erste zu schießen, wenn sie aus irgendeinem Grunde zu der Annahme gelangt, die andere Seite erwäge ihrerseits einen Präventivschlag. Diese Logik – ›Wer die Waffen nicht einsetzt, verliert sie‹ – könnte dann auf die politisch Verantwortlichen einen unerträglichen Druck ausüben.«

Zu den amerikanischen Waffen, deren Aufgabe darin besteht, die sowjetischen Waffensysteme in eine Einsatz-oder-Verlust-Situation zu bringen, gehören der äußerst zielgenaue Gefechtskopf Mark 12 A der neuesten Minuteman-III-Rakete und die in der Entwicklung befindlichen Raketentypen MX, Trident II, Pershing II und Cruise-Missile (insbesondere die von Unterseebooten abgefeuerten seegestützten Marschflugkörper), sowie die Patrouillenflugzeuge, Angriffs-Unterseeboote und Horchgeräte des umfangreichen und wirkungsvollen Programms der Marine zur U-Boot-Bekämpfung. Schwere sowjetische Raketen bedrohen in gleicher Weise die bodengestützten Waffensysteme der USA. Es gibt allerdings keine nennenswerte sowjetische Bedrohung für die amerikanischen Unterseeboote – eine Tatsache, die zwar zunächst tröstlich erscheinen mag, jedoch andererseits bedeutet, daß die Führungsposition der USA auf dem Gebiet der U-Boot-Bekämpfung die sowjetische Furcht vor einem amerikanischen Angriff vergrößern könnte. [. . .]

Wenn ein unbegrenzter Krieg Selbstmord und ein begrenzter strategischer Krieg unwahrscheinlich ist, dann bleibt noch die Möglichkeit eines *geographisch* begrenzten Atomkrieges. [. . .] Da es sich um eine Atomwaffe handelt, die gegen konventionelle sowjetische Streitkräfte eingesetzt werden soll, setzt die Existenz der Neutronenbombe einen Plan der USA voraus, einen nichtatomaren Krieg in einen Atomkrieg zu verwandeln. Die Neutronenbombe ist eine Waffe für den Ersteinsatz. Im Zeitalter einer beiderseits gewährleisteten Vernichtung (Mutually Assured Destruction – MAD), in dem zusätzlich das Einsatz-oder-Verlust-Prinzip gilt, ist jeder Plan zum Beginn eines Atomkrieges, gelinde gesagt, riskant. Und selbst wenn der Krieg begrenzt bliebe, könnte er noch immer Europa zerstören.

Eine weitere Sorge der Europäer besteht darin, daß die amerikanischen Pershing II und bodengestützten Cruise-Missiles, deren Installation auf europäischem Boden vorgesehen ist, genügend Zielgenauigkeit, Sprengkraft und Reichweite besitzen, um als Waffen für einen ersten Schlag gegen die Sowjetunion benutzt zu werden. Diese Tatsache macht ihre Standorte in Europa für die Sowjets zu Zielen eines potentiellen ersten Schlages. [. . .]

Es ist für uns unbedingt erforderlich zu begreifen, daß das unter der Regierung Carter begonnene und von der Regierung Reagan mit allem Nachdruck fortgesetzte Programm einer Modernisierung der Waffenarsenale die Gefahr eines Atomkrieges *erhöht* – unabhängig davon, wie die Sowjets darauf reagieren. [. . .]

Wenn der Weg zu Vereinbarungen über eine echte Rüstungskontrolle darin bestände, die Sowjetunion durch überlegene Stärke in Angst und Schrecken zu versetzen, dann wäre das Wettrüsten bereits vor zwanzig Jahren zu Ende gewesen. Die sowjetische Reaktion auf die atomare Überlegenheit der USA in den 50er Jahren bestand darin, die amerikanischen Waffenarsenale zu kopieren. Die präventivschlagfähigen Waffen, die das Pentagon jetzt gefordert hat, werden ebenfalls imitiert werden; danach werden dann beide Seiten in einer Falle sitzen, in der es den Anschein hat, als würde diejenige Seite einen Vorteil besitzen, die den nächsten Krieg beginnt, während in Wirklichkeit keine der beiden Seiten überleben kann. Genug ist genug, und jetzt ist der Zeitpunkt, damit aufzuhören. [. . .]

Quelle: »First Strike« Nuclear Warfare, Flugschrift der Coalition for a New Foreign and Military Policy, Washington, D.C. 1982.

Dokument 2

Atomarer Terror: Erster Schlag kontra Abschreckung

[. . .] Oberstes Ziel der Atomwaffenpolitiker in den USA war es nie, ein stabiles und ausgewogenes Gleichgewicht mit der Sowjetunion oder irgendeinem anderen Land aufrechtzuerhalten. Der US-Außenpolitik seit dem Zweiten Weltkrieg lag stets das Ziel zugrunde, andere Länder zu beherrschen und zu diesem Zweck die weitgehend auf dem Schreckgespenst unserer Atomwaffen beruhende überlegene militärische Stärke der USA weltweit zum Tragen zu bringen. Im Interesse der »nationalen Sicherheit« oder zum Schutz »lebenswichtiger Interessensgebiete« haben die USA wiederholte Male mit dem Ersteinsatz atomarer Waffen gedroht. [. . .]

Schlußfolgerung
Es ist klar, daß die Atomwaffenpolitik der USA – ebenso wie die der Sowjets – dringend einer Veränderung bedarf. Unser Überleben ist nicht nur bedroht durch die *technische* Entwicklung einer Präventivschlagkapazität, sondern in noch stärkerem Maße durch die *politischen* Entscheidungen des für die nationale Sicherheit zuständigen Establishments, den Atomkrieg nicht nur als Denkmöglichkeit aufzufassen, sondern davon auszugehen, daß man ihn real gewinnen kann.

Wenn die Katastrophe eines Atomkrieges verhindert werden soll, wird eine enorme Mobilisierung von Menschen notwendig sein, um dem gegenwärtig von den führenden Politikern unseres Landes eingeschlagenen Kurs Widerstand zu leisten, ihn aufzuhalten und wieder rückgängig zu machen. Zwar wird die endgültige Beseitigung der atomaren Gefahr auch eine Beteiligung anderer Länder erfordern, aber es gibt wichtige erste Schritte, die wir von unserer eigenen Regierung fordern können, Schritte, die gewiß nicht zu unserer einseitigen Entwaffnung führen, die jedoch die Chance eines Überlebens eröffnen werden:

1) *Keine erste Anwendung:* Die USA verpflichten sich, niemals und unter keinen Umständen einen Atomkrieg zu beginnen.

2) *Keine neuen Waffen:* Die Entwicklung, Erprobung und Herstellung weiterer Atomwaffen (insbesondere präventivschlagfähiger Komponenten) wird eingestellt, und die Rüstungsbestände werden auf ihrem gegenwärtigen Stand eingefroren.

3) *Stufenweise Verringerung:* Schrittweise Beseitigung der vorhandenen »Overkill«-Kapazitäten. [. . .]

Quelle: Nuclear terrorism: First strike vs. deterrence, Flugblatt des University of California Nuclear Weapons Labs Conversion Project, San Francisco, o.J.

2. Stoppt Trident!

a) Friedensboote gegen Trident

Dokument 3

Die Friedensblockade gegen Trident

Die grundlegende Wahrheit über das U-Boot- und Raketensystem Trident besteht darin, daß es sich hier um ein präventivschlagfähiges Waffensystem handelt – in direktem Widerspruch zur Überzeugung der amerikanischen Bevölkerung, die amerikanische Regierungspolitik bestehe in der Abschreckung eines Atomkrieges.

Ein einziges Trident-Unterseeboot wird 24 Raketen mitführen, von denen jede nicht weniger als 17 unabhängig voneinander programmierbare Gefechtsköpfe enthält. Jeder Gefechtskopf hat eine Sprengkraft von der fünffachen Größe desjenigen, der Hiroshima zerstörte. Lenkungssysteme gewährleisten, daß die 408 Trident-Sprengköpfe ihre Ziele mit einer Genauigkeit von nur wenigen Metern erreichen. Eine derart massive Feuerkraft und Zielgenauigkeit wird das Trident-System zusammen mit anderen präventivschlagfähigen Waffen dazu geeignet machen, einen entwaffnenden ersten Schlag zu führen.

Die Ankunft des ersten Trident-Unterseeboots, der USS Ohio, an seinem Standort in Bangor, Washington, im Sommer 1982, ist eine entscheidende Gelegenheit für gewaltlose Aktionen und für die Aufklärung der Bevölkerung über diese neueste Erstschlagwaffe.

Die Friedensblockade

Die Friedensblockade wird das Ziel haben, zum Zeitpunkt des Einlaufens der Ohio in Bangor und ihrer Weiterfahrt zum Einsatz im Pazifik so viele Widerstandsboote wie möglich im Hood-Kanal zu versammeln. Das erste Trident-Unterseeboot wird ungefähr vier Wochen vor seinem Auslaufen mit der ersten Ladung Atomraketen im Hafen erwartet. Die Friedensblockade wird während dieser Zeit gewaltlose Aktionen unternehmen, um das Auslaufen des Trident-Unterseeboots zu verhindern.

An der Friedensblockade werden sich zwei Bootstypen beteiligen: eine sehr große Anzahl von Booten zur Beobachtung und Unterstützung sowie eine kleinere Zahl von Booten für direkte Aktionen. Alle diese Boote werden durch große Transparente oder Segel gekennzeichnet sein, auf denen das internationale Symbol »No nukes« (»Atomkraft – nein Danke!«) zu sehen ist. Zweck der Beobachtungsboote wird es sein, auf gewaltlose Weise eine breite Unterstützung und den Widerstand gegen die Stationierung des Trident-Unterseeboots zum Ausdruck zu bringen. Die Boote für die direkte Aktion werden versuchen, das Auslaufen des U-Boots durch eine direkte gewaltlose Blockade zu verhindern. Sie werden mit Menschen bemannt sein, die bereit sind, ihre Boote und ihr Leben zu riskieren, und zwar nicht leichtsinnig, sondern um damit ganz bewußt zum Ausdruck zu bringen, daß eine Präventivschlagpolitik und eine Waffe, die zur Ausführung eines ersten Schlages geeignet ist, unser aller Leben bedrohen.

Aufklärung, Handeln, Vertrauen
Die Friedensblockade wird den Aktionsmittelpunkt einer breitangelegten Aufklärungskampagne darstellen. Ein Dia-Vortrag, verschiedene Redner, Veröffentlichungen und gewaltlose Aktionen vor dem Einlaufen des Trident-U-Bootes werden dazu beitragen, die Bevölkerung der nordwestlichen Pazifikküste über das Trident-System aufzuklären und sie über Gewaltlosigkeit als alternative Lebensweise zu informieren. Wenn wir die gegenwärtige, auf eine atomare Katastrophe hinauslaufende Politik verstehen und dazu bereit sind, gewaltlos persönliche Verantwortung auf uns zu nehmen, dann kann jeder von uns mit den Voraussetzungen Schluß machen, die das Trident-System erst ermöglichen.

Der Zweck der Aufklärungskampagne und der Aktionen im Rahmen der Friedensblockade besteht darin, das Trident-System persönlich, geistig und schließlich auch politisch zu überwinden. Wenn es im kommenden Sommer gelingt, das Trident-U-Boot für einige Augenblicke im Hood-Kanal festzuhalten, dann wird das ein Symbol eines tiefergreifenden und dauerhafteren Sieges sein.

Aufklärung, Handeln und zunehmendes Vertrauen zur Kraft der Gewaltlosigkeit werden das Trident-System und das atomare Wettrüsten aufhalten. [. . .]

Quelle: Peace Blockade to Stop Trident, Flugschrift des Ground Zero Center for Nonviolent Action, Poulsbo, Washington, o.J.

Dokument 4

Proteste gegen die Trident-Probefahrten
Von Marta Daniels

Das erste Trident-Unterseeboot, die *USS Ohio*, das modernste, zielgenaueste und tödlichste seegestützte Waffensystem der USA, glitt am 17. Juni (1981 – d. Hrsg.) in Groton/Connecticut noch vor dem Morgengrauen im dunstigen Licht die Thames hinunter, dicht gefolgt von dem dreizehn Meter langen Protestschiff *Powder Ridge*.

Das riesige Trident-Unterseeboot verließ den Anlegeplatz der General-Dynamics/Electric-Boat-Werft, wo es gebaut wurde, und sollte seine ersten Probefahrten aufnehmen – mit zweijähriger Verspätung und einer Überziehung der ursprünglich angesetzten Kosten um 100%.

Während das mit Transparenten – »Friert das Wettrüsten USA–UdSSR ein!« – übersäte Segelboot das Trident-U-Boot zwei Stunden lang bis aufs offene Meer

»eskortierte«, säumten über 50 Teilnehmer einer Mahnwache schweigend das Ufer, um ihren Widerstand zu demonstrieren und zu einer Beendigung des Wettrüstens aufzurufen. Zwei Männer, John Bach und Tim Quinn von der Hartford Atlantic Life Community, wurden festgenommen und wegen unerlaubten Betretens angeklagt, weil sie zur Electric-Boat-Werft geschwommen waren und versucht hatten, an dem 180 Meter langen Trident-U-Boot ein Friedenssymbol zu befestigen.

Das »Friedensboot« hängte sich fast zehn Kilometer weit bis zum Long Island-Sound hinter das Atomunterseeboot und kehrte dann zurück. Von dem Segelboot aus, das höchstens hundert Meter von der *Ohio* entfernt war, versuchten Demonstranten mit der Besatzung Kontakt aufzunehmen, zu der auch Admiral Hyman Rickover, der »Vater der Atomflotte«, gehörte. Mit einem guten Lautsprechersystem (das den ohrenbetäubenden Lärm der herabstoßenden Medienhubschrauber und der mit Reportern besetzten Schnellboote übertönte) wandten sie sich an Admiral Rickover, der zusammen mit dem Kapitän und Vertretern der Firmen General Dynamics, General Electric, United Technologies und Lockheed hoch oben auf der Brücke des U-Boots thronte. Das Dutzend aktiver Pazifisten löste sich dabei ab und zitierte Passagen aus dem »Aufruf zur Einstellung des atomaren Wettrüstens« [1], in dem der Gedanke eines Einfrierens der Atomwaffen auf dem gegenwärtigen Stand entwickelt wird. [. . .]

1 Vgl. Teil 1, Dok. 1
Quelle: Marta Daniels, Trident Sea Trials Protest, Flugblatt des American Friends Service Committee (Voluntown, Connecticut) und der War Resisters League (Norwich, Connecticut), 1981.

b) Der tägliche Widerstand

Dokument 5

Woran wir glauben
Ground Zero Center für gewaltlose Aktion

Feminismus ist grundlegend

Was das für uns bedeutet, ist sehr einfach: Unsere westliche Kultur basiert auf der Vorstellung, daß Frauen keine vollwertigen Menschen sind, nicht die gleichen Fähigkeiten und Rechte wie die Männer besitzen und als Eigentum der Männer zu betrachten sind. Wir haben das Problem noch weiter dadurch kompliziert, daß wir die menschlichen Eigenschaften in »männliche« und »weibliche« eingeteilt und dann Männer und Frauen hervorgebracht haben, die in dieses Schema passen. Dieses Verfahren hat in allen Lebensbereichen zu persönlicher Benachteiligung der Frauen geführt. Es ist noch nicht lange her, da konnten

Frauen weder wählen noch Eigentum besitzen noch das Sorgerecht für ihre eigenen Kinder beanspruchen. Nach und nach korrigieren wir die auffälligsten dieser Ungerechtigkeiten in unserer Gesellschaft, aber wir haben kaum damit begonnen, uns um das tieferliegende Problem zu kümmern: um das patriarchalische Vorurteil, das sich durch unsere gesamte Kultur zieht.

Da politische und wirtschaftliche Macht ausschließlich von Männern ausgeübt worden ist, und weil den Männern bestimmte stereotype Denk- und Verhaltensweisen aufgezwungen wurden, belohnt und verkörpert unser politisches System »männliche« Eigenschaften wie Aggressivität, Rivalisieren, technische und intellektuelle Fähigkeiten und die Unterdrückung von Gefühlen. Die gesellschaftlichen Strukturen des Westens spiegeln dieses Vorurteil wider, und wir von Ground Zero glauben, daß der Aufbau einer friedlichen Gesellschaft es erforderlich machen wird, einen ganz neuen Begriff des Menschseins zu entwickeln und dementsprechend neue Strukturen aufzubauen. Wir halten weder den Kapitalismus noch den Kommunismus für ein geeignetes Modell; die geeigneten Modelle sind bisher noch nicht geschaffen worden.

Weil wir der Meinung sind, daß patriarchalische Verhaltensweisen und Strukturen eine Hauptursache der Weltprobleme darstellen, versuchen wir, sie in stärkerem Maße bewußt zu machen, während wir gleichzeitig versuchen, das Wettrüsten stärker ins allgemeine Bewußtsein zu rücken. Beides sind zwei Seiten eines Gebildes mit vielen Facetten, zu denen unter anderem der Rassismus und andere Formen institutionalisierter Zerstörung gehören. Es hat keinen Sinn, gegen das Übel des Atomkrieges zu kämpfen, wenn man sich nicht gegen die Auffassungen wendet, die ihm zugrundeliegen. Ground Zero ist ein Versuch, beides zu tun. [. . .]

Mit Ground Zero haben wir versucht, [. . .] im Geist des Mitgefühls und der Gewaltlosigkeit Kontakt mit den Arbeitern von Bangor aufzunehmen. Eine Möglichkeit dazu bot sich durch unsere wöchentliche Flugblattverteilung am Flottenstützpunkt. Jeden Donnerstagmorgen zwischen 6.30 und 8.00 Uhr verteilen wir Flugblätter an die Arbeiter, die zum Stützpunkt fahren. Unsere Flugblätter haben Themen aufgegriffen wie zum Beispiel: Was ist mit den Russen?, Was passiert mit unseren Arbeitsplätzen?, Trident als Waffe für einen ersten Schlag, die Auswirkungen radioaktiver Strahlung, das Risiko atomarer Unfälle, Aktionen des zivilen Ungehorsams in der Nähe des Stützpunkts, wer wir sind, Verkehrsprobleme, die sich für Flugblattverteiler und Arbeiter aus dem Bestimmungen des Stützpunktes ergeben. Anfang Dezember haben wir ein Flugblatt zum Nikolaustag verteilt, jeweils zusammen mit unserem Geschenk für die Arbeiter: einem Meinungsknopf mit der Aufschrift »Ich würde lieber Spielzeug herstellen«. Freunde berichteten, diese Knöpfe seien noch am gleichen Tage in der Innenstadt von Bremerton und auch an den folgenden Tagen von Arbeitern getragen worden, die zum Stützpunkt fuhren.

Wir halten es für den Beweis eines sich entwickelnden Vertrauensverhältnisses zwischen den Arbeitern und uns, daß an jedem Donnerstagmorgen durchschnittlich 600 bis 700 Arbeiter mitten im dicksten Verkehr langsamer fahren, die Fenster herunterkurbeln und Flugblätter von Leuten annehmen, die sich gegen

Trident wenden, die Grundlage ihres Lebensunterhalts. Wir haben unsererseits versucht, den Arbeitern offen zu begegnen, und haben ihre Briefe, in denen sie Kritik an unseren Flugblättern übten, mit ihrer Erlaubnis gedruckt und diese Gegenerklärungen dann an der Flottenbasis als Flugblätter verteilt. Mit solchen Arbeitern unterhalten wir uns, wenn es möglich ist, in Einzelgesprächen. In drei örtlichen Kirchen haben wir Vorträge veranstaltet, die von den Arbeitern und ihren Familien stark besucht wurden. Ironischerweise sind diejenigen, zu denen wir von allen auf dem Stützpunkt Beschäftigten die besten Beziehungen unterhalten, die Sicherheitskräfte von Pan American, die uns oft wegen zivilen Ungehorsams festnehmen. Die meisten Angehörigen des Pan-Am-Wachpersonals sind aufgeschlossen und freundlich. Durch den persönlichen Kontakt ist ihnen klargeworden, daß wir gegen Trident sind und nicht gegen sie.

In den kommenden Monaten hoffen wir, intensivere Beziehungen zu den Arbeitern dadurch herzustellen, daß wir uns über mögliche Schritte zu einer Umstellung der Rüstungsindustrie auf friedliche Zwecke informieren, die sowohl für sie als auch für uns von Belang wären – in einer Gesellschaft, die sich zur Zeit der Vorbereitung eines Atomkrieges bedienen muß, um sowohl Arbeitsplätze zu schaffen als auch die Verteidigung zu gewährleisten. Die Arbeiter von Bangor und die Trident-Gegner sind moralisch in einer ähnlichen Lage. Was die Sicherheit unseres Lebens anbetrifft, so gehen wir alle auf Nummer Sicher und akzeptieren in großem Umfange die grundlegenden Voraussetzungen des Atomkrieges: Ruhe und Komplizenschaft bei seiner Vorbereitung. Wieviel Sicherheit sind wir denn bereit, zugunsten des Friedens aufzugeben? Eine Gemeinschaft aus Bangor-Arbeitern und Trident-Gegnern, die bereit sind, auf beiden Seiten bei gegenseitiger Unterstützung mehr zu riskieren, kann den Atomkrieg aufhalten und eine bessere Welt schaffen. [. . .]

Quelle: What we believe, in: Ground Zero, Vol. 1, No. 1, S. 4/5, Veröffentlichung des Ground Zero Center for Nonviolent Action, Poulsbo, Washington, o. J.

Dokument 6

Guten Morgen!

Sie wundern sich wahrscheinlich, wer wir sind und warum wir so früh am Morgen schon auf den Beinen sind, obwohl wir es nicht müssen, warum wir so sehr gegen Trident sind und natürlich, wer organisatorisch hinter uns steht. Dieses Flugblatt wird versuchen, diese Fragen kurz zu beantworten. Wir haben vor, jeden Donnerstag hier zu sein, und wir wollen uns hier zu Beginn des Gesprächs mit Ihnen vorstellen:

Wir sind eine ganze Reihe verschiedener Leute. Einige von uns kommen nun schon seit drei Jahren nach Bangor. Einige von uns sind zum ersten Mal gekommen. Die meisten von uns wohnen in Seattle oder Kitsap County. Manchmal sind auch Freunde aus anderen Gegenden dabei, aus Olympia, Tacoma, Bellingham, British Columbia oder von noch weiter entfernt. Wir kommen hierher und verteilen Flugblätter, weil wir Ihnen, die Sie auf dem Trident-Stützpunkt arbeiten, unsere Sorgen mitteilen wollen. Wir glauben, daß viele von Ihnen unsere Besorgnis teilen. Einige von Ihnen haben uns gesagt, sie würden auch lieber woanders arbeiten, könnten jedoch keine andere Arbeit finden. Wir hoffen, daß wir mit Ihnen über Alternativen diskutieren und ein Forum für Ihre und unsere Sorgen schaffen können.

Wir alle haben verschiedene Gründe, über Trident besorgt zu sein, aber letztlich laufen sie alle darauf hinaus, daß wir fürchten, an einem Punkt angelangt zu sein, an dem die Menschheit ausgerottet wird, wenn wir keine konstruktiven Methoden zur Lösung unserer Konflikte entwickeln.

Wir sind gegen Atomwaffen in allen Ländern, nicht nur in den USA. Als Amerikaner und Kanadier sind wir der Meinung, daß unsere Verantwortung für eine Beendigung des Wettrüstens zunächst unsere eigenen Waffen betrifft. Aber wir arbeiten mit Menschen in allen Teilen der Welt zusammen, jeder in seinem eigenen Land, um eine starke internationale Bewegung gegen die Lagerung und den Einsatz atomarer Waffen aufzubauen.

Die Flugblätter und die Leute, die sie verteilen, kommen von »Ground Zero«, das sich direkt neben dem Stützpunkt befindet. Ground Zero ist ein Zentrum zur Untersuchung gewaltloser Alternativen. Wir würden diese gern gemeinsam mit Ihnen untersuchen. Eine Möglichkeit dazu würde für Sie darin bestehen, unsere Diskussionsveranstaltungen zu besuchen, über die wir Sie noch informieren werden. Eine andere Möglichkeit wäre für Sie, uns einen Brief zu schreiben, in dem Sie uns Ihre Meinung zu unseren Flugblättern mitteilen, Fragen stellen oder von Ihnen aufgeworfene Probleme zur Diskussion stellen. Wir werden Ihren Brief drucken und ihn zusammen mit unserer Antwort an einem Donnerstagmorgen als Flugblatt verteilen. Oder wenn Ihnen das lieber ist, können wir Sie auch persönlich anrufen oder anschreiben und darüber reden. Wir möchten wirklich Ihre Meinung kennenlernen. Wir würden uns freuen, von Ihnen etwas zu hören. [. . .]

Lassen Sie uns in Verbindung bleiben. Wir wünschen Ihnen noch einen schönen Tag!

Quelle: Good Morning, Flugblatt von Ground Zero Center for Nonviolent Action, Poulsbo, Washington, o.J.

3. »Wir werden uns nicht von der Stelle bewegen!« – Der Kampf gegen die MX in den Südstaaten

a) Auch im Süden: eine neue Friedensbewegung

Dokument 7

Zunehmender Protest gegen Atomwaffen im normalerweise rüstungsfreundlichen Süden

Von Wendell Rawls, jun.

[. . .] »Ich glaube, daß der Widerstand gegen das atomare Wettrüsten die Bewegung der 80er Jahre ist«, erklärte James Olcese, Dozent für Biologie an der Southwestern University und einer der Organisatoren der »Ground Zero«-Aktionswoche in Memphis, Tennessee. »Das Wettrüsten wirkt sich inzwischen aus auf unseren moralischen Rückhalt, unsere Gesellschaftsstruktur, unsere wirtschaftliche Struktur – auf all die Dinge, auf die unser Land sich einst gründete.

Und das ist einer der Gründe dafür, daß wir schon am Beginn dieser Bewegung im Süden von einer breiteren Basis unterstützt werden, als das jemals irgendwann während der Antikriegsproteste der 60er Jahre der Fall war«, meinte er weiter. »Und das ist auch der Grund, warum Präsident Reagan über diese Bewegung so besorgt ist.« [. . .]

Nach Meinung eines College-Dozenten aus Arkansas, der darum gebeten hat, seinen Namen nicht zu veröffentlichen, spiegelt die Zahl der aktiv Protestierenden offenbar nicht annähernd die Zahl derjenigen wider, die entschieden gegen die Atomwaffen eingestellt sind.

»Es gibt eine ganze Menge Leute«, erklärte der Dozent, »die nie im Leben daran denken würden, sich mit einem Protesttransparent blicken zu lassen, die aber eine Stinkwut auf die Atomwaffen haben, und diese Wut sitzt sehr tief.«

In Memphis, das als eine der konservativsten Städte des Südostens gilt, scheint der während dieser Woche geäußerte Protest diese Einschätzung zu bestätigen.

Ein Punkt auf dem Gelände der Staatlichen Universität Memphis wurde zum »Ground Zero« erklärt, d. h. zu dem Gebiet, auf oder über welchem eine Atombombe explodieren würde, und während des morgendlichen Stoßverkehrs standen Studenten und Dozenten an einer vielbefahrenen Hauptstraße an bestimmten Stellen in östlicher und westlicher Richtung. Sie trugen Schilder mit statistischen Informationen über das Ausmaß der Zerstörung und die potentielle Überlebensrate nach der Detonation der Bombe, sowie weitere Informationen über die Auswirkungen der Hitze, des entstehenden Feuersturms, über die Windgeschwindigkeit und die Strahlung in den verschiedenen Entfernungen vom Bodennullpunkt.

Nur etwas mehr als zwei Dutzend Studenten und Dozenten standen im windgepeitschten Regen, um ihre Informationen an den Mann zu bringen, und sie verteilten trotz allem rund 5000 Flugblätter an Autofahrer, die dazu anhalten, die Scheibe herunterkurbeln und die Hand in den Regen hinausstrecken mußten.

An der Universität von Arkansas in Fayetteville veranstaltet der Physikprofessor Art Hobson eine Vorlesungsreihe zum Thema »Der Dritte Weltkrieg«, in deren Verlauf Gastdozenten Themen behandeln wie die Technologie des Atomkrieges, die Politik des kalten Krieges, die Psychologie der männlichen Aggressivität, Religion in der atomaren Gesellschaft und die militärischen Aspekte der sowjetischen Bedrohung.

In Raleigh, Nord-Carolina, haben die neun Parlamentsvertreter von Wake County offiziell die Bemühungen der Friedensinitiative von Raleigh um eine Beendigung des atomaren Wettrüstens unterstützt. [. . .]

In Tallahassee, Florida, erbrachte die Kampagne für eine Petition, die sich an die Gruppe der Kongreßvertreter richtet und von ihnen verlangt, sich für ein Einfrieren der Atomwaffenarsenale auf den gegenwärtigen Stand einzusetzen, über 5000 Unterschriften, obwohl erst wenig mehr als die Hälfte der für die Kampagne vorgesehenen drei Monate verstrichen war. [. . .]

Der in Georgia geborene Rev. Edward M. Brown, der heute in Atlanta lebt und als freier Geistlicher für die Vereinigte Kirche Christi von Georgia und Süd-Carolina tätig ist, äußerte sich zur unterschiedlichen Einstellung der Südstaatenbewohner jetzt und zur Zeit des Vietnam-Krieges.

Rev. Brown, seit dem Zweiten Weltkrieg aktiver Mitarbeiter der Friedensbewegung, meinte, er könne sich nicht daran erinnern, daß es vor rund zehn Jahren eine nennenswerte »Beteiligung von Geistlichen an der Friedensbewegung« gegeben habe. Nach seiner Schätzung waren weniger als 10 Prozent von den wichtigsten Kirchen aktiv am Widerstand gegen eine amerikanische Präsenz in Vietnam beteiligt.

Heute, erklärte er, verhalten sich Geistliche in allen Teilen des Südens ebenso wie in anderen Regionen und stellen einen »atomaren Overkill« in Frage, »der jedem gesunden Menschenverstand Hohn spricht«.

»Geistliche sind über den Militarismus besorgt«, meinte er weiter. »Es gibt kirchliche Verlautbarungen zur Weiterverbreitung von Atomwaffen, an den Anschlagbrettern für kirchliche Mitteilungen werden Materialien ausgehängt, und zunehmend hält man eine atomare Katastrophe für wahrscheinlich, in der die Menschen zu Asche werden, zu lebendem Geröll oder zu Krebsopfern.«

Dr. Horton Johnson, ein Arzt aus New Orleans, der in der dortigen Gruppe der Organisation »Ärzte für soziale Verantwortung« aktiv ist, meinte, »trotz einer allgemeinen Zurückhaltung« der Ärzte, sich für irgendeine Sache zu engagieren, habe sich eine »sehr einflußreiche und wortstarke« Gruppe den örtlichen Atomwaffengegnern angeschlossen. [. . .]

Jimmy Harper, Vorstandsmitglied in der örtlichen Gliederung der Konferenz für Christlich-Jüdische Zusammenarbeit (NCCJ) in Birmingham, Alabama, stellte fest, die allgemein verbreitete Stimmung gegen die Atomwaffen habe sich wohl auch deshalb »schneller entwickelt als damals die Antikriegsstimmung, weil es sich dabei nicht um die Sache irgendeiner Partei oder einer ideologischen Richtung handelt.«

»Die heutigen Studenten sind mehr an Fragen der Lebensqualität und des Überlebens interessiert«, meinte er.

Professor Hobson aus Arkansas wies darauf hin, daß viele führende Vertreter der heutigen Bewegung für Rüstungskontrolle während der 60er Jahre in der Antikriegsbewegung aktiv waren.

Jene Bewegung war nach seiner Auffassung »wesentlich stärker an einer alternativen Kultur orientiert« und von einer Atmosphäre der Rebellion getragen.

»Heute«, erklärte er weiter, »arbeiten die Alternativen und konventionelle Bürger in dieser Frage zusammen und haben dabei keinerlei Probleme. Studenten besuchen die Kiwanis-Clubs amerikanischer Geschäftsleute und die Kirchen, und sie versuchen, innerhalb des Systems zu arbeiten und den Großteil der Bevölkerung zu erreichen und aufzuklären.« [. . .]

»Und es gibt Unterstützung von der Basis aufwärts und ebenso von den höchsten Führungsgremien an abwärts«, berichtete der Professor. »Dies ist keine Bewegung von einigen verrückten, irgendwo links angesiedelten und kiffenden Hippies. Hier äußern sich die verschiedensten Menschen – reife, denkende und besorgte Leute, die sich Gedanken machen über ihre Zukunft und die Zukunft ihrer Kinder und Enkelkinder.

Ich glaube, wir haben hier eine kulturelle und gesellschaftliche Veränderung Amerikas vor uns, und dieses Thema kann durchaus einen Wendepunkt darstellen.«

Quelle: Wendell Rawls, Jr., Nuclear Arms Protests Grow in Usually Pro-Military South, in: New York Times, 23. 4. 1982.

b) Was ist die MX?

Dokument 8

Raketen-Wahnsinn: Tatsachen über die MX

[. . .]
Die MX ist zu gefährlich
Die MX ist gefährlicher als die bisher existierenden Atomwaffen, weil sie der Sowjetunion signalisiert, daß die Vereinigten Staaten unter Umständen als erste zuschlagen werden. Von den 100 bis 200 Raketen wird jede einzelne maximal zehn Atomsprengköpfe enthalten, von denen wiederum jeder die 35fache Zerstörungskraft der Hiroshima-Bombe besitzt. Als Interkontinentalrakete mit der bisher größten Zielgenauigkeit wurde die MX entwickelt, um sowjetische Raketen bereits in ihren Silos ausschalten zu können. Da die Sowjets nach einem solchen »Präventivschlag« nicht mehr zu Vergeltungsmaßnahmen in der Lage wä-

ren, würde ihnen die Installierung der MX einen zusätzlichen Anreiz liefern, ihre Raketen als erste abzufeuern. »Einsatz oder Verlust« der Waffen wäre dann der Name des Spiels, in dessen Verlauf sich beide Seiten dem Abgrund des Krieges immer weiter nähern würden.

Die MX ist zu teuer

Bau und Installierung der ersten 40 MX-Raketen werden mindestens 20 Milliarden Dollar kosten, wahrscheinlich sogar wesentlich mehr. Für das gesamte Programm von 100 bis 200 MX-Raketen könnten ohne weiteres Kosten in Höhe von mehr als 100 Milliarden Dollar entstehen. Und dennoch ist diese astronomische Zahl nur ein Teil des von Präsident Reagan vorgeschlagenen Verteidigungsetats, der größten militärischen Aufrüstung in Friedenszeiten, die es bisher in der Geschichte der USA gegeben hat.

Die MX ist überflüssig

Das Atomwaffenarsenal der USA enthält 30 000 atomare Gefechtsköpfe, das sowjetische Arsenal 20 000. Jede Seite kann die städtische Bevölkerung und die industrielle Basis der anderen Seite viele Male vernichten. Hinzu kommt, daß die Raketenwaffen der USA auf das Meer, den Luftraum und Standorte am Boden verteilt sind, so daß auch dann, wenn die landgestützten Raketen der USA nicht mehr einsatzfähig wären, wir mit luft- und seegestützten Raketen Vergeltungsschläge führen könnten. Die sowjetischen Raketenwaffen sind demgegenüber wesentlich verwundbarer, da 75% von ihnen auf dem Land stationiert sind.

Revision des ABM-Vertrages

Eine weitere Gefahr, die sich aus dem MX-System ergibt, ist die Schaffung eines Raketenabwehrsystems (Ballistic Missile Defense, BMD; früher bekannt unter der Bezeichnung Anti-Ballistic Missile, ABM). Ein solches Raketenabwehrsystem, das die Aufgabe hat, im Anflug befindliche Gefechtsköpfe abzufangen und zu vernichten, bringt große Probleme mit sich. Niemand weiß, ob es funktionieren wird, weil es keine effektive Möglichkeit gibt, durch Tests herauszufinden, wie es sich gegenüber Tausenden von anfliegenden Gefechtsköpfen verhält. Aber selbst wenn ein Raketenabwehrsystem den Schutz nahegelegener Raketen garantieren könnte, würden die Sowjets darauf einfach mit dem Bau von noch mehr Raketen reagieren. Die USA würden dann ebenfalls zusätzliche Raketen bauen und ihr Raketenabwehrsystem erweitern und damit eine neue Runde des Wettrüstens einläuten. Abgesehen von diesen Problemen würde ein solches Raketenabwehrsystem riesige Bauflächen beanspruchen und den 1972 geschlossenen amerikanisch-sowjetischen Vertrag über ein ABM-Verbot null und nichtig machen.

Die MX muß verhindert werden

Weil die MX zu gefährlich, zu teuer und zudem überflüssig ist, darf sie nicht eingeführt werden. Ihre Verhinderung ist ein entscheidender Schritt im Rahmen der dringend notwendigen Kampagne zum Einfrieren und letztendlichen Abbau al-

114

ler Atomwaffenarsenale. Die wesentliche Aufgabe, das Wettrüsten in sein Gegenteil zu verkehren, hängt davon ab, ob es gelingt, die MX in all ihren Installationsformen zu verhindern. [. . .]

Quelle: Missile Madness: Facts About the MX, Flugblatt der National Campaign to Stop the MX, Washington, D.C., o.J.

c) Die Folgen einer Stationierung: Kirchen, Rancher, Umweltschützer und Indianer gegen MX

Dokument 9

Brief an Präsident Reagan

Sehr geehrter Herr Präsident,
Ich schreibe Ihnen als Amerikaner und Bürger des Staates Nevada, um Sie zu bitten, die Installierung des MX-Raketensystems in Nevada und Utah noch einmal zu überdenken. Wie viele Amerikaner, mache ich mir Gedanken über das Problem einer starken Landesverteidigung. Die Installierung der MX nach dem »shell-game«-Prinzip[1] wird das Problem jedoch nicht lösen. Schon die Bezeichnung »shell-game« ist bezeichnend: Niemand, nicht einmal die Vereinigten Staaten, sollte mit Atomwaffen »spielen«. Wie in einem Spiel kann auch hier das System der Täuschung sehr leicht zur Verärgerung und Provokation unserer mächtigen Gegenspieler führen und auf diese Weise seinen Zweck verfehlen und das Problem unserer nationalen Sicherheit nur noch vergrößern.

Bitte prüfen Sie die anderen praktikablen Möglichkeiten, die es gibt. [. . .] Unter Umständen sind diese Systeme billiger, wirksamer und schneller fertigzustellen als die lineare Installation. Außerdem könnten diese Alternativen die Bürde der nationalen Sicherheit gleichmäßiger verteilen. Die Rivalität zwischen den verschiedenen militärischen Waffengattungen sollte Sie nicht davon abhalten, die vorhandenen Alternativen danach zu beurteilen, was sie *kosten* und was sie *leisten*. [. . .]

Als Mann aus dem Westen verstehen Sie vielleicht die Ehrfurcht, die viele Bewohner von Nevada für die offene Weite des Great Basin empfinden. Diese Ebene ist eins der letzten unberührten Gebiete des amerikanischen Kontinents. Wenn sie erst mit Betonbunkern ausgefüllt ist und den Leuten und Maschinen, die sie gebaut haben, dann wird ein Teil des alten Westens für immer zerstört sein und mit ihm ein Teil des amerikanischen Erbes.

Ich bin der Meinung, daß die Verlegung der MX nach Nevada und Utah ein Fehler ist, der zukünftigen Historikern, Politikern und Militärexperten als Beweis unserer Kurzsichtigkeit dienen wird. Ich ersuche Sie dringend, die bodengestützte Installierung der MX in Nevada und Utah noch einmal zu überdenken und sich für einen billigeren, weniger zerstörerischen und wirksameren Installierungsmodus zu entscheiden.

Mit freundlichen Grüßen

1 Ein System beweglicher unterirdischer Abschußvorrichtungen, das den Gegner darüber im Unklaren lassen soll, in welchem der Startsilos sich die MX-Raketen gerade befinden. Der Name stammt von dem Trickspiel, bei dem der Zuschauer erraten soll, unter welcher von mehreren Nußschalen sich eine Erbse o. dgl. befindet, nachdem die Nußschalen längere Zeit hin- und hergeschoben wurden.

Quelle: Briefentwurf von Anti-MX-Initiativen in Nevada, o.O., o.J.

Dokument 10

Auswirkungen der MX

[. . .] Während ihrer Bauzeit wird die MX bewirken, daß viel Geld nach Utah und Nevada strömt, aber das wird nur für einen kurzen Zeitraum so sein; einige wenige werden reich, und die Mehrheit erhält nur einen hohen Steuerbescheid. In einer vorläufigen Erklärung zu den Auswirkungen auf die Umwelt hat sich die Luftwaffe zum Problem der Finanzierung neuer Gesundheitseinrichtungen, Gefängnisse, Gerichte, Feuerwehrstationen, Unterrichtsräume sowie der sanitären, Abwasser- und Wasserversorgungssysteme geäußert, mit denen die Wohnungen von tausenden neuangesiedelten Arbeitskräften ausgerüstet werden müssen, und dazu folgendes vorgeschlagen:

* Krankenhäuser und Einrichtungen der Gesundheitsfürsorge: Die Bezirke sollten beim Gesundheitsministerium des Bundesstaates und bei Bundesbehörden Zuschüsse beantragen.

* Öffentliche Sicherheit (Polizei und Feuerwehr): Die Bezirke sollten im voraus bezahlte Grundsteuern zur Finanzierung benutzen; die Bundesstaaten sollten Behörden für die kommunale Entwicklung zur Finanzierung der öffentlichen Dienstleistungen ins Leben rufen; die Bezirke sollten Bundesdarlehen für die Bereiche Polizei und Planung beantragen.

* Abwasser-, sanitäre und Wasserversorgungssysteme: Die Bundesstaaten und Bezirke sollten möglichst bald einen umfassenden Bebauungsplan ausarbeiten und finanzielle Unterstützung aus Bundesmitteln beantragen.

* Schulen: Zu diesem Problem hat die Luftwaffe keine Lösung vorgeschlagen.

Wenn in Washington die Trends zu Haushaltskürzungen anhalten, dürfte es unwahrscheinlich sein, daß Bundesmittel in genügendem Maße zur Verfügung stehen. Außerdem berücksichtigt die Analyse der Luftwaffe nicht die Tatsache, daß nach Bereitstellung von Bundesmitteln für den Bau einer Einrichtung es in den Zuständigkeitsbereich der örtlichen und bundesstaatlichen Verwaltungen fällt, diese Einrichtung zu unterhalten und zu modernisieren.

Die Installation der MX im Gebiet des Great Basin in Utah und Nevada wird erhebliche Auswirkungen auf das Leben der dortigen Bevölkerung und auf die gesamte Umwelt haben.

* Der plötzliche Wirtschaftsboom wird zu einem steilen Anstieg des Verbrechens und der Alkohol- und Drogenprobleme in Wohngegenden führen, wo diese Probleme bislang praktisch nicht existieren.

* Sowohl örtlich als auch regional wird die Inflation deutlich zunehmen, und zwar in noch stärkerem Maße als die Kosten für ausgebildete Arbeitskräfte und Baumaterialien, die für die MX benötigt werden.

* Viele Ackerbau- und Viehzuchtbetriebe werden verschwinden – eine direkte Folge der zerstörerischen Auswirkungen der MX auf das zur Verfügung stehende Wasser und Weideland.

* Die Sicherheitsvorkehrungen in Zusammenhang mit der MX können den öffentlichen und privaten Zugang zu riesigen Gebieten im Great Basin unmöglich machen.

* Die Zerstörung tausender Morgen empfindlichen Wüstenlandes wird weitreichende ökologische Veränderungen bewirken.

* Zahlreiche archäologische und paläontologische Ausgrabungsstätten und heilige Stätten der amerikanischen Ureinwohner werden nach dem Einsatz der Bulldozer verschwunden sein. [. . .]

Quelle: MX – The Costs; The Impacts, Flugschrift des MX Information Center, Salt Lake City (Utah), o.J.

Dokument 11

Eine Stellungnahme der Mormonen zur Installierung der MX-Rakete, 5. Mai 1981

Wir haben zahlreiche Anfragen erhalten, die sich auf unsere Haltung zur geplanten Installierung des MX-Raketensystems in Utah und Nevada beziehen. Nach sehr eingehender Prüfung der inzwischen vorliegenden Informationen [. . .] geben wir die folgende Erklärung ab [. . .].

Erstens wiederholen wir ganz allgemein unsere Warnungen vor dem erschreckenden Wettrüsten, in das die Nationen der Erde gegenwärtig verstrickt sind. Wir beklagen insbesondere die Ansammlung riesiger Arsenale mit atomaren Waffensystemen. Wir sind darüber informiert worden, daß es bereits genug von diesen Waffen gibt, um unsere Zivilisation weitgehend zu vernichten und in unvorhersehbarem Maße Leiden und Elend zu verursachen.

Zweitens haben wir bezüglich der derzeit geplanten Installierung der MX-Rakete in Utah und Nevada erfahren, daß bei einer Verwirklichung der jetzigen Planungen tausende Kilometer von Hochleistungsstraßen und rund 4600 Bunker gebaut würden, letztere als Verstecke für rund 200 Raketen, von denen jede einzelne mit zehn Sprengköpfen ausgerüstet ist. Jeder dieser zehn Atomsprengköpfe wird weit mehr Zerstörungskraft besitzen als die Bomben, die über Hiroshima und Nagasaki abgeworfen wurden.

[. . .] Die Planer erklären, das System sei in seiner Konzeption rein defensiv, und es sei äußerst unwahrscheinlich, daß es jemals eingesetzt würde. Die Geschichte lehrt jedoch, daß die Menschen selten Waffen erfunden haben, die nicht schließlich auch eingesetzt wurden.

Wir sind zutiefst besorgt über die geplante Konzentration in einem relativ begrenzten Gebiet des Westens. Wir würden ebenso reagieren, wenn es zu einer solchen Konzentration in einem anderen Teil des Landes käme, und wir gehen auch davon aus, daß die Bevölkerung eines anderen für diese Zwecke ausgewählten Gebietes sich ähnlich verhalten würde. Bei einer derartigen Konzentration würde ein Teil der Bevölkerung im Falle eines Angriffs einen unverhältnismäßig hohen Anteil an den Opfern von Tod und Zerstörung zu tragen haben, vor allem dann, wenn es sich um einen konzentrierten Flächenangriff handelt.

Wir sind ferner darüber informiert worden, daß eine derartige Konzentration sogar den Angriff eines Aggressors heraufbeschwören könnte, wenn dieser eine Strategie des ersten Schlages verfolgt. Wenn es dazu käme, wäre das Ergebnis die fast vollständige Vernichtung dessen, was wir aufzubauen versucht haben, seit unsere Vorfahren als Pioniere zum ersten Mal die Täler hier im Westen betraten.

Außerdem haben wir erfahren, daß im Falle eines vom Angreifer geführten ersten Schlages tödlicher Fallout in der vorherrschenden Windrichtung über große Teile des Landes getragen würde und daß diese alles durchdringende Wolke schwerste gesundheitliche Schäden und Zerstörung zur Folge hätte.

Es ist unvermeidlich, daß ein so großes Bauvorhaben sich negativ auf die Wasservorräte und auf die soziologischen und ökologischen Faktoren des Gebietes auswirken würde. Wassermangel war in diesem Teil des Westens immer zu beklagen. Wir müßten wohl davon ausgehen, daß angesichts des zusätzlichen Wasserbedarfs langfristig schwerwiegende Folgen eintreten könnten.

Wir sind nicht gegen ein beständiges und stabiles Anwachsen der Bevölkerung, aber der Zustrom vieler zehntausend Saisonarbeiter und ihrer Familien sowie derjenigen, die für die Versorgung zuständig sind, würde schwerwiegende soziologische Probleme aufwerfen, insbesondere in Verbindung mit dem zusätzlich zu erwartenden Zustrom, der sich aus dem Aufbau der Energieversorgung ergeben würde.

Untersuchungen haben ergeben, daß die empfindliche Ökologie des Gebietes in ähnlicher Weise negativ beeinflußt würde.

Da so viele Milliarden Dollar auf dem Spiel stehen, können wir damit rechnen, daß man uns viel erzählen wird, um die zu erwartenden Probleme herunterzuspielen und die eventuellen wirtschaftlichen Vorteile überzubetonen. Der Grund für solche Darstellungen dürfte klar sein.

Unsere Väter kamen in dieses Gebiet des Westens, um hier eine Grundlage dafür zu schaffen, den Völkern der Erde das Evangelium des Friedens zu bringen. Es ist eine besondere Ironie, daß unter Verleugnung der Inhalte dieses Evangeliums im gleichen Gebiet ein ungeheures Waffensystem gebaut werden soll, das potentiell geeignet ist, einen großen Teil der Zivilisation zu vernichten.

In tiefster Sorge um das dringende moralische Problem eines möglichen atomaren Konflikts rufen wir die führenden Politiker unseres Landes auf, die ganze schöpferische Begabung unserer Nation aufzubieten und gangbare Alternativen ausfindig zu machen, die zu einem früheren Zeitpunkt und mit geringerem Risiko den Schutz vor einer feindlichen Aggression gewährleisten, um den es uns allen geht.

Quelle: The Church of Jesus Christ of Latter-Day Saints, A Statement from the Mormon Church on Basing of the MX Missile, May 5, 1981, Nachdruck durch SANE, Washington, D.C., o.J.

Dokument 12

Wasserproteste verstimmen die Luftwaffe – Dringender Appell an Bezirke und Städte, sich dem Kampf anzuschließen

Wieder einmal ist die Luftwaffe blind mit einer der harten Tatsachen des Lebens im Westen zusammengestoßen: der Tatsache, daß das Land ausgedörrt und Wasser unser kostbarster Besitz ist. Wasser ist unser Lebensblut, und es ist Blut vergossen worden, um an Wasser zu gelangen und es zu behalten.

Die Luftwaffe, die viele Milliarden Liter für ihr schwindelerregendes MX-Projekt benötigt, hat 113 Bohrgenehmigungen für Brunnen beantragt, von denen sich viele praktisch an den gleichen Stellen wie die Brunnen der dort gelegenen Ranches befinden. Dies trifft auf Nevada zu; die Zahlen für Utah liegen uns nicht vor.

Rancher und andere Anti-MX-Gruppen haben sich gegen dieses »claim jumping«[1] durch 270 gerichtliche Einsprüche zur Wehr gesetzt. Durch diese feindselige Reaktion leicht verschreckt, hat die Luftwaffe um eine Konferenz ersucht, bevor bei der staatlichen Planungsaufsicht weitere Ablehnungsersuchen eingereicht werden. Eine Zusammenkunft in Reno [. . .], auf der die Luftwaffe und ihr Bauunternehmen Fugro eine üble Rolle gespielt haben, wird jedoch wahrscheinlich die letzte gewesen sein.

Der Luftwaffe ist nicht zu trauen. Trotz vieler Versprechungen, die staatlichen Wassergesetze und -bestimmungen zu respektieren, versucht die Luftwaffe in Wirklichkeit, sie zu unterlaufen.

In den Bezirken Nye, Lincoln und White Pine hat sie 13 Genehmigungsanträge gestellt, und zwar in sechs Tälern, die von der staatlichen Planungsaufsicht als Wasserreservoir eingestuft worden sind. In solchen Gebieten erreicht oder übersteigt die Entnahme bereits die Menge des Wassernachschubs, und Genehmigungen werden normalerweise nur für einen befristeten Zeitraum und für gemeinnützige Zwecke von höchster Dringlichkeit erteilt.

Die Rancher, der Bereitschaftsdienst der Bürger und der Sierra-Club haben bereits damit begonnen, bei den Gerichten Einspruch einzulegen und haben die

119

Bezirksausschüsse und Stadträte nachdrücklich aufgefordert, als direkt Betroffene gegen die Anträge der Luftwaffe gerichtlich vorzugehen. [. . .]

1 Ein Ausdruck, der ursprünglich die Usurpation von Minenanteilen bezeichnete.

Quelle: Air Force Upset by Water Protests – Counties and Towns Urged to Join Fight, in: Great Basin MX Alliance, Vol. 2, No. 2, 18. 2. 1981.

Dokument 13

Die MX-Rakete und die Westlichen Schoschonen: Die Vernichtung eines Volkes
Von Dagmar Thorpe

Eine der schwerwiegendsten Folgen, die die Installierung der MX-Rakete in Nevada mit sich bringen wird, besteht in der absehbaren Vernichtung des Volkes der Westlichen Schoschonen. Diese Vernichtung wird nicht sofort und direkt erfolgen, obwohl das im Falle eines Atomangriffs unvermeidbar wäre, sondern dieses Volk wird durch die Zerstörung seiner natürlichen Umwelt vernichtet werden. Das Überleben der Westlichen Schoschonen ist wie das aller anderen Angehörigen der amerikanischen Urbevölkerung abhängig vom Überleben ihrer natürlichen Umwelt.

»Für Indianer läßt sich der Verlust von Pflanzen, Heilkräutern und Nahrungsmitteln und die mit der MX verbundene Gefährdung ihrer Lebensweise nicht in Dollars ausdrücken. Geld und Leben lassen sich nicht miteinander vergleichen. Der Rote Mann ist der letzte Mensch auf der Erde, der für alle lebendigen Dinge spricht. Der Bär, der Hirsch und der Beifuß haben sonst niemanden, der für sie spricht. Die Tiere und Pflanzen wurden vom Großen Geist hierhergebracht, bevor er die Menschen hierherbrachte. Alle lebenden Wesen haben eins gemeinsam: ihre Mutter Erde.« (Glenn Wasson, Lehrer bei den Paiutes und Schoschonen)

Das Volk der Westlichen Schoschonen hat mehrere Jahrhunderte hindurch die Versuche der amerikanischen Regierung ertragen, sich des Landes und der Bodenschätze der Schoschonen zu bemächtigen. Dieser letzte Versuch, das den Schoschonen verbliebene Land für die MX-Rakete zu beschlagnahmen, bedeutet die Zerschlagung der spirituellen, kulturellen und souveränen Rechte des Schoschonenvolkes. Es ist viel geschrieben worden über die potentiellen Folgen der MX-Rakete für Wirtschaft und Viehzucht und über die Auswirkungen des Großstadt-Booms auf eine ländliche Gesellschaft, die verheerendsten Folgen werden sich jedoch für die Natur ergeben, für die ursprüngliche Umwelt und für die ursprünglichen Bewohner. Das heilige Land des Schoschonenvolkes wird entweiht werden. Das Weltbild und die Lebensweise der indianischen Stämme im Great Basin werden zerstört werden.

Die geplante Installierung der MX im Land der Schoschonen wird die Zerstörung der natürlichen Umwelt zur Folge haben. Diese Zerstörung wird weite Bereiche erfassen. Glen Holley, Vorsitzender der Indianischen Gemeinschaft vom Battle Mountain, beschreibt die unvermeidliche Zerstörung der natürlichen Umwelt und ihre Auswirkungen auf das spirituelle Leben des Volkes der Schoschonen folgendermaßen: »Die MX wird sehr viel Wasser benötigen. Wasser ist Leben. Wasser ist nicht einfach nur zum Verbrauch bestimmt, sondern wird auch für spirituelle Zwecke – zum Beispiel für die Reinigung durch Schwitzzeremonien – benötigt. Die heißen Quellen sind spiritueller Natur und werden zur Reinigung des Körpers benutzt, bevor man an Zeremonien teilnimmt.

Außerdem wird die MX die Pflanzen- und Kräutervegetation zerstören. Heilkräuter wie Ba-de-ba, Doza-Beifuß, immergrüne Eiche, indianischer Tee – alles das wird zerstört werden. Und nicht nur die Kräuter, sondern auch andere Medizin wie die im Süden des Gebietes vorkommenden Eidechsen, die zur Heilung von Geisteskrankheiten und Arthritis verwendet werden.

Was auch immer an Sicherheitsvorkehrungen zum Schutz der Raketen installiert wird – zum Beispiel Elektrozäune, Nervengas, aber auch der Einsatz menschlicher Sicherheitskräfte –, es wird die natürliche Umwelt stören. Die Standorte der Adler und Habichte wird man zerstören. Die Pinien, ein Hauptnahrungsmittel der Schoschonen, werden zerstört. Andere natürliche Nahrung wird vernichtet werden: Felsenhühner, Erdhörnchen, Kaninchen, Rotwild, Waldhühner und Klapperschlangen.

Einige der für die MX vorgesehenen Gebiete sind für die Schoschonen in ganz Nevada heiliges Land. Diese Gebiete wurden regelmäßig von den Indianern zum Beten aufgesucht, bis die Landverwaltungsbehörde das öffentliche Land unter Kontrolle nahm. Zeremonien wie der Rundtanz, der Bärentanz und der Klagetanz wurden dort abgehalten, und neuerdings benutzen die indianischen Ärzte diese Orte, um sich durch Fasten auf ihre Zeremonien vorzubereiten.«

Das Volk der Westlichen Schoschonen glaubt, daß es seine Pflicht ist, seine Mutter, die Erde, und alles, was auf ihr wächst und lebt, zu schützen. Am 3. November 1979 hat die Western Shoshone Sacred Land Association erklärt:

»Es ist heiligstes Land, und ebenso heilig ist das Wasser, das darüber hinfließt. Alles, was auf der Erde wächst. Die Luft, die wir atmen. Die Nahrung, die für uns wächst. Alles das wurde vom Großen Geist hierhergebracht, damit wir uns seiner bedienen, und alle Indianer dieses Landes empfinden Achtung vor diesen Dingen. Die Westlichen Schoschonen haben die Pflicht, diese Dinge zu schützen. [. . .] Wir erklären, daß wir gegen die Installierung des MX-Raketensystems sind und gegen alle übrigen offensiven Kriegswaffen.«

[. . .] Einige Schoschonen halten die MX-Rakete für einen weiteren Schritt auf dem Wege der Zerstörung der menschlichen Fähigkeit, auf diesem Planeten zu überleben. Lindsey Manning, Ratsmitglied der Schoschonen und Paiutes im Reservat von Duck Valley, ist davon überzeugt, daß die Gier des weißen Mannes diesen seiner eigenen Vernichtung entgegentreibt:

»Das geplante Stationierungsgebiet für die MX-Rakete ist das letzte offene Land auf diesem Kontinent. Die Vereinigten Staaten werden dieses Land völlig ruinieren, Land, das vertraglich den Westlichen Schoschonen gehört. Ich glaube, daß der weiße Mann sich selbst zerstören wird. Die Weißen sind nicht stark genug, um die Erde zu vernichten, aber sie sind dumm genug, um sich selbst zu vernichten. Als Indianer glaube ich, daß es die Gier des weißen Mannes ist, mit der er um Bodenschätze kämpft, die zu seiner eigenen Vernichtung führen wird. Wenn sie all ihr Wissen darauf konzentrieren würden, die Menschen zu ernähren und ihnen Unterkunft zu gewähren und sich um die Unglücklichen zu kümmern, dann wären sie wirkliche Beschützer und die Führer der Erde.

Die MX-Rakete ist ein weiterer Schritt bei der Zerstörung der menschlichen Fähigkeit, auf dieser Erde zu überleben. Die MX soll hierher verlegt werden aus Gründen der Macht über Rohstoffe, und dabei geht es letztlich um den Dollar. Die MX-Rakete soll im Namen der nationalen Sicherheit gebaut werden. Aber die MX wird nicht gebaut, um die Rechte der gesamten Bevölkerung zu verteidigen, sondern nur die Rechte einiger weniger, die die Rohstoffe der Erde kontrollieren wollen.« [. . .]

Lindsey Manning [. . .] glaubt: »Wenn das Volk der Indianer überleben soll, dann müssen wir zu unseren ursprünglichen Anweisungen zurückkehren, die Erde als heilig zu achten. Wir müssen für sie beten und ihre Schönheit in unsere Gebete einschließen. Die wahren roten Kinder des Schöpfers, die die Erde lieben und achten, werden auf ihr weiterleben dürfen. Wir sind Kinder der Mutter Erde. Wir müssen zurückfinden zu unserer indianischen Art und Weise, dem Schöpfer für diese Erde und dieses Leben zu danken. Und wenn weiße Menschen überleben wollen, dann müssen auch sie die Erde achten.«

Wenn die Menschen auf diesem Planeten überleben sollen, dann müssen alle es wieder lernen, die Mutter Erde zu respektieren. Ohne die lebensspendende Kraft der Mutter Erde werden die Menschen nicht überleben. Wenn jemand, der kein Indianer ist, an seinem langfristigen Überleben interessiert ist, dann täte er gut daran, auf das Volk der Indianer zu hören.

»Das Schwerste für den Indianer ist es, allen zu sagen, daß sie im Unrecht sind, aber nur so kann alles überleben. Sonst werden wir unseren Kindern nichts hinterlassen, ob sie nun schwarz, gelb, weiß oder rot sind. Die Weißen sind anscheinend so gewitzt – sie können Flugzeuge bauen und die MX-Rakete. Aber sie werden keine Welt hinterlassen, in der ihre Kinder leben können. Ich kann es einfach nicht begreifen, wie jemand gegenüber den kommenden Generationen so grausam sein kann.« (Glenn Wasson, Lehrer bei den Paiutes und Schoschonen)

Quelle: Dagmar Thorpe, The MX-Missile and the Western Shoshone: The Destruction of a People, in: Western Shoshone Sacred Land Association, Spring 1981, S. 19/20.

4. Gegen Cruise-Missiles und Pershing II: Aufruf zu einer nationalen Kampagne

Dokument 14

Aufruf zum Stopp der Cruise-Missiles und Pershing-II-Raketen

[...]
Die Abrüstungsbewegung der USA muß JETZT handeln, um die Installation der Cruise-Missiles und Pershing-II-Raketen zu verhindern

Die wachsende amerikanische Abrüstungsbewegung muß ihre derzeitige erfolg-reiche Strategie fortsetzen, die sich auf die Kampagne für ein Einfrieren der Atomwaffenarsenale gründet, um im Verlaufe der nächsten Jahre das Wettrüsten zu stoppen und dann auf einen weltweiten und schrittweisen Prozeß der ato-maren Abrüstung hinzuarbeiten. Um dies zu erreichen, muß die Bewegung un-verzüglich Anstrengungen mit dem Ziel in ihr Programm aufnehmen, die Her-stellung und Installation der Pershing-II-Raketen und der Marschflugkörper vom Typ Cruise-Missile zu verhindern. Eine solche Kampagne würde:
– *Ein Haupthindernis für den Erfolg der Freeze-Kampagne aus dem Wege räumen:*
Wie bereits oben beschrieben, würde, sobald die Cruise-Missiles erst einmal produziert sind und ihre Installation begonnen hat, die Überprüfbarkeit als Vor-bedingung für das Einfrieren unterlaufen, da die Cruise-Missiles nicht ortbar sind. Die Installation beider Raketensysteme wird die Russen in eine derart ver-wundbare Situation bringen, daß sie höchstwahrscheinlich einem Einfrieren auf diesem neuen Niveau, das durch eine Präventivschlagkapazität des Westens ge-kennzeichnet ist, nicht zustimmen würden. Die Vorbedingung strikter Zweisei-tigkeit, die die Freeze-Kampagne in ihrer Strategie stellt, wäre damit ernstlich ge-fährdet, wenn nicht gar unwiederbringlich aufgehoben, was zu einer erneuten Eskalation des Wettrüstens führen würde.
Das Problem ist hier die richtige zeitliche Abstimmung. Auch bei optimisti-scher Einschätzung liegt der Zeitpunkt, an dem die Strategie der Freeze-Kam-pagne Erfolg haben und ein Einfrieren offizielle Regierungspolitik der USA wer-den soll, nach einer Installation dieser beiden Raketensysteme. Ohne eine gegen Cruise-Missiles und Pershing II gerichtete Komponente wird die Kampagne für das Einfrieren der Atomwaffen überholt sein und praktisch genau in dem Mo-ment irrelevant werden, wo sie sich in Reichweite ihres Ziels zu befinden scheint. Aktivitäten gegen die Cruise-Missiles und Pershing-II-Raketen erhalten daher auch für diejenigen entscheidende Bedeutung, die sich lediglich im Rahmen des Bilateralismus für die Abrüstung einsetzen wollen.

– Die Wahrscheinlichkeit eines totalen Atomkrieges in unmittelbarer Zukunft verringern:

[. . .] Wenn sie erst zu der Überzeugung gelangt sind, sie könnten einen begrenzten oder einen totalen Atomkrieg »gewinnen«, und die USA würden dabei nur wenig Schaden erleiden, dann werden die Vertreter des Pentagon wesentlich stärker versucht sein, ihre Kapazitäten zur Führung eines »ersten Schlages« auch einzusetzen, wann immer sie es für erforderlich halten, Interessen oder Prestige der USA irgendwo auf der Welt zu schützen.

Die USA werden dann zu ihrer in der Vergangenheit lange praktizierten Politik zurückkehren, mit dem Einsatz atomarer Waffen gegen die Sowjetunion oder China oder jedes andere Land zu drohen, das den »nationalen« Interessen der USA im Wege steht. Diese Politik wurde nach Aussage von Daniel Ellsberg von jedem US-Präsidenten von Truman bis Nixon befolgt [. . .]. Hinzu kommt, daß auch die Sowjets unter diesen Bedingungen mit größerer Wahrscheinlichkeit einen ersten Schlag ausführen, da sie davon ausgehen werden, daß sie nach einem ersten Schlag der USA nicht mehr zu einem Gegenschlag in der Lage sind. [. . .]

– Sich zur europäischen Abrüstungsbewegung solidarisch verhalten:

[. . .] Wir müssen jetzt der europäischen Abrüstungsbewegung und den Regierungen in Europa deutlich signalisieren, daß die Bevölkerung der Vereinigten Staaten die Cruise-Missiles und Pershing-II-Raketen ablehnt. Eine entsprechende Botschaft muß auch der Regierung Reagan und den führenden Politikern der USA übermittelt werden, insbesondere denjenigen, die sich jetzt der Kampagne »Stoppt das Wettrüsten!« anzuschließen beginnen. Bisher jedoch gibt es in der europäischen Bewegung Enttäuschung darüber, daß die Bewegung in den USA ein solches klares Signal vermissen läßt. In Europa hat man den Eindruck, man würde auf sich allein gestellt gegen die eigenen Regierungen und die Regierung Reagan kämpfen, gegen die amerikanische Aufrüstung und gegen die Stationierung amerikanischer Raketen in den europäischen Ländern, und der amerikanischen Abrüstungsbewegung fehle es an politischem Verständnis für die Realitäten der atomaren Situation in Europa. [. . .]

– Örtlichen Abrüstungsgruppen eine Strategie und Schwerpunkte für die Aktion liefern, und zwar zusätzlich zu den Petitionen, Volksbefragungen und allgemeinen Aufklärungsmaßnahmen, mit denen wir uns für eine Beendigung des Wettrüstens einsetzen:

Zeit, Energie und Mittel, die aufgebracht werden müssen, um die Installierung der Cruise-Missiles und Pershing-II-Raketen zu verhindern, schaffen eine neue Dimension für die eigene Weiterbildung und das Denken der aktiven Mitarbeiter der Bewegung, wozu auch ein umfassenderes Verständnis und eine bessere Artikulationsfähigkeit im Hinblick auf die Frage gehören, warum die USA eine Politik verfolgen, die ihnen die Möglichkeiten für einen »ersten Schlag« verschaffen soll. Das wird dazu beitragen, daß die aktiven Mitarbeiter der Abrüstungsbewegung sich noch wirksamer für eine wirkliche Einstellung des Wettrüstens einsetzen können.

Die Zentralstelle »Stoppt die Cruise-Missiles und Pershing-II-Raketen!« ist ein Projekt des »Transnational Collective« innerhalb der »Bewegung für eine neue Gesellschaft« (Movement for a New Society, MNS). MNS ist ein in allen Teilen der USA bestehendes Netz von Gruppen, die sich bemühen, durch gewaltlose Aktionen einen grundlegenden gesellschaftlichen Wandel herbeizuführen. Wenn Sie an weiteren Informationen interessiert sind, schreiben Sie an: Movement for a New Society, 4722 Baltimore Avenue, Philadelphia, PA 19143; Tel. (215) 724-14 64.

Quelle: A Call to Stop the Cruise and Pershing-II Missiles, hrsg, von Transnational Collective, Movement for a New Society, Philadelphia, Summer 1982.

Teil 3

Arbeitsplätze durch Frieden

Rüstungsausgaben verringern die zivile Produktivität, erhöhen die Inflationsrate und führen vor allem zu weniger Arbeitsplätzen als vergleichbare Investitionen in der zivilen Produktion. An diese zerstörerischen Wirkungen der Militärausgaben auf zivile Wirtschaft und den Lebensstandard der Lohnabhängigen knüpft die Initiative »Arbeitsplätze durch Frieden« an. Sie geht davon aus, daß die zur Sicherung des Friedens dringend notwendige Einbeziehung von Arbeitern und ethnischen Minderheiten in die Friedensbewegung in konkreten Aktionen mit dem Ziel erfolgen soll, Haushaltmittel aus dem militärischen Bereich abzuziehen und lebenswichtigen innenpolitischen und arbeitsplatzschaffenden Zwecken zuzuführen (Dok. 1).

Ihren Ausgang nahm die Initiative »Arbeitsplätze durch Frieden« 1978 in San Francisco, wo sie auf dem Wege einer Volksbefragung mit einer Mehrheit von 61 % Richtlinien für die Politik der Stadt durchsetzte, die eine klare Priorität für Arbeitsbeschaffungsmaßnahmen im zivilen Sektor zu Lasten von Militärausgaben festlegen. Nach diesem Vorbild konnten inzwischen solche Volksbegehren mit ähnlich überzeugenden Mehrheiten erfolgreich in Madison (Wisconsin), Oakland, Berkeley, Detroit und Boston[1] durchgeführt werden. Auf der ersten Bundeskonferenz von »Jobs with Peace« im Januar 1982 in Milwaukee wurden nicht nur die bislang gemachten Erfahrungen verallgemeinert und laufende Anstrengungen, wie in Seattle oder Chicago, koordiniert, sondern auch die Voraussetzungen dafür geschaffen, daß bei den Novemberwahlen 1982 in vielen Kommunen der Kampf gegen Reagans Kriegsvorbereitungen mit dem Kampf für Arbeitsplätze in parallel stattfindenden Volksbefragungen verbunden werden kann (Dok. 2).

Hatten in der Vergangenheit auch viele Gewerkschafter geglaubt, daß durch höhere Rüstungsausgaben zusätzliche Arbeitsplätze geschaffen würden, so zeigen jetzt zum Teil von Gewerkschaften selbst in Auftrag gegebene Untersuchungen, daß Militärausgaben ganz im Gegenteil eine entscheidende Ursache für Arbeitsplatzvernichtung und Arbeitsplatzmangel in den USA sind (Dok. 3)[2].

In der Haltung der Gewerkschaften zur Abrüstungs- und Friedensproblematik zeichnen sich ermutigende Veränderungen ab. In der Vergangenheit hatte es zwar einzelne Gewerkschaften mit guten und engen Beziehungen zur amerikanischen Friedensbewegung gegeben (International Association of Machinists and Aerospace Workers [IAM], United Automobile, Aerospace and Agricultural Implement Workers of America [UAW], United Electrical, Radio, and Machine Workers of America [UE], International Longshoremen and Warehousemen's Union [ILWU]). Insgesamt verfolgten aber der Dachverband

AFL-CIO und die Mehrzahl der Einzelgewerkschaften seit den Tagen des kalten Krieges eine streng antisowjetisch ausgerichtete promilitaristische Politik, die sich in einer vorbehaltlosen Unterstützung für anhaltend wachsende Pentagon-Haushalte niederschlug (vgl. Dok. 4). Der AFL-CIO-Gewerkschaftstag verabschiedete im November 1981 eine Stellungnahme zu Verteidigungsausgaben (Dok. 7), die trotz einiger Akzentverschiebungen noch ambivalent blieb. Zwar kritisierte der Dachverband die Kürzungen der Sozialausgaben und Verschwendungen bei den Militärausgaben; gleichzeitig aber warnte er vor einer absehbaren Erosion der öffentlichen Unterstützung für höhere Militärausgaben, wenn gleichzeitig die Sozialausgaben gekürzt würden.

Auf seiner Sitzung im Februar 1982 in Florida ging der Bundesvorstand der AFL-CIO einen Schritt weiter. Erstmals in seiner ganzen bisherigen Geschichte kritisierte er scharf die geplanten Erhöhungen im Militärhaushalt um 33 Milliarden Dollar im laufenden Haushaltsjahr, da sie »den Armen des Landes aus der Tasche gezogen«[3]. Gleichzeitig setzte der Bundesvorstand eine achtköpfige Kommission ein, die die traditionelle AFL-CIO-Politik – die gleichzeitige Forderung nach steigenden Militärausgaben und ungeschmälerten Sozialprogrammen – überprüfen und Empfehlungen für eine neue gewerkschaftliche Position ausarbeiten soll. Diesem Ausschuß gehören u. a. IAM-Präsident William W. Winpisinger und Douglas Fraser, der Präsident der Automobilarbeitergwerkschaft UAW, an, deren jüngster Vorstandsbeschluß zur Frage des atomaren Wettrüstens hier veröffentlicht wird (Dok. 5).

Inzwischen nehmen immer mehr Gewerkschafter wahr, daß Reagans beispiellose Aufrüstung zugleich programmatisch auf eine strukturelle Zerstörung der Arbeiterbewegung in den USA zielt (Dok. 6). Noch gibt es in Führungsgremien und an der Basis der Gewerkschaften zwar keine breite Bewegung für Abrüstung, doch ertönt auf lokalen und betrieblichen Gewerkschaftsversammlungen der Ruf nach einer Senkung der Rüstungsausgaben immer lauter, und es mehren sich die Zeichen einer konkreten Zusammenarbeit von Gewerkschaften mit »Jobs with Peace« und der Freeze Campaign.

1 Eine eingehende Beschreibung und Analyse des Wahlerfolgs von »Jobs with Peace« in Boston findet sich in der Flugschrift der Bostoner Initiative, die die »Blätter für deutsche und internationale Politik«, 4/82, S. 422–425, veröffentlicht haben.

2 Vgl. The Costs and Consequences of Reagan's Military Buildup. A Report to the International Association of Machinists and Aerospace Workers, AFL-CIO and The Coalition for a New Foreign and Military Policy from the Council on Economic Priorities, New York 1982, S. 1.

3 Zit. n. Lance Compa, Breaking Ranks: On Military Spending Unions Hear a Different Drummer, in: The Progressive, June 1982, S. 36.

Dokumente

1. Diskussion und Aktionsschwerpunkt

Dokument 1

*Auszüge aus einem Arbeitspapier »Strategievorschläge und Standortbe-
stimmung«, vorgelegt auf der 1. Bundeskonferenz der Kampagne »Arbeitsplätze durch Frieden« (»Jobs with Peace«), Milwaukee, Wisconsin,
8.–10. Januar 1982*

[. . .] Amerikaner aus allen sozialen Schichten und den meisten Bereichen der
Wirtschaft müssen leiden, damit die Aufrüstung finanziert und die steuerliche
Belastung der Unternehmen und der Reichen verringert werden kann. Bei der
Einigung der verschiedenen Aktionen gegen erzwungene Kürzungen fällt dem
Kampf gegen den Rüstungshaushalt eine Schlüsselrolle zu. Wenn die Menschen
Kriegsvorbereitungen und Aufrüstung nicht als Problem erkennen, das sie alle
gemeinsam betrifft, dann werden sie sich letztlich gegenseitig bekämpfen, weil
jeder etwas vom immer kleiner werdenden Kuchen haben will. Deshalb muß die
Friedensbewegung Strategien entwickeln, in deren Rahmen sie die konkreten
Zusammenhänge zwischen dem sinkenden Lebensstandard und der zunehmenden Militarisierung aufzeigt.
    [. . .] Die Lohnabhängigen müssen den unauflöslichen Zusammenhang er-
kennen, der zwischen dem sinkenden Lebensstandard und dem ständigen Ab-
fließen finanzieller Mittel in die unproduktiven Militärausgaben besteht; den Zusammenhang zwischen der Unterdrückung von Arbeitern im Ausland und dem
Verlust von Arbeitsplätzen und dem sinkenden Lebensstandard im eigenen Lande; und sie müssen sich darüber klar werden, wie real die Gefahr eines Atomkrieges und seiner Folgen ist. [. . .]
    Wirkliche Kenntnisse werden nicht in einem passiven Prozeß erworben. Die
Strategie der Bewegung »Arbeitsplätze durch Frieden« will Kennnisse nicht auf
abstrakte Weise vermitteln. Sie klärt auf, indem sie die Leute im Rahmen prakti-
scher und sichtbarer Kampagnen engagiert, mit konkreten Zielen, die im politischen Bereich zum Ausdruck gebracht werden. Da es sich bei den Prioritäten des
Bundeshaushalts um politische Entscheidungen handelt, wird die Strategie unserer Bewegung auf diesem Gebiet entwickelt. Sie beteiligt die Menschen an Volks-
abstimmungskampagnen und Initiativen, an Gesetzesentscheidungen, Lobby-
arbeiten und der Aufstellung von Kandidaten für öffentliche Ämter. [. . .]
Anmerkung zu den Möglichkeiten im Rahmen von Wahlen: Einige [. . .] Vorschläge konzentrieren sich taktisch auf ein gesetzgebendes Organ. Es gibt außerdem Möglichkeiten, Wählerbereiche der Arbeiterklasse zu erreichen und ihnen
einen organisatorischen Mechanismus anzubieten, in dessen Rahmen sie selbst

das Thema des Militärhaushalts aufgreifen oder durch den sie dieses Thema in ihre Organisationen einführen können. Wenn wir zum Beispiel eine Resolution des Stadtrates erreichen wollen, dann sollten wir uns fragen, welche Organisationen und Wählerbereiche wir mit unseren Möglichkeiten erreichen können. Zum Beispiel kirchliche Gruppen, Minderheiten, Verbände im Bereich des öffentlichen Dienstes, Arbeiter in Rüstungsbetrieben oder ältere Menschen. Es ist wichtig, sich daran zu erinnern, daß solche Initiativen Mittel darstellen, um diese Gruppen aufzuklären und zu organisieren und erst in zweiter Hinsicht Formen zur Beeinflussung der jeweils letzten Zielgruppe, z. B. eines Stadtrates. Natürlich steht das miteinander in Zusammenhang, und hat man sich erst einmal durch die Anerkennung seitens des Stadtrates legitimiert, dann eröffnen sich breitere Möglichkeiten, andere Organisationen zu erreichen, wie zum Beispiel den städtischen oder bundesstaatlichen Gewerkschaftsrat, den Kirchenrat des betreffenden Bundesstaates oder einen örtlichen Schulbeirat.

Möglichkeiten und Taktiken außerhalb der Wahlen

Option I: *Kampagnen »Arbeitsplätze durch Frieden« werden auf Orts- und Bundesebene innerhalb ausgewählter Organisationen durchgeführt.*

Zu den Gewerkschaften und sonstigen Organisationen, die in Frage kommen, gehören IAM, UE, AFSCME, [. . .] SEIU, NEA, [. . .] UAW, NAACP, und NOW.[1]. Lehrer, Gemeindearbeiter, Beschäftigte im Gesundheitswesen und Transportarbeiter gibt es in fast jeder Gemeinde der Vereinigten Staaten. Sie sind direkte Opfer der Militarisierung. [. . .] Zusätzlich gibt es in vielen Gemeinden Industriebetriebe, die ihre Arbeitsplätze in Länder verlegen, in denen die Löhne niedrig und die Arbeiter nicht organisiert sind, weil die Regime dieser Länder von den Vereinigten Staaten militärisch unterstützt werden.

In einer Großen Zahl von Orten sind diese Gruppen organisiert. [. . .] Option II: *In so vielen Gemeinden wie möglich werden örtliche Informationswochen zum Thema »Arbeitsplätze durch Frieden« veranstaltet.*

Solche Wochen sind ein wirksames Mittel, Themen der Bewegung »Arbeitsplätze durch Frieden« politisch zu vermitteln und dem Durchschnittsbürger und seiner Gemeinde zugänglich zu machen. Informationswochen sollten nicht als symbolische Aktionen gesehen werden, sondern vielmehr als wichtige Möglichkeit, neue Wählerkreise mit unseren Themen bekanntzumachen und mit ihnen eine Zusammenarbeit zu beginnen. Auf dem Programm einer solchen Woche kann unter anderem stehen: Ein großer ökumenischer Gottesdienst als Auftakt oder Abschluß der Woche; Informationsplakate und Aushänge in öffentlichen Gebäuden, insbesondere Bibliotheken und Schulen; eine öffentliche Massenkundgebung; Veröffentlichung eines Haushaltsentwurfs der Bewegung »Arbeitsplätze durch Frieden« für die betreffende Gegend. Gewerkschaften und andere Organisationen werden dafür gewonnen, bei der Ausarbeitung des Planes mitzuhelfen und ihn an ihre Mitglieder zu verteilen. Der Haushaltsplan kann detailliert die allgemeinen wirtschaftlichen Folgen der Rüstungsausgaben aufzeigen, die örtlichen Auswirkungen der Haushaltskürzungen und die Aufwendungen für das Pentagon darstellen, alternative Verwendungszwecke für unsere Steuergelder angeben und eine Abschnitt über einen Umstellung der Wirtschaft auf friedliche Zwecke enthalten [. . .]

Option III: *Bundesweit werden an einem bestimmten Tag Konferenzen zum Thema »Arbeitsplätze durch Frieden« durchgeführt.*

Damit würde man ein Modell der Wissenschaftlervereinigung Union of Concerned Scientists übernehmen, die am 11. November auf sehr wirksame Weise an über 120 Hochschulen Teach-ins veranstaltet hat.

1 IAM: International Association of Machinists and Aerospace Workers; UE: United Electrical Workers; AFSCME: American Federation of State, County and Municipal Employees; SEIU: Service Employees International Union; NEA: National Education Association; UAW: United Automobile, Aerospace, and Agricultural Implement Workers of America; NAACP: National Association for the Advancement of Colored People; NOW: National Organization of Women.

Quelle: Proposed Strategy and Position Paper, Jobs with Peace National Network, First National Conference, January 8–10, 1982, Milwaukee, Wisconsin.

Dokument 2

Konferenz plant Ausweitung auf andere Städte
Von Steve Daggett

> »Soll der Stadtrat den US-Kongreß auffordern, mehr Bundesmittel für örtliche Arbeitsplätze und Sozialleistungen – für ein qualifiziertes Bildungswesen, öffentliche Verkehrsmittel, energiesparendes Bauen, ein verbessertes Gesundheitswesen und andere wichtige Leistungen – zur Verfügung zu stellen und zu diesem Zweck die Beträge zu kürzen, die von unseren Steuergeldern für Atomwaffen und zur Vorbereitung militärischer Interventionen im Ausland ausgegeben werden?«
> (Abstimmungsinitiative bei der Wahl in Boston, Massachusetts, am 3. November 1981)

Während das Thermometer auf minus dreißig Grad fiel, trafen sich die Organisatoren einer Reihe von erfolgreichen Wahlkampagnen zum Thema »Arbeitsplätze durch Frieden« vom 8. bis 10. Januar in Milwaukee, um Erfahrungen auszutauschen und eine Ausdehnung der Kampagne auf andere Städte zu diskutieren. Seit dem Beginn der Kampagne im Jahre 1978 in San Francisco haben Wahlinitiativen, deren Texte vor die Wahl zwischen Militärausgaben und gesellschaftlichen Investitionen zur Schaffung von Arbeitsplätzen stellen, beträchtliche Mehrheiten erreicht, wo immer über sie abgestimmt wurde (von einer Ausnahme abgesehen). Entsprechende Beschlüsse der Wähler hat es 1979 in Madison, Wisconsin, gegeben, 1980 in Berkeley, Detroit, Oakland und in drei von vier Senatswahlbezirken in den Vororten Bostons und schließlich im November 1981 in Boston selbst, wo die oben abgedruckte, sehr entschieden formulierte Frage von 72 % der Wähler mit Ja beantwortet und in jedem Wahlbezirk der Stadt angenommen wurde. [. . .]

Die Teilnehmer der Konferenz in Milwaukee konnten die Erfahrungen der Bostoner Organisatoren Frank Clemente und Jonathan King auswerten, als es darum ging, die Chancen für gut durchdachte und gut organisierte Kampagnen zum Thema Arbeitsplätze durch Frieden zu prüfen. Im allgemeinen sind solche Wahlbefragungen eine sehr gute Organisationsmethode, da das Problem akut und wichtig ist: Wenn die Arbeitslosigkeit ein ständiges und zunehmendes Problem ist und lebensnotwendige soziale Leistungen immer drastischer gekürzt werden sollen, prangern Kampagnen zum Thema Arbeitsplätze durch Frieden die verzerrten Bundesprioritäten in aller Öffentlichkeit direkt und mit Nachdruck an. Hinzu kommt, und das ist vielleicht noch wichtiger, daß die Methode der Wahlbefragungen über einige besondere Stärken verfügt. Erstens trägt sie dazu bei, die Tätigkeit der aktiven Mitarbeiter zu mobilisieren und in einer Weise zu konzentrieren, die zur Verbreiterung der politischen Fähigkeiten und zum Aufbau politischer Kontakte führt. Zweitens rückt sie das Problem zwangsläufig auf die öffentliche Tagesordnung und macht darauf aufmerksam, saß es sich hier um ein legitimes und wichtiges Diskussionsthema handelt. Drittens lenkt sie die Aufmerksamkeit der Medien auf das Problem, und zwar *zu unseren Bedingungen*. Viertens ermöglicht sie es uns, Organisationen und Wohngebiete zu erreichen, mit denen wir sonst nicht oft in Berührung kommen. Schließlich tragen Wahlsiege dazu bei, dem Problem der Prioritäten auf Bundesebene mehr Glaubwürdigkeit zu verleihen.

Beim letzten Punkt haben wir natürlich noch ein langes Stück Wegs vor uns. Die Kampagne in Boston wurde unterstützt von Gruppen der Lehrerschaft, dem starken Ortsverband der Amerikanischen Vereinigung der Beschäftigten im öffentlichen Dienst auf Bundesstaats-, Bezirks- und Gemeindeebene (American Federation of State, County and Municipal Employees – AFSCME) und der Erzdiözese Boston. Sehr aktiv beteiligte sich ein Mieterverband, dessen Stimmenwerber dabei halfen, 100 000 Exemplare einer vierseitigen Flugschrift zum Thema Arbeitsplätze durch Frieden zu verteilen. [. . .]

Die Konferenzteilnehmer diskutierten Schritte mit dem Ziel, auch in einer Reihe weiterer Städte derartige Kampagnen ins Leben zu rufen. In einigen Fällen waren aktive Mitarbeiter aus diesen Städten anwesend, in anderen gab es besondere Verpflichtungen, Schlüsselgruppen ausfindig zu machen [. . .]. Man wird sich bemühen, die örtlichen Aktionen mit Einflußnahme auf wichtige Bundesorganisationen und Wählergruppen zu koordinieren. Während der Konferenz betonten die Teilnehmer immer wieder die Notwendigkeit, eine politische Strategie zu entwickeln und Resolutionen zu formulieren mit dem Ziel, örtliche Gruppierungen anzusprechen und örtliche Erfolge für die bundesweite Diskussion dieses Themas auszunutzen. [. . .]

Quelle: Steve Daggett, Conference Targets New Cities, in: The Conversion Planner, Vol. 5, No. 2, February/March 1982, S. 1-2.

2. Arbeiterklasse und Rüstungshaushalt

Dokument 3

Arbeitslosigkeit und Pentagon-Haushalt
Von Marion Anderson

Im Gegensatz zu einer lange Zeit weitverbreiteten Auffassung sind Rüstungsausgaben nicht gut für die Wirtschaft. Sie schaffen keine Arbeitsplätze – sie bewirken Arbeitslosigkeit.

Während der Jahre, die von dieser Untersuchung erfaßt werden, gingen in den Vereinigten Staaten jedesmal 10 000 Arbeitsplätze verloren, wenn der Militärhaushalt um eine Milliarde Dollar erhöht wurde.

Das bedeutet, daß es in den Jahren 1977 und 1978, als sich der Militärhaushalt durchschnittlich auf 101 Milliarden Dollar belief, zu einem jährlichen Nettoverlust von 1 015 000 Arbeitsplätzen gekommen ist.

Der Grund dafür ist einfach. Wenn die Bürger in allen Teilen des Landes hohe Steuern zahlen, von denen ein wesentlicher Teil dem Pentagon zufließt, dann haben sie keine Kontrolle über dieses Geld. Das bedeutet, daß sie weniger Häuser bauen, weniger Autos kaufen, weniger Urlaub nehmen und niedrigere Steuern für die Verwaltung ihres jeweiligen Bundesstaates und ihrer Kommunen beschließen. Daß alle diese Ausgaben nicht getätigt werden, hat äußerst negative Auswirkungen auf die Zahl der Arbeitsplätze in den betreffenden Wirtschaftsbereichen.

Um diese Differenz in der Schaffung von Arbeitsplätzen, die zwischen militärischen und zivilen Ausgaben besteht, zu analysieren, haben wir die verlorenen Arbeitsplätze in diesen Wirtschaftsbereichen verglichen mit den Arbeitsplätzen, die von den Streitkräften und ihren Vertragsfirmen geschaffen wurden.

Die Arbeitsplätze, deren Schaffung durch die Aufwendung für militärische Zwecke verhindert wurde (und zwar in den Bereichen der Produktion lang- und kurzlebiger Verbrauchsgüter, des Wohnungsbaus, der Bauleistungen der gewerblichen Wirtschaft, der Dienstleistungen, der Verwaltung auf bundesstaatlicher und örtlicher Ebene), wurden für jeden Bundesstaat festgestellt. Dann wurde die Zahl der durch Rüstungsaufträge und im Rahmen des Militärs geschaffenen Arbeitsplätze ermittelt. Die Differenz zwischen der Gesamtzahl der verlorenen Arbeitsplätze im zivilen Bereich und den neugeschaffenen militär- und rüstungsbezogenen Arbeitsplätzen ergibt dann für jeden Bundesstaat den Nettozuwachs bzw. Nettoverlust an Arbeitsplätzen. Die Ergebnisse der Untersuchung zeigen, daß die Ausgaben für militärische Zwecke in den Vereinigten Staaten einen schwerwiegenden Beschäftigungsrückgang zur Folge haben.

Die Entdeckung dieser negativen Auswirkung entkräftet eins der scheinbar überzeugendsten Argumente, die vom Pentagon Jahr für Jahr im Kongreß bei der Mittelbewilligung vorgebracht werden. Selbst wenn es Zweifel im Hinblick auf das Funktionieren der Waffen gibt, Zweifel, ob die Rüstungskosten die bereits schlimme Inflation nicht noch weiter verschlimmern, die nationale Verschuldung vergrößern und zu massiven Kürzungen im Bereich ziviler Leistungen führen – selbst angesichts dieser Probleme argumentiert das militärische Establishment noch immer, eine Ausweitung des Militärhaushalts schaffe mehr Arbeitsplätze. Dieses Argument wird seit langem geschluckt, und zwar sowohl von der Öffentlichkeit als auch vom Kongreß. Man hantiert mit Statistiken, die angeblich zeigen, wie viele Arbeitsplätze verlorengingen, wenn ein Rüstungsauftrag rückgängig gemacht oder ein Militärstützpunkt aufgegeben würde.

Diese Berechnungen sind logisch jedoch nicht bis zu Ende geführt worden. Da ein Dollar, der für militärische Prioritäten ausgegeben wird, ein Dollar ist, der nicht für zivile Prioritäten ausgegeben werden kann, ist es nicht ausreichend, nur über die Zahl der Arbeitsplätze zu diskutieren, die durch Ausgaben für militärische Zwecke geschaffen werden. Man muß auch die Frage stellen, wofür dieser Dollar ausgegeben worden wäre, wenn das Pentagon ihn nicht erhalten hätte, wenn er also statt dessen von den Verbrauchern dazu benutzt worden wäre, die von ihnen benötigten Waren oder Dienstleistungen zu bezahlen, oder wenn die bundesstaatlichen oder kommunalen Verwaltungen bei der Lösung öffentlicher Aufgaben über ihn hätten verfügen können. [. . .]

Siebzig Prozent der amerikanischen Bevölkerung leben in Bundesstaaten, die bei jeder Erhöhung des Militärbudgets einen Nettoverlust von Arbeitsplätzen hinnehmen müssen. Amerikaner, die in der Dienstleistungsindustrie, in Lehrberufen oder sonstigen Tätigkeiten im bundesstaatlichen oder kommunalen öffentlichen Dienst, im Baugewerbe und in der Produktion kurzlebiger Verbrauchsgüter beschäftigt sind, verlieren ihre Arbeitsplätze, wenn der Militärhaushalt hoch ist. Ein hohes Budget für das Pentagon bedeutet weniger Aufwendungen und weniger Arbeitsplätze in all diesen Wirtschaftsbereichen.

Warum? Warum schaffen die Ausgaben für den Bau von Waffen und für die Einstellung von militärischem Personal weniger Arbeitsplätze als die Verwendung der gleichen Summe für zivile Produktionszwecke oder staatliche Leistungen im zivilen Bereich? Da die militärische Produktion technisch überaus kompliziert geworden ist, benötigt sie große Mengen teurer Rohstoffe, sowie Maschinen und Geräte, die noch viel teurer sind. Deshalb wird von dem ausgegebenen Geld weniger für die Einstellung von Arbeitnehmern und mehr für den Kauf teurer Ausrüstungsgegenstände verwendet, als das bei einer Verwendung des Geldes für Anschaffungen im zivilen Bereich der Fall ist. Hinzu kommt, daß die Kosten für die Finanzierung und den Unterhalt von Soldaten rapide gestiegen sind. [. . .]

Wenn eine Milliarde Dollar in der zivilen Industrie ausgegeben wird, werden 27 000 Arbeitsplätze geschaffen; bei einer Verwendung im Bereich der Rüstungsindustrie entstehen lediglich 18 000 Arbeitsplätze. Wird eine Milliarde Dollar zur Einstellung von Beschäftigten im öffentlichen Dienst auf bundesstaatlicher oder kommunaler Ebene – etwa von Polizeibeamten, Lehrern und Feuerwehrleuten – verwendet, dann werden 72 000 Arbeitsplätze geschaffen. Bei einer

Besoldung von Angehörigen des Militärs entstehen pro ausgegebene Milliarde Dollar lediglich 37 000 Arbeitsplätze. [. . .]

Die Schlußfolgerungen sind klar. Eine Beibehaltung hoher Ausgaben für militärische Zwecke kommt die Vereinigten Staaten teuer zu stehen. Sie kostet uns Geld. Sie kostet uns Arbeitsplätze.

Die tiefliegenden Probleme der amerikanischen Wirtschaft lassen sich nur bereinigen, wenn der Militärhaushalt gekürzt wird und das Geld entweder mittels Steuersenkungen in den Händen der Bürger verbleibt oder von den staatlichen Stellen auf Bundes-, Bundesstaats- oder Kommunalebene für wirtschaftlich produktive Zwecke ausgegeben wird.

Steuersenkungen würden bewirken, daß die Bürger mehr Geld behalten, das sie nach ihren Bedürfnissen ausgeben können. Steuersenkungen im Bereich der niedrigeren Einkommensgruppen würden bedeuten, daß mehr Geld sofort für den notwendigen Lebensbedarf ausgegeben wird: Lebensmittel, Kleidung, Wohnen, Verkehrsmittel und Erziehung. Steuersenkungen in den höheren Einkommensgruppen wirken sich stärker bei den Ausgaben für Luxusgüter aus. In jedem Fall wird ein Teil des Geldes gespart, während ein anderer Teil für Konsumgüter ausgegeben wird; beides regt die Investitionen an und schafft Arbeitsplätze. [. . .]

Jahr für Jahr liegt die Arbeitslosigkeit bei 7 %. Es steht in unserer Macht, diese Arbeitslosigkeit zu beseitigen. Um das zu erreichen, benötigen wir das Kapital, das Arbeitsplätze schaffen kann. Und die Stelle, bei der die Beschaffung dieses benötigten Kapitals beginnen muß, ist der Haushalt des Pentagon. [. . .]

Quelle: Marion Anderson, The Empty Pork Barrel: Unemployment and the Pentagon Budget, Lansing: Employment Research Associates, 1982, S. 1-2,7.
Diese 1978 erstellte Studie erfaßt die Zahlen der Jahre 1970-1974; die steigenden Rüstungsbudgets der letzten Jahre haben zu einer noch rapideren Verschlechterung der Beschäftigungslage geführt.

3. Gewerkschaften und Rüstungshaushalt

a) Das politische Problem

Dokument 4

Richtungswechsel: Neuorientierung der Gewerkschaften in der Frage der Rüstungsausgaben
Von Lance Compa

Als der Exekutivrat der AFL-CIO im Februar in Florida tagte, geschah etwas Außergewöhnliches. Zum ersten Mal seit Menschengedenken stellte die Führung der Gewerkschaftsbewegung in den Vereinigten Staaten eine geplante Erhöhung der Ausgaben für militärische Zwecke in Frage: die Gewerkschaftsführer erhoben den Vorwurf, die von Präsident Reagan geforderte Erhöhung des Pentagon-Budgets um 33 Milliarden Dollar würde »den Armen aus der Tasche gezogen«. [. . .]

Es bleibt abzuwarten, ob die Beschäftigung mit den Ausgaben für militärische Zwecke bei den Gewerkschaften die Erkenntnis bewirkt, daß es in ihrem *eigenen materiellen Interesse* liegt, diese Ausgaben zu kürzen und diese Interessenlage auch ihren Mitgliedern verständlich zu machen. Denn außer dem allgemeinen Schaden für die Wirtschaft, der inzwischen selbst von vielen Konservativen zugegeben wird, droht die gewaltige und nicht enden wollende Aufrüstung auch der Gewerkschaftsbewegung und den einzelnen Gewerkschaften ganz entscheidenden Schaden zuzufügen, und zwar nicht nur indirekt, sondern direkt in Form von weniger Mitgliedern, weniger Tarifabschlüssen, weniger Erfolgen bei der gewerkschaftlichen Organisation und weniger politischem Einfluß der arbeitenden Bevölkerung. Tatsächlich ist der Plan der Reagan-Regierung, die Rüstungsausgaben in den 80er Jahren in die Höhe zu treiben, auch ein Programm zur strukturellen Zerstörung der Gewerkschaftsbewegung.

Aber würden durch Rüstungsaufträge nicht tausende von Arbeitsplätzen geschaffen, viele davon für Gewerkschaftsmitglieder? Und würde es daher über der Frage des Widerstands gegen steigende Rüstungsausgaben nicht zu einer Spaltung der Gewerkschaftsbewegung kommen? Die Antworten darauf führen zu weiteren Fragen: Welche Art von Arbeitsplätzen? Für welche Arbeiter? Und wie viele Arbeitsplätze für Gewerkschaftsmitglieder werden von vornherein nicht geschaffen, weil sich das Gewicht auf die Rüstungsproduktion verlagert?

Eine Finanzierung des Militärhaushalts durch Kürzungen im Sozialbereich wirkt sich als erstes negativ auf den am schnellsten anwachsenden Teil der Gewerkschaftsbewegung aus, d.h. auf die Gewerkschaften des öffentlichen Dienstes und im Dienstleistungsbereich. Durch Ausgaben für militärische Zwecke werden weit weniger Arbeitsplätze geschaffen, als durch staatliche Ausgaben in gleicher Höhe für arbeitsintensive Programme im Gesundheits-, Bildungs-, Wohnungsbau- und Verkehrsbereich und für sonstige innenpolitische Maßnahmen. Der Transfer von Mitteln aus dem Sozialbereich zum Pentagon wird Arbeitsplätze für Beschäftigte im öffentlichen Dienst auf bundesstaatlicher, regionaler und örtlicher Ebene, für Lehrer, Angestellte im Gesundheitsdienst, Sozialarbeiter, Beschäftigte im Verkehrswesen und für sonstige Arbeitnehmer im öffentlichen Dienst und im Dienstleistungsbereich vernichten. Dementsprechend werden ihre Gewerkschaften Mitglieder, Rückhalt bei Tarifverhandlungen und politischen Einfluß verlieren. [. . .]

Daß die Rüstungsgelder regional ungleichmäßig verteilt werden, ist ein weiterer Sargnagel, den Reagan der Gewerkschaftsbewegung zugedacht hat. Ein unverhältnismäßig großer Teil der Pentagon-Gelder fließt in den gewerkschaftsfeindlichen Süden und Südwesten. Nutznießer von Rüstungsaufträgen sind Gebiete wie San Diego, das kalifornische Silicon Valley, der »Pfannenstiel« von Florida, Virginia, Nord- und Süd-Carolina und Dallas-Fort Worth in Texas. Dabei handelt es sich größtenteils um Hochburgen einer »Marsch-an-die-Arbeit«-Mentalität und Gewerkschaftsfeindlichkeit, wo die Arbeitgeber sich sowohl altmodischer Schwarzer Listen und Drohungen bedienen als auch neumodischer »Berater« zur Zerschlagung von Gewerkschaften und Psychologen, deren Aufgabe es ist, potentielle Gewerkschafter aus der Belegschaft zu entfernen. Die gleichen Ausgaben für militärische Zwecke führen zur Ausblutung der Staaten des Nordostens und mittleren Westens, wo sich die Zentren der zivilen Produktion und der gewerkschaftlichen Organisiertheit befinden. Mit zunehmender Rezession sind hier Massenentlassungen die Regel. Letzter Prüfstein sind die Produktionsstätten, in denen Rüstungsgüter hergestellt werden. Der Einfluß der Gewerkschaften ist in diesen Unternehmen gering, und diese Situation kann sich durch die intensive Aufrüstung nur noch verschlechtern. Zunächst einmal sind viele wichtige Rüstungsbetriebe nicht gewerkschaftlich organisiert. [. . .]

Andere große Unternehmen der Rüstungsindustrie lassen, auch wenn ein Teil ihrer Belegschaft gewerkschaftlich organisiert ist, einen großen Teil der Produktion in Fabriken erledigen, in denen es keine Gewerkschaften gibt und leisten dort einem Vordringen der Gewerkschaften Widerstand. Viele von ihnen sind in der Gewerkschaftsbewegung gut bekannt wegen ihrer Aktionen zur Zerschlagung gewerkschaftlicher Gruppen und ihrer bösartigen Kampagnen gegen Versuche der Arbeiter, sich zu organisieren.

Tausende kleiner Zulieferbetriebe, die gedruckte Schaltungen, Kabelbäume und die verschiedensten elektronischen und mechanischen Systeme und Einzelteile herstellen, sind gewerkschaftlich nicht organisierte Betriebe und gehen bei der Bekämpfung der Gewerkschaften ebenso rücksichtslos vor wie die großen Unternehmen. [. . .]

In vielen rüstungsbezogenen Betrieben trägt es zur weiteren Schwächung der Gewerkschaften bei, daß die Zahl der nach Stunden bezahlten, in der Produktion oder mit Instandsetzungs- und Wartungsarbeiten Beschäftigten im Verhältnis zur Gesamtbelegschaft relativ klein ist. [. . .] In Betrieben, die nicht durchgehend gewerkschaftlich organisiert sind, haben die Arbeiter Angst, sich zu organisieren, und die Gewerkschaftsmitglieder sind bei Tarifabschlüssen in einer schlechten Verhandlungsposition. Wenn es zu einem Streik kommt und die organisierten Arbeiter Streikposten beziehen, kann ein großer Teil ihrer Arbeit von Gehaltsempfängern übernommen werden. [. . .]

Quelle: Lance Compa, Breaking Ranks. On Military Spending, Unions Hear a Different Drummer, in: The Progressive, June 1982, S. 36-38.

b) Stimmen aus dem Gewerkschaftsbereich: Automobilarbeiter, Maschinisten, AFL-CIO

Dokument 5

Das atomare Wettrüsten
Beschluß der Vereinigten Automobilarbeitergewerkschaft

Die größte Bedrohung der Menschheit ist heute durch die Gefahr einer atomaren Katastrophe gegeben.

Die größte Herausforderung, der wir uns gegenübersehen, besteht darin, einen – zufällig oder absichtlich ausgelösten – Atomkrieg zu verhindern.

Das atomare Wettrüsten zwischen den Vereinigten Staaten und der Sowjetunion erhöht in gefährlicher Weise die Risiken eines Krieges, der der letzte Krieg der Welt sein würde. In diesem Wettrennen kann keines der beiden Länder gewinnen, es kann nur die gesamte Menschheit der Verlierer sein.

Wir leben heute in einem Zeitalter, in dem unsere technische Fähigkeit zur Massenvernichtung sich schneller entwickelt hat als unsere politische Fähigkeit, Konflikte zu lösen und Spannungen zwischen den Nationen zu verringern. Unsere Fähigkeit, Waffen für den Krieg zu entwickeln, übertrifft in gefährlicher Weise unsere Fähigkeit, die Instrumente des Friedens zu schaffen.

Daß es immer mehr Länder gibt, die in der Lage sind, einen Atomkrieg zu beginnen, hat zur Folge, daß zum ersten Mal in der Geschichte der Zivilisation der größte Kampf, wie ein früherer Präsident es formuliert hat, nicht zwischen Menschen oder Ländern, sondern von der Menschheit gegen den Krieg geführt werden muß.

Die Vereinigten Staaten verfügen gegenwärtig über 9400 Atomsprengköpfe. Die Sowjetunion besitzt 7300. Beide Länder setzen im Namen ihrer nationalen Sicherheit den Bau von immer mehr und immer wirkungsvolleren Waffen fort.

Die UAW ist der festen Überzeugung, daß beide Länder bestrebt sein müssen, das unkontrollierte Anwachsen ihrer Atomwaffenarsenale zu stoppen, und daß sie Schritte unternehmen müssen, um die Anzahl der auf beiden Seiten vorhandenen Atomwaffen absolut gesehen zu verringern.

Wir lehnen die von der Regierung Reagan vertretene Auffassung ab, eine massive Aufrüstung der USA sei notwendig, um zu einer sinnvollen Rüstungskontrolle für unsere beiden Länder zu gelangen. Mehr Atomwaffen zum gegenwärtigen Zeitpunkt können nur weniger Sicherheit für das amerikanische Volk und die gesamte Welt zur Folge haben.

Die strategische Stärke der USA und der Sowjetunion auf dem Gebiet der atomaren Waffen ist im wesentlichen gleichwertig, worüber sich alle gut unterrichteten Militärexperten – darunter auch einige der Reagan-Administration – einig sind. Die vor uns liegende Aufgabe besteht darin, Gleichgewicht und Abschreckung aufrechtzuerhalten und gleichzeitig die Zahl der Vernichtungswaffen drastisch zu reduzieren.

Nicht nur die objektiven Tatsachen deuten darauf hin, daß die Zeit für solche Verringerungen gekommen ist, auch das politische Klima scheint dafür günstiger als in den vergangenen Monaten zu sein.

Die Befürworter eines Einfrierens der Atomwaffen haben entscheidend dazu beigetragen, die öffentliche Aufmerksamkeit auf die Gefahren eines Atomkrieges und auf die dringend erforderlichen Schritte zur Drosselung des Wettrüstens zu lenken. Sie haben sich dadurch verdient gemacht, daß sie zur öffentlichen Diskussion aufgerufen und die Regierung gedrängt haben, der Rüstungskontrolle auf der Liste ihrer politischen Ziele einen wichtigeren Platz einzuräumen.

Die UAW teilt die Grundsätze der Freeze-Bewegung, die auch weiterhin eine konstruktive Rolle spielt, wenn es darum geht, öffentlichen Druck zugunsten einer Rüstungsbeschränkung auszuüben.

Wir sind der Meinung, daß das Hauptgewicht auf *die schnelle Durchsetzung eines zahlenmäßigen Abbaus der vorhandenen Atomwaffen* gelegt werden muß.

Zur Erreichung eines derartigen Abbaus ist bereits ein Verfahren vorhanden – SALT II, das von den USA und der Sowjetunion ausgehandelt und unterzeichnet wurde und vom amerikanischen Senat noch ratifiziert werden muß. Die UAW fordert dringend die sofortige Ratifizierung von SALT II. [. . .]

Die USA müssen erreichen, daß in jedem Element der strategischen Triade (boden-, see- und luftgestützte Waffensysteme) die Anzahl der nuklearen Gefechtsköpfe paritätisch auf eine Höhe reduziert wird, die 30 Prozent unter dem Stand des jeweils Meistbesitzenden liegt. Sind diese Grenzen erst einmal erreicht, dann ist damit die Ausgangsbasis geschaffen für jährlich durchzuführende, weitere prozentuale Verringerungen auf allen Ebenen. Diese Formel würde die Frage der Parität weitgehend klären und gleichzeitig zu Verringerungen führen.

Wenn die Entwicklung und Installierung neuer atomarer Vernichtungswaffen eingestellt werden, wenn SALT II ratifiziert wird und anschließend ein SALT-III-Abkommen oder andere Schritte zur Verringerung der Atomwaffen, dann bedeutet das nicht, daß das amerikanische Volk sowjetische Aggressionen in irgendeinem Teil der Welt hinnehmen wird.

Ebensowenig erfordern solche Entwicklungen, daß eine Seite der anderen vertraut. Jede Maßnahme, die wir in den USA aufgrund von SALT II treffen würden, wäre abhängig von der strikten Verifikation, daß auch die Sowjets ihre Verpflichtungen erfüllen. Das muß auch bei den künftigen Abkommen der Fall sein.

Die UAW unterstützt die Bemühungen um eine Einstellung der atomaren Aufrüstung und eine zahlenmäßige Verringerung der Atomwaffen, weil die sehr reale Gefahr besteht, daß die gesamte Zivilisation vernichtet wird. Wir unterstützen diese Bemühungen um Rüstungskontrolle wegen der enormen Kosten, die dem amerikanischen Volk durch die Aufrüstung entstehen.

Allein die Einstellung der Atomwaffenproduktion würde bereits eine jährliche Einsparung von 20 Milliarden Dollar oder mehr bedeuten. Wir glauben, daß eine starke nationale Verteidigung aufrechterhalten werden kann auch ohne massive Erhöhungen des Rüstungshaushalts durch die Regierung und den Kongreß – insbesondere in einer Zeit, in der die von vielen Bürgern so dringend benötigten lebenswichtigen Sozialprogramme abgeschafft werden.

Quelle: The Nuclear Arms Race. Entschließung des International Executive Board der United Automobile, Aerospace and Agricultural Implement Workers of America (UAW), angenommen am 9. 6. 1982.

Dokument 6

Gewerkschaften gegen barbarische Aufrüstung
Von William W. Winpisinger

[. . .] Da die AFL-CIO das Zentrum der Gewerkschaftsbewegung ist, werden die Gewerkschaften oft als Befürworter der Rüstungsausgaben dargestellt. Und ich finde, daß das nicht stimmt, sofern es über eine bestimmte Position hinausgeht, die immer vertreten worden ist: Die Gewerkschaften sind kategorisch von einer angemessenen Verteidigung überzeugt. Sie glauben nicht, daß es richtig wäre, wenn wir unser Land dem Risiko aussetzen würden, von irgendeiner ausländischen Macht vereinnahmt zu werden, ob es sich dabei nun um den gegenwärtig identifizierten Gegner oder um potentielle Gegner in der Zukunft handelt.

Die Gewerkschaften glauben an eine adäquate Verteidigung. Aber das wird dann in allen möglichen Richtungen hin und her gewendet, und den Organisationen werden dann bestimmte Ansichten unterstellt, die sie angeblich vertreten.

Beim Exekutivrat der AFL-CIO, dem ich angehöre, ist gerade eine sehr gründliche Untersuchung in Arbeit, die den gesamten Verteidigungshaushalt unter die Lupe nimmt, und zwar mit einer Gründlichkeit, wie sie es bisher bei der

AFL-CIO noch nicht gegeben hat. Der Grund dafür ist, daß wir der Meinung sind, von den offiziell Verantwortlichen dieses Landes nicht mehr zutreffend informiert zu werden. Wir können uns nicht mehr darauf verlassen, was uns die ausführenden Regierungsorgane erzählen, und daraufhin blindlings weiter erklären, daß wir das Land verteidigen wollen und für eine Förderung der nationalen Verteidigungsmaßnahmen sind.

Da ich seit langem an dieser Sache aktiv beteiligt bin, weiß ich bereits, was das Ergebnis dieser Untersuchung sein wird. Ich glaube, ich kann hier mit ziemlicher Sicherheit sagen, daß es im Laufe des kommenden Jahres und danach in der Haltung der AFL-CIO-Spitze zu wesentlichen Veränderungen kommen wird, was die Unterstützung dieser Art von barbarischer Aufrüstung betrifft, die die Welt in ihren Grundlagen bedroht.

Und ich sage das ohne Furcht, auf Widerspruch zu stoßen. Ich glaube, daß es zu allmählichen, zwar nicht zu spektakulären, aber doch zu allmählichen Veränderungen in der Einstellung zu den Vorschlägen dieser Regierung kommen wird. Und die Gewerkschaften werden aus diesem Grunde dann auch deutlicher erkennen lassen als jemals zuvor, wie genau ihre Position zur Verteidigung aussieht.

Was man dazu beitragen kann, ist wahrscheinlich genau das, was wir bereits tun, nämlich formell und so intelligent wir können die Art von Nachforschungen anzustellen, die die Tatsachen ans Tageslicht fördern, und dann in anderen, aber ähnlich wirkungsvollen Formen diese Tatsachen bekanntzumachen, dazu öffentlich Stellung zu nehmen und das Ganze unseren Mitgliedern in allen Teilen des Landes mitzuteilen, wie meine Gewerkschaft das schon seit einiger Zeit tut.

Das ist eine recht bemerkenswerte Kehrtwende. Vor fünf Jahren, als ich den Vorsitz übernahm und den Amtseid als Präsident der IAM (International Association of Machinists and Aerospace Workers – Internationale Gewerkschaft für Maschinen- und Raumfahrtindustrie – d.Hrsg.) leistete, hieß es von uns in der gleichen oberflächlichen Weise, die gesamte Gewerkschaft unterstützte die Verteidigungspolitik. Gefördert wurde das noch durch die Tatsache, daß wir viele Mitglieder haben, die in der Rüstungsindustrie arbeiten.

Und ich glaube, es hat auch eine ganze Reihe Leute überrascht, was man zu hören bekommt, wenn man mal wieder altmodische Gewerkschaftsarbeit macht und nach draußen geht, mit unseren Mitgliedern redet und die Versammlungslokale besucht. Ich will Ihnen ein Beispiel geben, das mir durchaus typisch zu sein scheint. Samstag nachmittag war ich in der Amana-Siedlung in Amana, Iowa, weiß Gott mitten im Herzen der USA, und die Leute sind dort ebenso wie überall auf der Welt besorgt über die Sicherheit und das Wohlergehen ihres Landes. Wir haben uns in aller Ausführlichkeit und sehr präzise über dieses Thema fast anderthalb Stunden lang unterhalten, und ich bezweifle, daß es unter den 1400 Arbeitern des Werks in Amana auch nur ein einziges IAM-Mitglied gibt, dem man blinde Unterstützung dieses Rüstungswahnsinns nachsagen kann.

Und genau so kommt diese Veränderung zustande – dadurch, daß an ihr gearbeitet wird, daß Informationen verbreitet werden und daß die einzelnen Informationen, die man braucht, in zusammenhängender und verständlicher Weise vermittelt werden, und das werden wir auch weiterhin tun. Ich meine, je eindringlicher dieser Ausschuß in seinem Bericht an den Gesamtkongreß auf diese Dinge hinweist, um so besser wird gewährleistet sein, daß die amerikanische Bevölkerung mit Informationen versorgt wird, die sie auch verstehen kann. [. . .]

Zunächst einmal weiß man ja aus erster Hand, daß sich die Zahl der Arbeitsplätze nicht erhöht hat. Das Angebot an Arbeitsplätzen ist nicht im gleichen Maße größer geworden, wie die für Verteidigungszwecke ausgegebenen Milliardenbeträge gestiegen sind. Ein solches Angebot ist ganz einfach nicht da.

Was wir haben, ist ein zunehmendes Angebot von Arbeitsmöglichkeiten für Wissenschaftler, Techniker und Ingenieure, aber das schlägt sich nie im Bereich der Fabrikarbeiter nieder, wo wir als Gewerkschaft vertreten sind. Und gerade bei denen sieht es am schlechtesten aus.

Bei allen hochqualifizierten Fertigkeiten gibt es bereits ein Unterangebot. Nirgendwo in der Gesellschaft gibt es zur Zeit auch nur annähernd genug davon, selbst wenn wir all unsere Energien für friedliche Zwecke der Wissenschaft und der Technik mobilisieren und neue Produkte und eine neue Technik am Arbeitsplatz entwickeln würden.

Wie Professor Melman nachgewiesen hat, hat sich die Lage dadurch drastisch verschlechtert, daß die zunehmende Konzentration qualifizierter Arbeitskräfte in der rüstungsbezogenen Industrie dazu führt, daß ihre Fähigkeiten der zivilen Seite der Produktion entzogen werden. Aus diesem Grunde sind wir hinter dem, was sich in der übrigen Welt tut, zurückgeblieben.

Und unsere Mitglieder haben diese Tatsache nicht vergessen. Und daher wissen sie, daß es sehr viele Dinge gibt, die sie mit ihren Fertigkeiten in den vorhandenen Werken und mit den vorhandenen Maschinen herstellen könnten, gesellschaftlich nützliche Konsumgüter, die sich langfristig als wesentlich vorteilhafter für sie und die Gesellschaft erweisen würden. Und wenn sie das erst einmal verstanden haben, dann verändern sich die Dinge zum besseren, soweit es ihre Unterstützung der Verteidigungspolitik (»es ist schließlich meine Arbeit«) betrifft. [. . .] Die Tatsachen sind einfach da. Es war einfach nötig, diese Tatsachen bekannt und sie ihnen zugänglich zu machen.

Denn im Gegensatz zu dem, was eine Menge Leute glauben, sind die Fabrikarbeiter der Vereinigten Staaten von Amerika nicht dumm. Sie können addieren, subtrahieren, multiplizieren und dividieren, und sie können denken. Und wenn sie die Tatsachen kennen, werden sie daraus in der Regel auch die richtigen Schlußfolgerungen ziehen. [. . .]

Quelle: Aussage von William W. Winpisinger, Präsident der International Association of Machinists and Aerospace Workers (IAM), vor den Ronald Dellums-Ad-Hoc-Hearings (On the Full Implications of the Military Budget), United States House of Representatives, Washington, D.C., 30. 3. 1982, Protokoll, S. 48–51, 58–61.

Dokument 7

AFL-CIO gegen Rüstungsausgaben

Im August dieses Jahres hat der amerikanische Gewerkschaftsverband AFL-CIO mit einer Tradition nahezu kritikloser Unterstützung des Pentagon gebrochen und der Regierung Reagan empfohlen, erneut die Prioritäten ihrer Ausgaben für militärische Zwecke zu überprüfen. Drei Monate später hat der AFL-Exekutivrat diese Position in einem Bericht an den 14. Gewerkschaftskongreß dann noch einmal öffentlich bekräftigt. Die folgenden Auszüge aus der »Erklärung der AFL-CIO zu den Verteidigungsausgaben« sind vielleicht geeignet, aktiven Mitarbeitern neue Möglichkeiten für eine Verknüpfung von Zielen der Friedens- und der Gewerkschaftsbewegung zu signalisieren:

»Wir sind nicht davon überzeugt, daß eine erhebliche Erhöhung der Verteidigungsausgaben als solche bereits die militärische Position der USA stärkt. Der Maßstab unserer Beurteilung ist nicht, wieviel Geld ausgegeben wird, sondern was für dieses Geld relativ zu unseren Sicherheitsbedürfnissen angeschafft wird.

Der allgemeine Konsens für stärkere Verteidigungsanstrengungen ist brüchiger, als die Regierung annimmt. Durch die Erhöhung der Verteidigungsausgaben auf Kosten lebenswichtiger Sozialprogramme riskiert die Regierung das Entstehen verteidigungsfeindlicher Gruppierungen in der Arbeiterschaft, bei den Armen, den Minderheiten und den älteren Bürgern. Die Unterstützung breiter Bevölkerungskreise für eine starke Verteidigungs- und Außenpolitik läßt sich nicht aufrechterhalten durch ungerechte soziale und wirtschaftliche Maßnahmen, die zu gesellschaftlichen Spannungen, Klassenkonflikten und politischer Polarisierung führen. Und durch derartige Maßnahmen wird auch nicht die wirtschaftliche Stärke geschaffen, die für die militärische Stärke erforderlich ist.

Selbst in Zeiten des Wohlstands sind Geldverschwendung, enorme Kostenverteuerungen und Mißwirtschaft im Verteidigungsbereich nicht zu rechtfertigen. Sie können nicht mehr hingenommen werden in einer Zeit, in der die Verteidigungslasten in immer stärkerem Maße den Arbeitern und den Armen aufgebürdet werden.

Der Exekutivrat der AFL-CIO appelliert an den Kongreß, das Verteidigungsbudget der Regierung genauestens zu überprüfen. Wenn wir, wie die Regierung erklärt, unsere sozialen Probleme nicht dadurch lösen können, daß wir ihnen Geld hinterherwerfen, dann können wir auch unsere Verteidigungsprobleme nicht auf diese Weise lösen.«

Quelle: AFL-CIO Targets Arms Spending, in: The Conversion Planner. A Newsletter of Action on Economic Conversion, Vol. 5, No. 1, Dec./Jan. 1981-82, S. 2.

Teil 4

Konversion – Friedens- statt Kriegswirtschaft

Die Initiativen »Arbeitsplätze durch Frieden« und das friedenspolitische Engagement der Gewerkschaften sind eng verknüpft mit den sogenannten Projekten für Friedenskonversion, die eine Umstellung militärischer Produktions- und Forschungseinrichtungen auf zivile und gesellschaftlich nützliche Zwecke zu erreichen suchen. Dabei gibt es, wie Birchard ausführt (Dok. 1), zwei unterschiedliche Positionen: das Konzept der ökonomischen Konversion hält fest an der kapitalistischen Verfassung der amerikanischen Wirtschaft und will durch Konversion deren militaristische Verzerrungen aufheben. Das Konzept von Friedenskonversion hingegen hält die bestehenden kapitalistischen Produktionsverhältnisse prinzipiell für unvereinbar mit einer Orientierung der Produktion an menschlichen Bedürfnissen. Beide Positionen treffen sich aber in der Praxis, da die Anhänger einer Friedenskonversion pragmatisch an die Arbeiten der Vertreter eines ökonomischen Konversionskonzepts anknüpfen, um Machbarkeit und Vorzüge einer zivilen Umrüstung der Wirtschaft zunächst unter Beweis zu stellen.[1]

Vom Architekten des Konzepts ökonomischer Konversion, Seymour Melman, wurde hier ein kurzer Text aus der *New York Times* aufgenommen (Dok. 4). Holtzman weist auf den Doppelcharakter von Konversionsprojekten hin, die einerseits eine konkrete wirtschafts- und sozialpolitische Reformmaßnahme zum Schutz der in der Rüstungsindustrie Beschäftigten, andererseits aber auch eine langfristige Strategie gesellschaftlicher Veränderung und Bündnisgrundlage für verschiedene gesellschaftliche Gruppen sein sollen (Dok. 3). McFadden betont dabei die Bedeutung der Arbeiterklasse und ihrer Organisationen (Dok. 2). Konversion ist ohne ein aktives Engagement der Arbeiter nicht möglich, nicht nur, weil die alternativen Produktionsplanungen die Beteiligung der Belegschaften erfordern, sondern auch, weil die von Großkonzernen beherrschten Machtstrukturen im militärisch-industriellen Komplex ohne die Arbeiterklasse nicht verändert werden können (vgl. Dok. 5). Der schon historische, weitreichende Konversionsvorschlag von Walter Reuther, dem damaligen Präsidenten der Automobilarbeitergewerkschaft UAW, wird hier in Auszügen als Dokument 6 vorgestellt.

Inzwischen gibt es zahlreiche Konversionsprojekte, die »vor Ort« für die Umstellung bestimmter Rüstungsunternehmen auf Friedenswirtschaft eintreten (z. B. Rocky Flats Conversion Project, die Projekte am Pudget Sound, in St. Louis). Mit den Dokumenten 7–10 werden Initiativen vorgestellt, die versuchen, den Konversionsgedanken auf militärische Forschungseinrichtungen anzuwenden. Ihr Ziel ist es, die Lawrence Livermore Laboratories, 60 Kilometer östlich von Berkeley, und das Los Alamos Scientific Laboratory in New Mexico, die beide zur University of California gehören und in denen die gesamte Forschungs- und Entwicklungsarbeit für die nuklearen Bestandteile amerikanischer Atomwaffen geleistet wird, alternativen friedlichen Zwecken zuzuführen.

Das Grundsatzpapier der »Demokraten für Friedenskonversion« schließlich spiegelt das Bemühen, innerhalb der Demokratischen Partei Unterstützung zu gewinnen und die Konversionsfrage 1984 bundesweit auf die politische Tagesordnung zu setzen (Dok. 11).

1 Zur Diskussion über ökonomische und Friedenskonversion in früheren Jahren vgl. George Lakey, Taking Apart the War Machine. Peace Conversion and the B-1-Bomber, in: WIN, October 2, 1975, Vol. XI, No. 32, S. 4–19. Zur neueren Entwicklung vgl. A. Braun, Bürgerinitiativen für Rüstungskonversion in den USA, in: Antimilitarismus Information, 9/82, S. IV-65–69.

Dokumente

1. Was ist »Friedenskonversion«?

Dokument 1

Was ist »Friedenskonversion«?
Von Bruce Birchard

In den letzten Jahren haben Organisatoren der Friedensbewegung damit begonnen, von Friedenskonversion als einer Möglichkeit zu sprechen, sich für Abrüstung und soziale Gerechtigkeit einzusetzen. Unglücklicherweise gibt es um diesen Begriff viel Verwirrung. Viele meinen, damit sei die Umstellung der Kriegsindustrie und der bewaffneten Streitkräfte auf zivile Produktion und zivile Dienstleistungen verbunden, gehen aber dabei davon aus, daß eine solche Umstellung keine weiteren Veränderungen in der Machtstruktur Amerikas beinhalte. Mitarbeiter der Kampagne haben mich gefragt: Setzt ihr euch dafür ein, daß die gleichen Konzern- und Regierungseliten die Friedenskonversion planen, die bisher die Kriegswirtschaft geplant haben? Befürwortet ihr einfach nur einen zivil-industriellen Komplex, der überflüssige Konsumgüter herstellt und den Superreichen zu hohen Profiten verhilft?

Die Antwort darauf ist ein ganz entschiedenes Nein! Friedenskonversion ist eine radikale Erweiterung des Konzepts ökonomischer Konversion, das in den 50er und 60er Jahren von Seymour Melman und anderen Wirtschaftswissenschaftlern entwickelt wurde. Mit dem Begriff der »ökonomischen Konversion« wurde die These »Kanonen statt Butter« durch die Feststellung erweitert, daß Fabriken, die Waffen herstellen, auf die Produktion von »Butter« umgestellt werden können. So können zum Beispiel die Fertigkeiten der Arbeiter, die Fabrik und der Maschinenpark, mit denen Bombenflugzeuge gebaut werden, ebensoleicht für die Produktion von Massenverkehrsmitteln eingesetzt werden.

Der grundsätzliche Unterschied zwischen »ökonomischer Konversion« und Friedenskonversion besteht darin, wie im Rahmen der jeweiligen Konzeption das amerikanische Wirtschaftssystem und die Machtstruktur der USA gesehen werden. Seymour Melman, Hauptbegründer des ökonomischen Konversionskonzepts, argumentiert, der Militarismus habe sich als schädlich für den Kapitalismus erwiesen. Er vertritt die Auffassung, eine ökonomische Konversion werde diese Krankheit kurieren und den Kapitalismus wieder zu einem starken Wirtschaftssystem werden lassen, das in der Lage ist, den wirklichen Bedürfnissen der Bevölkerung voll und ganz zu entsprechen.

Das Friedenskonversions-Konzept geht ebenfalls von der Notwendigkeit aus, die Wirtschaft des Landes nicht am Krieg, sondern am Frieden und an den Bedürfnissen der Menschen zu orientieren. Aber es geht dann weiter davon aus, daß eine solche Umstellung im Rahmen des gegenwärtigen amerikanischen Wirtschaftssystems unmöglich ist. Diese Schlußfolgerung ergibt sich aus einer Analyse der wirklichen Machtverhältnisse in Amerika. Unsere Wirtschaft wird von großen politischen und wirtschaftlichen Institutionen kontrolliert. Sie haben starke, lang erworbene Interessen an der Kriegsindustrie. Das Funktionieren des amerikanischen Kapitalismus hängt von hohen Ausgaben der öffentlichen Hand ab. Im gegenwärtigen System sind Ausgaben in dieser Höhe nur im militärischen Bereich möglich. Ein echtes Konversionsprogramm kann nur in einem politischen und wirtschaftlichen System verwirklicht werden, das auf radikale Weise demokratisch ist und in dem die Bürger und Arbeiter ein erhebliches Mitspracherecht haben, wenn entschieden wird, was produziert und wie es produziert werden soll. [. . .]

Um die mächtigen Kräfte zu überwinden, die sich der Abrüstung widersetzen, müssen wir für eine breitangelegte Bewegung an der Basis kämpfen, in der Bürger und Organisationen zusammenarbeiten. Gewerkschaften und nicht organisierte Arbeiter sind potentielle Verbündete, da eine Umstellung langfristig in ihrem Interesse liegt. Örtliche Gruppen, die sich für die Bedürfnisse der Bevölkerung einsetzen, können ebenfalls zur Mitarbeit gewonnen werden. Wir müssen diese und andere Wählerkreise ansprechen, die Zusammenhänge zwischen ihren und unseren Forderungen mit ihnen diskutieren und Bündnisse aufbauen, die für Abrüstung und Gerechtigkeit tätig werden. Friedenskonversion ist ein Konzept, das diese Zusammenhänge verdeutlicht und dazu beitragen kann, diese Gruppen zu einer Einheit zusammenzuschließen.

Um gewerkschaftliche Gruppierungen und Bürgerinitiativen zu erreichen, müssen wir zunächst die potentiellen Vorteile und die technische Realisierbarkeit der ökonomischen Konversion betonen. Die Untersuchungen von Melman, Lloyd Dumas und anderen sind dabei von entscheidender Bedeutung. Ihre Arbeiten zu dem Problem, wie die faktisch vorhandenen Industriezweige umzugestalten sind, zur Umschulung der Arbeiter und zur Planung des gesamten Umstrukturierungsprozesses sind das Abc einer jeden Bemühung um Friedenskonversion. Viele aktive Mitarbeiter versäumen es, sich dieses Abc anzueignen. Wir können nicht erwarten, bei Bürgerinitiativen und gewerkschaftlichen Gruppen glaubwürdig zu wirken, wenn wir nicht über diese Informationen verfügen. [. . .]

Konversionsplanung

Die Verbrauchernachfrage ist heute nicht mehr die gleiche wie in der Nachkriegszeit. Wenn sich Rüstungsbetriebe auf zivile Produktion umstellen, dann können sie nicht erwarten, im Bereich der Konsumgüter die ausgedehnten unerschlossenen Märkte vorzufinden wie gegen Ende der 40er Jahre. In seiner Untersuchung über Alternativen zu den Rüstungsmärkten für militärisch orientierte Industriezweige hat Seymour Melman festgestellt, daß die vielversprechenden neuen Märkte in erster Linie in den weithin vernachlässigten Bereichen öffentlicher Verantwortlichkeit liegen, so unter anderem auf den Gebieten Massenverkehrsmittel, Wohnungsbau, Wasserversorgung, Abfallbeseitigung und Recycling, Umweltschutz und Gesundheitsfürsorge (Melman, 1965).

Diese Märkte erfordern eine beträchtliche Güterproduktion, zum Beispiel Fahrzeuge für den Massenverkehr, vorfabrizierte Wohnungseinheiten, Anlagen zur Wasseraufbereitung und Wasserversorgung, Recycling-Maschinen, sowie Prothesen und Überwachungsgeräte im medizinischen Bereich. Eine Befriedigung dieser Bedürfnisse würde außerdem zu einer Personalnachfrage in den Dienstleistungsbereichen der Wirtschaft führen. Da einige hochspezialisierte Industriezweige und ein Teil der weniger spezialisierten Firmen nicht genügend Absatzmärkte für nichtmilitärische Artikel finden könnten, um sämtliche Arbeitnehmer weiterhin zu beschäftigen, müssen Umstellungspläne umfangreiche Maßnahmen zur Umschulung und Wiedereingliederung von Arbeitskräften aus dem Bereich der Zulieferbetriebe für die Rüstungsindustrie und von Angehörigen der Streitkräfte enthalten. [. . .]

Wenn wir für Friedenskonversion arbeiten, werden wir mit der ungerechten Wirklichkeit des politischen und wirtschaftlichen Systems in den USA konfrontiert. Dadurch werden die Menschen ermutigt, den Mythos in Frage zu stellen, der amerikanische Unternehmerkapitalismus sei das bestmögliche System, um die Bedürfnisse der amerikanischen Bevölkerung zu befriedigen. Die Forderung nach Friedenskonversion beinhaltet eine radikale Kampfansage an die Adresse der gegenwärtig existierenden Machtstruktur. Sie verlangt revolutionäre sozialistische Veränderungen im wirtschaftlichen und politischen System.

Nur eine massive Bewegung an der Basis wird in der Lage sein, diese Veränderungen zu bewirken. Die Mehrheit unseres Volkes ist zwar gegenüber einigen sinnlosen militärischen Projekten zunehmend skeptisch eingestellt und hat Angst vor einer atomaren Katastrophe, würde sich jedoch trotzdem vielen Aspekten eines radikalen Konversionsplanes widersetzen. Um diesen Widerstand zu überwinden, können wir damit beginnen, die Vorteile und die technische Durchführbarkeit von Konversion aufzuzeigen. Wenn wir mit Arbeitern und Bevölkerungsgruppen, bei denen Rüstungsbetriebe und Militärbasen die Grundlage ihrer Arbeit und ihres Einkommens bilden, zusammentreffen, stoßen wir schnell auf die damit verbundenen Fragen sozialer und wirtschaftlicher Gerechtigkeit. Dazu gehören Sozialversicherungsgesetze, ein Vollbeschäftigungsprogramm, rassische und sexuelle Diskriminierung am Arbeitsplatz, Maßnahmen des Arbeitsschutzes und des Schutzes vor Berufskrankheiten, Umweltschutz, die fehlenden Mittel für soziale Dienstleistungen und die Beteiligung von Arbeitern und Gemeinden an den Entscheidungen darüber, was ein Unternehmen produzieren und wie es dem Gemeinwohl dienen soll. Wenn wir diese Probleme mit der Forderung nach Friedenskonversion verbinden, dann sollte uns das helfen, die breit fundierte Bewegung zu organisieren, die wir brauchen. Wenn uns das gelingt, werden wir einen Schlag gegen die wahren Wurzeln des Militarismus führen.

Quelle: Bruce Birchard, What is Peace Conversion, in: WIN, Vol. XII, Nr. 33, 6. 10. 1977, S. 5–10.

2. Konversion: Die Aufgaben im kommenden Jahrzehnt

Dokument 2

Das Interesse der Arbeiterbewegung an einer friedlichen Umstellung der Wirtschaft
Von Dave McFadden

[. . .] Der Prozeß der wirtschaftlichen Umstellung ist, wenn er zum Erfolg führen soll, ganz entscheidend von einer Beteiligung der Arbeiter abhängig. Der erste Grund besteht darin, daß eine geplante Umsetzung von Arbeitskräften nicht ohne Beteiligung der Belegschaft möglich ist. Der zweite Grund ist, daß es ohne eine Beteiligung der Arbeiter nicht möglich ist, ernstlich etwas gegen die von den Rüstungskonzernen beherrschte Wirtschaft zu unternehmen. [. . .]

Die Abrüstungs- und Konversionsbewegung versucht, Gruppen zu einem neuen Bündnis zusammenzuschmieden, die in der Vergangenheit nur unzureichend zusammengearbeitet haben: Umweltschützer, Minderheiten, Frauen, aktive Mitarbeiter von religiösen Gruppierungen, Friedensverbänden und Bürgerinitiativen, sowie Organisationen aus dem Gewerkschaftsbereich. Obwohl sich viele der Schwierigkeiten, die sich auf den Aufbau der gemeinsamen Arbeit beziehen, auch auf andere Aspekte der Bündnispolitik beziehen, kommt der organisierten Arbeiterklasse beim Zustandekommen des Bündnisses eine Schlüsselrolle zu. Dies vor allem wegen ihres hohen Grades an Organisiertheit, ihrer traditionellen Stärke in einigen Gebieten der USA und ihrer Rolle in erfolgreichen früheren Bündnissen für Bürgerrechte und Sozialgesetzgebung. Auch wenn die Gewerkschaften in diesen Kämpfen nicht die führende Rolle gespielt haben, war ohne ihre Beteiligung ein Erfolg nicht möglich.

Die gegenwärtige Beteiligung der Gewerkschaften
an der Konversions-Bewegung
Eine bedeutende Beteiligung von Gewerkschaften am Prozeß einer Umstellung der Wirtschaft gibt es im großen und ganzen in den Vereinigten Staaten nicht; es gibt sie jedoch in Großbritannien. Die Gewerkschaftsvertretung der Lucas-Flugzeugwerke (Lucas Combine Shop Stewards Committee) hat das einzige ernsthafte und detaillierte Modell der Welt dafür ausgearbeitet, wie Arbeitskraft für alternative Zwecke eingesetzt werden kann [. . .] Während eines Zeitraums von vier Jahren war eine erhebliche Zahl von Arbeitern der Werke Lucas Aerospace aus allen Qualifikationsbereichen daran beteiligt, detaillierte Pläne für einen alternativen Einsatz ihrer Fähigkeiten und Maschinenbestände aufzustellen. Es war das erste Mal, daß Arbeiter eines wichtigen Betriebes der Rüstungsindu-

strie ihre Forderung nach sicheren Arbeitsplätzen verbunden haben mit einem umfassenden Plan für Produktionsalternativen. [. . .]

Der Grund dafür, daß der Plan der Lucas-Werke ein Modell für den alternativen Einsatz von Arbeitskräften darstellt, ist sehr einfach: die Belegschaft ist umfassend daran beteiligt. Das hat bewirkt, daß die Bestandsaufnahmen wirkliche Bestandsaufnahmen sind und daß die neuen Produkte und geplanten Arbeitsvorgänge sich auf dem Boden der Realität bewegen.

Zum Lucas-Modell gibt es in den Vereinigten Staaten bislang keine wirkliche Entsprechung. Es gibt jedoch verschiedene Formen der Zusammenarbeit von Gewerkschaften und Vertretern der Konversionskampagne, aber alle bisherigen Fälle bleiben weit hinter dem Lucas-Modell zurück.

Als erstes hat der Bundesvorstand einer wichtigen Industriegewerkschaft, der Internationalen Gewerkschaft für Maschinenbau und Raumfahrtindustrie (International Association of Machinists and Aerospace Workers, IAM) Konversion zum gewerkschaftlichen Ziel erklärt und ist bemüht, die Mitgliedschaft über diese Thematik zu informieren und gleichzeitig eine Verbindung zur Bewegung für eine Umstellung der Wirtschaft auf friedliche Zwecke herzustellen. Konkret hat sich daraus ein Bündnis aus der IAM und SANE ergeben, das bereits zu mehreren gemeinsamen Konferenzen geführt hat. [. . .]

Eine weitere wichtige gewerkschaftliche Umstellungsinitiative ist im Entstehen begriffen. In Detroit, Michigan, hat der Ortsverein 500 der Vereinigten Automobilarbeitergewerkschaft (United Automobile Workers, UAW) bei Ford (der größte gewerkschaftliche Ortsverein der USA, vielleicht sogar der Welt) einen Ausschuß für neue Technologien gebildet, der gerade damit beginnt, eine Bestandsaufnahme zu machen, Planungen zu entwerfen und neue Produktvorstellungen zu entwickeln – ein Verfahren, das sich bei den Arbeitern der Lucas-Betriebe so bewährt hat. Obwohl sie nicht in einem Rüstungsbetrieb gestartet wurde, ist diese Initiative dennoch genau die gleiche: sie zielt darauf ab, Arbeitsplätze aufrechtzuerhalten und zu schützen und gesellschaftlich nützliche Produkte zu entwickeln in einer Industrie, die die gesellschaftlichen Folgen ihrer Arbeit nicht ernst nimmt. [. . .]

Wenn ein wirkliches Bündnis für eine Umstellung der Wirtschaft geschaffen werden soll, dann muß die Arbeiterbewegung die Wichtigkeit der umfassenderen Probleme sehen, ebenso wie die Konversionsbewegung sich ernsthaft mit den traditionellen Fragen der Arbeiter beschäftigen muß. Der Prozeß verläuft in beiden Richtungen. Die Gewerkschaften müssen in Bewegung geraten, wie das bei den Lucas-Werken und der IAM bereits der Fall ist. Die Belegschaftsvertreter der Lucas-Werke haben dazu erklärt: »Wir Gewerkschafter unternehmen den Versuch, den engen Ökonomismus zu überwinden, der in der Vergangenheit für die Arbeit der Gewerkschaften charakteristisch war, und wir erweitern unsere Forderungen dahingehend, daß wir die Produkte, an denen wir arbeiten, und die Art und Weise, wie wir an ihnen arbeiten, kritisch in Frage stellen.«

Wie können wir etwas verändern? Ratschläge für aktive Mitarbeiter

[. . .] Ich möchte einige Ratschläge für aktive Mitarbeiter der Friedens- und

Konversionsbewegung zusammenstellen, die uns helfen können, uns in der angegebenen Richtung weiterzuentwickeln:

* Beherzigt Dick Greenwoods Ermahnung und schreibt sie am besten an die Wand: »Es kann keine wirtschaftliche Umstellung geben ohne wirtschaftliche Gerechtigkeit.«

* Schreibt an die andere Wand einen Satz, der euch dabei hilft, den Wust von Mißverständnissen, Schuldgefühlen und Vorurteilen zu überwinden, der die Friedens- und die Arbeiterbewegung voneinander trennt: »Die meisten Arbeiter der Rüstungsindustrie würden lieber Pflugscharen als Schwerter schmieden, wenn sie die Chance dazu hätten.«

* Fragt Gewerkschafter, Ingenieure, Naturwissenschaftler und technische Facharbeiter, um herauszufinden, welches für sie die wichtigsten Fragen sind. Erzählt ihnen nicht, was ihr für wichtig haltet, sondern hört euch die Tagesordnung eurer Gesprächspartner an.

* Findet ein Problem heraus, das für beide Seiten wichtig ist, für euch und für eure potentiellen Freunde aus der Arbeiterbewegung, ein Problem, an dem beide Seiten gemeinsam arbeiten können. Als Themen kommen z. B. in Frage die Schaffung von Arbeitsplätzen, Fragen der Gesundheitsfürsorge und sozialen Sicherheit, gleicher Lohn für gleiche Arbeit oder die Kürzungen im Bereich sozialer Leistungen. Baut Vertrauen auf, wenn gestreikt wird oder wenn sich Bündnisse für eine Vollbeschäftigung bilden. Dann, und erst dann, ladet sie zu eurer Demonstration ein.

* Entwickelt ein positives Alternativprogramm, das ihr der gesellschaftlich destruktiven Technik, gegen die ihr kämpft, gegenüberstellen könnt. Sorgt dafür, daß es ein realistisches, wichtiges und Arbeitsplätze schaffendes Programm wird. Baut ein Projekt für Sonnenenergie auf, unterstützt ein Programm zur Berufsausbildung, zeigt durch die Entwicklung positiver Programme, daß ihr ebenso daran interessiert seid, Pflugscharen zu schmieden, wie Schwerter zu zerstören.

* Erweitert Definition und Verständnis darüber, was Konversion bedeutet, und stellt Verbindungen her zu Problemen der Technologie und des Arbeitsprozesses, der wirtschaftlichen Zerrüttung und unrentabler Wirtschaftszweige. Es führen mehrere Wege zu einer Umstellung der Wirtschaft, es muß nicht immer der direkte Weg sein. Und manchmal, das haben wir bei dem Bürgerprogramm Technologie und Arbeitsplätze im Rahmen des Mid-Peninsula Conversion Project festgestellt, fragen uns die Leute nach unserer Meinung zur militärischen Aufrüstung, noch bevor wir sie danach fragen konnten. [. . .]

Quelle: Dave MacFadden, Labor's Stake in Conversion, in: WIN, Vol. XVII, Nr. 12, 1. 7. 1981, S. 8–11.

Dokument 3

Die Konversions-Bewegung –
Perspektiven für die schrecklichen 80er Jahre
Von Doug Holtzman

[. . .]

Die Auseinandersetzung mit Rassismus und Sexismus

Organisatoren und Strategen der Konversionsbewegung haben noch nicht genügend über den Rassismus nachgedacht. Nichtweiße Wohngebiete und Gemeinschaften sind am härtesten von der endlosen Wirtschaftsrezession und der neuen Offensive der Unternehmer betroffen; sie haben am meisten von einer Bewegung für die wirtschaftliche Selbstbestimmung der Bevölkerung zu gewinnen. Der Rassismus ist eine der am weitesten verbreiteten Barrieren, durch die weiten Teilen der Bevölkerung die Entscheidungsbefugnis in wirtschaftlichen und technischen Fragen vorenthalten wird. Selbst wenn bestimmte Institutionen eine öffentliche Mitsprache ermöglichen, werden kulturelle und sprachliche Unterschiede dazu benutzt, viele der Betroffenen auszuschließen und viele derjenigen voneinander zu trennen, die sonst zusammenarbeiten könnten. Wenn wir die Arbeiter und die verschiedenen Bevölkerungsgruppen zusammenbringen wollen, dann werden wir uns direkt gegen den Rassismus engagieren müssen.

In ähnlicher Weise müssen sich die Mitarbeiter der Konversionsbewegung darauf vorbereiten, den Sexismus zu erkennen und zu bekämpfen. Die neue Regierung will, daß der Staat aufhört, sich um die Bevölkerung zu kümmern, damit sie freie Hand erhält, sich ganz dem Geschäft des Geschäftemachens zu widmen. Von den Frauen wird erwartet, daß sie zu Hause bleiben und sich wie üblich um die Familie kümmern; bei vielen Kürzungen im Bereich der sozialen Einrichtungen sind sie die ersten Opfer.

Die Institutionen, die den bei weitem größten Teil unserer menschlichen und materiellen Ressourcen kontrollieren, werden von Männern beherrscht, und ihnen liegen traditionell männliche Motive zugrunde: Machtstreben, Wettbewerb und emotionslose Tüchtigkeit. Mit einer Umstellung der Wirtschaft ist die Forderung verbunden, unsere Ressourcen wieder der Lösung menschlicher Probleme zuzuführen – und das sind Probleme, denen sich oft die Frauen gegenübersehen, wenn sie versuchen, sich und ihre Familien am Leben, gesund und intakt zu erhalten. Während auf der untersten Ebene Frauen die Basis vieler Nachbarschafts- und Bürgerorganisationen bilden, haben sie bei wichtigeren Entscheidungen des öffentlichen Lebens kaum ein Mitspracherecht. Eine Mitbestimmung der Bevölkerung im Planungsbereich muß unter anderem auch bedeuten, daß Frauen an Entscheidungen beteiligt werden, die bislang von Männern bestimmt werden. Wir müssen mit der Frauenbewegung zusammenarbeiten und die von ihr vorgelegten Wirtschafts- und Militarismus-Analysen sorgfältig studieren, um zu erkennen, welche Bedeutung sie für unsere Strategie haben.

Wenn wir bereit sind, von allen diesen verschiedenen Ideen und Aktivitäten zu lernen, können wir Konversion zum Bestandteil einer breitgefächerten Bewegung machen, die sich für eine Mitbeteiligung der Arbeiter und der verschiedenen Bevölkerungsgruppen an der Planung einsetzt. [. . .] Jede Region und jede Gruppierung ist betroffen, aber verschiedene Regionen und Gruppierungen sind auf verschiedene Weise betroffen. Eine bundesweite Koordinierung und Gesetze auf Bundesebene sind zwar wichtig, aber die Wirtschaftsumstellung ist in erster Linie eine Sache der örtlichen Organisation und des Aufbaus örtlicher Bündnisse. [. . .]

Der Aufbau einer Konversionsbewegung ist kein Ersatz für Aktionen gegen die Propaganda von einer angeblichen sowjetischen Gefahr, für den Kampf um die Erhaltung der Arbeitsplätze durch CETA,[1] für die Forderung nach Abzug der USA aus El Salvador, für die Entwicklung der Solartechnologie, die Verteidigung des Rechts auf Kinder oder für den Kampf um die Erhaltung der Kindertagesstätten. Alle diese Dinge und noch mehr zu tun, ist ein Weg, um Verständnis aufzubauen und bei der Bevölkerung Unterstützung zu finden.

Nahezu alle Organisatoren der Konversionsbewegung, ob sie nun von »ökonomischer Konversion« oder von »Friedenskonversion« sprechen, sind sich darüber einig, daß eine grundlegende Neuverteilung der Macht Bestandteil unseres Programms sein muß. [. . .] Viele von uns stimmen darin überein, daß eine Umstellung im weitesten Sinne die Verwirklichung umfassenderer sozialistischer und feministischer Ziele erfordert, aber zum gegenwärtigen Zeitpunkt können eine ganze Reihe verschiedener politischer Richtungen bequem im Rahmen örtlicher und bundesweiter Konversionskampagnen zusammenarbeiten. In diesem Sinne ist Konversion eine mittelfristige Strategie, die versucht, die Ideen und die Energie vieler verschiedener Gruppierungen zu einer Einheit zusammenzufassen. Konversionsinitiativen machen Mittel und Wege ausfindig, den von den Unternehmen und dem Pentagon gesetzten Prioritäten Alternativen gegenüberzustellen und gleichzeitig die Bevölkerung an der Basis entscheidend zu stärken. Nichts ist im Augenblick wichtiger.

1 Comprehensive Employment and Training Act, ein 1973 verabschiedetes Gesetz zur Arbeitsbeschaffung und Berufsausbildung.
Quelle: Doug Holtzmann, Conversion Organizing in the Awful 80's, in: WIN, Vol. XVII, Nr. 12, 1. 7. 1981, S. 6–7.

Dokument 4

Plünderung der Produktionsmittel
von Seymour Melman

»Amerika in Trümmern« lautet der Titel und zugleich die Prognose eines Berichts, den der Rat der Staatlichen Planungsbehörden, eine Organisation der wirtschaftlichen und politischen Planungsstäbe der amerikanischen Gouverneure, für 1981 veröffentlicht hat. Die Organisation stellt wesentliche Verschlechterungen in Teilen der amerikanischen Infrastruktur fest – d. h. bei so lebenswichtigen Dienstleistungen wie sauberem Wasser, zuverlässigen Verkehrsmitteln, leistungsfähigen Häfen und einer funktionierenden Abfallbeseitigung, die den unentbehrlichen Unterbau einer Industriegesellschaft darstellen. In dem Bericht heißt es – und jeder Reisende, der in den USA die Eisenbahn benutzt, hat das längst selbst festgestellt – daß »eine Instandhaltung der öffentlichen Einrichtungen, die für eine wirtschaftliche Erneuerung wesentlich ist, versäumt wurde«.

Gleichzeitig haben die Produktionsmittel der amerikanischen Industrie an Wert verloren.

Unfähigkeit in der Produktion ist noch auf einzelne Bereiche beschränkt, aber sie breitet sich schnell aus, nicht nur bei der Autoindustrie, worüber schon viel geschrieben wurde, sondern auch in folgenden Industriebereichen: Stahl, Werkzeugmaschinen, Produktion von Radio- und Fernsehgeräten, Eisenbahnzubehör, Präzisionsoptik, Hochleistungskameras, Herrenschuhe, Eßbestecke, HiFi-Elektronik, etc., etc., etc.

Da die Manager im privaten und öffentlichen Bereich immer geschickter darin werden, Geld zu verdienen, ohne wirtschaftlich nützliche Waren herzustellen, entsteht ein Problem, mit dem man sich auseinandersetzen muß: Wird die amerikanische Industrie einen Punkt erreichen, von dem es kein Zurück mehr gibt, so daß eine industrielle Erneuerung problematisch wird?

Die Art und Weise, wie ein Wirtschaftssystem sein Kapital – die Grundlage der Produktion – einsetzt, ist eine entscheidende Determinante seiner Produktivität und seines wirtschaftlichen Wohlstands.

Um 1977 wurden von 100 Dollar neugebildeten Anlagekapitals (der Hersteller) in den Vereinigten Staaten 46 Dollar für die Rüstungswirtschaft ausgegeben. In Japan betrug der Anteil der Rüstungsausgaben nur 3,70 Dollar. Die Konzentration des japanischen Kapitals auf produktiven Wirtschaftszuwachs erklärt weitgehend den Erfolg, den die Industrie dieses Landes zu verzeichnen hat, dessen Produktivität im Jahre 1980 um 6,2 Prozent *gestiegen* ist. Im Gegensatz dazu haben die veraltenden Maschinenbestände in den USA dazu geführt, daß der durchschnittliche Output der verarbeitenden Industrie pro Kopf der Bevölkerung im Jahre 1980 um 0,5 Prozent *zurückgegangen* ist.

Die Vereinigten Staaten haben diese Verringerung ihrer industriellen Leistungsfähigkeit dadurch »erreicht«, daß sie in großem Umfang Maschinen, Werkzeuge und Ausrüstungsgegenstände, Ingenieure und Techniker, Energie, Rohstoffe, Facharbeiter und Manager – also die Mittel, die man im allgemeinen als Anlage- und Umlaufkapital bezeichnet, das für die Produktion lebensnotwendig ist – der Rüstungswirtschaft zur Verfügung gestellt haben.

Da ein moderner Militärhaushalt für den Erwerb dieser Dinge verwendet wird, fungiert er praktisch als Grundkapital. Wenn bei der Kapitalbildung der militärische gegenüber dem zivilen Bereich dominiert, werden der zivilen Wirtschaft Mittel entzogen. Die Überlebensfähigkeit der Vereinigten Staaten als Industriegesellschaft ist bedroht durch die Konzentration von Kapital in einem Bereich, in dem nichts erzeugt wird, das zum Verbrauch geeignet oder Voraussetzung weiterer Produktion wäre. Diese Ausplünderung der Produktionsmittel zugunsten der Rüstungswirtschaft kann durch den beispiellosen Umfang der von der Regierung Reagan befürworteten Rüstungshaushalte nur weiter beschleunigt werden. [. . .]

Die nachstehend angeführte Liste alternativer Finanzierungsprojekte verdeutlicht, wie die Wahl aussieht, die von der Regierung Reagan und vom Kongreß jetzt – bewußt oder unbewußt – durch ihre Haushalts- und Steuerentscheidungen getroffen wird. [. . .]

7% der in den Haushaltsjahren 1981 bis 1986 für militärische Zwecke vorgesehenen Ausgaben	100 Mrd. $	Kosten einer Sanierung der amerikanischen Stahlindustrie, um sie wieder zur leistungsfähigsten der Welt zu machen
Kostenüberziehung bis 1981 für den Marinekreuzer »Aegis«	8,4 Mrd. $	Die gesamten Forschungs- und Entwicklungskosten für ein kraftstoffsparendes Auto (80 bis 100 Meilen pro Gallone) (entspricht einem Kraftstoffverbrauch von 2,35 bis 2,94 Liter auf 100 km – d. Hrsg.)
Kostenüberziehung bis 1981 für die U-Boot-, Fregatten- und Zerstörer-Programme der Marine	42 Mrd. $	Investitionen in Kalifornien über einen Zeitraum von 10 Jahren zur Nutzung der Sonnenenergie für Zwecke der Raum-, Wasser- und Industriebeheizung, wodurch 376 000 neue Arbeitsplätze geschaffen und große Mengen Brennstoff eingespart würden.
63% der Kostenüberziehungen, zu denen es bis 1981 bei 50 wichtigen gegenwärtig entwickelten Waffensystemen gekommen ist	110 Mrd. $	Kosten für einen Zeitraum von 20 Jahren für Einrichtungen zur Nutzung der Sonnenenergie und zur Energiespeicherung in Wirtschaftsgebäuden, wodurch täglich 3,7 Millionen Barrels [= 587,4 Millionen Liter – d. Hrsg.] Heizöl gespart würden
Das Cruise-missile-Programm	11 Mrd. $	Die erforderlichen Kosten, um die jährliche Investitionsrate im Bereich der öffentlichen Arbeiten auf den Stand von 1965 zu bringen
Zwei B-1-Bomber	400 Mio. $	Die Kosten für eine Erneuerung des Wasserversorgungssystems von Cleveland
Kostenüberziehungen bis 1981 bei den Programmen Trident (Marine) und F-16 (Luftwaffe)	33 Mrd. $	Reparatur- oder Neubaukosten für eine von fünf Brücken in den USA
Programm der Marine für das Kampfflugzeug F-18	34 Mrd. $	Die erforderlichen Kosten für eine Modernisierung der amerikanischen Werkzeugmaschinen, womit sie etwa auf den Stand Japans gebracht würden

75% der Kostenüberziehung bis 1981 für die Entwicklung einer Marinelenkwaffe vom Kaliber 12,7 cm	263 Mio. $	Rückgängigmachung der von Präsident Reagan geforderten Kürzungen (im Haushalt 1981 und 1982) beim Ausbau des nordöstlichen Eisenbahnkorridors und im Bereich der Entwicklung alkoholischer Kraftstoffe
2 Flugzeugträger mit Atomantrieb	5,8 Mrd. $	Kosten für die Umstellung von 77 mit Öl betriebenen Kraftwerken auf Kohlebetrieb, wodurch pro Tag 350 000 Barrels [rund 55,565 Millionen Liter – d. Hrsg.] Öl eingespart würden
88% der Kostenüberziehung bis 1981 für den von der Marine entwickelten Marschflugkörper »Tomahawk«	444 Mio. $	Rückgängigmachung der von Präsident Reagan für 1981 und 1982 geforderten Kürzungen der Bundesmittel für eine Nutzung der Sonnenenergie
3 Hubschrauber des Heeres vom Typ AH-64	82 Mio. $	100 Hochleistungs-Straßenbahnen (energiesparend, in der Bundesrepublik Deutschland hergestellt)
1 Flugzeug vom Typ F-15A	29 Mio. $	Ausbildung von 200 Ingenieuren mit dem Ziel, elektrische Straßenbahnen in den USA herzustellen
46 schwere Heerespanzer vom Typ XM-1	120 Mio. $	500 Stadtbusse (Spitzenqualität, hergestellt in der Bundesrepublik Deutschland)
Kostenüberziehung bis 1981 bei der Entwicklung der Marine-Fregatte FFG-7	5 Mrd. $	Jährliche Mindestinvestitionen, um zu verhindern, daß die Verschmutzung des Wassers in den USA den gegenwärtigen Stand überschreitet
Kosten eines überflüssigen, für das Pentagon entwickelten Flugzeugtyps, der nicht für Kampfzwecke vorgesehen ist	6,8 Mrd. $	Kapitalinvestitionen über einen Zeitraum von sechs Jahren, die benötigt werden, um das Verkehrssystem von New York zu sanieren
Kostenüberziehung bis 1981 bei der Entwicklung des schweren Heerespanzers XM-1	13 Mrd. $	Fehlendes Kapital, das benötigt wird, um die Wasserversorgung von 150 Städten in den USA für die nächsten 20 Jahre zu gewährleisten
Anschaffungskosten des Raketensystems MX	34 Mrd. $	Gesamtkosten eines Zehnjahresplans zur Energieeinsparung mit dem Ziel, die Erdölimporte der USA um 25 bis 50 Prozent zu senken
Wiederinbetriebnahme von 2 eingemotteten	376 Mio. $	Rücknahme der von Präsident Reagan verfügten Haushaltskürzungen für

Schlachtschiffen des Zweiten Weltkrieges		1981 und 1982 bei den Investitionen zur Energiespeicherung
Kostenüberziehung bis 1981 bei der Entwicklung des Marineflugzeugs F-18	26,4 Mrd. $	Die Kosten einer Elektrifizierung von wichtigen Eisenbahnlinien über eine Länge von rund 88 500 km, zuzüglich der Kosten für neue Lokomotiven
Mittel des Haushalts 1981 zur Finanzierung von Atomwaffen (zusätzlich zu den bereits vorhandenen 20 000)	5,06 Mrd. $	Der für die Dauer von 8 Jahren benötigte Kapitalaufwand zur Sanierung des Abwassersystems von New York
Kosten für überschüssiges, nichtstandardisiertes Gerät zur Wartung von Militärflugzeugen	300 Mio. $	Rücknahme der von Präsident Reagan verfügten Haushaltskürzungen für 1981 und 1982 bei den Kapitalzuschüssen für Massenverkehrsmittel
Kostenüberziehung bis 1981 für die Entwicklung des Heeres-Hubschraubers UH-60A	4,7 Mrd. $	Jährliche Kapitalinvestitionen für eine Erneuerung der Straßen, Brücken, Wasserleitungen, U-Bahnen und Busse der Stadt New York
Ein Angriffs-U-Boot vom Typ SSN-688	582 Mio. $	Kosten für 160 Kilometer elektrifizierter Eisenbahnlinie
10 B-1-Bomber	2 Mrd. $	Kosten für die Ausbaggerung von 6 Häfen an der Golf- und Atlantikküste, um ihnen die Abfertigung von 150 000-Tonnen-Frachtschiffen zu ermöglichen
1 Angriffsflugzeug vom Typ A-6E	23 Mio. $	Jährliche Kosten für einen 200köpfigen Planungsstab mit der Aufgabe, Pläne für einen beiderseitigen Abbau des Wettrüstens und eine Umstellung der Wirtschaft von Kriegs- auf Friedensproduktion auszuarbeiten.

Quelle: Seymour Melman, Looting the Means of Production, in: New York Times, 26. 7. 1981.

3. Stimmen aus den Gewerkschaften

Dokument 5

Konversion muß Aufgabe der Gewerkschaften werden
Von William W. Winpisinger

[. . .] Ganz offen gesagt, [. . .] ich bezweifle, daß es in der Gewerkschaftsbewegung [. . .] und übrigens auch im gewerkschaftlichen Dachverband dieses Landes allzu viele gibt, die diese Idee (der Konversion – d. Hrsg.) vertreten.

Ich glaube, ein Großteil der Arbeit, die jetzt zu leisten ist, wird darin bestehen, sie letztlich ebenfalls von dieser Meinung zu überzeugen, aber ich habe den Eindruck, daß wir davon noch ein ganzes Stück entfernt sind. Was wir daher tun müssen, ist nach meiner Meinung eine weitere Untersuchung der potentiellen Auswirkungen dieser Art von Aktivität, um die ganze Sache zu dramatisieren.

Das ist übrigens nichts Neues. Dieses Thema wurde zum ersten Mal während des Präsidentschaftswahlkampfes von Senator McGovern im Jahre 1972 öffentlich zur Sprache gebracht und fand damals zum ersten Mal weite Beachtung. McGovern setzte sich damals mit aller Deutlichkeit für einen solchen Kurs ein, um den amerikanischen Arbeitern die Möglichkeit zu eröffnen, sich aus ihrer Abhängigkeit von den Verteidigungsausgaben zu befreien und statt dessen Dinge zu produzieren, die für unsere Entwicklung als Gesellschaft nützlich und wichtig sind.

Und wie das Ergebnis gezeigt hat, haben damals die meisten Amerikaner darüber die Nase gerümpft. Aber ich glaube, die Theorie ist seit damals mit großer Regelmäßigkeit immer wieder bestätigt worden, und ich glaube nicht, daß heute noch ebenso viele Leute darüber die Nase rümpfen würden. Mehr und mehr macht sich dafür Verständnis bemerkbar. [. . .]

Ich möchte noch einmal vorhersagen, daß es irgendwann in absehbarer Zeit ein, ich will nicht sagen massives, aber doch in sehr viel weiteren Kreisen verbreitetes Verständnis für diese Dinge geben wird, als das zur Zeit der Fall ist, und eine wesentlich breitere Unterstützung für diejenigen Kongreßvertreter, die der Meinung sind, wir sollten unser Land in diese Richtung steuern.

Und ich will Ihnen hier klipp und klar sagen, daß jedes Mitglied des Kongresses, das diesen Weg zu gehen wünscht, auf die unerschütterliche Unterstützung durch unsere Organisation zählen kann, da wir der Meinung sind, daß hier die einzige Zukunft für unsere Arbeiter liegt.

Natürlich führt es zu einer ziemlichen Engstirnigkeit, solange Mitglieder meiner Organisation nur darauf fixiert sind, Kampfflugzeuge vom Typ F-15, F-16, F-18 und dann immer so weiter zu bauen und nicht wissen, was danach kommt.

Wenn ich mit ihnen rede, dann ist es nicht ungewöhnlich, daß die erste Frage lautet: Also, du bist gegen das, was wir bauen. Du bist gegen unsere Arbeitsplätze. Ich sage ihnen dann: Na gut, ihr versteht das nicht, also laßt uns unser Treffen dazu benutzen, uns gemeinsam darüber klarzuwerden.

Erstens: Solange unsere Regierung dabei bleibt, weiterhin diese Produkte zu kaufen, so lange ist euer Arbeitsplatz sicher, aber auch keinen Moment länger, und ihr tut nichts, um euch für die Zukunft zu wappnen.

Ich sage dann, laßt uns mal von dem am wenigsten wahrscheinlichen Fall ausgehen, daß sich alle führenden Staatsmänner der Welt morgen früh an irgendeinem zentralen Ort treffen und eine Diskussion eröffnen über das gegenwärtige Gleichgewicht des Schreckens und über die potentielle Vernichtung dieses Planeten und daß sie angesichts dieser schrecklichen Dinge eine Friedensdeklaration beschließen, die von allen Ländern der Welt unterzeichnet wird. Was wird dann aus euren Arbeitsplätzen? Und dann beginnen sie zu verstehen.

Und ich sage ihnen, daß das eine Aufgabe der Gewerkschaft ist, wenn sie es ernst meint mit dem langfristigen Wohlergehen ihrer Mitglieder; daß wir solche Pläne ausarbeiten müssen, um sie für diesen Eventualfall oder irgendeinen vernünftigen Schritt in dieser Richtung bereitzuhalten. Und daß unsere Organisation daher so viel Druck wie möglich ausüben muß, um diesen atomaren Wahnsinn zu beenden, und daß wir Maßnahmen vorzuschlagen haben, die den Arbeitern eine produktive Zukunft garantieren und die unserer Gesellschaft nützen, statt sie in die Luft zu jagen.

Wir haben also über eine Umstellung der Wirtschaft diskutiert. Wir haben Pläne dafür gemacht. Gesetzentwürfe zu diesem Zweck sind von unserer Gewerkschaft unterstützt worden, und wir werden das auch weiterhin tun, weil wir der Meinung sind, daß das langfristige Wohlergehen der Arbeiter davon abhängt.

Quelle: Aussage von William W. Winpisinger, Präsident der International Association of Machinists and Aerospace Workers (IAM), vor den Ronald Dellums-Ad-Hoc-Hearings (On the Full Implications of the Military Budget), United States House of Representatives, Washington, D.C., 30. 3. 1982, Protokoll, S. 54–57.

Dokument 6

Schwerter zu Pflugscharen – ein Vorschlag zur Konversion
Von Walter Reuther

[. . .] Der Entwurf hat im wesentlichen folgenden Inhalt: Jeder Unternehmer wird verpflichtet, einen Teil der in der Rüstungsproduktion erzielten Gewinne als Konversionsreserve in einen staatlichen Treuhandfonds abzuzweigen.

Die in dem Treuhandfonds deponierten Gelder werden freigegeben, um einen vom Unternehmer bei der Regierung einzureichenden Konversionsplan zu finanzieren und die Zahlung bestimmter Beihilfen an die Arbeiter des betreffenden Unternehmers zu ermöglichen und dadurch Härten zu lindern, die die Arbeiter möglicherweise während der Umstellung auf zivile Produktion hinnehmen müssen.

Die einbehaltenen Profitanteile, die dem Unternehmer durch den Treuhandfonds für die materielle Konversion seiner Anlagen und die Umschulung seiner Arbeiter zur Verfügung gestellt werden, wären im Prinzip nichts anderes als die absichtlich einbehaltenen Profite seitens der Hersteller ziviler Produkte – Profite, die später reinvestiert werden, um einen Betrieb technisch und personell auf die Herstellung eines neuen Produkts umzustellen, wenn der Markt für ein altes Produkt erschöpft ist.

Die Tatsache, daß ein Teil der einbehaltenen Gewinne unter Umständen dazu verwendet werden muß, um die Arbeiter durch die Übergangsperiode zu bringen, ist ein Ansporn für eine solide Konversionsplanung und für eine effektive und zügige Durchführung der Pläne. Denn der Restbetrag, der von den einbehaltenen Gewinnanteilen nach Abschluß der Konversion übrigbleibt, und die Zinsen für die gesamte beim Treuhandfonds hinterlegte Summe würden dem Unternehmer wieder ausgezahlt.

Daher würde eine erfolgreiche und schnelle Konversion, die eine Unterstützung der Arbeiter in der Übergangsperiode unnötig macht oder auf ein Minimum beschränkt, zugleich bewirken, daß dem Unternehmer ein Maximum der einbehaltenen Gewinnanteile zurückerstattet wird.

Die Tatsache, daß die einbehaltenen Gewinne nur dann zur Kostendeckung einer Konversion ausgezahlt werden, wenn diese Kosten aus einem vom Unternehmer vorgelegten *Plan* hervorgehen, würde bewirken, daß er eine ernsthafte und sorgfältige Planung ausarbeitet.

Es würde sich um seine Planung handeln, nicht um staatliche Planungsmaßnahmen. Auch die Durchführung des Plans würde in seinen Händen liegen. Und es wäre sein Geld, um das es geht. [. . .]

Konversion [. . .] würde eine hilfreiche Wende für das ganze Land bedeuten und es uns ermöglichen, Arbeitskräfte und finanzielle Mittel für die seit langem vernachlässigten Aufgaben des Aufbaus und der Erneuerung zu mobilisieren. Dadurch können eher mehr als weniger Arbeitsplätze zur Verfügung stehen, mehr Wohnungen, Schulen, Krankenhäuser, Kliniken, Tagesstätten, Altersheime, Bibliotheken, sauberere Luft und reineres Wasser.

Bei sorgfältiger Planung könnte eine Konversion auf friedensorientierte Produktion und Arbeitsplätze ein besseres Leben nicht nur für die Arbeiter im Verteidigungsbereich und ihre Familien und Gemeinden, sondern für das ganze Land bedeuten.

Der Schlüssel zu einer geordneten und humanen Konversion, davon sind wir überzeugt, liegt darin, Engagement, Findigkeit und Energie der Rüstungsunternehmer zu mobilisieren. Ihre überzeugte Mitarbeit ist nur gewährleistet, wenn die Höhe ihrer Gewinne abhängig gemacht wird von der Erfüllung ihrer Konversionsverpflichtung gegenüber ihren Arbeitern und gegenüber der Nation.

Sie sind es gewöhnt, sich am Profitmotiv zu orientieren, und es gibt keinen Grund zu der Annahme, daß sie weniger begierlich reagieren würden, wenn dieses Motiv im gesellschaftlichen Interesse nutzbar gemacht wird, statt sie zur Verantwortungslosigkeit zu verleiten. Ein profitorientierter Mechanismus von der Art, wie wir ihn in dieser Erklärung skizziert haben, auch wenn er zweifellos auf den harten Widerstand von Rüstungsindustriellen stoßen wird, würde ohne Frage bei ihnen positive und konstruktive Reaktionen auslösen, wenn er erst einmal zum festen Bestandteil der unternehmerischen Praxis geworden ist. [. . .]

Quelle: Walter Reuther, Swords to Ploughshares. A Proposal to Promote Orderly Conversion from Defense to Civilian Production, Detroit 1970, S. 17, 36.

4. Konversionsprojekte »vor Ort«

a) Mid-Peninsula Conversion Projekt

Dokument 7

Das »Mid-Peninsula Conversion Project«
Von Joel Yudken

Im Laufe des vergangenen Jahres hat das »Mid-Peninsula Conversion Project« im kalifornischen Silicon Valley seine Richtung geändert.

Zwar geht es noch immer um eine langfristige Strategie für die Umstellung der in hohem Maße rüstungsabhängigen Wirtschaft des Bezirks Santa Clara auf friedliche Zwecke, aber das Projekt hat mittlerweile seine Zielvorstellungen ausgeweitet und beschäftigt sich zusätzlich mit dem Problem einer gesellschaftlichen Kontrolle der Technik.

An der Spitze der Bemühungen steht in diesem Gebiet das »Bürgerprogramm Technologie und Arbeitsplätze« (Citizen's Technology and Employment Program, CTEP), das im November des vergangenen Jahres vom Mid-Peninsula Conversion Project (MPCP) ins Leben gerufen wurde. Durch die Entwicklung dieses Programms ist das MPCP – eine seit fünf Jahren existierende Organisation mit Sitz in Mountain View, Kalifornien – in der Lage gewesen, einen weiten Kreis von Personen einzubeziehen (z. B. Ingenieure, Naturwissenschaftler, Gewerkschaftsvertreter, Minderheitsgruppen mit niedrigem Einkommen, Erwerbsunfähige und Vertreter anderer Bevölkerungskreise der Umgebung), zu denen vorher keine nennenswerten Kontakte hergestellt werden konnten. [. . .]

Das MPCP hat zum Teil die Erfahrungen der Lucas-Arbeiter[1] aufgegriffen und erkannt, daß der Kampf gegen die von den Konzernen und der Regierung ausgeübte Kontrolle über lebenswichtige technische Hilfsmittel, über Informationen und über die zentralen Entscheidungen zur Technologie in unserer Gesellschaft zu einer strategischen Hauptkomponente jeder erfolgreichen Konversionsbewegung werden muß. Durch diese Konzeption werden auch viele Fragen miteinander verknüpft, die von zahlreichen Mitarbeitern der Friedensbewegung noch immer als getrennte Themenbereiche gesehen werden: Abrüstung, Energie, Vollbeschäftigung, Produktionskontrolle durch Arbeiter oder Bevölkerung, Gesundheit und Sicherheit für Arbeiter und Verbraucher, wirtschaftliche Zerrüttung und ähnliches. Sie führt auch dazu, daß das abstrakte Konversionskonzept übersetzt wird in konkretere Formulierungen, die für viele Menschen verständlicher und leichter mit den Problemen des Alltags in Verbindung zu bringen sind.

Das »Bürgerprogramm Technologie und Arbeitsplätze« (CTEP), das zum Teil durch einen Zuschuß der National Science Foundation finanziert wird, ist praktisch ein jahrelanger Planungsprozeß mit dem Ziel, Technologie und vorhandene technische Mittel der Bevölkerung des Bezirks Santa Clara in stärkerem Maße zugänglich zu machen. Insbesondere führt dieses Programm Ingenieure, Naturwissenschaftler und Vertreter von Gewerkschafts- und Bevölkerungsgruppen zusammen, um die Grundlage für ein ständiges technologisches Informations- und Forschungszentrum für Bevölkerung und Arbeiter in diesem Bezirk zu schaffen. Das Zentrum würde dann diesen Bevölkerungskreisen gehören und gemeinsam von ihnen betrieben werden. Damit soll erreicht werden, daß diejenigen, die an der Basis arbeiten, in stärkerem Maße Zugang zu den vorhandenen technischen Möglichkeiten erhalten, sich Fachkenntnisse aneignen und planerisch tätig werden können. Kurz gesagt, würde das Zentrum eine Einrichtung demokratischer Mitbestimmung bei der Planung wirtschaftlicher und technologischer Alternativen sein. [. . .]

1 S. o., Dok. 2; s. u., Dok. 10
Quelle: Joel Yudken, Mid-Peninsula Conversion Project, in: WIN, Vol. XVII, Nr. 12, 1. 7. 1981, S. 17, 21.

b) Alternativen zu den nuklearen Forschungszentren der Universität von Kalifornien

Dokument 8

Die Universität von Kalifornien und die Atomwaffen

Eine der Hauptfunktionen der Universität von Kalifornien (U.C.) ist den Blikken der Studenten, des Lehrkörpers und der Bürger von Kalifornien entzogen – die Universität trägt in den USA die Hauptverantwortung für die Entwicklung atomarer Gefechtsköpfe. [. . .]

Wer betreibt die Laboratorien?

Offiziell betreibt die Universität von Kalifornien die Laboratorien für das Energieministerium, und die entsprechenden Verträge müssen jeweils nach fünf Jahren erneuert werden. Die zur Zeit laufenden Verträge wurden im April 1977 erneuert, da der öffentliche Protest nicht stark genug war, um Änderungen durchzusetzen oder eine Erneuerung zu verhindern. Die derzeitigen Verträge laufen 1982 aus, zum ersten Mal jedoch erlauben es beide Verträge der Universität, den Betrieb der Laboratorien bei einer Kündigungszeit von zwei Jahren vorzeitig zu beenden.

Trotz ihrer offiziellen Verwaltungsfunktion übt die Universität keinerlei Kontrolle über die Laboratorien aus und hat auf Richtung und Inhalt der Arbeit in den Labors keinen Einfluß. [. . .]

Umweltgefährdung und Atomtests

Livermore und Los Alamos sind an den unterirdischen Versuchen mit Prototypen von Atomwaffen beteiligt, die auf dem Testgelände des Energieministeriums in Nevada (Nevada Test Site, NTS) durchgeführt werden. Vor 1963 fanden die Atomwaffenversuche des Laboratoriums über der Erde statt. Dr. John Gofman, der frühere Leiter der biologisch-medizinischen Abteilung des Livermore-Labors, ist der Ansicht, daß diese oberirdischen Versuche bewirkt haben, daß eine Million Menschen in der nördlichen Hemisphäre vom Tod durch Lungenkrebs bedroht sind, der durch das dabei freigesetzte Plutonium ausgelöst wird.

Die Laborverwaltung hat sich intensiv bemüht, ein Verbot der überirdischen Tests in den frühen 60er Jahren zu verhindern, und verfügt seitdem über die Möglichkeit, diese Versuche im Pazifik wieder aufzunehmen. Im September 1977 haben sich beide Direktoren der Laboratorien vor dem Kongreß gegen den Vertrag über ein partielles Testverbot ausgesprochen, der bereits in Kraft ist, sowie gegen den Vertrag über ein vollständiges Testverbot, der von den USA und der Sowjetunion angestrebt wird. Derartige Verträge würden die Möglichkeiten der Laboratorien zur Entwicklung neuer Waffen entscheidend beschränken und möglicherweise ganz beseitigen.

Die Laboratorien selbst stellen möglicherweise erhebliche Gesundheitsrisiken dar, da sie mit großen Mengen hochgiftigen Plutoniums und anderer radioaktiver Materialien arbeiten. Das Livermore-Labor, das zwischen 270 und 360 kg Plutonium besitzt, liegt direkt auf und in der Nähe von 13 aktiven Erdbebenverwerfungen und leitet seine Abwässer in einen nahegelegenen Teil der Bay Area. Hunderttausende von Litern schwach radioaktiven Abfalls, von dem ein Teil aus dem Livermore-Laboratorium stammt, wurden in der Nähe von San Francisco von den Farralon-Inseln aus ins Wasser geleitet und sind auf diese Weise in die angrenzenden Ozeangebiete gelangt. [. . .]

Quelle: U. C. and Nuclear Arms, Flugblatt des U.C. Nuclear Weapons Labs Conversion Project, San Francisco, o.J.

Dokument 9

Konversionsprojekt für die Atomwaffenlabors der Universität von Kalifornien

Aufgaben und Ziele – Januar 1979

Wir sind entschlossen, durch Aufklärungsarbeit und gewaltlose Aktionen einzutreten für:

1) die Einstellung aller Arbeiten des Lawrence-Livermore-Laboratoriums (LLL) und des Wissenschaftlichen Laboratoriums Los Alamos (LASL), die in Zusammenhang mit Atomwaffen stehen, und die Umstellung dieser Laboratorien auf gesellschaftlich konstruktive Zwecke.

Wichtige Schritte zur Erreichung dieses Ziels sind unter anderem:

* Ein sofortiges Atomversuchs-Moratorium seitens der USA als Beitrag zu den Bemühungen um ein vertraglich geregeltes umfassendes Atomtestverbot.

* Streichung der Bundesmittel für die weitere Forschung, Erprobung und Produktion auf dem Gebiet der Atomwaffen und die Bereitstellung dieser Mittel zur Umstellung der betroffenen Einrichtungen, damit den Bedürfnissen der Bevölkerung entsprochen werden kann.

* Ausarbeitung von Umstellungsplänen für die Laboratorien unter weitgehender Beteiligung der Bevölkerung und der dort Beschäftigten zum Zwecke einer alternativen Nutzung dieser Einrichtungen, wobei die Sicherheit der Arbeitsplätze und Umschulungsmaßnahmen für die betroffenen Arbeiter in vollem Umfang zu gewährleisten sind.

* Einführung einer wirklich demokratischen Kontrolle des Betriebs dieser Laboratorien, um zu garantieren, daß die Arbeit der Labors von der Öffentlichkeit überprüft werden kann und daß diese Einrichtungen den Bürgern der Vereinigten Staaten verantwortlich sind.

* Zusammenarbeit mit Gruppen in allen Teilen der USA, die sich für die Schließung oder Umwandlung anderer Einrichtungen einsetzen, die in Zusammenhang mit Atomwaffen stehen.

2) die vollständige Trennung der Universität von Kalifornien (UC) von den Laboratorien Los Alamos und Livermore einschließlich eines Auslaufens der Verträge, die die Universität mit dem Energieministerium über die Verwaltung der Laboratorien abgeschlossen hat.

Wir beharren auf unserem langfristigen Ziel einer Umwandlung der Laboratorien, halten jedoch eine Trennung für notwendig, denn nach zwei Jahren Druck steht fest:

* Die Universität hat sich in keiner Weise für eine Umstellung der Laboratorien auf eine nicht mit Waffen verbundene Tätigkeit eingesetzt.

* Die Universität hat es zugelassen, daß Vertreter der Labors ihre Stellung an der Universität und öffentliche Mittel dazu benutzt haben, Waffensysteme wie die Neutronenbombe zu fördern und sich Vereinbarungen zur Rüstungsbeschränkung wie zum Beispiel einem umfassenden Testverbot zu widersetzen.

* Die Universität hat deutlich zu erkennen gegeben, daß sie keinen Einfluß auf die Laboratorien nehmen und keinerlei Kontrolle über sie ausüben will.

* Die Universität hat sich allen Bemühungen widersetzt, in den Laboratorien öffentliche Diskussionen zu veranstalten, und sie hat es abgelehnt, besorgten Bürgern nichtgeheime Informationen über die Forschungsarbeiten der Labors zur Verfügung zu stellen.

* Die Universität liefert auch weiterhin den Deckmantel der Legitimität für die in den Labors betriebene Atomwaffenforschung.

3) eine unabhängige Überprüfung der möglichen Gesundheits- und Sicherheitsrisiken im Bereich der Laboratorien, die sich aus den dort vorhandenen großen Mengen von Plutonium und anderen radioaktiven Substanzen ergeben. [. . .]

Quelle: Statement of Goals and Objectives – January 1979, Flugblatt des U.C. Nuclear Weapons Labs Conversion Project, San Francisco, January 1979.

Dokument 10

Alternativen für das Lawrence-Livermore-Laboratorium
Von der Studiengruppe Konversion

Wir sind der Überzeugung, daß die weitere Forschung und Entwicklung auf dem Gebiet der Atomwaffen die Gefahr eines atomaren Krieges vergrößert, und daß die USA, da sie den Rüstungswettlauf anführen, die Verantwortung haben, erste Schritte zu unternehmen, um dieses Wettrüsten wieder rückgängig zu machen. Außerdem glauben wir, daß die Forschungsarbeiten des Livermore-Labors auf atomarem Gebiet die Sicherheit und Gesundheit der dort beschäftigten Arbeiter und der umliegenden Gemeinden gefährden.

[. . .] Diese Studie fordert die systematische und planmäßige Umstellung der Arbeitsplätze, technischen Einrichtungen und Betriebsanlagen des Livermore-Labors von der Atomwaffenforschung auf die Erforschung alternativer Energiequellen. Damit meinen wir nicht eine bloße Ausweitung der nicht waffenbezogenen Arbeit des Laboratoriums, sondern vielmehr eine grundsätzliche Änderung im Hinblick auf den nationalen Sicherheitsauftrag des Livermore-Labors, und zwar eine Änderung, die die Einstellung der Waffenforschung bedeuten würde. Wir wollen auch nicht, daß die Arbeit des Labors an Atomwaffen lediglich von Los Alamos oder einer anderen Einrichtung übernommen wird. [. . .]

Das Lawrence-Livermore-Laboratorium ist das größte Forschungslaboratorium der Welt, und es verfügt über den größten Computer-Komplex der Welt und einige der fähigsten Naturwissenschaftler und Ingenieure der USA. Aus diesem Grunde ist es dringend erforderlich, daß dieses Labor damit beginnt, für das Energieministerium alternative Energiequellen zu erforschen und zu entwickeln.

Insbesondere fordern wir das Laboratorium auf, die Leistungsfähigkeit seiner Mittel und seiner wissenschaftlichen Mitarbeiter zur Lösung der folgenden Probleme der Entwicklung alternativer Energieformen einzusetzen:

* Auffindung neuer Substanzen für Photoelemente (Solarzellen);
* Entwicklung neuer Möglichkeiten einer Kraftstoffgewinnung aus Biomasse;
* Kostenverringerung bei der Gewinnung von Wasserstoff aus Wasser;
* Entwicklung von Möglichkeiten, Wasserstoff als Kraftstoff zu verwenden;
* Entwicklung besserer Mittel zur Speicherung und Übertragung von Energie;
* Verbesserung der Sicherheit und Zuverlässigkeit bei den Systemen der Gewinnung von Windenergie;
* Entwicklung billigerer und effektiverer Kraftstoffe für Verkehrszwecke;
* Entwicklung von Computer-Modellversuchen zum Problem einer integrierten Versorgung von Städten, Wohnungen und der Industrie mit alternativer Energie. [. . .]

Auswirkungen einer Umstellung auf das Livermore-Labor

Von den 6900 Beschäftigten des Livermore-Laboratoriums arbeiteten im Oktober 1978 2400 als Wissenschaftler und Ingenieure und 3000 in technischen und handwerklichen Berufen. Die restlichen 1500 sind in der Verwaltung und als Hilfspersonal beschäftigt. [. . .]

Welche Wirkungen würde eine umfassende Umstellung von der Waffen- und Kernforschung auf nichtatomare alternative Energieformen auf die Beschäftigten des Laboratoriums haben? [. . .] Die Mehrheit dieser Beschäftigten besteht aus Technikern, Handwerkern und Hilfspersonal; hochqualifizierte und hochspezialisierte Ingenieure, Wissenschaftler und Führungskräfte der Laborverwaltung befinden sich demgegenüber in einer Minderheit. Der Institutsplan des Labors für 1978 enthält eine Übersicht, aus der hervorgeht, daß von neun technischen Fachbereichen des Verteidigungsprogramms sieben in andere Programme außerhalb des Verteidigungsbereichs überführt werden können.

Die Umsetzung von Wissenschaftlern und Ingenieuren in Arbeitsbereiche alternativer Energieformen bereitet die größten Schwierigkeiten. Einige Atomphysiker und Ingenieure wird man benötigen, um mit den schwerwiegenden Problemen des bereits vorhandenen Atommülls und der Vernichtung von Atomwaffen im Falle weiterer Fortschritte beim Rüstungsabbau fertigzuwerden. Eine 1967 vom Stanford Research Institute vorgelegte Untersuchung zur Umsetzung und anderweitigen Verfügbarkeit von Ingenieuren aus dem Verteidigungsbereich zeigt, daß es keine unüberwindlichen Schwierigkeiten bei der Umschulung einzelner Ingenieure gibt, daß jedoch mehr Probleme auftreten, sobald eine große Anzahl von Ingenieuren betroffen ist. Ein umfassendes Umschulungsprogramm wäre notwendig, um für die Fähigkeiten dieser Wissenschaftler und Ingenieure ein neues Tätigkeitsfeld zu eröffnen. [. . .]

Zur Zeit existieren mindestens 2 Modelle für praktische Alternativplanungen:

* Der Ausschuß der Gewerkschaftsvertreter bei den Lucas-Flugzeugwerken: Zwei Jahre lang haben sich zahlreiche Arbeiter der unterschiedlichsten Qualifikationsbereiche bei Lucas Aerospace, dem größten Rüstungsunternehmen Großbritanniens, an einer detaillierten Planung alternativer Verwendungsmöglichkeiten für ihre Fertigkeiten und ihre vorhandenen Maschinen beteiligt. In dem Plan, den der Ausschuß für die 17 Fabriken des Unternehmens Lucas ausgearbeitet hat, in denen insgesamt 12 000 Arbeiter beschäftigt sind, werden 150 Produkte empfohlen, die alternativ zur gegenwärtigen Fertigung hergestellt werden können.

* Rocky Flats: Der Gouverneur des Staates Colorado, Richard Lamm, hat einen Überwachungsausschuß für das Atomwaffenwerk in Rocky Flats – das Rocky Flats Monitoring Committee – eingesetzt, der inzwischen erste Versuche unternommen hat, alternative Verwendungsmöglichkeiten für diese Fabrik zu prüfen. [. . .]

Wir fordern das Energieministerium, die Universität von Kalifornien und die Leitung des Livermore-Laboratoriums auf, die ihnen zur Verfügung stehenden gewaltigen öffentlichen Mittel dafür einzusetzen, daß dieser lebenswichtige Planungsprozeß für eine systematische Umstellung des Labors begonnen wird. Wir verlangen von ihnen, daß sie den Griff der Atomtechnologie lockern, der zur Zeit unser wissenschaftliches Potential gefangen hält.

Wir rufen die Bevölkerung von Livermore und die Beschäftigten des Laboratoriums auf, sich an jedem Schritt dieses Prozesses aktiv zu beteiligen. Wir wenden uns gegen die Auffassung, irgendeine andere Gruppe von Menschen sei besser dafür geeignet, die künftige Richtung der Forschungsarbeit am Livermore-Labor zu bestimmen.

Quelle: Conversion Study Group, Shaping Alternatives for the Livermore Lab, in: U.C. Nuclear Weapons Labs Conversion Project. NEWS, Summer 1979, S. 4/5.

5. Konversion und politische Parteien: Das Beispiel der kalifornischen Demokraten

Dokument 11

Demokraten für Friedenskonversion

Eine politische Absichtserklärung

Die Stärke der Demokratischen Partei ist es immer gewesen, leidenschaftlich für wirtschaftliche Gerechtigkeit einzutreten und sich verpflichtet zu wissen, die öffentlichen Interessen der Mehrheit zu fördern, anstatt die privilegierte Stellung einiger weniger auszubauen. Heute mehr denn je muß die Demokratische Partei eine nationale Wirtschaftspolitik entwickeln, die eine glaubwürdige und praktikable Alternative zu den widersprüchlichen und sozial destruktiven Programmen der Regierung Reagan darstellt.

Wir glauben, daß eine glaubwürdige nationale Wirtschaftspolitik sich mit der grundlegenden Realität unserer Zeit auseinandersetzen muß:

Kostspielige und verschwenderische Ausgaben für militärische Zwecke angesichts einer sich verschlimmernden Lage der Bevölkerung, deren Bedürfnisse unberücksichtigt bleiben, sind eine Wirtschaftspolitik, die sich in der Sackgasse befindet. Diese Politik ist der Weg zu einer garantierten wirtschaftlichen Verschlechterung. Und diese Politik muß abgeschafft werden.

Wir glauben, daß die Friedenskonversion den notwendigen Weg in die Zukunft darstellt, sowohl für die Demokratische Partei als auch für die amerikanische Wirtschaft. [. . .]

In der Vergangenheit ist die Forderung nach Friedenskonversion immer als blauäugiger Idealismus betrachtet worden, der nicht in diese harte Welt räuberischer Nationen passe. Tatsächlich ist genau das Gegenteil wahr: Friedenskonversion ist die grundlegende Voraussetzung für eine Gesundung der amerikanischen Wirtschaft. Ohne Friedenskonversion wird die Wiederherstellung unserer wirtschaftlichen und zugleich auch unserer militärischen Sicherheit unmöglich sein. [. . .]

Extravagante, aufwendige Beschaffungsprogramme wie zum Beispiel das für 100 Milliarden Dollar geplante mobile Atomraketensystem MX leisten nichts zur Erhöhung der nationalen Sicherheit. In Wirklichkeit unterminieren diese Systeme sogar die nationale Sicherheit, da sie das »Gleichgewicht des Schreckens« weiter destabilisieren und gleichzeitig das Kapital und die technischen und intellektuellen Ressourcen verschwenden, die für den Wiederaufbau der amerikanischen Wirtschaft benötigt werden.

Die nationale Sicherheit ist eine ernste Angelegenheit, die disziplinierte und kluge politische Maßnahmen erfordert. Sie ist kein Ort für wilde Ausgabenorgien, die mit imaginären Gefahren und einer hysterischen Rhetorik begründet werden. Keine »sowjetische Bedrohung«, wie man sie auch immer definiert, kann an der Tatsache etwas ändern, daß *unsere Nation ein strategisches Waffenarsenal von überwältigender Überlegenheit besitzt.* [. . .]

Was unsere Nation braucht, ist ein kosteneffektives und plausibles Verteidigungssystem [. . .]. Und schließlich ist der Sicherheit unserer Nation besser gedient, wenn die Verschwendung von Mitteln für militärische Zwecke abgeschafft und unsere spärlichen Ressourcen für unsere Großstädte und Vorstadtgebiete, unsere Farmen und unsere Kleinstädte investiert werden. [. . .]

Unser kurzfristiges Ziel ist es, dafür zu sorgen, daß die Initiative »Democrats for Peace Conversion« auf dem zwischen den Wahlen tagenden Kongreß der Demokratischen Partei, der 1982 stattfindet, deutlich vertreten ist. Darüber hinaus sind wir bestrebt, dafür zu sorgen, daß bis 1984 – wenn die Wahlplattform formuliert und unser Präsidentschaftskandidat gewählt wird – Friedenskonversion definitiv eine von der Öffentlichkeit erhobene politische Forderung sein wird – als die Politik, auf deren Grundlage es zu einem erneuten Aufschwung der Demokratischen Partei und der amerikanischen Wirtschaft kommen wird.

Quelle: Flugblatt der Democrats for Peace Conversion. A Statement of Purpose, Costa Mesa, California, o. J.

Teil 5

Gegen Atom- und Rüstungsstaat:
Der Kampf ums Überleben

Sidney Lens versuchte bereits 1976, die amerikanische Friedensbewegung auf die Dimensionen der atomaren Bedrohung aufmerksam zu machen. In seinem Artikel »Die Strategie des Weltuntergangs«[1] warnte er eindringlich: Es geht um das Überleben dieser und aller folgender Generationen! Zur Orientierung einer politischen Gegenbewegung nannte er drei Ansatzpunkte: Erstens den Kampf gegen Nukleartechnologie (Kernkraftwerke und Atomwaffen) und die damit verbundene militärische »Siegstrategie«; zweitens eine Demokratisierung des Entscheidungsprozesses über militärpolitische Fragen und drittens schließlich eine grundsätzliche Änderung sozialer Strukturen durch die Mit- und Selbstbestimmung der Betroffenen.

Mit Reagans Amtsantritt wurde die Reichweite von Lens' Beitrag schlagartig deutlich: »Überleben« heißt Widerstand gegen die atomare Apokalypse *und* Sicherung der tagtäglichen Reproduktion. Die atomare Hochrüstung und Militärstrategie bedrohen das Leben der Gattung, der soziale Raubbau entzieht Millionen die Existenzgrundlage, die Atomindustrie verseucht die Umwelt, schädigt gegenwärtiges und künftiges Leben. In der Tat brauchen die Amerikaner, wie Lens formulierte, »dringender die Verteidigung gegen ihre eigene Führung als Verteidigung gegen eine fremde Invasion.«[2]

Inzwischen ist die so verstandene Verteidigung des »Überlebens« zu einem einigenden Anliegen von Friedens- und Umweltgruppen, von Frauen und Bürgerrechtlern, von Schwarzen und anderen ethnischen Minderheiten geworden.

Die Dokumente 1–3 zeigen beispielhaft die Verknüpfung von *Friedens- und Umweltsicherung* in der Arbeit traditioneller Friedensorganisationen (Women Strike for Peace und SANE) und relativ junger Initiativen wie der Bay Area Coalition for a Nuclear Free Pacific. Zahlreiche »Survival«-Initiativen sind gruppenspezifisch. Ihr Hauptanliegen ist, die besondere Betroffenheit einer Bevölkerungsgruppe aus den allgemeinen politischen Ursachen des Überlebenskampfes herzuleiten und dann gemeinsam mit anderen dagegen vorzugehen. Die besondere Betroffenheit von *Frauen* durch Sozialkürzungen und militärische Hochrüstung, auf die die (bereits 1915 gegründete) Women's International League for Peace and Freedom (Dok. 4, 5) aufmerksam macht, wird durch die Untersuchungen von Marion Anderson über Pentagon-Haushalt und Frauenarbeitslosigkeit voll bestätigt: jede Erhöhung des Rüstungsetats führt unmittelbar zu einer weiteren Vernichtung von Arbeitsplätzen für Frauen (Dok. 6). Der Bericht einer Hausfrau und Mutter aus Boston gibt ein Beispiel, wie individuelle Verzweiflung und Angst zu politisch solidarischem Handeln führen können (Dok. 7).

»Überleben« – das bedeutet für viele Sozialhilfeempfänger, Rentner, Behinderte, Studenten und Angehörige ethnischer Minderheiten hier und heute Kampf ums ökonomische und soziale Überleben infolge der rigorosen Streichungen der Sozialausgaben zur Finanzierung der Hochrüstung. Der Widerstand gegen diese Politik äußert sich z. B. in der mehr als 75 Organisationen umfassenden *Kampagne für einen fairen Haushalt* (Dok. 8, 9); in ihr spielen die Organisationen *ethnischer Minderheiten* (Dok. 10, 11) eine besonders gewichtige Rolle.

Überall im Land werden neue Koalitionen gegen Reagans Kriegserklärung an das amerikanische Volk gebildet. Um die wachsende Opposition zusammenzufassen, entwarf eine Reihe prominenter Persönlichkeiten – u. a. Phil Berrigan, Ronald Dellums, Sidney Lens, Richard Hatcher – einen »Aufruf zur Bildung einer nationalen Koalition gegen die Reagan-Administration«.[3] Ihr Ziel ist es, den Widerstand gegen Kriegsvorbereitung, Austeritätsprogramm und wiederauflebenden Rassismus geographisch und politisch zu vereinheitlichen und die politischen Gewichte über 1984 hinaus so zu verschieben, daß der Friede gesichert, neue Arbeitsplätze geschaffen und mehr soziale Gerechtigkeit möglich wird.

Die Problematik solcher Koalitionsbildung diskutiert Bob Moore, ehemaliger Generalsekretär der Mobilization for Survival, in seinem Beitrag (Dok. 12). Moore argumentiert, daß breitestmögliche und handlungsfähige Koalitionen das Gebot der Stunde sind, um das Überleben und damit die Zukunft zu sichern.

1 Sidney Lens, The Doomsday Strategy, in: The Progressive, February 1976, S. 12–35, bes. S. 34/35.

2 ebd., S. 35.

3 National Call to From a Coalition Opposed to the Reagan Administration, hrsg. vom Organizing Committee for Federation of Progress, 242 Lafayette Ave., New York, NY 10012.

1 Sidney Lens, The Doomsday Strategy, in: The Progressive, February 1976, S. 12–35, bes. S. 34/35.

2 ebd., S. 35.

3 National Call to Form a Coalition Opposed to the Reagan Administration, hrsg. vom Organizing Committee for Federation of Progress, 242 Lafayette Ave., New York, NY 10012.

1. Gegen Atom- und Rüstungsstaat

Dokument 1

Der Mensch – eine bedrohte Art

WOMEN STRIKE FOR PEACE entstand 1961, als Frauen aus Furcht vor den Auswirkungen radioaktiven Niederschlags auf Kinder begannen, sich für ein Verbot der Atomversuche in der Atmosphäre, für die atomare Abrüstung und für eine Beendigung des Wettrüstens einzusetzen. Sie hatten erfahren, daß Strontium-90 an die Stelle von Kalzium tritt und sich in den Knochen der Kinder ablagert; daß Jod-131 in die Schilddrüse wandert; daß diese und weitere neue radioaktive Elemente, die durch Atomspaltung freigesetzt werden, zu Krebs und Leukämie führen; daß menschliche Embryos, Kinder und Fortpflanzungsorgane besonders empfindlich für radioaktive Strahlung sind. Heute sind die Kinder in noch weit größerer Gefahr, die sich nicht nur aus der alles durchdringenden Strahlung, sondern aus der drohenden Gefahr eines atomaren Krieges ergibt.

Tödliche Strahlung, der unsichtbare Feind, greift ständig unsere lebenden Zellen an und zerstört sie oder löst Mutationen aus . . .

Keine Strahlungsmenge ist ungefährlich. Es kommt zu einer kumulativen Wirkung, die nicht mehr rückgängig zu machen ist.

Die Kerntechnik, die zur Herstellung von Waffen und zur Erzeugung von Strom eingesetzt wird, hat der natürlichen Grundstrahlung der Erde neue und tödliche Elemente hinzugefügt. Das Ergebnis ist, daß wir unbemerkt und fortwährend von Strahlung bombardiert werden. [. . .]

Schädigungen und Mutationen unserer Zellen können lange unbemerkt bleiben, bis sich möglicherweise einige Jahre nach der Erstbestrahlung Krebs oder Leukämie entwickeln. Und Erbschäden können sich sogar erst Generationen später bemerkbar machen. Die Ursache mag dann schwer nachzuweisen sein, aber fest steht, daß wir alle und alle unsere Nachfahren potentielle Opfer der Strahlengefährdung sind. [. . .]

Die Regierung hat versäumt, uns zu schützen

Die Ereignisse von Three Mile Island waren nicht der einzige kritische atomare Zwischenfall des Jahres 1979. Es gab 1979 mindestens 20 weitere atomare Zwischenfälle, bei denen es jeweils zu einem Meltdown, einem Zusammenschmelzen des Reaktorkerns, hätte kommen können. Seit 1952 ist es in Idaho, Michigan, Pennsylvania, Süd-Dakota, Süd-Carolina, Kalifornien, Illinois, Minnesota, Vermont, Colorado, Connecticut und Alabama zu potentiell katastrophalen Reaktorunfällen gekommen: einige führten zum Tod von Arbeitern, und alle bewirkten eine schwerwiegende Strahlenverseuchung. Es hat viele tausend kleinere

Unfälle gegeben. Und jedes Mal wird gegenüber der Öffentlichkeit erklärt, die ausgetretene radioaktive Strahlung liege »innerhalb der vertretbaren Grenzen«.

Den Bewohnern von Utah wurde auch versichert, der radioaktive Niederschlag während der in den 50er und 60er Jahren durchgeführten Tests in der Atmosphäre stelle keine Gefährdung dar. Ein kürzlich veröffentlichter Kongreßbericht mit dem Titel *The Forgotten Guinea Pigs* (Die vergessenen Versuchskaninchen, August 1980) räumt ein, daß die Atomenergiekommission mehr um die Sicherheit ihres Programms atmosphärischer Waffentests besorgt war, als um Gesundheit und Wohlergehen der in der Nähe lebenden Bevölkerung. Hinweise auf ungenügende Strahlungskontrolle und die Gefahren der radioaktiven Strahlung wurden sogar unterdrückt.

Untersuchungen zeigen, daß Arbeiter im Uranbergbau, ehemalige Soldaten, die mit Atomwaffen und -versuchen zu tun hatten, zivile Arbeiter in Atomwaffenfabriken und Familien, die in Windrichtung der Atombombentests leben, an Krebs und Leukämie sterben. Atomwaffenveteranen haben eine außergewöhnlich große Zahl genetisch geschädigter Kinder. Hunderte von diesen Opfern der Atomversuche fordern Entschädigung vom Staat, der sich weigert, für seine vergangenen Fehler einzustehen. [. . .]

Dr. John Goffman hat erklärt: »Die Bürger werden erstaunt sein über eine Nutzen-Schaden-Rechnung, bei der der Nutzen sich in den Profiten der Konzerne niederschlägt und der Schaden darin zum Ausdruck kommt, daß sie selbst und ihre Kinder von Krebs, Leukämie und Erbschäden betroffen sind. Es verstößt gegen die ethischen Mindestforderungen jeder menschlichen Generation, ein radioaktives Vermächtnis zu hinterlassen, das die Zukunft aller kommenden Generationen *in nicht wieder gutzumachender Weise* gefährdet.«

Quelle: Human Beings – An Endangered Species, Flugschrift von Women Strike for Peace, Washington, D.C., o.J.

Dokument 2

Strahlenopfer – Tausende von Amerikanern sind bereits von Atomwaffen getötet worden: unseren eigenen

[. . .] Orville Kelly war vom 27. November 1957 bis zum 21. November 1958 auf dem Testgelände Eniwetok auf den Marshall-Inseln stationiert. Als Kommandant der Insel Japtan beobachtete er 22 Atomwaffenexplosionen aus einer Entfernung von etwa zehn bis fünfzehn Kilometern. [. . .]

Im Juni 1973 stellten die Ärzte bei Kelly Wucherungen im lymphatischen Gewebe bei vermehrter Lymphozytenbildung fest. 1974 beantragte er bei der Veteranenbehörde die Anerkennung seiner auf den Militärdienst zurückzuführenden Invalidität. Der Antrag wurde abgelehnt, weil kein ursächlicher Zusammenhang zwischen seiner Krebserkrankung und der auf Eniwetok zugefügten Strahlendosis zu erkennen sei. Zwei weitere Anträge wurden gleichfalls abgelehnt. Schließlich jedoch wurde Kellys Anspruch anerkannt – 7 Monate vor seinem Tode.

Als Kelly erfuhr, daß auch andere Veteranen, die mit dem Testprogramm zu tun gehabt hatten, von der Veteranenbehörde ähnlich behandelt wurden, gründete er den Bundesverband der Atomveteranen (National Association of Atomic Veterans, NAAV), dessen Vorsitzender er wurde. Diese Organisation startete eine Kampagne in den Medien, um Kontakt zu den schätzungsweise 250 000 Veteranen aufzunehmen, die an den Atomversuchen beteiligt waren und bei denen Strahlenerkrankungen bereits gegeben oder noch zu erwarten sind. Der Verband sammelt alle verfügbaren Daten über die 183 in der Atmosphäre durchgeführten Atomwaffenversuche, um den betroffenen Veteranen behilflich zu sein, ihre Beteiligung an den Versuchen und die dabei zugefügte Strahlendosis nachweisen zu können. [. . .]

1966 wurde Harley Roberts als Wachmann auf einem atomaren Testgelände in Süd-Nevada eingestellt, wobei offiziell versichert wurde, die Arbeit sei ungefährlich. Am 18. Dezember 1970 kam es bei der unterirdischen Atomexplosion mit dem Code-Namen »Baneberry« zu einer Panne: eine etwa zweieinhalb Kilometer hohe Wolke radioaktiver Strahlung entwich in die Atmosphäre. Roberts und hunderte anderer Arbeiter, die sich in einer Entfernung von rund fünfeinhalb Kilometer im Einsatz befanden, wurden radioaktiver Strahlung ausgesetzt. Dreieinhalb Jahre später starb Roberts an Leukämie. Heute prozessiert seine Witwe Dorothy gegen den amerikanischen Staat, dem sie vorwirft, den Tod ihres Mannes verschuldet zu haben.

Die Testexplosion »Baneberry« ist nur eine von vielen, bei denen es zu einer unkontrollierten Freisetzung radioaktiven Materials in der Umgebung gekommen ist. Seit September 1961 ist es bei 40 nicht geheimen unterirdischen Atomversuchen, die auf dem Testgelände in Nevada durchgeführt wurden, zu einer derartigen Freisetzung von Radioaktivität in der angrenzenden Umgebung gekommen. Trotzdem gibt es keinerlei Pläne für eine Evakuierung der benachbarten Ortschaften. Die Regierung plant, die Zahl der Atomversuche noch zu erhöhen.

Keine weiteren Opfer!

Wenn die Expansion der Atomindustrie weiter anhält, wird die Gesundheit von immer mehr Amerikanern gefährdet. Bei dem für die nächsten zehn Jahre geplanten massiven Ausbau der Atomrüstung und der Kernenergie werden sich die Gefahren noch vervielfachen.

Das kann vermieden werden. Eine realistische Alternative zu einer weiteren Anhäufung von Atomwaffen besteht in durch Verhandlungen erreichten unabhängigen Abrüstungsinitiativen der Supermächte. Die Reduzierung und die schließliche Beseitigung der globalen Waffenarsenale könnten die Sicherheit der USA tatsächlich nur erhöhen. Ein erster Schritt sollte darin bestehen, daß der Präsident jetzt ein vollständiges Einfrieren der Atomwaffen bekanntgibt; für zivile Reaktoren sollten keine neuen Bau- und Betriebsgenehmigungen mehr ausgegeben werden; und die weitere Produktion von Atomwaffen sollte eingestellt werden. Sichere Energiealternativen – einschließlich Sonnenenergie und Energiespeicherung – sollten entwickelt werden.

Wenn atomare Industrieanlagen geschlossen werden, dann sollte das für die Arbeiter keine nachteiligen Folgen haben. Für die Arbeiter der Atomindustrie sollten wirtschaftliche Anpassungsmaßnahmen und berufliche Umschulungsprogramme eingeführt werden. Die zahllosen Menschen, die bereits Opfer der Atomindustrie geworden sind, sollten voll entschädigt werden und weitere Unterstützung erhalten. [. . .]

Dokumentation
Statistische Ergebnisse erhärten die Sorge, daß alle diejenigen, die in der Nähe atomarer Industrieanlagen leben oder arbeiten, einem erhöhten Krebsrisiko ausgesetzt sind. Führende Epidemiologen aus allen Teilen des Landes sind trotz unterschiedlicher Methoden und Ausgangslagen zu einer gemeinsamen Schlußfolgerung gelangt: Alle, die den geringen Dosen radioaktiver Strahlung aus der Atomindustrie ausgesetzt sind, haben unter einem steilen Anstieg der Krebsrate zu leiden.

Wegen der langen Latenzzeit bei Krebserkrankungen war der seit langem vermutete Zusammenhang zwischen Strahlungseinwirkung und Krebs stets schwer zu beweisen. Die Anhäufung statistischer Untersuchungen und die Tatsache, daß sie alle zu ähnlichen Ergebnissen gelangen, haben jedoch inzwischen den allgemeinen Verdacht bestätigt. Es folgen Auszüge aus einigen dieser Untersuchungen. [. . .]

Dr. Carl Johnson, der frühere Leiter der Gesundheitsbehörde von Jefferson County, hat Daten über die Krebsraten derjenigen Bürger von Colorado gesammelt, die im Windschatten der umstrittenen Atomwaffenfabrik Rocky Flats in Denver leben. In seinem im Februar 1979 veröffentlichten Bericht kommt Dr. Johnson zu dem Ergebnis, daß Bürger, die in plutoniumverseuchten Gebieten lebten, eine bedeutend höhere Krebsrate aufwiesen als die Bewohner angrenzender, unverseuchter Gebiete.

Krebstyp	Zunahme in %	
	Frauen	Männer
Dickdarm	30	43
Eierstöcke	24	–
Hoden	–	140
Zunge, Rachenhöhle, Speiseröhre	100	60

[. . .] Im Jahre 1964 wurde Dr. Thomas Mancuso von der Atomenergiekommission (der Vorläuferin des heutigen Energieministeriums) beauftragt, die Krebsraten bei den Arbeitern der Atomanlage in Hanford zu untersuchen. Er stellte fest, daß die Rate höher als erwartet lag, und er löste damit eine heftige Kontroverse aus. Die Atomenergiekommission stellte die Finanzierung seines Projekts ein, noch bevor die Untersuchung beendet war; die Analyse der Daten wird jedoch fortgesetzt und von unabhängiger Seite finanziert. Seine jüngsten Ergebnisse sind folgende:

Krebstyp	Zunahme in %
alle Krebsarten	26
Geschwulstbildung im retikulo-endothelialen System (RES)	58
Knochenmark	107

[. . .]

Quelle: Radiation: The Human Cost. Flugschrift von SANE und Nuclear Weapons Facilities Project, Washington, D.C., o. J.

Dokument 3

Schafft einen atom(waffen)freien Pazifik

[. . .] Die internationalen Bemühungen um Abrüstung, Überwindung der Unterentwicklung sowie Abschaffung der Atomwaffen und der Kernenergie haben rapide zugenommen, seit es immer deutlicher wird, daß wir gegen ein globales Problem ankämpfen. Die Bewegung für einen atomfreien Pazifik ist bereits weit fortgeschritten in ihrem Bemühen, ein Netz internationaler Kontakte zu schaffen, und sie stellt zum ersten Mal einen festen Zusammenhang her zwischen den Unabhängigkeitsproblemen der Dritten Welt und dem atomaren/militärischen Imperialismus. Sie ist eine Volksbewegung und besteht vorwiegend aus der einheimischen Bevölkerung der Gebiete im Pazifik und denen, die sie in den Pazifik-Randstaaten unterstützen. Wir in den USA haben bei dieser Unterstützung eine sehr wichtige Rolle zu spielen, vor allem angesichts der kolonialistischen und militärischen Präsenz unseres Landes in Vergangenheit und Gegenwart im Pazifischen Becken, von Hawaii bis zu den Philippinen.

In diesem Jahr konzentrieren wir unsere Arbeit auf zwei Bereiche und hoffen, daß Sie uns dabei vielleicht helfen möchten:

* *Die Versenkung von Atommüll im Pazifik:* Gegenwärtig planen die Japaner, schwach strahlenden Industrieabfall nordwestlich der Marianen zu versenken. Dieses Projekt ist jedoch nur ein erstes Indiz dafür, daß die USA und andere Atomstaaten in immer stärkerem Maße entschlossen sind, in großem Umfang mit der Versenkung, Tiefsee- und Insel-Lagerung von schwach und stark strahlendem Atommüll im Pazifik zu beginnen. Wir unterstützen A̲ː ˑ˖en der Bevölkerung in allen Teilen des Pazifik zur Verhinderung des japanischen Projekts.

Zu dieser Kampagne gehören weiter eine internationale Petitionsbewegung und Lobbyaktionen beim Aufsichtsgremium des internationalen Londoner Abkommens über die Versenkung von Abfällen im Meer.

 * *Widerstand gegen die Stationierung präventivschlagfähiger strategischer Waffensysteme im Pazifik:* Im Juni 1982 wird eine quer über den Pazifik führende Friedensfahrt von Sydney in Australien bis nach Bangor im Bundesstaat Washington zu Ende gehen, die sich gegen Trident und alle anderen Waffensysteme richtet, die für einen ersten Schlag geeignet sind und im Pazifik stationiert werden sollen. Unterstützungsaktionen für dieses Unternehmen »Pacific Peacemaker« werden an der Westküste der USA organisiert, und die Tatsache, daß das Ganze zu einem Zeitpunkt stattfindet, an dem in New York die zweite Sondersitzung der Vereinten Nationen zum Thema Abrüstung tagt, dürfte bewirken, daß ein wichtiger Teil der internationalen Öffentlichkeit seine Aufmerksamkeit der Friedensbewegung an der amerikanischen Westküste zuwendet. [. . .]

Quelle: Flugblatt der Bay Area Coalition for a Nuclear-Free Pacific, Berkeley, California, o. J.

2. Betroffenheit und Verantwortung der Frauen

Dokument 4

Frauen und nationale Sicherheit

Die Männer, die unseren Staat regieren, sind der Meinung, die Vereinigten Staaten hätten das Recht und müßten auch weiterhin in der Lage sein, das Weltgeschehen zu beherrschen und die Rohstoffe der Welt in einer Weise zu kontrollieren, die den USA direkte Vorteile verschafft. Im letzten Jahrhundert sind die USA durch die Anwendung militärischer Gewalt in der Lage gewesen, das zu tun. Heute hat sich die weltweite Situation verändert. Die Rohstoffvorräte schrumpfen schnell, und die Völker weigern sich, noch irgendeine Form ausländischer Vorherrschaft von irgendeiner Seite hinzunehmen. Diese Weigerung, sich beherrschen zu lassen, ist eine direkte Bedrohung für diejenigen in unserer Regierung und unserer Industrie, die der Meinung sind, wir hätten ein Recht darauf, die Weltereignisse zu kontrollieren. Da ihre Fähigkeit, eine solche Kontrolle auszuüben, bedroht ist, greifen sie zu denjenigen Mitteln der Beeinflussung, die sie am besten kennen: zur Anwendung von Gewalt und dem Einsatz massiver militärischer Stärke.

Wenn die Regierung Gewalt und Unterdrückung für legitime Mittel der Einflußnahme hält, dann betrachtet auch die Bevölkerung sie als legitime Mittel nicht nur im internationalen Bereich, sondern auch im täglichen Leben. Diese Legitimierung der Gewalt wird sichtbar in den Fällen von Gewaltanwendung auf der Straße, der steigenden Verbrechensrate, der Vergewaltigung und Gewaltanwendung gegen Frauen und dem zunehmenden Mißbrauch von Kindern.

Gewaltanwendung ist traurig. Aber noch trauriger ist die Tatsache, daß unsere Steuergelder dazu verwendet werden, die Gewalt zu verewigen.

Gegenwärtig wenden die USA über 200 Milliarden Dollar für militärische Zwecke auf, und weitere Steigerungen wurden bereits angekündigt. Angeblich sind wir um so sicherer, je stärker und größer unser Militär ist. Aber »Stärke« und »Größe« kosten Geld, sehr viel Geld, und je mehr Geld für das Militär ausgegeben wird, um so weniger steht für Dinge zur Verfügung, die unser Leben wirklich sicherer machen, wie Lebensmittel, Wohnungsbau, Arbeitsplätze und Gesundheitsfürsorge. Billionen Dollar sind bereits für Kriegszwecke ausgegeben worden, und Millionen Menschenleben wurden geopfert.

Leben wir dadurch sicherer? Nein!

Hat sich unsere Lebensqualität verbessert? Nein!

Aber unsere Regierung behauptet nach wie vor, daß nur noch mehr davon uns helfen kann.

Frauen wissen, daß es einen besseren Weg gibt

Frauen sind immer Friedensstifterinnen gewesen. [. . .]

Frauen haben sich in der Geschichte stets für das Leben eingesetzt und sich um die Bedürfnisse der Bevölkerung gekümmert. Heute analysieren und definieren mehr und mehr Frauen ihre abweichende Haltung zu den vorherrschenden Grundannahmen, auf denen unsere Kultur basiert, und identifizieren sich mit einer Alternative: dem Feminismus. Der Feminismus bejaht das Leben. Zusammenarbeit, individuelle Lebensgestaltung und Achtung unserer Umwelt sind zentrale Werte des Feminismus. Wir wissen, daß Sicherheit nicht von militärischer Stärke abhängt. In Wirklichkeit führt der Bau immer neuer Waffen nur dazu, daß wir weniger sicher leben.

Sicherheit basiert auf dem Wissen, daß geeignete Arbeitsplätze vorhanden sind, daß das Bildungssystem, die Gesundheitsfürsorge und das Wohnungswesen von hoher Qualität sind und allen zur Verfügung stehen, daß man davor sicher ist, vergewaltigt, verprügelt und beraubt zu werden, und daß alle die gleichen Chancen haben.

Der Militarismus und das Streben nach Vorherrschaft haben uns an den Rand der Katastrophe geführt. Eine internationale Konfrontation würde heute das Überleben unseres Planeten gefährden, weil jeder Konflikt wahrscheinlich zu einem unbegrenzten Atomkrieg eskalieren würde. Als Frauen wissen wir, daß Zusammenarbeit und Verhandlungen und nicht Gewalt der Weg zu Frieden und Gleichberechtigung sind.

In allen Teilen der Welt schließen sich Frauen zusammen und erheben die Forderung, daß Entscheidungen auf neue Weise, im feministischen Sinne getroffen werden. Frauen fordern, daß Herrschaft über andere, Unterdrückung und Militarismus ersetzt werden durch Zusammenarbeit, Umweltbewußtsein und Achtung vor dem Leben. Das ist der einzige Weg.

Quelle: National Security, Flugschrift der Women's International League for Peace and Freedom, Philadelphia, March 1981.

Dokument 5

Interview mit Jane Midgley
»Die Arbeit der Frauen gegen den Militarismus ist nie zu Ende«
Von Becki Wolf und Elise Fischer

Jane Midgley leitet die parlamentsbezogenen Aktivitäten der Internationalen Frauenliga für Frieden und Freiheit (Women's International League for Peace and Freedom, WILPF), ist stellvertretende Vorsitzende des Komitees gegen Wehrerfassung und Wehrpflicht (Committee Against Registration and the Draft, CARD) und war früher stellvertretende Leiterin des Washingtoner Friedenszentrums.

Frage: Was unternehmen Frauenverbände wie zum Beispiel die Nationale Frauenorganisation (National Organization for Women, NOW) zur Förderung des Friedens?

Antwort: NOW ist sehr besorgt über die Auswirkungen, die die Kürzungen im Bereich der sozialen Leistungen auf die Frauen haben. In ihrem Verbandsorgan haben sie auf die Zusammenhänge zwischen den Kürzungen im Sozialbereich und dem Militärhaushalt hingewiesen. [. . .]

Unglücklicherweise schenken eine Reihe wichtiger Frauenverbände dem Thema Frauen und Frieden noch nicht die erforderliche Beachtung. Statt dessen hat man sich darauf eingelassen, sich mit der militärischen Gleichberechtigung der Frau zu befassen. Ich bin jedoch der Meinung, daß man sich vor allem um die Beschaffung nichtmilitärischer Arbeitsplätze kümmern sollte. [. . .]

Obwohl NOW und andere große Verbände den Friedensproblemen noch keine Priorität eingeräumt haben, wird das von Frauen innerhalb der Organisationen dringend gefordert. Viele Mitglieder würden es begrüßen, wenn man sich in Verbindung mit dem Kampf um Gleichberechtigung (Equal Rights Amendment – ERA) für einen umfassenderen Themenbereich einsetzen würde. Auf örtlicher Ebene hat eine Gruppe von Delegierten des NOW-Kongresses im Bundesstaat Maryland sich im vergangenen Sommer für ein Atomwaffenmoratorium eingesetzt und dabei viel Unterstützung gefunden. Auf dem Bundeskongreß der Nationalen Frauenorganisation gab es drei Anträge, in denen gefordert wurde, daß die NOW ihre Haltung zur Wehrpflicht ändert. Mit einer Petition befürwortete eine Mehrheit der Delegierten per Unterschrift eine entsprechende Änderung, bei der Abstimmung im Plenum wurde sie jedoch abgelehnt.

Die zunehmende Sorge um den Frieden wird nicht auf die Nationale Frauenorganisation beschränkt bleiben. So hat diese Organisation bereits darauf hingewiesen, daß seit der Wahl Reagans Frauen zum ersten Mal anders wählen als Männer. Reagan wird von weniger Frauen unterstützt, weil er sich nicht für die Rechte der Frau und den Frieden einsetzt.

Frage: Wie denkt die Internationale Frauenliga für Frieden und Freiheit über eine Wehrpflicht für Frauen als Teil eines Programms zur Durchsetzung der Gleichberechtigung?

Antwort: [. . .] Für die Internationale Frauenliga für Frieden und Freiheit handelt es sich bei der Wehrpflicht um Zwangsarbeit. Es ist unangebracht, sich für die Gleichberechtigung einzusetzen im Rahmen einer Sache, die zu dem Zweck geschaffen wurde, den Menschen ihre Rechte zu nehmen und sie zu zwingen, das zu tun, was die Regierung will. [. . .]

Frage: Was ist nach Ihrer Meinung jetzt das wichtigste für die Friedensbewegung?

Antwort: [. . .] In Europa gehen die Vertreter der Friedensbewegung von der Tatsache aus, daß sie keine wirkliche Abrüstung erreichen werden, solange die Friedensbewegung in den USA nicht ebenso stark ist wie in Europa. Die Hauptaufgabe besteht in der Schaffung einer Massenbewegung gegen die Weiterverbreitung von Atomwaffen. Das bringt eine ganze Reihe verschiedener Probleme mit sich. Wir haben traditionelle Gruppierungen und wir haben neue Kreise wie zum Beispiel die Kirchen erreicht, und bei allen von ihnen gibt es lebhafte Aktivitäten in recht unterschiedlichen Richtungen.

Diese verschiedenen Gruppierungen müssen zusammengeführt werden, so daß eine Einheit entsteht. Ich halte es für notwendig, daß die Mitarbeiter der Friedensbewegung Pläne entwickeln, wie wir das Zustandekommen einer solchen Einheit erleichtern können, indem wir Menschen ansprechen, die Angst vor einem Atomkrieg haben. Was außerdem gebraucht wird, ist eine zusätzliche Analyse der Verflechtung dieses Themas mit den Rüstungsausgaben, dem Wehrdienst und der Wirtschaft insgesamt. Wir müssen diese Angst vor der Vernichtung umwandeln in ein umfassenderes Verständnis, das uns in die Lage versetzt, den Politikern entgegenzutreten und die gegenwärtige Politik dieser Regierung in Frage zu stellen.

Wenn ich also vom Aufbau einer Bewegung gegen Atomwaffen spreche, dann meine ich viele einzelne Bestandteile einer solchen Bewegung. Nicht in dem Sinne, daß jeder eine spezielle Sache erledigt, sondern daß wir die Bereiche, in denen wir uns engagieren, miteinander in Verbindung bringen – El Salvador, Wehrdienst, Rechte der Frau und Rassismus.

Frage: Sie haben von den Aktivitäten anderer Frauengruppen gesprochen. Welche vordringlichen Aufgaben hat sich die Internationale Frauenliga für Frieden und Freiheit gestellt?

Antwort: WILPF verfolgt zur Zeit fünf Hauptprojekte. Erstens stellen wir Material zusammen und veranstalten Seminare in allen Teilen des Landes zu der Frage, welche Auswirkungen der Militärhaushalt auf die Lage der Frauen hat.

Unsere zweite Hauptaufgabe besteht darin, die Stationierung von Cruise-Missiles und Pershing-II-Raketen in Europa zu verhindern. [. . .]

Zur Vorbereitung der UN-Sondersitzung zur Abrüstung wird es eine vorher stattfindende Konferenz von Frauen aus aller Welt geben, bei der die Internationale Frauenliga als Gastgeber fungiert.

Ebenso wichtig ist die Tatsache, daß wir uns verpflichtet haben, den Rassismus zu bekämpfen: wir betreiben intensive Lobbyarbeit im Senat zugunsten eines unmißverständlichen Wahlrechtsgesetzes.

Und schließlich werden wir im Rahmen unserer neuen Kampagne »Stoppt das Wettrüsten!« versuchen, die Unterschriften von einer Million amerikanischer Frauen zu sammeln. Eine Sonderdelegation wird diese Unterschriften im NATO-Hauptquartier in Brüssel überreichen.

Frage: Können Sie für Mitarbeiter der Friedensbewegung im örtlichen Bereich einige Anregungen geben?

Antwort: Ich glaube, es ist ungeheuer wichtig, die schwarze Bevölkerung zu erreichen. Es ist ein Problem unserer Kultur, daß es eine Trennung zwischen verschiedenen Teilen der Bevölkerung gibt. Unsere Bewegung tendiert dahin, das widerzuspiegeln. Die existierenden Meinungsverschiedenheiten und Feindseligkeiten bewirken, daß der Status quo erhalten bleibt. Die schwierigsten Fragen, die die Friedensbewegung stellen kann, lauten daher: »Wie können wir diese Barrieren überwinden? Wie sprechen wir die Minderheiten und die Arbeiter an?« Es gibt viele Möglichkeiten zur Zusammenarbeit in den Bereichen Haushaltsplanung, Wehrerfassung, Beratung von Kriegsdienstverweigerern und bei der Bekämpfung des zunehmenden Militarismus in den Schulen und in der gesamten Gesellschaft.

Quelle: Jane Midgley, Women's Work – Against Militarism – Is Never Done, Interview by Becki Wolf and Elise Fischer, Washington Peace Center Newsletter, Vol. 19, No. 2, February 1982, S. 4.

Dokument 6

Frauen und Rüstungsindustrie
Von Marion Anderson

[. . .] Die vorliegende Untersuchung hat ergeben, daß dem Militärhaushalt des Jahres 1980, der sich damals auf 135 Milliarden Dollar belief, über 1 280 000 Arbeitsplätze für Frauen in allen Teilen der USA zum Opfer gefallen sind. Das bedeutet, daß bei jeder Erhöhung des Militärbudgets um eine Milliarde Dollar 9500 Arbeitsplätze für Frauen verlorengingen.

Dabei handelte es sich um einen *Netto*verlust von Arbeitsplätzen. Alle durch Rüstungsaufträge und militärische Besoldung neugeschaffenen Arbeitsplätze wurden dabei bereits berücksichtigt. [. . .]

Die Ergebnisse enthüllen die Tatsache, daß während des Zeitraums, in dem sich die Ausgaben des Pentagon auf 135 Milliarden Dollar beliefen, die Frauen in 49 von den 50 Bundesstaaten Arbeitsplätze verloren haben. Bei den Frauen von New York belief sich der Nettoverlust auf über 181 000 Arbeitsplätze; in Kalifornien waren es über 144 000 Arbeitsplätze und in Illinois 98 000. Als einziger Bundesstaat hatte Virginia einen Nettozuwachs von 8600 Arbeitsplätzen zu verzeichnen.

In fast jeder Lebenslage bekommen die einzelnen Frauen die negativen Folgen hoher Pentagon-Ausgaben zu spüren.

* Für die berufstätige Ehefrau sinkt das Arbeitsplatzangebot, während sich gleichzeitig die durch hohe Ausgaben des Pentagon angekurbelte Inflation verheerend auf das Einkommen ihrer Familie auswirkt.

* Als Haushaltungsvorstand versucht sie, mit einem durchschnittlichen Jahreseinkommen von 9400 Dollar zurechtzukommen, während die Regierung gleichzeitig die Programme, die der Frau ein Überleben ermöglicht haben, zusammenstreicht und das Geld dem Pentagon zur Verfügung stellt.

* Als alleinstehende Frau hat sie weniger Möglichkeiten, eine besser bezahlte Tätigkeit zu finden, da die Verwendung der vorhandenen Mittel für die Rüstungsproduktion zu Entlassungen im Schul- und Sozialbereich und zur Schließung von Fabriken im zivilen Industriesektor führt. [. . .]

Selbst Frauen, die zur Zeit im Rahmen von Rüstungsaufträgen beschäftigt sind, sehen sich einem verringerten Angebot von Arbeitsplätzen gegenüber. Denn weil im gesamten Bereich der USA weniger Arbeitsplätze zur Verfügung stehen, hat eine Frau, die mit ihrer derzeitigen Arbeit unzufrieden ist, die ihren Wohnsitz verändern oder einen besseren Lohn aushandeln möchte, ganz einfach weniger Möglichkeiten, das zu tun. Da die Unternehmen weniger Mittel für Investitionsgüter aufwenden, da weniger Autos gekauft werden, weniger Kleidung angeschafft wird und hohe Zinsen es den Leuten schwieriger machen, Häuser zu kaufen oder Geschäfte zu eröffnen, kommt es bei den weiblichen Arbeitnehmern zu Arbeitsplatzverlusten, Lohneinbußen und einer Verringerung der Mobilität.

Bei der Zahl von 1 280 000 verlorenen Arbeitsplätzen für Frauen handelt es sich um eine vorsichtige Schätzung. Dabei ist noch nicht berücksichtigt, daß es zusätzliche Arbeitsplätze kostet, wenn entlassene Lehrer, Büroangestellte und Arbeiter aus dem Produktionsbereich wegen ihrer Arbeitslosigkeit weniger kaufen können. Schätzungen besagen, daß bei der Entlassung eines Arbeitnehmers mindestens ein weiterer Arbeitsplatz gefährdet ist. Also liegt die Zahl der verlorenen Arbeitsplätze in Wirklichkeit über 2 000 000. Die Betroffenen werden nicht ausschließlich Frauen sein, da die Frauen jedoch einen hohen Anteil der Beschäftigten im Dienstleistungsbereich und im Einzelhandel stellen, werden sich die zusätzlichen Verluste von Arbeitsplätzen bei ihnen besonders schwer auswirken. [. . .]

Quelle: Marion Anderson, Neither Jobs Nor Security. Women's Unemployment and the Pentagon Budget, Lansing: Employment Research Associates, 1982, S. 1.

Dokument 7

Warum ich gegen das Pentagon demonstrierte
Von Ariane Burdick

[. . .] Ich habe die Hiroshima-Filme gesehen und von dem verkrusteten schwarzen Fleisch gehört, das sich in Fetzen von verkohlten Körpern ablöst, von Augen, die weiß werden, von blinden Babies, die vor Angst und Schmerzen schreien. Und dann denke ich: Mein Gott, wenn Boston bombardiert würde, dann wären ich, mein Mann und meine Babies, innerhalb von Minuten von Flammen umhüllt, radioaktiver Fallout würde niederregnen, und ich müßte mitansehen und mit anhören, wie die kleinen Körper meiner Mädchen von Zuckungen geschüttelt werden und ihre Schmerzensschreie mir das Herz zerreißen.

Ich bin nicht bereit, so zu sterben. Ich will nicht, daß die Kinder, die ich so sehr liebe und um die sich mein Leben dreht, auf diese Weise sterben. Ich habe stundenlang getrauert, als wäre die Katastrophe bereits geschehen. Ich habe geweint, bis keine Tränen mehr kamen, und dann habe ich geschluchzt. Ich bin auf die Straße gegangen und habe mir die Menschen angesehen und mich gewundert, wieso um Himmels willen sie taub bleiben angesichts dieser Endkatastrophe, die auch sie bedroht. Ich wollte zu Fremden hinrennen, sie schütteln und ihnen zurufen: »Wacht auf! Wacht auf, bevor eure Kleinen tot neben euch liegen.«

Im Laufe der Zeit wurden Angst und Schrecken von einer tödlichen Verzweiflung abgelöst. Die Erde ist so voller funkelnder Schönheit, die Sonne, der Garten, die Stimmen meiner Töchter, der sanfte Schwung der nackten Hüfte meines

Mannes, alles, was ich lieben und berühren und in mich aufnehmen kann – daß dies alles nicht mehr sein und nie wiederkehren könnte, war undenkbar. Es lähmte mich, darüber nachzudenken. Die Lieder, die meine Töchter sangen, verstummten und lösten sich auf in ein gespenstisches Nichts. Jeder funkelnde Ton stieg empor, um die Sonne zu grüßen, und verwandelte sich in Asche und fiel leise hinunter auf eine sehr stille Welt.

Ich weiß nicht wie, aber ganz allmählich schloß ich die Türen meiner Angst. Langsam kletterte ich wieder aus dem Brunnenschacht heraus. Ganz langsam, den Arm über die Augen gelegt, verschloß ich die Büchse der Pandora wieder und drehte mich um und nahm sie wieder wahr, all die Mittel der seelischen Abstumpfung, die ich so gut kannte. Dann hieß es wieder nur: »Mama, wo ist mein Tuschkasten?« und »Ariane, wo ist meine Brille?« . . . An mein Leben wurden so viele Anforderungen gestellt, daß ich bald schon wieder im vertrauten Kokon der Geschäftigkeit saß, weit weg von der Katastrophe und in Anspruch genommen von den Erfordernissen des Tages. Ich genoß erneut das Leben. Aber was war das für ein Haken, mit dem ich überall hängenblieb? Und jener leichte Druck in der Magengegend? Ach, nichts. Wirklich. Das Telefon klingelt, und bald werden die Kinder aus der Schule kommen. Ich habe ihnen noch etwas Besonderes vor dem Zubettgehen versprochen . . .

Acht Monate später deutete Bob auf ein Plakat, auf dem von einer »Pentagon-Aktion der Frauen« die Rede war, und nach ein paar weiteren Wochen zeigte er mir einen Artikel in der Lokalzeitung über die gleiche bevorstehende Veranstaltung. Der Schrecken machte sich wieder bemerkbar. Die Verzweiflung, die nie ganz verschwunden war, drängte sich wieder auf. Aber diesmal gab ich nicht wieder nach. Ich stieg in den Bus, um gemeinsam mit zweitausend anderen Frauen gegen das Pentagon zu demonstrieren. Viele hatten wie ich noch nie in ihrem Leben gegen irgend etwas demonstriert. Wie mich hatten Verzweiflung und Angst auch sie dazu gebracht, zumindest einen Versuch zu machen. [. . .]

Bei der Aktion des zivilen Ungehorsams wurde eine der Teilnehmerinnen von den anderen getrennt. Ein Polizist versperrte ihr den Weg zurück zur Kette der unnachgiebig Widerstand leistenden Frauen. Immer wieder versuchte sie, an ihm vorbeizukommen, und immer wieder stellte er sich ihr in den Weg und hinderte sie mit ein oder zwei kräftigen Stößen daran, zu den anderen zu gelangen. Ich sah, wie sie sich zu seinem dunklen Gesicht hinaufwandte und mit ihm redete, ein ruhiges Lächeln auf den Lippen. Der Polizist starrte sie verblüfft an, dann hellte sich sein Gesicht auf, und er lächelte ebenfalls. Für einen Augenblick standen sie beide da, ein getrenntes Paar; dann trat er mit einer schnellen Armbewegung zur Seite und ließ sie durch, zurück in den Kreis der Frauen. Dann wandte er sich uns übrigen zu, die Hände auf dem Rücken, und hatte noch immer das Lächeln auf dem Gesicht.

Alle anderen versuchten uns nicht zu beachten; sie zogen es vor, an uns vorbei oder über uns hinweg oder durch uns hindurch zu blicken. War es Angst davor, daß wir vielleicht ein seelisches Wissen aktivieren könnten, das unter dieser Oberfläche des Vernünftigseins verborgen ist, daß wir jenen bohrenden Zweifel auslösen können, den die Führer zu beschwichtigen versuchen? Wie traurig,

denn auch sie werden das brennende Fleisch der Menschen riechen und mitansehen müssen, wie ihre Kinder sterben müssen in einer Welt, die von ihnen zu dem
gemacht wurde, was sie ist. Wer von ihnen hat den Mut, den Schleier der seelischen Taubheit zu lüften, sich der Realität des atomaren Schreckens zu stellen
und zu sagen: »Es ist genug«?

Zweitausend Frauen haben das getan. Sie verließen ihre Arbeit, ihre Wohnungen und ihre Kinder, um zu sagen: Was kann so wichtig sein, daß wir uns nicht
alle darum zu kümmern hätten?

Meinen zweitausend demonstrierenden Schwestern sage ich: »Werbt zwanzig
Freundinnen, jede einzelne von euch, die bereit sind, ihren Schleier seelischer
Abstumpfung zu zerreißen und den gefährlichen Grat zu erkennen, auf dem wir
alle wandern. Laßt uns am Muttertag wieder zusammenkommen, und bringt
viele Tausende andere mit!« [. . .]

Quelle: Ariane Burdick, Why I Marched Against the Pentagon, in: New Age, April 1981,
S. 26–27.

3. Soziale und ethnische Minderheiten: Butter statt Kanonen!

a) Die Fair Budget Campaign

Dokument 8

Die Kampagne für einen fairen Haushalt startet eine Offensive
Von Jake Doherty

Über 500 Teilnehmer aus 46 Bundesstaaten kamen am 18. und 19. Februar (1982 – d. Hrsg.) in Washington, D.C., als Vertreter von über 75 Organisationen zusammen, um offiziell die »Aktionskampagne für einen fairen Haushalt« zu eröffnen und eine organisatorische Strategie für den Kampf gegen die wirtschaftlichen Pläne der Regierung zu entwickeln.

Die Aktionskampagne für einen fairen Haushalt ist gegenwärtig eine der bedeutendsten Bewegungen gegen die von der Regierung Reagan geplanten Haushaltsprioritäten, und sie vereinigt Organisationen aus dem gewerkschaftlichen, kirchlichen und sozialen Bereich und Gruppen der Friedensbewegung. Die Kampagne wird von über 50 Organisationen offiziell unterstützt. Zu ihnen gehören die Vereinigten Stahlarbeiter Amerikas (United Steelworkers of America), die Amerikanische Vereinigung der Beschäftigten im Öffentlichen Dienst auf Bundesstaats-, Bezirks- und Gemeindeebene (AFSCME), die Gewerkschaft der Arbeiter in der Elektroindustrie (United Electrical Workers), der amerikanische Bundeskirchenrat, die Bundesvereinigung der Senioren, die National Urban League, die Koalition für sozialen Wohnungsbau und SANE, um nur einige wenige zu nennen.

Die Kampagne, die unter Mitwirkung von SANE gegründet wurde, verpflichtete sich, »für die Aufrechterhaltung lebenswichtiger Dienstleistungen, eine gerechte Besteuerung und vernünftige Militärausgaben« einzutreten. Die Hauptstrategie zum Erreichen dieser Ziele wird darin bestehen, in den kommenden Monaten »gemeinsame Aktionen an der örtlichen Basis« zu organisieren und »intensive öffentliche Aufklärungsarbeit über die verheerenden Folgen des Reagan-Budgets« zu leisten.

Als Konferenzsprecher erklärte Robert Muehlenkamp, Stellvertretender Vorsitzender des Ortskartells 1199 der Gewerkschaft Krankenhausdienst und Gesundheitspflege (National Union of Hospital and Health Care Employees), angesichts der herrschenden Militärstrategie und der geforderten Waffensysteme sei klar, daß die Regierung »Ausgaben für Angriffszwecke, nicht jedoch Ausgaben für Verteidigungszwecke« plane. Muehlenkamp wies darauf hin, daß es im gewerkschaftlichen Bereich zu einem dramatischen Umdenken gekommen sei, und zitierte einen Ausspruch des Vorsitzenden der AFL-CIO, Lane Kirkland:

»Entweder Kanonen oder Butter – beides zusammen kann man nicht haben.« Außerdem appellierte er dringend an andere Gruppen, im Kampf gegen die außer Kontrolle geratenen Militärausgaben mit den Gewerkschaften zusammenzuarbeiten.

In einer programmatischen Rede wies das Mitglied des Repräsentantenhauses Parren Mitchell (Dem., Maryland), die Teilnehmer darauf hin, bei den Vorschlägen der Regierung handele es sich »nicht einfach um Haushaltskürzungen, sondern um einen langfristigen strategischen Plan«. Eine Gruppe schwarzer Konferenzteilnehmer appellierte nachdrücklich an alle Mitarbeiter der Kampagne, dem Problem des Rassismus sowie der Tatsache mehr Beachtung zu schenken, daß die schwarze Bevölkerung und die übrigen Minderheiten von den Haushaltskürzungen besonders schwer betroffen seien. [. . .]

Als Haupttaktik zur Einflußnahme auf den Kongreß wurden »Rechenschaftsveranstaltungen« vorgeschlagen, die mit Mitgliedern des Kongresses in ihren eigenen Wahlbezirken durchgeführt werden sollen. Diese Veranstaltungen werden so angelegt sein, daß die öffentliche Aufmerksamkeit auf die Auswirkungen der Reaganschen Wirtschaftsmaßnahmen im örtlichen Bereich gelenkt wird, und die Kongreßvertreter werden eingeladen, ihr Abstimmungsverhalten vor ihren Wählern zu erläutern. [. . .]

Quelle: Jake Doherty, Fair Budget Campaign Launches Offensive, in: Sane World, April 1982, S. 1, 3.

Dokument 9

Wie sich 1,5 Billionen Dollar für das Pentagon auf Sie auswirken werden

[. . .] Um die Mittel für die ungeheuren Ausgabenerhöhungen im militärischen Bereich bei gleichzeitigen Steuersenkungen aufzubringen, setzte die Regierung im Kongreß für das Haushaltsjahr 1982 (1. Oktober 1981 bis 30. September 1982) Kürzungen in Höhe von 35 Milliarden Dollar im sozialen Ausgabenbereich durch. Jetzt schlägt der Präsident eine neue Runde von Haushaltskürzungen vor, die noch einschneidendere Folgen für die gleichen Programme haben, die schon im vergangenen Jahr zusammengestrichen wurden. Trotz der Versprechen, die Kürzungen würden sich gleichmäßig verteilen, sind die Hilfsprogramme für die arme Bevölkerung schwer betroffen. In den folgenden wichtigsten Bereichen werden die neuen Vorschläge den größten Schaden anrichten:

* *Hilfe für die Armen:* Sechs wichtige Programme der Armenhilfe (Lebensmittel-Gutscheine, Ausbildungsbeihilfe, Zuschüsse zu Arzneimittel- und Krankenhauskosten, Zuschüsse zur Kinderernährung, Energiebeihilfe und Rechtsberatung) werden im Durchschnitt um 15 % gekürzt, die finanzielle Rechtshilfe wird ganz abgeschafft, und 25 % der älteren Empfänger, die an der Grenze der Armut leben, würden auf ihre Lebensmittel-Gutscheine verzichten müssen. Am schwersten würden arme Arbeitnehmer von den Kürzungen betroffen; die Vorteile, einen Arbeitsplatz zu bekommen, werden praktisch sämtlich wieder zu-

nichte gemacht. Auf dem Wohnungssektor sieht es noch schlimmer aus: der Wohnungsbau für Einkommensschwache ist nahezu eingestellt worden, und sogar Lebensmittel-Gutscheine werden bei der Bemessung der Miete zum Einkommen gerechnet.

* *Ausbildungsförderung:* Zusammen mit den Kürzungen des vergangenen Jahres würden die Schul- und Ausbildungsbeihilfen von 1981 bis 1983 auf die Hälfte zusammengestrichen. Nach den neuen Vorschlägen erhalten Graduierte keine garantierten Darlehen mehr, die Stipendien für College-Studenten aus Familien mit niedrigen Einkommen werden um 36% gekürzt, und die Zuschüsse für benachteiligte Haupt- und Oberschüler werden um 37% reduziert.

* *Berufsbildung:* Beschäftigungsprogramme im öffentlichen Dienst für langfristig Arbeitslose wurde im letzten Jahr abgeschafft, was zusammen mit einigen kleineren Kürzungen auf anderen Gebieten die staatlichen Maßnahmen zur Berufsausbildung um 41% reduziert hat. Jetzt schlägt die Regierung für das kommende Jahr vor, diejenigen Mittel um 44% zu kürzen, aus denen die CETA-Berufsausbildungsprogramme, das Ausbildungsprogramm für benachteiligte Jugendliche (Job Corps) und besondere Programme für die berufliche Ausbildung von älteren Menschen, Indianern und anderen Gruppen finanziert werden. Handelsausgleichsbeihilfen für Arbeiter, die durch Importe ihren Arbeitsplatz verlieren, werden ganz abgeschafft.

* *Energie und Umwelt:* Die Regierung beseitigt praktisch die Förderung sämtlicher Energieprogramme außer der Kernenergie: Forschungsprojekte zur Sonnenenergie, Energiespeicherung und sonstigen nichtatomaren Energieformen wurden im vergangenen Jahr um die Hälfte gekürzt und sind jetzt wiederum für eine Kürzung um 70% vorgesehen. Die Mittel der Bundesbehörde für Umweltschutz werden um 15% gekürzt.

* *Soziale Sicherheit:* Obwohl sich die Regierung bislang gescheut hat, Kürzungen im Bereich der Sozialversicherung vorzuschlagen, ist dennoch klar, daß sie dort gern Einsparungen vornehmen möchte. Verschiedene Kongreßmitglieder haben bereits vorgeschlagen, die Lohnangleichung an den Lebenshaltungsindex bis zum Haushaltsjahr 1983 zu verschieben und die Angleichung danach zu verringern.

* *Der Neue Föderalismus:* Die Regierung schlägt vor, die Zuschüsse für Familien mit abhängigen Kindern, die Lebensmittel-Gutscheine und 43 weitere Bundesprogramme in den Zuständigkeitsbereich der einzelnen Bundesstaaten zu verlagern; als Gegenleistung würde die Arzneimittel- und Krankenhauskosten-Beihilfe für Familien mit keinem oder nur geringem Einkommen dann ganz aus Bundesmitteln finanziert. Die Behauptung, hier würde es sich um ein einfaches Tauschgeschäft handeln, ist ganz einfach falsch: Wenn die Bundesstaaten das jetzige Niveau der Leistungen aufrechterhalten wollen, dann werden sie 1984 17 Milliarden Dollar einbüßen und schließlich sogar 86 Milliarden Dollar, wenn die Umstellung 1991 beendet sein wird. Das bedeutet drastische Kürzungen der Leistungen oder erhebliche Umsatz- und Vermögenssteuererhöhungen, von denen die Steuerzahler mit mittleren und niedrigen Einkommen am schwersten betroffen würden.

Die vorgesehenen Milliardenkürzungen im Bereich der Sozialleistungen
Im folgenden sind die Mittel zusammengestellt, die im Haushaltsjahr 1983 für grundlegende soziale Leistungen vorgesehen sind, sowie das Ausmaß der Kürzungen gegenüber der Summe, die erforderlich wäre, das Niveau der gegenwärtigen Leistungen aufrechtzuerhalten bzw. das des Vorjahres zu erreichen (Angaben in Millionen Dollar):

	Vorschlag für das Haushaltsjahr 1983	Kürzung der gegenwärtigen Leistungen
Lebensmittel-Gutscheine	9 563	2 258 (19%)
Zuschüsse für Familien mit unselbständigen Kindern (AFDC)	5 454	1 155 (18%)
Beihilfe zu Arzneimittel- und Krankenhauskosten für Familien mit keinem oder geringem Einkommen (Medicaid)	17 006	1 983 (10%)
Energiebeihilfe für Familien mit geringem Einkommen	1 300	565 (30%)
Zuschüsse für Kindernahrung	2 708	281 (10%)
Rechtsbeihilfe	13	135 (91%)
Ausbildungsförderung (CETA)	1 496	1 476 (50%)
Ausbildungsprogramm für benachteiligte Jugendliche (Job Corps)	410	185 (31%)
Handelsausgleichsbeihilfe	10	108 (98%)
Ausbildungsförderung für benachteiligte Schüler und Studenten	1 942	1 139 (37%)
Sonstige Erziehungsbeihilfen	2 475	972 (28%)
Pell-Stipendien für College-Studenten mit geringem Einkommen	1 400	788 (36%)
Garantierte Studiendarlehen	2 485	912 (27%)
Forschung im Bereich nichtatomarer Energie	376	892 (70%)
Massenverkehrsmittel	3 221	802 (20%)
Sozial- und Fürsorgeeinrichtungen	1 974	476 (19%)
Einrichtungen der Gesundheitspflege (einschließlich der Programme für minderjährige Mütter und Kindernahrung)	1 702	406 (19%)

Quelle: What a Trillion and a Half Dollars for the Pentagon Will Mean for You, Flugschrift der Coalition for a New Foreign and Military Policy, Washington, D.C., 1982.

b) Schwarze und Militärhaushalt

Dokument 10

Die schwarze Bevölkerung und der Militärhaushalt
Von Gerald Horne

Manche Leute sind der irrigen Meinung, der Bau von Bomben und Panzern bedeute mehr Arbeitsplätze. Eine neue Untersuchung, die von der Wirtschaftswissenschaftlerin Marion Anderson in Verbindung mit der Aktion PUSH vorgelegt worden ist, stellt diese altüberlieferte Weisheit jedoch deutlich in Frage. *Bombs or Bread: Black Unemployment and the Pentagon Budget* (Bomben oder Brot: Schwarze Arbeitslosigkeit und Pentagon-Budget) weist nach, daß die astronomischen Arbeitslosenziffern bei der schwarzen Bevölkerung in direktem Zusammenhang mit den erhöhten Ausgaben für militärische Zwecke stehen.

Die Untersuchung ergab, daß die Ausgaben für militärische Zwecke die Zahl der für Schwarze angebotenen Arbeitsplätze in allen Teilen der USA erheblich verringern. Während der Jahre 1970–1978, als sich die jährlichen Ausgaben für militärische Zwecke auf durchschnittlich 85 Milliarden Dollar beliefen, verloren pro Jahr 109 000 schwarze Amerikaner ihre Arbeitsplätze. Bei jeder Erhöhung des Militärhaushalts um eine Milliarde Dollar gingen der schwarzen Bevölkerung 1300 Arbeitsplätze verloren.

Insgesamt verloren die Schwarzen 483 000 Arbeitsplätze im Baugewerbe, auf dem Dienstleistungssektor und im öffentlichen Dienst auf Bundesstaats- und Kommunalebene. Diese Zahl übertrifft bei weitem die 84 000 durch Rüstungsaufträge geschaffenen Arbeitsplätze, selbst wenn man die 290 000 schwarzen Angehörigen der Streitkräfte hinzurechnet. [. . .]

Am überzeugendsten wird die Auswirkung des Militärhaushalts auf die Arbeitsplätze wohl durch die Tatsache verdeutlicht, daß von den 21 Bundesstaaten, in denen 90% der schwarzen Bevölkerung leben, 17 einen Nettoverlust schwarzer Arbeitsplätze aufweisen, wenn das Pentagon-Budget erhöht wird. So gab es zum Beispiel in New York einen Nettoverlust von 58 000 schwarzen Arbeitsplätzen, in Illinois waren es 24 000, in Michigan 18 000, in Florida 14 000 und in Pennsylvania 7000. Auf der anderen Seite haben die drei Staaten, die am meisten von den Militärausgaben in Form von Arbeitsplätzen »profitieren« – Hawaii, Colorado und Washington –, einen relativ kleinen schwarzen Bevölkerungsanteil.

Selbst diejenigen Schwarzen, die in der Rüstungsindustrie beschäftigt sind, haben unter einem geringeren Angebot an Arbeitsplätzen zu leiden, denn wenn in allen Teilen der USA weniger offene Stellen zur Verfügung stehen, hat jemand, der seinen Wohnsitz verlegen möchte, weniger Gelegenheit dazu.

Tausende von Schwarzen, die in die bewaffneten Streitkräfte eintreten, sehen sich durch den Mangel an Arbeitsplätzen zu diesem Schritt gezwungen. [. . .]
Die Bundesregierung tätigt Geldanleihen auf dem freien Markt, um die Ausgaben für militärische Zwecke zu finanzieren. [. . .] Dadurch steht [. . .] dem zivi-

len Sektor weniger Kapital zur Verfügung, und die Zinsen werden in die Höhe getrieben.

Steigende Zinsraten und die zunehmende Inflation wirken doppelt auf die schwarze Bevölkerung ein. Die Schecks, mit denen den schwarzen Arbeitnehmern der Lohn ausgezahlt wird, verlieren an Wert, da die Lohnerhöhungen nicht mit der Inflation Schritt halten. Für Schwarze hat die Situation auf dem Arbeitsmarkt noch weitere negative Folgen. Wenn die Zinsen auf 18% oder 20% steigen, werden keine Autos gekauft, keine Wohnungen gebaut, und kleine Unternehmen expandieren nicht. Viele Industriezweige, die einen hohen Anteil schwarzer Arbeitnehmer beschäftigen, schrumpfen daher, und die Zahl der Arbeitsplätze nimmt ab. Einige Unternehmer verlassen die USA und suchen billigere Arbeitskräfte in Taiwan, Südkorea und Lateinamerika. Höhere Preise und weniger Arbeitsplätze pressen die schwarzen Arbeiter wie in einem Schraubstock zusammen.

Das über Steuerzahlungen dem Pentagon zugeleitete Geld steht außerdem nicht mehr für die Instandhaltung von Eisenbahnlinien, Autostraßen, Brücken und anderen Einrichtungen der Infrastruktur unserer Gesellschaft zur Verfügung.

Was muß getan werden?
Der Militärhaushalt muß drastisch beschnitten werden, und das Geld, das jetzt für militärische Zwecke ausgegeben wird, muß in andere Bereiche zurückgeleitet werden. Schon 10 Milliarden Dollar, die dem Massenverkehr zur Verfügung gestellt werden, würden pro Jahr 300 000 Arbeitsplätze schaffen. [. . .] Die 400 Millionen Dollar, die bereits für den Bau der Pershing-II-Rakete bewilligt worden sind, könnten die gesamten Haushaltskürzungen in den Bereichen Gesundheitswesen, Erziehung und Berufsausbildung rückgängig machen.

Alle diese Veränderungen würden der schwarzen Bevölkerung helfen, die gegenwärtig unter einer Arbeitslosigkeit zu leiden hat, wie sie zur Zeit der Weltwirtschaftskrise existierte.

Quelle: Gerald Horne, Blacks and the Military Budget, in: CALC Report, May/June 1982, S. 14–15.

Dokument 11

Haushaltsentwurf der schwarzen Kongreßmitglieder
Von Michelle Stone

Die Gruppe der schwarzen Kongreßmitglieder hat ihr »Programm für die Gesundung des Haushalts und der Wirtschaft« für das Haushaltsjahr 1983 vorgelegt. Es handelt sich dabei um einen Alternativhaushalt auf Bundesebene, durch den das unter Reagan vorgesehene Defizit in Höhe von 183 Milliarden Dollar um mehr als die Hälfte reduziert würde. Die Prioritäten würden dabei im Sozial- und Friedensbereich liegen. Auf dem innenpolitischen Sektor würden 18 Milliarden Dollar wieder zur Finanzierung sozialer Leistungen verwendet. Zum Beispiel:

  * 5 Milliarden Dollar würden im Vergleich zu Reagans Budget mehr für Lebensmittelgutscheine zur Verfügung stehen;

  * 7,7 Milliarden Dollar mehr für Medicaid (Erstattung von Arzneimittel- und Krankenhauskosten für Bürger mit geringem oder ohne Einkommen);

  * 3,2 Milliarden Dollar mehr zur Finanzierung der Beihilfen für Familien mit unselbständigen Kindern.

Der Haushaltsentwurf sieht außerdem eine Anpassung der Lebenshaltungskosten älterer Bürger an feste Einkommen vor und stellt bei der Arbeitslosenunterstützung den Zustand vor Reagans Regierungsantritt wieder her.

Im militärischen Bereich sieht die Gruppe eine Zügelung der Pentagon-Exzesse dadurch vor, daß sie die Militärausgaben auf dem gegenwärtigen Stand (Haushaltsjahr 1982) belassen will, wodurch Haushaltsmittel in Höhe von 63 Milliarden Dollar eingespart würden. Die Kongreßvertreter fordern die Einstellung der Projekte MX, Trident, B-1-Bomber, Cruise-Missiles und anderer Waffen, die für einen Erstschlag geeignet sind, sowie eine Reduzierung der für Atomwaffen vorgesehenen Mittel auf den Stand des Haushaltsjahres 1981. Bezeichnenderweise enthält der Vorschlag auch Planungsmaßnahmen für eine Umstellung der Wirtschaft auf friedliche Zwecke. Arbeitnehmer im Verteidigungsbereich würden für den Fall, daß die Rüstungsaufträge auslaufen, durch Arbeitsplatz- und Ausbildungsgarantien entschädigt werden.

Amerikaner mit niedrigen und mittleren Einkommen würden die steuerlichen Erleichterungen erhalten, die sie benötigen, und zwar durch eine Steuerreform, die die Zahlungsfähigsten stärker belasten würde. Der Plan der schwarzen Kongreßmitglieder beseitigt die steuerlichen Abschreibungen, die gegenwärtig nur den Reichen zugutekommen, und schließt die Gesetzeslücken für Großunternehmen, so daß letztlich sogar *mehr* Steuermittel eingenommen würden als aufgrund des Budgets der Regierung Reagan.

Beim Druckbeginn dieser Ausgabe von SANE WORLD am 24. Mai wurde der Vorschlag der schwarzen Abgeordnetengruppe im Repräsentantenhaus mit 322 gegen 88 Stimmen abgelehnt.

Quelle: Michelle Stone, Black Caucus Budget, in: SANE World, June 1982, S. 3.

4. Koalitionen für das Überleben

Bündnis-Perspektiven
Von Bob Moore

[. . .] Viele von uns und viele Gruppen sind ganz offensichtlich von der Notwendigkeit einer bestimmten Verfahrensweise überzeugt, denn es werden ständig Bündnisse ins Leben gerufen. Das Problem ist nur, daß sie es bisher nicht geschafft haben, gemeinsam ein einziges, einheitliches Bündnis aufzubauen. Das Ergebnis ist eine »Proliferation der Bündnisse« [. . .]. Es existieren heute Dutzende von verschiedenen Bündnissen mit verschiedenen Bündnispartnern, verschiedenen Zielen und Strategien, unterschiedlicher Lebensdauer, verschiedenen Schwerpunkten usw. Es gibt sogar etwas so Absurdes wie die Schaffung eines »Bündnisses von Bündnisbewegungen«. *Dieses Phänomen führt zu einer Zersplitterung statt zu einer Einigung der Bewegung und stellt daher auf dem Wege zu einer Verwirklichung unserer Ziele einen Rückschritt dar.* Wir sind ein so kleiner Bruchteil der amerikanischen Gesellschaft geworden, daß wir, wenn wir die begrenzten Kräfte, über die wir verfügen, nicht zu einer Einheit zusammenschließen, uns selbst dazu verurteilen, eine Randerscheinung zu bleiben, die dem Untergang geweiht ist.

Außerdem ist die Proliferation der Bündnisse eine schwere Belastung der Energie und der finanziellen und sonstigen Mittel der Bewegung (die ohnehin schon winzig genug sind). Häufig ist zu beobachten, daß die gleiche Sache zweimal gemacht wird, daß es zu einer Vervielfachung der Bürokratie kommt, ja sogar zu einer Konkurrenz der Bündnisse – alles Dinge, die dem Aufbau einer stärkeren Bewegung entgegenwirken.

Und mit der Proliferation der Bündnisse geht Hand in Hand eine Proliferation der *Veranstaltungen.* Die Anforderungen an unsere Mitarbeiter, sich um unzählige Bündnisse zu kümmern und unzählige Sachfragen – die, wie ich hinzufügen möchte, alle miteinander im Zusammenhang stehen – zu bearbeiten, sind schlechterdings überwältigend. Viel zu viel meiner Zeit – und ich habe mit vielen anderen Organisatoren auf Orts- und Bundesebene gesprochen, die vor dem gleichen Problem stehen – geht durch den Besuch von Veranstaltungen für das eine oder andere Bündnis verloren. Das bedeutet, daß wir *weniger* Zeit haben, uns um weitere Bevölkerungskreise zu kümmern, mehr Unterstützung zu organisieren, die existierenden Bewegungen stärker zu machen und all die unzähligen anderen Aufgaben zu erledigen, von denen die meisten von uns ständig sagen, daß sie keine Zeit dafür haben. Wenn der Sieg der Revolution nur davon abhängen würde, mehr und mehr Konferenzen zu veranstalten, dann hätten wir diesen Sieg schon vor Jahren errungen!

Wie steht es nun mit der Bildung zeitlich begrenzter Bündnisse entweder zur

Erreichung kurzfristiger Ziele oder im Rahmen bestimmter Aktionsprojekte [. . .]? Dieser Vorschlag hat zwar eine Reihe von Vorteilen – man kann eine größere Vielzahl verschiedener Gruppen zu konzentrierter und intensiver Arbeit zusammenführen (wie zum Beispiel in der Kampagne gegen den Bau des B-1-Bombers) –, aber es sind auch einige ernste Probleme damit verbunden.

An erster Stelle steht dabei die Tatsache, daß die ineinander verflochtenen *Probleme des Überlebens* es schwierig, wenn nicht sogar unmöglich machen, grundlegende Veränderungen in einem Bereich herbeizuführen, ohne sich gleichzeitig für grundlegende Veränderungen auch in anderen Bereichen einzusetzen. So führt zum Beispiel ein enges Verständnis des Sexismus unter Umständen dazu, daß sich eine Bündnisbewegung für bessere Beförderungschancen und eine bessere Besoldung der Frauen im Militärdienst einsetzt. Im Gegensatz dazu bewirkt eine Analyse, wie sie zum Beispiel den Veranstaltungen des »Überlebens-Sommers« zugrundelag, daß wir die patriarchalische Struktur des gesamten Militärwesens in Frage stellen und auf diese Weise den Sexismus in einer umfassenderen und zusammenhängenderen Weise bekämpfen.

Mit diesem ersten Problem hängt zusammen, daß ein kurzfristiges Bündnis nicht über genügend Zeit verfügt, um die starke Mehrheitsbasis aufzubauen, die man braucht, wenn man wirklich grundlegende gesellschaftliche Veränderungen durchsetzen will. Die Heraufbeschwörung derjenigen Kräfte, die die Gesellschaft grundlegend verändern können, ist ein Unterfangen, das wesentlich mehr Zeit erfordert, als sie einem kurzfristigen Bündnis zur Verfügung steht. Die ungeheure Aufgabe eines grundlegenden gesellschaftlichen Wandels wird von uns verlangen, daß wir zusammenarbeiten, und zwar in einem Bündnis und in einem Zeitraum, der sich über Jahrzehnte erstreckt.

Schließlich besteht bei der kurzfristigen Natur eines beliebigen Bündnisses immer die Notwendigkeit, zur Verwirklichung des nächsten Schritts auf dem Wege zu dem langfristig angestrebten Ziel wieder ein neues Bündnis zu schaffen. Das bedeutet wiederum, daß viel Energie, viel Zeit und viele Mittel aufgewendet werden müssen, um ein neues Bündnis ganz von vorn zu beginnen: die Öffentlichkeitsarbeit muß wieder auf dem Nullpunkt anfangen, es muß eine völlig neue Struktur aufgebaut werden, neue Finanzierungsmöglichkeiten sind ausfindig zu machen usw.

Was habe ich nun mit all dieser Kritik erreicht? Ich fürchte, keine sehr populäre Position! Ich bin der Meinung, daß die Art von umfassenden und grundlegenden Veränderungen, zu denen wir durch unsere Analysen und unser Engagement geführt werden, *auch* die Notwendigkeit eines *fortgesetzten, breit fundierten Bündnisses einschließt, das viele Themenbereiche in sich vereinigt.*

Ich sehe, offen gesagt, keinen anderen Mechanismus, der uns in die Lage versetzen könnte, das zu erreichen, was wir erreichen wollen. Natürlich glaube ich, daß es kurzfristige Ziele geben muß, die wir auf unserem Wege immer wieder festsetzen – Ziele wie etwa das Atomwaffen-Moratorium, das von der Bündnisbewegung »Mobilisierung zum Überleben« (Mobilization for Survival) begonnen wurde, und in dessen Rahmen zahlreiche Gruppen schon seit mehreren Jahren zusammenarbeiten. Aber selbst das Erreichen dieser Ziele bedeutet nicht, daß das betreffende Bündnis dann beendet werden müßte. Statt dessen sollten wir dann den nächsten Schritt tun auf dem langen Wege zu einer abgerüsteten, gerechten und atomwaffenfreien Welt, die das einzige Endziel darstellt, durch das dem Menschen langfristig eine Überlebensperspektive eröffnet wird. Selbst die Verwirklichung eines Atomwaffen-Moratoriums – ein riesiger Sprung nach oben aus der gegenwärtigen Abwärtsspirale – wäre nur ein winziger Schritt zur Durchsetzung der übrigen miteinander verflochtenen Überlebensziele: einer Erfüllung der Bedürfnisse der Menschheit, der Einstellung des konventionellen Wettrüstens und eines Verbots der Kernenergie.

Wie aus dem Obenstehenden bereits hervorgeht, glaube ich, daß der am besten geeignete Schwerpunkt einer solchen langfristigen und viele Fragen umfassenden Bündnisbewegung das Problem des *Überlebens* ist. Das ist der Generalnenner für all die Aktionen und Bewegungen, die wir miteinander verbinden müssen, wenn wir alle gemeinsam diesen einen Kampf gewinnen wollen. Getrennt wird es uns nicht gelingen, irgendeinen nennenswerten Sieg zu erringen. Vereint – in einem langfristigen Bündnis, in dem alle zusammenwirken – *können* wir gewinnen!

Quelle: Bob Moore, Perspective on Coalitions, Survival Summer News, Vol. 4, August, September 1980, S. 6.

Teil 6

Die Friedensarbeit der Kirchen

Ohne den engagierten Beitrag von Christen aller Konfessionen ist die neue amerikanische Friedensbewegung nicht denkbar. Schon von jeher haben religiöses Gedankengut und die *protestantischen Historischen Friedenskirchen* eine herausragende Rolle in der Friedensbewegung gespielt. Der Mennonitenpfarrer John Stoner aus Acron, Pennsylvania, forderte bereits 1980 dazu auf, die Kirchen zum Zentrum des christlichen Zeugnisses wider atomare Abschreckung und Krieg zu machen. Sein Aufruf (Dok. 1) steht für die wegbereitende Funktion der Historischen Friedenskirchen. Das Protokoll eines Mitglieds des Friedenskomitees der Quäker in Philadelphia über Nachforschungen zur Zivilverteidigungsplanung in der Stadt soll der traditionell herausragenden Bedeutung der Quäker in der Friedensbewegung gerecht werden und ihre sehr weltlich ausgerichtete, pragmatische Herangehensweise veranschaulichen (Dok. 2).[1]

Als qualitativ neues Element muß die gute *interkonfessionelle Zusammenarbeit* gelten. Der »Aufruf zur Ehrlichkeit« (Dok. 3), der die Forderung nach völliger Abschaffung aller Atomwaffen und die Selbstverpflichtung zum aktiven Widerstand gegen jede Form der Atomkriegsvorbereitung enthält, wurde von der religiös-pazifistischen Gruppe der Sojourners in Washington vorgestellt und trägt inzwischen viele tausend Unterschriften von prominenten und nicht-prominenten Christen aller Konfessionen. Der »Neue Abolitionistische Zusammenschluß« (Dok. 4), das Ergebnis ökumenischer Zusammenarbeit fünf religiöser Friedensgruppen (Fellowship of Reconciliation, New Call for Peacemaking, Pax Christi, World Peacemaker, Sojourners), bezieht sich auf den abolitionistischen Kampf gegen die Sklaverei im 19. Jahrhundert als Beispiel und Inspiration für die Fruchtbarmachung des Glaubens in fundamentalen moralischen Fragen und legt die Grundlagen für eine umfassende Zusammenarbeit, die vom Gebet bis zur politischen Aktion reicht. Selbstverständnis und Aufgaben einer dieser religiösen Friedensorganisationen – der in den dreißiger Jahren gegründeten Fellowship of Reconciliation – werden in Dokument 5 näher beleuchtet.

Dabei belassen es eine wachsende Zahl von Laien und Würdenträgern aller Konfessionen nicht länger bei lediglich religiös-kontemplativen Formen des Widerspruchs. Beispiele öffentlichen Protestes und »direkter Aktionen« sind die weithin bekannte Steuerverweigerung durch Bischof Hunthausen,[2] die Zerstörung nuklearer Sprengkopfteile durch die »Pflugschar 8« (siehe Teil 7, Dok. 5, 6)[3] und die von Phil Berrigan genannten vielfältigen Aktionsformen (Dok. 6).

Von hervorragender Bedeutung sind auch die Veränderungen, die sich innerhalb der *katholischen Kirche* durchsetzen. Hatten die amerikanischen Katholiken bislang immer zu den patriotischen Rüstungsbefürwortern gehört und hatte Kardinal Spellman in den 60er Jahren noch GIs in Saigon zugerufen: »Killt die Kommunisten für Christus!«, so sind heute viele Gemeindemitglieder *und* hohe Würdenträger der katholischen Kirche bei der Abwehr der nuklearen Bedrohung in vorderster Linie zu finden. 200 der 275 katholischen Bischöfe befürworten einen Nuklearpazifismus, 65 von ihnen lehnen als Pax-Christi-Mitglieder Besitz von und Drohung mit Atomwaffen entschieden ab (vgl. die Dok. 7–9). Der im Entwurf vorliegende Hirtenbrief zu Krieg und Frieden (Dok. 10) wird augenblicklich beraten und soll 1983 der Bischofskonferenz zur Abstimmung vorgelegt werden.

Abschließend sei noch einmal darauf verwiesen, daß die Kirchen an allen wichtigen Initiativen des Friedenskampfes beteiligt sind. Dokumente ihres Widerstandes finden sich folglich auch in den Abschnitten über Freeze, Erstschlagwaffen, zivilen Ungehorsam u. a.

1 Zu den zahlreichen anderen Aktivitäten der Quäker und ihres American Friends Service Committee vgl. auch die Dokumente in diesem Band, u. a. Teil 4, Dok. 7: das Mid-Peninsula Conversion Project ist eine Initiative des AFSC.
2 Vgl. Interview mit Der Spiegel, Nr. 16, 19. 4. 1982, S. 173–83.
3 Vgl. dazu die Broschüre The Plowshares 8: The Crime, the Trial, the Issue; zu beziehen über: Plowshares 8 Support Committee, 168 W 100th Street, New York, NY 10025.

Dokumente

1. Die historischen Friedenskirchen

Dokument 1

Tragt die Botschaft nach Jerusalem
Zur Verkündigung des Friedensevangeliums in den Kirchen
Von John K. Stoner

[. . .] Es fällt schwer, sich eine Institution vorzustellen, in der die Befürwortung der Atomrüstung tiefer verwurzelt ist und mit mehr List und Entschiedenheit vertreten wird als in den Kirchen der USA: Die Ablehnung der atomaren Abrüstung ist ein fester Bestandteil der Mentalität von »Gottes eigenem Land«, die seit zwei Jahrhunderten die amerikanische Christenheit charakterisiert. Nach außen trägt diese hinterhältig eine Aura der Frömmigkeit und bibelgläubiger Religiosität zur Schau und bemüht sich um den Nachweis, daß die Sache Amerikas Gottes Sache ist und daß Amerika wie Gott auf Platz Nummer eins rangiert.

Angesichts dieser Tatsache ist es für die christliche Anti-Atombewegung an der Zeit, sich statt mit dem militärischen Establishment stärker mit dem religiösen Establishment zu beschäftigen, [. . .] den Abfall vom Glauben zu bekämpfen und den Atheismus eine Zeitlang in Ruhe zu lassen, in die religiösen Versammlungen statt auf die Waffenbasare zu gehen und die militärische Rekrutierung in den Kirchen statt in den Schulen zu bekämpfen.

Warum hat die christliche Widerstandsbewegung gegen die Atomwaffen ihre Kampagne nicht entschiedener gegen die Kirchen und das religiöse Establishment gerichtet? Zwei Gründe sind dafür denkbar.

Auf der einen Seite haben manche Christen bei der Befürwortung des Friedens die Kirche links liegenlassen, weil sie sie für zu schwach halten, als daß man sich mit ihr beschäftigen müßte, und für so machtlos, daß sie unbeschadet von denjenigen ignoriert werden kann, die wollen, daß der Wille Gottes wie im Himmel auch auf Erden geschehe.

[. . .] Christen, die diese Meinung vertreten, tendieren zu einer sehr vergeistigten Auffassung von der Kirche und glauben (wenn sie überhaupt an die Kirche glauben) an eine Art unsichtbarer Kirche, eine Gemeinschaft gleichgesinnter, aber weitverstreuter Seelen. Es handelt sich dabei um eine Auffassung von der Kirche, die mit dem Neuen Testament wenig gemein hat, ganz abgesehen davon, daß sie den historischen und soziologischen Erkenntnissen widerspricht, nach denen es sich bei der Kirche um eine sehr reale und konkrete Gemeinschaft handelt, die das menschliche Geschehen beeinflußt.

Auf der anderen Seite gibt es Christen, die die Hoffnung aufgegeben haben, mit dem christlichen Establishment über den atomaren Wahnsinn reden zu können, weil sie die Kirche für fast allmächtig halten und praktisch unempfänglich für jede Wahrheit, die im Widerspruch zu ihrer eingeschlagenen Richtung steht.

[. . .] Dieser Auffassung fehlt es an dem Glauben, daß Gott die Gläubigen verändern kann, und ihr fehlt die Hoffnung, daß die gewaltige Kraft der christlichen Gemeinschaft für das Leben und die Vernunft mobilisiert werden kann. [. . .]

Die Verantwortlichkeit der Kirche

Die Kirche sollte das Zentrum des christlichen Zeugnisses gegen die atomaren Waffen sein, weil sie verantwortlich ist für die Wahrheit, die sie empfangen hat. Unter diesem Aspekt ist die kirchliche Unterstützung der atomaren Abschreckungsdoktrin verwerflicher als bei allen anderen Gruppierungen der Gesellschaft. In der Schrift gibt es einen Grundsatz, der lautet: »Welchem viel gegeben ist, bei dem wird man viel suchen; und welchem viel befohlen ist, von dem wird man viel fordern.« (Lukas 12, 48)

Der Kirche ist durch die Schrift und durch heute lebende inspirierte Propheten genug Wahrheit gegeben worden, so daß ihr Versagen in der Frage der atomaren Gefahr in höchstem Maße sträflich ist. Das Versäumnis der Kirche, in der Atomfrage den richtigen Weg aufzuzeigen und ihr allzuhäufiges Engagement in der entgegengesetzten Richtung erfordern Reue. Der Kirche muß gesagt werden, daß es nicht ausreicht, nur den Gedanken eines atomaren *Krieges* zu verabscheuen. Vielmehr ist die Kirche aufgefordert, auch den Gedanken einer atomaren *Abschreckung* zu verabscheuen, es sei denn, man geht davon aus, daß es moralisch gerechtfertigt ist, mit etwas Unmoralischem zu drohen. [. . .]

Die Bemühungen um das christliche Zeugnis für den Widerstand gegen die Atomwaffen müssen sich auf die Kirche konzentrieren, weil die Kirche weiß, daß Gott böse Absichten ebenso verabscheut wie böse Taten. Wenn eine atomare Katastrophe eines Tages unsere schöne Welt vernichten sollte, dann wird das nur geschehen, weil zuvor Millionen Menschen die Vorbereitungen dazu hingenommen haben. Und die Kirche wird sich für ihre Mitglieder verantworten müssen, die das ohne Protest finanziert oder sogar im Rahmen ihrer beruflichen, politischen und militärischen Positionen mitgeplant haben.

Die Buße der Kirche

Die Kirche sollte das Zentrum des christlichen Zeugnisses gegen die Atomwaffen sein, weil die Kirche an die Buße glaubt. Buße bedeutet Umkehr des eigenen Denkens und Handelns, eine Wende des Geistes. Und genau das ist in der Sache des Wettrüstens notwendig. Der Gedanke, Sicherheit, Friede und Freiheit sei durch Gewalt und Androhung von Gewalt zu erreichen, ist falsch und muß durch richtiges Denken ersetzt werden. Es ist eine falsche Geistesverfassung, wenn man davon ausgeht, daß die Drohung mit einem Atomkrieg einen Atomkrieg verhindern kann. Diese Geistesverfassung muß zur Umkehr veranlaßt werden und begreifen, daß Liebe, Gerechtigkeit und die Kraft des Geistes Gottes es sind, die einen Atomkrieg verhindern. [. . .]

Die christliche Widerstandsbewegung gegen die Atomwaffen sollte Evangelisten, Bischöfe, Pastoren, Diakone und Lehrer an den Sonntagsschulen dazu aufrufen, ihren Glauben an die Doktrin von der atomaren Abschreckung zu bereuen. Wenn diese Bewegung sich den Erfolg zum Ziel gesetzt hat, dann muß sie auf diesem Gebiet Erfolg haben, oder es wird für sie gar keinen Erfolg geben. [. . .]

Eine leere Seele hat gegenüber einem geladenen Gewehr keine Chance, so sehr wir das auch wünschen mögen. Wir werden angefüllt sein müssen mit dem Geist des lebendigen Gottes, wenn wir uns den toten Werken einer Kirche widersetzen wollen, die durch den Militarismus kompromittiert ist. Leben im Geist wird genährt durch die Zusammengehörigkeit in einer liebenden Gemeinde. Wir müssen als Kirche fungieren, um zur Kirche zu sprechen. Die Botschaft, die wir in die Kirche tragen, ist uns durch die Kirche zuteil geworden. Wir geben nur wieder, was die Kirche in der Heiligen Schrift kanonisiert hat. Unsere Waffen sind der Geist, das Wort und das Gebet.

Der gleiche Geist, der den Propheten ermächtigt, zur Kirche zu sprechen, wird die Kirche ermächtigen, zur Welt zu sprechen. Möge niemand die Kraft einer vom Geist erfüllten Kirche unterschätzen.

Stellen wir uns vor, wie Menschen aller Sprachen, Völker und Länder zusammenstehen und erklären, daß der Weg des Lammes, das geschlachtet wurde, ihr Weg ist; daß sie nichts zu schaffen haben wollen mit den Waffen der Vernichtung. Stellen wir uns vor, wie sie vor Präsidenten und Generale, Bischöfe und Evangelisten, Bürokraten und Techniker hintreten und erklären, daß der Tod sie nicht schreckt und daß sie niemandem das Leben nehmen werden, um ihr eigenes zu retten. [. . .]

Quelle: John K. Stoner, Take The Message To Jerusalem, in: Sojourners, August 1980.

Dokument 2

Memorandum über Maßnahmen zur zivilen Verteidigung in Philadelphia
Von Billy Grassie

In der vergangenen Woche habe ich mich über die Situation im Bereich der zivilen Verteidigung in Philadelphia informiert, weil ich der Meinung war, man könnte in dieser Frage Hearings beim Rat der Stadt durchführen und die hierfür vorgesehenen Mittel wie in Cambridge, Massachusetts, für die Verhinderung eines Atomkrieges – d. h. im Rahmen friedensorientierter Bildungsarbeit – einsetzen. [. . .]

Das Amt für Notstandsmaßnahmen (Office of Emergency Preparedness, OEP), das organisatorisch der Feuerwehr angegliedert ist, untersteht der Bundesnotstandsbehörde (Federal Emergency Management Agency). Diese Behörde hat alle Aktivitäten im Bereich der Zivilverteidigung an sich gezogen, ihren Tätigkeitsbereich jedoch auch auf andere menschliche und natürliche Katastrophen ausgeweitet (Flugzeugabstürze, Großbrände, Erdbeben, Überschwemmungen usw.). Nach meinem Eindruck beim Besuch der Einsatzzentrale für Notstandsmaßnahmen in Philadelphia und aufgrund der von der Behörde selbst herausgegebenen Literatur beziehen sich rund 70% ihrer Tätigkeiten auf Maßnahmen zur zivilen Verteidigung im Kriegsfall. [. . .]

Der Schwerpunkt der zivilen Verteidigungsplanung hat sich im Laufe der Jahre vom Bau von Gemeinschaftsschutzräumen in Richtung Zwangsevakuierung der Bevölkerung verlagert. Während der 50er und 60er Jahre wurden die Gebäude Philadelphias überprüft, um Räume ausfindig zu machen, in denen die Strahlenbelastung vierzigmal niedriger als im Freien sein würde und die zur Aufnahme von mehr als dreißig Personen geeignet waren. Die Stadt Philadelphia hat für ungefähr drei Millionen Menschen auf diese Weise Schutzräume von jeweils einem Quadratmeter Größe pro Person vorgesehen.

Während der 50er und 60er Jahre wurden in diesen Schutzräumen Lebensmittel und Überlebensausrüstungen eingelagert. Als jedoch in den 70er Jahren das Haltbarkeitsdatum überschritten wurde, hat man die Vorräte nicht wieder erneuert. Zu diesem Zeitpunkt hatten die Planer der Zivilverteidigung bereits damit begonnen, eine Evakuierung der Bevölkerung in Erwägung zu ziehen. [. . .]

Für das laufende Jahr sind für die Einsatzzentrale in Philadelphia Haushaltsmittel in Höhe von 272 000 Dollar vorgesehen. [. . .]

Die Einsatzzentrale für Notstandsmaßnahmen befindet sich im Kellergeschoß des Feuerwehrgebäudes an der 3rd Street und der Springgarden Street. Im Falle eines Krieges oder einer nicht näher bezeichneten sonstigen Katastrophe befände sich hier das Verwaltungszentrum für Philadelphia. Der Bürgermeister und dreihundert weitere Mitglieder der Stadtverwaltung würden dort leben und den Fortgang der Regierungsgeschäfte gewährleisten. *Die Zentrale verfügt über einen eigenen Brunnen, zwei starke elektrische Generatoren, einen Luftfilter, und die Strahlung soll sich dort aufgrund besonderer Schutzmaßnahmen nur auf ein Tausendstel des Außenwertes belaufen.* Das Kellergeschoß selbst könnte einen Explosionsdruck bis zu 10 psi[1] aushalten. (Eine Bombe mit einer Sprengkraft von einer Megatonne, die über den Erdölraffinerien explodiert, würde im Umkreis von etwa 7 Kilometer einen Überdruck von 5 psi erzeugen; die Einsatzzentrale für Notstandsmaßnahmen ist von den Raffinerien knapp 5 Kilometer entfernt.) [. . .]

Viele unserer Wissenschaftler, Ärzte und Rüstungsexperten bezweifeln die Möglichkeit eines Zivilschutzes im Falle eines Atomkrieges. Die einzige Verteidigung besteht in der Verhinderung eines solchen Krieges. Unter Berücksichtigung dieser Tatsache veranstaltete der Rat der Stadt Cambridge, Massachusetts, im vergangenen Frühjahrs Hearings, die ihn dann zu einem außergewöhnlichen Beschluß veranlaßten. In einer Postwurfsendung an alle Bürger erklärte der Rat der Stadt die Sinnlosigkeit aller Versuche, einen Atomkrieg zu überleben, und beschloß statt dessen, an den öffentlichen Schulen Maßnahmen für einen Friedensunterricht zu ergreifen. Vielleicht ist es an der Zeit, daß die Stadt Philadelphia ähnliche Hearings zur Frage der Zivilverteidigung veranstaltet und diese sinnlosen Ausgaben für Bemühungen einsetzt, einen Atomkrieg zu verhindern. [. . .]

1 psi = pound per square inch (US-Pfund pro Quadratzoll, amerikanische Druckeinheit).

Quelle: Billy Grassie (Friends Peace Committee), Memo on Civil Defense Activites in Philadelphia, 14.9. 1981, in: Aktennotiz der Pennsylvania Campaign for a Nuclear Weapons Freeze, Philadelphia 1981.

2. Ökumenische Initiativen

Dokument 3

Ein Aufruf zur Ehrlichkeit

Diese von engagierten Christen verfaßte öffentliche Erklärung wird in allen Teilen des Landes verteilt und ist ganz besonders für die Verwendung in den örtlichen Kirchen gedacht.

[. . .]

Die Bibel macht die Kirche für die Verwaltung der gesamten Schöpfung verantwortlich. Die Christen in Amerika haben jedoch zum überwiegenden Teil untätig dabei zugesehen, wie unser Land das größte und furchtbarste Waffenarsenal zusammenstellte, das jemals die Erde gefährdet hat.

Statt die prophetische Hoffnung Jesajas zu erfüllen, »auf Erden Gerechtigkeit zu pflanzen«, haben wir uns in den über dreißig Jahren der atomaren Aufrüstung weithin passiv verhalten. Heute setzt unser Land einen riesigen und ständig wachsenden Teil seiner materiellen, geistigen und finanziellen Mittel für den Krieg ein, bedroht auf diese Weise die Welt mit katastrophaler Gewaltanwendung und bewirkt gleichzeitig, daß die Armut in der Welt auch weiterhin vernachlässigt wird.

Die Opfer dieses gefühllosen Verhaltens erheben ihre Stimme, und über ihren Schreien ist eine andere Stimme zu hören: »Was ihr den Geringsten unter ihnen getan habt, das habt ihr mir getan.«

Den größten Mythos haben wir unbesehen akzeptiert: daß all diese Militärmacht einem rechtmäßigen Zweck dient, dem Frieden und der Selbstverteidigung. In dem Maße wie die militärischen Planer, die führenden Politiker und die Interessen der Industrie uns über die Overkill-Schwelle hinausgetrieben haben, ist nun die Wahrheit zutage getreten. Diese Waffen sind für einen Sieg vorgesehen, sie sollen Überlegenheit gewährleisten, Kontrolle garantieren, unsere Bedingungen diktieren und unseren Reichtum und unsere Macht im Rahmen einer Weltordnung schützen, die zutiefst ungerecht ist.

Unter dem Deckmantel der nationalen Sicherheit werden unsere wirkliche Sicherheit und die Sicherheit der ganzen Welt in schwerster Weise gefährdet.

Jesus sagt uns, daß die Friedensstifter selig sind. Aber es hat unter uns nur wenige Friedensstifter gegeben. Die meisten Christen haben die nachdrückliche Warnung der Bibel ignoriert, uns nicht auf die Waffen des Krieges zu verlassen.

Nüchtern und sachlich werden wir an Gottes Gebot erinnert: »Du sollst keine anderen Götter haben neben mir.« Wir aber sind von Gott abgefallen und haben uns unseren Mitbürgern angeschlossen im Götzendienst vor militärischer Macht und Gewalt. Wer einen Atomkrieg plant, geht davon aus, daß der zehnmillionenfache Tod von Menschen im Namen der nationalen Sicherheit gerechtfertigt ist. Damit wird die Nation über alles andere gestellt, auch über das Überleben der Menschheit.

Unser angebliches Bekenntnis zu Christus und seinem Königreich klingt hohl, wenn wir eine Militärpolitik unterschiedsloser Massenvernichtung akzeptieren, und wir setzen uns damit in direkten Gegensatz zu der unzweideutigen Aufforderung Christi, unsere Feinde zu lieben, denen Gutes zu tun, die uns hassen, diejenigen zu segnen, die uns verfluchen, und für diejenigen zu beten, die uns verfolgen.

Buße tun heißt innehalten, umkehren und in die entgegengesetzte Richtung gehen. Das müssen wir tun. Als Christen wissen wir zu viel und haben zu viel gesehen, um unsere gefährliche Lage noch länger schweigend hinnehmen zu können. [. . .] Die Vereinigten Staaten haben das Tempo des Wettrüstens bestimmt, und in jüngster Zeit hat die amerikanische Politik der Nuklearstrategie eine besonders gefährliche Richtung eingeschlagen. Die Vereinigten Staaten sind entschlossen, auf dem Land, zur See und in der Luft eine völlig neue Generation von Atomwaffen zu stationieren – das Raketensystem MX, die Trident-U-Boote und die Marschflugkörper (Cruise-Missiles) – zusätzlich zu einer technisch möglichen Herstellung von Neutronenbomben.

Es werden Strategien entworfen, die davon ausgehen, daß die Vereinigten Staaten als erste Atomwaffen einsetzen. Gegenwärtig lehnt es unser Land ab, sich feierlich zu verpflichten, *nicht* diejenige Seite zu sein, die zuerst atomare Waffen einsetzt. [. . .]

Wir fordern die Kirche auf, im Gebet, in der Predigt und im öffentlichen Zeugnis entschlossen auf das atomare Wettrüsten zu reagieren. Die Gebete der Kirche für den Frieden dürfen nicht aufhören, und ihre Inbrunst und Intensität muß zunehmen, je weiter sich das Wettrüsten der atomaren Vernichtung nähert.

Wenn die Kirche in unserer Zeit das Evangelium predigt, dann muß sie deutlichmachen, daß eine Hinwendung zu Christus zugleich eine Abkehr vom Akzeptieren atomarer Waffen bedeutet, so daß Bekehrte zu Pazifisten werden. Ihrem öffentlichen Zeugnis muß die Kirche durch Aktionen entsprechen, bei denen sie keine Kosten scheut, und sie muß sich dabei von demjenigen leiten lassen, der bereit war, in einer feindlichen Welt die Bürde des Friedensstifters zu tragen. Gespeist von der Liebe Christi muß die Kirche alles ertragen, auf alles vertrauen und alles erdulden.

Unser grundsätzlicher Gehorsam gegenüber Jesus Christus und seinem Königreich verpflichtet uns dazu, für die völlige Abschaffung der Atomwaffen einzutreten. Dabei kann es keine Abstufungen und Bedingungen geben. Wir, die Unterzeichner dieser Erklärung, verpflichten uns hiermit, uns in keiner Weise an den Vorbereitungen unseres Landes für einen Atomkrieg zu beteiligen. Auf allen Ebenen der Forschung, Entwicklung, Erprobung, Herstellung, Installierung und des Einsatzes von Atomwaffen verpflichten wir uns zum Widerstand im Namen Jesu Christi.

Außerdem rufen wir die Kirche dieses Landes auf, der Regierung der Vereinigten Staaten ihre Verantwortung vor Augen zu führen, einseitige und multilaterale Maßnahmen mit dem Ziel vollständiger atomarer Abrüstung einzuleiten. Der Wunsch anderer Länder nach Abrüstung, Frieden und Überleben könnte dann unter dem Druck, zu entsprechenden Maßnahmen verpflichtet zu sein, unter Beweis gestellt werden.

Insbesondere sollten zu diesen Maßnahmen folgende Schritte gehören:

* Die Aussetzung sämtlicher Atomwaffentests und der Flugtests für neue Trägersysteme.

* Die Aussetzung der gegenwärtigen Pläne zur Anschaffung neuer strategischer Waffensysteme einschließlich des Raketensystems MX, der Trident-Unterseeboote und der Cruise-Missiles, sowie der Verzicht auf jede künftige Produktion der Neutronenbombe.

* Eine entscheidende Änderung der amerikanischen Militärdoktrin, wobei die USA erklären, daß sie niemals zuerst Atomwaffen anwenden werden und anerkennen, daß es sich dabei weder um legitime Mittel der Politik noch um legitime militärische Waffen handelt.

Diese Initiativen sind nur minimale erste Schritte auf dem Wege zu einer endgültigen Beseitigung atomarer Waffen vom Antlitz der Erde. Die Dringlichkeit solcher Maßnahmen sollte all denen klar sein, die mit der Bibel die Hoffnung teilen, daß Schwerter zu Pflugscharen umgeschmiedet werden.

Wir ermahnen unsere Brüder und Schwestern in Christus, gegenüber dem atomaren Wettrüsten eine entschiedene Haltung des Widerstandes einzunehmen.

Angesichts einer so schweren Krise dürfen Christen nicht der naheliegenden Versuchung nachgeben und verzweifeln. Statt dessen müssen wir von der Hoffnung Gebrauch machen, die sich gründet auf unser Vertrauen zu Gottes Liebe und Gnade in unserem Leben und in der Welt.

Möge unsere Hoffnung auf das Reich Christi unser Zeugnis untermauern, unsere Andacht fördern und unsere Handlungsweise bestimmen. [. . .]

Quelle: A Call To Faithfulness, Flugschrift, Washington, D. C., 1981.

Dokument 4

Gelöbnis für einen neuen Abolitionismus
Im Namen Gottes, laßt uns die Atomwaffen abschaffen

Der christliche Glaube muß in jedem historischen Moment aufs neue demonstriert werden. [. . .]

Einige historische Gegebenheiten nehmen unter den fundamentalen Anliegen der Kirche einen besonders bedeutsamen Platz ein. Diese moralischen Fragen, die bis in unsere Zeit hineinreichen, stören die Routine des kirchlichen Lebens und rufen Gottes Volk überall auf, Mitgefühl und Mut zu beweisen. Die Sklaverei war für die Christen des 19. Jahrhunderts eine solche Frage. Das atomare Wettrüsten ist eine solche Frage heute.

Tausende von Christen verschiedener Traditionen kamen zu der Einsicht, daß die Sklaverei ein Übel war und die Integrität ihres Glaubens in Frage stellte. [. . .] Sie wurden als Abolitionisten bezeichnet.

Daß Christen sich mit atomaren Waffen abfinden, hat uns ebenfalls in eine Krise des Glaubens geführt. Die atomare Gefahr ist ebensowenig eine nur politische Frage wie die Sklaverei: Es ist eine Frage, die unseren Glauben an Gott und unsere Verpflichtung gegenüber Jesus Christus in Frage stellt. Mit anderen Worten: Die zunehmende Wahrscheinlichkeit eines Atomkrieges ist nicht nur eine Prüfung, bei der es um unser Überleben geht, sondern sie stellt unseren Glauben auf die Probe. [. . .]

Da wir den Atomwaffen nicht länger vertrauen, weigern wir uns, bei den Vorbereitungen für einen totalen Krieg mitzuwirken. Wenn wir erneut unser Vertrauen in Gott setzen, werden wir beginnen, gemeinsam für die Vorbereitung des Friedens zu arbeiten. Wir geloben, gemeinsam für den Frieden zu wirken und schließen uns im Sinne der folgenden, lebenswichtigen Verpflichtungen zusammen.

1. Gebet

Gemeinsam geloben wir, zu beten. Das Gebet ist das Herz der christlichen Friedensarbeit. Das Gebet beginnt mit dem Bekenntnis unserer Sünden und enthält danach die Fürbitte für unsere Feinde, die uns dadurch innerlich näherkommen. Wir werden Gott bitten, die atomare Verwüstung aufzuhalten, auf daß wir uns von unserem Irrsinn abwenden können. Durch das Gebet kann der Sieg Christi über das atomare Dunkel in unserem Leben Wirklichkeit werden und uns freimachen für die Teilnahme an Christi Versöhnungswerk in der Welt.

2. Lernen

Gemeinsam geloben wir, zu lernen. Unsere Unwissenheit und unsere Passivität müssen sich in Wissen und Übernahme von Verantwortung verwandeln. Wir müssen gemeinsam handeln, um unsere Blindheit und die Härte unserer Herzen zu überwinden. Wir werden uns auf die biblische und theologische Grundlage der Friedensarbeit stützen. Wir werden gründlich und umfassend informiert sein über die Gefahr des Wettrüstens und über die Schritte, die für den Frieden erforderlich sind. Wir werden uns mit der Lehre der Kirche zum Thema einer atomaren Kriegführung vertraut machen.

3. Geistige Prüfung

Gemeinsam geloben wir, uns zu prüfen. Um die atomare Situation im Lichte des Evangeliums zu sehen, werden wir die grundlegenden Entscheidungen unseres persönlichen Lebens überprüfen im Hinblick auf unsere Arbeit, unseren Lebensstil, unsere Steuern und unsere persönlichen Beziehungen, um herauszufinden, wo und wie wir an den Vorbereitungen für einen Atomkrieg beteiligt sind. Die Kirche sollte sich um das geistliche Wohl ihrer Mitglieder sorgen, die in ihrem Lebensunterhalt zur Zeit auf das Atomkriegssystem angewiesen sind. Wir werden uns in unseren Gemeinden um eine gründliche pastorale Beurteilung all dieser Dinge bemühen.

4. Evangelisation

Gemeinsam geloben wir, das Evangelium des Friedens zu verbreiten. Wir werden unsere Meinung äußern und mit unseren Freunden und Familienangehörigen, mit unseren christlichen Brüdern und Schwestern über die Gefahren der atomaren Aufrüstung und die Notwendigkeit des Friedens sprechen. Wir werden die Botschaft in andere Kirchen in unserer Nachbarschaft tragen, in andere Konfessionen und in die Entscheidungsgremien unserer Kirchen auf allen Ebenen. Wir werden die Sache des Friedens von unseren Kanzeln predigen, in unsere Gebete einschließen und zum Bestandteil unseres Gottesdienstes machen. Den Glauben an Gott werden wir dem Vertrauen auf die Bombe als Alternative gegenüberstellen.

5. Öffentliches Zeugnis

Gemeinsam geloben wir, öffentlich Zeugnis abzulegen. Wir werden unsere Ablehnung atomarer Waffen und unsere Forderung nach Frieden in die Öffentlichkeit tragen: an unsere Arbeitsplätze, in unsere Wohngebiete und unsere Bürgerorganisationen, in die Medien, in die Verwaltungs- und Regierungsgremien, auf die Straßen und überall dorthin, wo es Atomwaffen gibt. Gebete für den Frieden muß es überall dort geben, wo Atomwaffen durch Forschung vorbereitet, produziert, gelagert und installiert werden und wo man die Entscheidungen für eine Fortsetzung des Wettrüstens trifft.

Die Zusammenkünfte, Veranstaltungen und Einrichtungen unserer Kirchen werden gleichfalls wichtige Orte für unser öffentliches Zeugnis sein. Wir werden unsere Überzeugung an allen diesen Orten bekanntmachen, insbesondere an hohen Festtagen des Kirchenjahres und am 6. und 9. August, den Jahrestagen der Bombenabwürfe über Hiroshima und Nagasaki.

6. Atomare Abrüstung

Gemeinsam geloben wir, uns für die Beendigung des Wettrüstens einzusetzen. Aufgrund unseres Glaubens sind wir bereit, ohne Atomwaffen zu leben. Wir werden öffentlich ein Einfrieren der Atomwaffen befürworten als ersten Schritt zur Abschaffung aller Atomwaffen. Wir werden an unseren Wohnorten dafür eintreten, daß die Forderung nach einem Einfrieren der Atomwaffen auf die öffentliche Tagesordnung gesetzt wird. Wir werden uns gegenüber unserer Regierung und den anderen Atommächten mit Nachdruck dafür einsetzen, daß sie die weitere Erprobung, Herstellung und Installierung atomarer Waffen einstellen und dann beharrlich und schnell Schritte zu ihrer völligen Abschaffung unternehmen.

Wir wissen uns von Gott zu diesen einfachen Verpflichtungen aufgerufen, und wir hoffen, sie durch Gottes Gnade erfüllen zu können. Verwurzelt im Evangelium von Jesus Christus und gestärkt durch die Hoffnung, die aus dem Glauben kommt, geloben wir gemeinsam, Frieden zu stiften..

Zur Arbeit mit diesem Gelöbnis
[. . .] Dies ist keine Erklärung, die man unterschreibt, sondern ein Gelöbnis, nach dem man handelt. Mit anderen Worten, der Zweck besteht nicht darin, Unterschriften zu sammeln, sondern darin, Reaktionen auszulösen. Finden Sie mindestens zwei oder drei andere, die bereit sind, sich für eine Stunde, einen Tag oder ein Wochenende mit diesem Gelöbnis zu beschäftigen. Legen Sie mit Ihren Freunden gemeinsam dieses Gelöbnis ab, und gehen Sie dann damit in Ihre Gemeinden, Gruppen und Organisationen. Wir hoffen, daß dieses Gelöbnis weit verbreitet und örtlich eingesetzt wird und daß es Aktionen bewirkt.

Dieses Gelöbnis sollte gemeinschaftlich verwendet werden. Diese Verpflichtungen können nicht von einzelnen erfüllt werden. Daher rufen wir zur Bildung von Gruppen gegenseitiger Hilfe auf, die dazu dienen, gemeinsam zu beten, nachzudenken und zu handeln. Wir hoffen, daß dieses Gelöbnis existierende Gruppen in ihrer Friedensarbeit bestärkt und zur Bildung neuer Gruppen führt.

(Der Text dieses Gelöbnisses wird gemeinsam verbreitet von folgenden Organisationen: Fellowship of Reconciliation; New Call to Peacemaking; Pax Christi USA; World Peacemakers; Sojourners.)

Quelle: New Abolitionist Covenant, in: Sojourners, August 1981, S. 18–19.

Dokument 5

Der Versöhnungsbund – auf gleichem Kurs weiter voran
Von Richard A. Chartier

Der Versöhnungsbund (Fellowship of Reconciliation) ist eine Vereinigung von Männern und Frauen, die sich gemeinsam für die Schaffung einer friedlichen und gerechten weltweiten Gemeinschaft einsetzen, in der Würde und Freiheit für alle Menschen in vollem Umfange gewährleistet sind. Er ist wirklich eine Gemeinschaft von Menschen, die die fundamentale Einheit und gegenseitige Verbundenheit der Menschheitsfamilie anerkennen und bekräftigen.

Der Versöhnungsbund hat sich stets mit Entschiedenheit gegen alles gewandt, was die weltweite Gemeinschaft beeinträchtigt oder gefährdet. Historisch bedeutete das die nachhaltige und konsequente Ablehnung des Krieges und der Bedingungen und Kräfte, die zum Krieg führen oder ihn vorbereiten. Er ist jedoch auch gegen andere Erscheinungsformen der Gewalt – wie zum Beispiel die vielen

Arten institutionalisierter und systematischer Ungerechtigkeit – aufgetreten und tätig geworden, die eine Verwirklichung einer Gemeinschaft, wie sie unseren Zielvorstellungen entspricht, verhindern und vereiteln.

Der Versöhnungsbund ist pazifistisch, aber der Pazifismus, für den er eintritt, sollte nicht als Passivität verstanden werden oder auch nur als bloße Ablehnung von Krieg und sonstigen Formen der Gewalt, sondern als Verpflichtung, den Frieden zu verwirklichen. Pazifismus und Verwirklichung des Friedens, das hieß für den Versöhnungsbund stets ein »Nein« zu allem, was dem Frieden nicht dient, und ein »Ja« zu allem, was der Gemeinschaft förderlich und dienlich ist und die Bedingungen schafft, unter denen das menschliche Leben menschlich ist und bleibt. [. . .]

Der Versöhnungsbund weist in seiner Grundsatzerklärung darauf hin, daß seine Mitglieder zwar nicht an den genauen Wortlaut eines bestimmten Textes gebunden sind, daß jedoch folgendes für sie gilt:

* Sie identifizieren sich mit denjenigen Angehörigen aller Nationen, Rassen und Religionen, die Opfer von Ungerechtigkeit und Ausbeutung sind, und sie sind bestrebt, Mittel aktiven gewaltlosen Eingreifens zu entwickeln, um dazu beizutragen, die Betroffenen aus ihrer Lage zu befreien.

* Sie wollen mit ihrer Arbeit die Abschaffung des Krieges erreichen und eine engagierte Gemeinschaft aufbauen, die alle nationalen Grenzen und selbstsüchtigen Interessen überschreitet; sie lehnen es ab, sich persönlich an irgendeinem Krieg zu beteiligen, und sie verweigern allen materiellen, moralischen und psychologischen Kriegsvorbereitungen ihre Zustimmung, wo immer ihnen das möglich ist.

* Sie sind bestrebt, eine gesellschaftliche Ordnung aufzubauen, die menschlichen Erfindungsgeist und menschliches Wissen zum Nutzen aller einsetzt, und in der weder einzelne noch Gruppen ausgebeutet oder unterdrückt werden, um anderen Profite und Vergnügen zu ermöglichen.

* Sie setzen sich bei der Behandlung von denjenigen, die gegen die Gesetze der Gesellschaft verstoßen haben, für Methoden ein, die auf Verständnis und Vergebung basieren und dem Ziel dienen, den Straffälligen wieder in die Gesellschaft einzugliedern, statt ihn lediglich zu bestrafen.

* Sie sind bemüht, die Persönlichkeit zu achten – in der Familie, in den beruflichen Beziehungen, in der Schule und im Bildungswesen, sowie bei der Begegnung mit Angehörigen anderer Rassen, Glaubensrichtungen und Nationen.

* Sie versuchen, gegenüber den Vertretern anderer Meinungen Verbitterung und Streitsucht zu vermeiden und bei allen Bemühungen zur Verwirklichung ihrer Ziele den Geist selbstloser Liebe zu bewahren. [. . .]

Bei den Bemühungen um eine Beendigung des Wettrüstens, um eine Verwirklichung der Abrüstung und bei der weiteren Suche nach einer Weltordnung ist inzwischen eine neue Forderung zu hören, die in den Worten zum Ausdruck kommt: »Friede ist nur möglich, wenn er das Ergebnis von Gerechtigkeit ist.« In weiten Teilen der Dritten Welt wird laut die Forderung nach wirklicher politischer Freiheit erhoben, nach sozialer und wirtschaftlicher Gerechtigkeit und der Würde des Menschen. Der Nord/Süd-Gegensatz (zwischen den reichen/entwickelten »Besitzenden« und den armen/unentwickelten »Habenichtsen«) ist die Spaltung, die einem großen Teil der Welt die meisten Sorgen bereitet – *nicht* das Wettrüsten, so gefährlich und verhängnisvoll es für sie und uns auch ist. Der Ruf nach einer Neuen Internationalen Wirtschaftsordnung ist ein entscheidender Ausdruck für die lautstarke Forderung der Dritten Welt nach der Gerechtigkeit, die ihr schon so lange vorenthalten wird. Der Kampf in Mittelamerika, in El Salvador und anderswo, dessen Ursache in jahrzehntelanger innerer und äußerer Unterdrückung – und nicht in einer »kommunistischen Verschwörung« – liegt, ist ein weiteres deutliches Zeichen dafür, daß die Frage der Gerechtigkeit von ausschlaggebender Bedeutung ist. Das Friedensprogramm des Versöhnungsbundes muß sich an zentraler Stelle mit der Gerechtigkeit befassen, auch wenn es hauptsächlich der Abrüstung gewidmet ist. [. . .]

Zunächst einmal dürfte es unbedingt erforderlich sein, daß wir das Zukunftsbild von einer weltweiten Gemeinschaft beibehalten und weiter ausbauen, das unserer Tätigkeit als Versöhnungsbund zugrundeliegt und sie motiviert. Dieses bisherige Zukunftsbild muß für unsere Zeit in frische und neue Begriffe übertragen werden. Weiterhin müssen wir – auf der Grundlage einer ständigen gegenseitigen Beeinflussung von Theorie und Praxis – eine einheitliche und umfassende Philosophie des Pazifismus entwickeln, die in schöpferischer Spannung die Friedens-, Gerechtigkeits- und Weltordnungsdimensionen unserer Arbeit und unseres Zeugnisses zusammenfaßt. Wir müssen eine ausgreifendere Strategie entwikkeln, wenn wir uns mit dem Problem beschäftigen, ein politisches Programm zu entwickeln, das uns dabei helfen kann, unser Zukunftsbild und unsere Philosophie in die Praxis umzusetzen.

Das bedeutet, daß der Versöhnungsbund in immer stärkerem Maße Verbindung zu anderen – einzelnen, Gruppen und Organisationen – aufnehmen muß, die zwar unser religiöses Engagement und/oder unseren Pazifismus nicht teilen, aber dennoch eine gerechte, menschliche und friedliche Weltordnung anstreben. Bei unserer gegenwärtigen und künftig noch zu verstärkenden Zusammenarbeit mit anderen müssen wir auch weiterhin unser spezifisches Zeugnis zum Tragen bringen. Wir haben Überzeugungen, Werte, Ziele, Programme und einen »Stil«, die bitter nötig sind. Diese Tatsache sollte uns veranlassen, unsere Tätigkeit als engagierte Gemeinschaft von Pazifisten dadurch zu festigen, daß wir unsere religiösen Grundlagen und Möglichkeiten vertiefen, persönlich und in der Gemeinschaft einen Lebensstil entwickeln, der sich in Übereinstimmung mit der von uns angestrebten Gesellschaft befindet, und neue und schöpferische Verhaltensweisen ausfindig machen, die einer Verwirklichung des Friedens dienen.

In dem Maße, wie wir das für diejenigen tun, die dem Versöhnungsbund bereits angehören, müssen wir mit neuem Eifer und neuem Einfallsreichtum ungezählte andere ansprechen – die bisher noch nicht erreichten potentiellen Gefährten auf dem Weg zur Verwirklichung des Friedens. Wir brauchen einander.

Quelle: Richard A. Chartier, The F.o.R. – Holding Fast and Moving On, in: Fellowship, Vol. 48, No. 6, Juni 1982, S. 3–5.

Dokument 6

»Wir sind eine Familie«
Von Phil Berrigan

[. . .] Wenn manche Leute sagen, sie wüßten nicht, wo sie [beim Kampf gegen das Wettrüsten – d. Hrsg.] anfangen sollen, dann muß man ihre Aussage andersherum formulieren: Was wäre, wenn euer Leben und das Leben eurer Kinder davon abhängt, *daß* ihr anfangt (was ja auch tatsächlich der Fall ist)? Wo würdet ihr dann anfangen?

Schließlich sind erst sechs bis sieben Jahre seit unserer Erfahrung in Indochina vergangen, als Millionen Amerikaner lernten, wo man anfangen mußte, um etwas gegen den Krieg zu unternehmen. Warum sollte unser Gedächtnis so kurz sein?

Wenn man nichts unternimmt, wird man zum willigen Komplizen des größten Verbrechens in der Geschichte; wenn man nichts unternimmt, wird man Gott und der Menschheit untreu. Und das kann man *lernen.*

Man kann lernen, im Hinblick auf seine Ernährung, Wohnung, Kleidung und Freizeitgestaltung nicht wie ein Raubtier oder ein Parasit zu leben, sondern als Schwester oder Bruder der Armen.

Man kann sich anstrengen und sich über die Tatsachen der Geschichte des kalten Krieges informieren und über die Diebstahlspolitik unseres Landes und die entsprechende Reaktion darauf seitens der UdSSR.

Man kann beten, als hinge das Leben davon ab (das tut es wirklich), beten um Gottes Erbarmen und darum, daß Gott die blutigen Pläne und Machenschaften der Nationen durchkreuzt und die Politiker in all ihrer Blindheit und Grausamkeit zuschanden werden läßt. Man kann darum beten, daß Gott *in uns selbst* tätig wird.

Man kann Gerechtigkeit und Frieden stiften in der Nachbarschaft, in der Schule, in der Kirche oder in der Synagoge, am Arbeitsplatz oder wo auch immer man sich gerade befindet. Man kann mit Freunden zusammen Gruppen bilden, um zu protestieren, seine abweichende Meinung zu äußern und Widerstand zu leisten, und dabei kann man gemeinsam lernen und beten und sich dabei nach den Leitlinien der großen Handbücher des Widerstandes richten, beginnend mit der Heiligen Schrift. Aus der Gemeinschaft entsteht der Geist und die Inspiration zum Lernen, Arbeiten und Weitermachen.

Mit Freunden zusammen kann man Mahnwachen organisieren, Flugblätter verteilen, Straßentheater veranstalten oder, wenn es einem ernst genug ist, Widerstand leisten bei Bundesbehörden, Rüstungsfabriken und Militärstützpunkten und einen zivilen Ungehorsam praktizieren, der in Wahrheit Gehorsam gegenüber Gott und den Lehren der Gewaltlosigkeit ist.

Man wird bei alledem immer wieder auf die Frage nach dem »Wie?« treffen. Aber die wirkliche Frage, um die es geht, lautet: »Warum?« Warum soll man diese Dinge tun? Wenn man sich unaufhörlich mit dem »Warum?« auseinandersetzt – und diese Auseinandersetzung müssen wir für den Rest unseres Lebens alle führen –, dann gelangt man auch zu einem immer besseren »Wie«.

Quelle: Philip Berrigan, We are One Family, in: Catholic Agitator, Vol. 12, No. 1, January 1982, S. 1–3.

3. Die katholische Kirche

Eine Kirche des Friedens?
Bischof Leroy Matthiesen (Diözese Amarillo, Texas) beantwortet Fragen von Laura Simich

[. . .]
Frage: Wie denken Sie über Friedensaktionen, die von Katholiken mit Mitteln des zivilen Ungehorsams durchgeführt werden, wie zum Beispiel die Aktion bei General Electric, bekannt unter dem Motto »Schwerter zu Pflugscharen[1]«?

Bischof Matthiesen: Vor ein paar Jahren noch habe ich zivilen Ungehorsam für zu extrem gehalten. Jetzt glaube ich, daß es innerhalb der Friedensbewegung eine bestimmte Funktion für diese Art von Zeugnis gibt. Ich selbst würde mich dabei nicht sonderlich wohlfühlen, aber ich sehe ein, daß es für einzelne und für kleine Gruppen wichtig ist, sich dem Status quo in dieser Weise zu widersetzen. Andernfalls besteht immer die Versuchung, wieder zur Geschäftsordnung überzugehen.

Frage: Sie haben sich, soweit ich weiß, der Kampagne für ein bilaterales Einfrieren der Atomwaffen angeschlossen. Welche Überlegungen haben Sie zu diesem Schritt veranlaßt: Ist das Einfrieren für Sie einfach ein realistischer Punkt, an dem man anfangen kann, oder meinen Sie, daß es das Beste ist, das sich angesichts der jeweiligen Positionen der USA und der UdSSR erreichen läßt?

Bischof Matthiesen: Ich glaube, es ist das Beste, was wir in der gegenwärtigen politischen Situation tun können. Persönlich bin ich für einseitige Maßnahmen, aber man muß den Versuch unternehmen, zu erreichen, was möglich ist. Zum gegenwärtigen Zeitpunkt können wir nach meiner Auffassung die USA und die Sowjetunion dazu bewegen, Verhandlungen aufzunehmen. Ich würde auch Kennans Vorschlag unterstützen, daß beide Seiten sich verpflichten, auf einen Ersteinsatz zu verzichten. Im Zusammenhang mit dem Vorschlag von Kennedy/Hatfield befürworte ich ein *sofortiges* Einfrieren. Der Jackson/Warner-Vorschlag ist unzureichend; er würde die gegenwärtige Situation nur festschreiben.
[. . .]
Frage: Von Ihnen ist der Ausspruch zitiert worden, die katholische Kirche in den USA werde sich zu einer »Friedenskirche« entwickeln. Würden Sie sagen, daß das Bild, das Sie sich damals gemacht haben, in gewissem Sinne bereits Wirklichkeit geworden ist? Wieviel weiter kann diese Umwandlung der Kirche noch gehen?

Bischof Matthiesen: Als ich sagte, die katholische Kirche werde zu einer »Friedenskirche«, da meinte ich, daß ich einen eingeschlagenen Weg sah, der sich von den bisherigen Wegen unterschied. In der Vergangenheit waren wir der Auffassung, die Ziele der Kirche und unseres Landes seien ein und dasselbe. Man lehrte uns, Patriotismus sei eine Tugend, und wir sind noch immer dieser Meinung, aber wir stellen den Gedanken in Frage, die amerikanische Regierung habe immer recht. Der Rüstungswettlauf ist ein Wettlauf ins Nichts, und wir dürfen uns daran einfach nicht beteiligen. Hier trennen sich unsere Wege. Jahrelang sind wir von der Vorstellung ausgegangen, es gebe so etwas wie einen »gerechten Krieg«. Jetzt, im 20. Jahrhundert, dem Jahrhundert der Atomwaffen, kehren wir zur Einstellung der ersten christlichen Jahrhunderte zurück: zu einer pazifistischen Einstellung.

1 Vgl. Teil 7, Dok. 4–6

Quelle: A Church of Peace? Interview by Laura Simich, in: New York Mobilizer, Spring 1982, S. 29.

Dokument 8

Überschneiden sich Religion und Politik?
Von Bischof Leroy Matthiesen

Leroy Matthiesen ist Bischof der katholischen Diözese Amarillo, Texas. Er ist ein entschiedener Kritiker des atomaren Wettrüstens und hat an die Beschäftigten der Pantex-Werke (in denen atomare Sprengköpfe zusammengesetzt werden) appelliert, ihre Arbeitsplätze aufzugeben.

Im Atomzeitalter ist es verhängnisvoll, sich auf die nationale, militärische Verteidigung zu verlassen, und *die wirklichen Verteidiger eines Landes* sind diejenigen, die die Nation laut zur Umkehr rufen.

Da gibt es Leute, die erklären: »Die Kirche, die Synagoge und die anderen religiösen Gemeinschaften haben mit den Problemen der nationalen Sicherheit, mit den Entscheidungen im Bereich der Strategie und der Atomwaffen nichts zu schaffen.« Und wir antworten ihnen: »Haben unsere Atom- und Wasserstoffbomben, unsere MIRV- und MX-Systeme, unsere Minuteman- und Titan-Raketen, unsere Cruise-Missiles und Pershings, unsere Neutronenbomben, unsere Trident-Unterseeboote, unsere ›Hunter-Killer‹-U-Boote, unser binäres Nervengas, hat dieses ganze höllische Arsenal des Todes uns Sicherheit gebracht? Sind wir heute, 37 Jahre nach der Bombardierung Hiroshimas und Nagasakis sicherer als zuvor?«

Worin liegt unsere Sicherheit? Wo ist unser Friede und unser Schalom, wo leben wir als Brüder und Schwestern, wo können wir leben und lieben, teilen und vertrauen? In unserer Religionsgemeinschaft können wir gewiß sein, daß unsere Sicherheit nicht auf der Stärke unserer Waffen basiert, sondern auf unserem Gottvertrauen.

Die Lösung von Konflikten zwischen Völkern und Nationen ist ein wichtiges

Thema für die Religionsgemeinschaft. Die Kirche äußert sich, wenn Leben bedroht ist, und zwar in allen Lebensbereichen. Unzählige Male hat man mich gebeten, ich solle predigen über die Gesetzlosigkeit auf den Straßen als eine Bedrohung des Eigentums, gegen die Habgier als Bedrohung der hungrigen Armen, gegen die Lüge als eine Bedrohung der Wahrheit. Aber wenn ich und viele andere etwas gegen Waffen sagen, die in der Lage sind, unterschiedslos ungeborene Kinder im Mutterleib, Patienten in den Krankenhäusern, alte Menschen, Kinder, Andersdenkende und Freiheitskämpfer zu töten, dann sagt man mir, ich hätte aufgehört, über religiöse Dinge zu predigen und würde mich in die Politik einmischen. Und dasselbe sagt man mir, wenn ich von der wahllosen Verschmutzung der Erde rede, von der Zerstörung des Lebens in der Natur, von der Genmanipulation beim Menschen, von der Zerstrahlung und Verdampfung von Millionen menschlicher Wesen, von der Zerstörung der Ozonschicht und vom Zugrunderichten der Schöpfung Gottes.

Unsere Generation versündigt sich grundlegend, wenn sie annimmt, sie sei so wichtig, daß sie zur Aufrechterhaltung ihres Lebensstandards Millionen Menschen umbringen und in die genetische Struktur kommender Generationen eingreifen darf. Es ist tragisch, daß es unter den Gläubigen Menschen gibt, die die Forderung stellen, die Synagogen und die Kirchen sollten dieser Sünde auch noch ihren Segen erteilen.

Die Gemeinschaft der Gläubigen hat durchaus etwas zu tun mit Frieden durch Gerechtigkeit. Der Friede ist genau das, worum die Gemeinschaft der Gläubigen zu beten und sich zu kümmern hat.

Überraschend ist nicht, daß die Gemeinschaft der Gläubigen beginnt, das Wettrüsten zu verurteilen und ein Abkommen über ein Einfrieren der Atomwaffen zu fordern. Überraschend wäre es, wenn sie das nicht täte.

Gott der Herr erwartet von uns, daß wir die Hungrigen speisen, die Nackten kleiden und den Heimatlosen Obdach gewähren – kurz, daß wir Werke der Gerechtigkeit tun. Es ist daher bestürzend, wenn Menschen, die sich sonst als Anhänger des jüdischen oder christlichen Glaubens oder einer anderen Religionsgemeinschaft bezeichnen, noch immer behaupten können, das Wettrüsten und die Weiterverbreitung von Atomwaffen, die beide zur Ausraubung der Armen und der Nackten dieser Welt führen, seien Dinge, die mit dem Bereich des Glaubens nichts zu tun hätten.

Eine solche Einstellung verrät tiefstes Unwissen um den Inhalt des Glaubens. Und sie bedeutet eine neue Bürde für die Propheten des Atomzeitalters: sie müssen nicht nur die Posaune erschallen lassen, um die Bewohner des Planeten Erde vor der drohenden Katastrophe zu warnen, sie müssen sich auch als echte Propheten durchsetzen, als diejenigen, die zu Recht oben auf den Mauern der Stadt stehen.

Betet für die Propheten und betet darum, daß wir schnell ein Abkommen über ein Einfrieren der Atomwaffen erreichen. Mögen unsere Gebete und unsere Bemühungen dazu führen, daß alle Länder beginnen, das Wettrüsten einzustellen und sich zur Lösung von Konflikten zunehmend gewaltloser Mittel bedienen. Laßt uns zu diesem Zweck immer wieder das Weltfriedensgebet sprechen:

Führe mich aus dem Tode zum Leben,
aus der Lüge zur Wahrheit;
Führe mich aus der Verzweiflung zur Hoffnung,
aus der Angst zum Vertrauen;
Führe mich aus dem Haß zur Liebe,
aus dem Krieg zum Frieden.
Laß Frieden unsere Herzen erfüllen,
unsere Welt und unser Universum.

Quelle: Leroy Matthiesen, Do Politics and Religion Overlap?, in: CALC Report, May/June 1982, S. 7.

Dokument 9

Gottes Liebe ist unendlich viel mächtiger als jede Atombombe
Von Raymond Hunthausen

[. . .] Ich lebe in Puget Sound, einem Gebiet, in dem die vielleicht zerstörerischste Waffe der menschlichen Geschichte – das U-Boot- und Raketen-System Trident – gerade installiert werden soll. Das wird nicht in aller Stille geschehen.

Seit nunmehr sieben Jahren gibt es eine Kampagne gegen das Trident-System. Ich habe mich dieser Kampagne angeschlossen, weil ich nicht abseits stehen und dann noch mit dem Anspruch auftreten kann, ich hätte eine frohe Botschaft zu verkünden. Die frohe Botschaft Jesu besagt heute, daß der Atomkrieg mit Mitteln der Gewaltlosigkeit verhindert werden kann. Trident kann aufgehalten werden. Alle Atomwaffen können aufgehalten werden. [. . .]

Im vergangenen Sommer habe ich auf einer öffentlichen Veranstaltung das Trident-System als »das Auschwitz von Puget Sound« bezeichnet. Ich glaube, Gott fordert von uns, das Übel beim Namen zu nennen, das unsere Gesellschaft sich so bereitwillig zu eigen gemacht hat, und dies klar und deutlich zu tun. Trident ist das Auschwitz von Puget Sound wegen der massiven Mitbeteiligung, die von unserer Gegend gefordert wird, der sündhaften Komplizenschaft, die benötigt wird für die eventuelle Auslöschung von Millionen menschlicher Wesen, die unsere Brüder und Schwestern sind.

Ich sage mit tiefer Sorge, daß die atomaren Kriegsvorbereitungen die weltweite Kreuzigung Jesu sind. Was wir dem Geringsten unter diesen Menschen durch unsere Atomwaffenpläne antun, das tun wir Jesus an. Das ist seine Lehre. Wir können uns ihr nicht entziehen, und wir sollten das auch nicht versuchen. Unsere Atomwaffen sind die endgültige Kreuzigung Jesu, weil sie die Menschheitsfamilie auslöschen, mit der er eins ist.

Wenn ich diese Worte ausspreche, dann will ich damit die Verantwortung für diese Kreuzigung nicht auf diejenigen beschränken, die auf dem Trident-Stützpunkt oder im Pentagon arbeiten. Tatsache ist, daß alles, was auf dem Trident-

Stützpunkt und im Pentagon passiert, von euch und von mir finanziert wird, solange wir unsere Einkommensteuer zahlen. [. . .]

Ich glaube zutiefst daran, daß Gottes Liebe unendlich viel mächtiger ist als jede Atombombe, und daß wir bei unserem Bemühen, das Kreuz wiederzuentdecken, an der Schwelle einer Entdeckung stehen, die für die Welt von größerer Tragweite ist als die Entdeckung der Atomenergie. Die Gewaltlosigkeit, Jesu göttlicher Weg des Kreuzes, ist auf ihre Weise die brisanteste Kraft der Geschichte. Sie ist jedoch eine Kraft des Lebens, eine göttliche Kraft des Mitgefühls, die die Menschen dieser Erde vom Tod zum Leben führen kann. Ich lade euch ein, mich auf diesem Wege zu begleiten, zurück zu dieser gewaltlosen Kraft des Lebens und der Liebe im Herzen des Evangeliums, die uns einen Weg aufzeigt, der aus unserem atomaren Grab hinausführt.

Ich glaube, daß wir als Christen, die durchdrungen sind vom Geist des Friedensstiftens, wie der Herr ihn in der Bergpredigt zum Ausdruck gebracht, Wege finden müssen, um unsere Einwände gegen die heutige Konzentration auf eine weitere atomare Aufrüstung hörbar zu machen. Dementsprechend habe ich mich nach vielen Gebeten, langem Nachdenken und persönlichem Ringen entschlossen, 50 Prozent meiner Einkommensteuer einzubehalten, um auf diese Weise gegen die fortwährende Beteiligung unseres Landes am Wettlauf um die Überlegenheit im Bereich der atomaren Waffen zu protestieren. [. . .]

Ich wende mich nicht gegen mein Land. Ich liebe mein Land. Ich habe in einem früheren Hirtenbrief (am 2. Juli 1981) zu diesem Thema bereits erklärt: »Es ist wahr, daß man im Normalfall den Gesetzen des Staates gehorchen muß. In einer ernsten Situation können wir jedoch auf gewisse Gesetze mit friedlichem Ungehorsam reagieren. Es kann sogar Zeiten geben, in denen der Ungehorsam zu einer Gewissenspflicht wird. Die meisten Erwachsenen haben schon einmal Situationen und Zeiten erlebt, in denen dies der Fall war.

So haben Christen in den ersten drei Jahrhunderten den Gesetzen des römischen Reiches nicht gehorcht und sind wegen ihrer Überzeugung in den Tod gegangen. Dabei hatten sie das Recht auf ihrer Seite. In ähnlicher Weise haben einzelne wie Martin Luther King, um auf bestimmte Ungerechtigkeiten aufmerksam zu machen, sich in Demonstrationen engagiert, durch die staatliche Gesetze gebrochen wurden. Der entscheidende Punkt ist, daß das bürgerliche Recht nicht etwas Absolutes ist. Es ist kein Gott, dem man unter allen Umständen gehorchen muß. In gewissen Fällen, wenn Dinge von großer moralischer Bedeutung auf dem Spiel stehen, ist friedlicher Ungehorsam gegenüber einem Gesetz – bei gleichzeitigen Vorkehrungen zur Aufrechterhaltung der Achtung vor der Institution des Gesetzes – nicht nur erlaubt, sondern unter Umständen, wie schon gesagt, eine Gewissenspflicht«. Ich glaube, daß das Problem, um das es gegenwärtig geht, so wichtig ist wie alle anderen zusammengenommen, denen sich die Welt je gegenüber gesehen hat. Die Existenz der gesamten Menschheit steht auf dem Spiel. [. . .]

Ich will mit meinem Verhalten zum Ausdruck bringen, daß ich aus Gewissensgründen eine atomare Aufrüstung nicht unterstützen oder stillschweigend dulden kann, die ich für ein schweres moralisches Übel halte.

Ich sage damit, daß ich keine mögliche Rechtfertigung für die Bereitschaft sehen kann, Atomwaffen einzusetzen, die geeignet sind, die Menschheit, so wie wir sie heute kennen, auszulöschen.

Ich sage damit, daß jeder sich durch gründliches Nachdenken und intensives Beten mit der Frage der Atomrüstung beschäftigen sollte. Meine Worte und mein Verhalten als Steuerverweigerer sollen diejenigen wachrütteln, die eine Fortsetzung des Wettrüstens hinnehmen, ohne darüber nachzudenken. Sie sollen auch diejenigen aufrütteln, die anderer Meinung sind als ich, damit sie einen besseren Weg ausfindig machen als den, den wir zur Zeit beschreiten. Und sie sollen alle ermutigen, nicht die Herstellung von Waffen, sondern die Herstellung des Friedens an die erste Stelle zu setzen.

Ich fordere euch dringend auf, zu beten und zu fasten, zu studieren und zu diskutieren, und dann zu entscheiden, was ihr tun könnt, um das Übel des atomaren Wettrüstens zu bekämpfen. Ich kann euch die Entscheidung nicht abnehmen. Aber ich kann und will euch auffordern, eine Entscheidung zu treffen.

Gott sei mit euch allen. Mit seiner Freude, seinem Frieden und seiner Liebe.

Quelle: Raymond Hunthausen, God's Love is Infinitely More Powerful Than Any Nuclear Weapon, Ansprache des Erzbischofs von Seattle am 29. 1. 1982 an der Universität Notre Dame, Indiana, in: New Times, March 7, 1982, S. 9.

Dokument 10

Die Herausforderung des Friedens:
Gottes Verheißung und unsere Antwort
Entwurf eines Hirtenbriefes der Katholischen Bischofskonferenz der
USA

[. . .]

Wir befinden uns in einer äußersten Krise, denn der Atomkrieg bedroht die Existenz unseres Planeten. Diese Bedrohung ist verheerender als alles, was die Welt je erlebt hat. Es ist weder erträglich noch notwendig, daß wir verdammt sein sollen, unter solchen Bedingungen zu leben. [. . .]

Deshalb wenden wir uns drei Fragen mit besonderer Aufmerksamkeit zu:

1. Krieg gegen die Zivilbevölkerung: Unter gar keinen Umständen dürfen Nuklearwaffen oder andere Massenvernichtungswaffen zu dem Zwecke eingesetzt werden, Bevölkerungszentren oder andere vorwiegend zivile Ziele zu zerstören. Die Päpste haben mehrmals eine solche Anwendung verurteilt. [. . .]

Genauso beunruhigend aber ist ein Problem, das die Natur des modernen Krieges nur allzu sicher erscheinen läßt: Ein Angriff auf militärische Ziele oder industrielle Ziele von militärischer Bedeutung zöge »indirekt«, das heißt unbeabsichtigt, gewaltige Verluste unter der Zivilbevölkerung nach sich. Das Problem wird noch verschärft, wenn die eine oder andere Seite absichtlich militärische Ziele in dichtbevölkerte Gebiete hineinverlegt. [. . .]

Wir sind uns des Streites um diese Probleme bewußt. Gleichwohl fühlen wir uns aus Gründen der praktischen Moral verpflichtet, unseren Widerstand gegen eine Strategie anzumelden, die Angriffe auf Ziele in der Nähe dichtbesiedelter Wohngebiete einschließt. In diesem Fall ist das moralische Prinzip unzweideutig: Der Schaden, der dem menschlichen Leben zugefügt würde, stünde in keinem Verhältnis zu den militärischen Zielen. Wir halten es für sehr wichtig, diesen Grundsatz der praktischen Moral vorzutragen, weil neuerdings in politischen Vorschlägen versucht wird, Angriffe auf militärisch wichtige Industrieziele in bevölkerten Gebieten zu rechtfertigen.

Wir verurteilen außerdem Vergeltungsschläge, die viele unschuldige Leben fordern würden, Leben von Menschen, die in keiner Weise für die leichtsinnigen Handlungen ihrer Regierungen verantwortlich sind. Diese Verurteilung gilt insbesondere auch für den Einsatz von Vergeltungswaffen gegen Städte des Feindes, nachdem unsere eigenen Städte angegriffen worden sind. Vergeltung unter diesen Umständen hätte keinen rationalen oder moralischen Grund und könnte nur als Racheakt angesehen werden. Kein Christ darf Befehle oder Strategien ausführen, welche die Tötung von Nichtkombattanten vorsehen.

2. *Entfesselung eines Atomkrieges:* Wir können uns keine Situation vorstellen, in welcher die vorsätzliche Entfesselung eines Atomkrieges – wie begrenzt auch immer – moralisch zu rechtfertigen wäre. Nicht-nukleare Angriffe eines anderen Staates müssen mit anderen als nuklearen Waffen abgewehrt werden. [. . .]

3. *Begrenzter Atomkrieg:* Man könnte unseren beiden ersten Ergebnissen zustimmen und wäre sich doch nicht sicher, daß Nuklearwaffen zur Vergeltung eingesetzt würden, zu dem, was man einen »begrenzten Schlagabtausch« nennt. Die technische Intelligenz und die Schriften der Moralisten sind hierüber geteilter Meinung. Aber es geht uns nicht um die *theoretische,* sondern um die *tatsächliche* Möglichkeit eines »begrenzten nuklearen Schlagabtauschs«. [. . .]

Wir versuchen nicht, über die technische Debatte zu urteilen. Wir nehmen sie zur Kenntnis und wollen eine Reihe von Fragen stellen, um die aktuelle Bedeutung des Wortes »begrenzt« in dieser Diskussion zu ergründen:

* Würden die Politiker ausreichend informiert sein, um zu wissen, was bei einem nuklearen Schlagabtausch vor sich geht?

* Wären sie unter solchem Streß, solchem Zeitdruck und bei nur bruchstückhaften Nachrichten in der Lage, außerordentlich präzise Entscheidungen zu treffen, um den Schlagabtausch begrenzt zu halten, wenn dies technisch möglich wäre?

* Wären die Kommandeure in der Lage, inmitten der Zerstörung und Konfusion bei einem nuklearen Schlagabtausch ein Konzept der »unterscheidenden Zielansprache« durchzuhalten? Geht dies überhaupt in einem modernen Krieg, der über große Entfernungen hinweg mit Flugzeugen und Raketen geführt wird?

* In Kenntnis der Unfälle, die sich schon in Friedenszeiten ereignen, fragen wir uns: Welche Sicherheiten haben wir, daß Computerfehler während eines nuklearen Schlagabtausches verhindert werden können?

* Würde nicht die Zahl der Opfer, selbst in einem Krieg, den die Strategen »begrenzt« nennen, in Millionenhöhe liegen?

* Wie »begrenzt« wären die Langzeitfolgen der Verstrahlung, der Hungersnöte, der sozialen Zersplitterung und der wirtschaftlichen Zergliederung?

Dieses Bündel von Fragen macht uns skeptisch über die wirkliche Bedeutung des Wortes »begrenzt«.

Angesichts dieser beängstigenden und höchst spekulativ geführten Debatte über eine Angelegenheit, die Millionen von Menschenleben betrifft, glauben wir: Der wirksamste Beitrag zur moralischen Bewertung wären Kategorien, die es erlaubten, die empirische Debatte zu beurteilen. Moralische Kategorien dürften nicht nur die quantitativen Dimensionen einer Frage ansprechen, sondern auch deren psychologische, menschliche und religiöse Merkmale. Das Thema »begrenzter Krieg« läßt sich nicht einfach auf die Dimension der Waffen und der strategischen Planung reduzieren. Die Debatte müßte die psychologische und politische Bedeutung einschließen, die eine Überschreitung der Grenze vom konventionellen zum nuklearen Krieg in jeglicher Form haben würde. Die nukleare Grenzscheide überschreiten hieße, in eine Welt eintreten, in der wir keine Erfahrung mit der Kontrolle haben. Viel spricht dagegen, daß eine Kontrolle möglich wäre. Es gibt keine Rechtfertigung, die menschliche Gemeinschaft diesem Risiko auszusetzen. [. . .]

Überdies widersprechen einige Elemente der Abschreckungsstrategie wesentlichen Prinzipien der katholischen Theologie. Für uns gilt als bewiesen, daß Abschreckung nur annehmbar ist, wenn zugleich alles unternommen wird, aus dieser moralisch angeschlagenen und politisch gefährlichen Situation herauszukommen: Man hat uns zu Recht darauf hingewiesen, daß selbst eine nuancierte, an Bedingungen geknüpfte Zustimmung zur Abschreckungsstrategie in einem Hirtenbrief wie diesem unzulässigerweise benutzt werden könnte, um die Politik erhöhter Rüstungsproduktion zu unterstützen.

Das moralische Urteil in unserer Erklärung lautet: Nicht nur der Gebrauch strategischer Atomwaffen, schon die erklärte Absicht, sie im Rahmen einer Abschreckungsstrategie zu gebrauchen, ist falsch. Dies erklärt die Unzufriedenheit der Katholiken mit der nuklearen Abschreckung. Dies erklärt die dringliche katholische Forderung, das nukleare Wettrüsten umzudrehen. Es ist von größter Wichtigkeit, daß die Verhandlungen über eine sinnvolle und fortgesetzte Verringerung der nuklearen Waffenlager weitergehen, Verhandlungen womöglich auch über einen völligen Verzicht auf nukleare Abschreckung und gegenseitige gesicherte Zerstörung. [. . .]

Angesichts dieser allgemeinen Prinzipien widersetzen wir uns einigen Zielen unserer gegenwärtigen Abschreckungspolitik:

1. Wir sind gegen neue Waffen, die wahrscheinlich zum Angriff einladen und darum dem Gedanken Vorschub leisten, die Vereinigten Staaten strebten eine Erstschlagkapazität an (»Hard-target kill« = Waffen zur Zerstörung geschützter gegnerischer Anlagen); die MX-Rakete würde unter diese Kategorie fallen.

2. Wir sind gegen die Bereitschaft, eine strategische Planung zu unterstützen, die einen Atomkrieg führbar zu machen sucht.

3. Wir sind gegen Vorschläge, die im Endeffekt die Atomschwelle senken und den Unterschied zwischen nuklearen und konventionellen Waffen verwischen könnten. [. . .]

Wir empfehlen dagegen die Unterstützung für:

1. unverzügliche, beidseitige, überprüfbare Vereinbarungen, um die Erprobung, Produktion und Stationierung neuer strategischer Waffensysteme zu stoppen;

2. eine ausgehandelte, einschneidende Verringerung der Arsenale beider Supermächte, besonders bei jenen Waffensystemen, die destabilisierende Eigenschaften haben;

3. ein umfassendes Teststoppabkommen;

4. den Abzug aller Nuklearwaffen aus Grenzgebieten durch alle Parteien und eine Straffung der Befehlsstruktur und der Kontrolle bei taktischen Atomwaffen, um deren versehentlichen und unerlaubten Gebrauch zu verhindern. [. . .]

Die Gefahren des modernen Krieges sind besonderer Art und offensichtlich; also muß auch unsere Lehre über die Notwendigkeit des Friedens besonderer Art sein. Angesichts der andauernden Eskalation des Rüstungswettlaufs muß die Kontrolle und schließlich die Beseitigung der nuklearen und der anderen Waffen in verschiedenen Richtungen vorangehen.

Beschleunigte Bemühungen um die Rüstungskontrolle, die Rüstungsverringerung und die Abrüstung:

Wir halten Vereinbarungen zwischen den Großmächten, besonders zwischen den Vereinigten Staaten und der Sowjetunion, für unbedingt notwendig. Die Abrüstung muß aus einer Reihe von überprüfbaren Vereinbarungen vor allem zwischen den beiden Supermächten bestehen. Wir plädieren nicht für eine Politik einseitiger Abrüstung, aber wir meinen, daß die dringende Notwendigkeit zur Kontrolle des Rüstungswettlaufs von jeder Seite die Bereitschaft verlangt, einige erste Schritte zu unternehmen. [. . .];Sollte eine entsprechende Antwort ausbleiben, wären die Vereinigten Staaten nicht länger an ihre Schritte gebunden.

Unser Land hat früher schon zugunsten der Freiheit und der menschlichen Werte kalkulierte Risiken auf sich genommen. Auch heute werden bestimmte Risiken verlangt, um die Welt aus den Fesseln der nuklearen Abschreckung und vom Risiko des nuklearen Krieges zu befreien. Beispielsweise könnten die Vereinigten Staaten auf die Stationierung von Waffen verzichten, die hauptsächlich für einen Erstschlag verwendbar wären. [. . .]

Das Verhältnis von nuklearer und konventioneller Verteidigung: [. . .]

Keineswegs möchten wir beitragen zu einer Doktrin nach der Art, »die Welt für den konventionellen Krieg sicher machen«; sie würde ihre eigenen Schrecken produzieren. Jedoch könnte man sich wohl vorstellen, daß eine gewisse Verstärkung der konventionellen Verteidigung ein angemessener Preis wäre, falls dies in der Tat die Wahrscheinlichkeit eines Nuklearkrieges verringern würde. Dennoch müssen wir uns mit aller Kraft wieder ins Bewußtsein rufen, daß es nicht nur darum geht, den Nuklearkrieg zu verhindern, sondern den Krieg überhaupt, diese Geißel der Menschheit. Die Geschichte hat gezeigt, daß schon die Spirale der konventionellen Rüstung und das ungezügelte fortgesetzte Wachstum der Streitkräfte eher den Krieg provoziert, als den wahren Frieden sichert. [. . .]

Aufruf und Erwartung

Wir sprechen hier in besonderer Weise zur Gemeinschaft der Katholiken. [. . .]

An die Männer und Frauen beim Militär: Millionen von euch leisten als Katholiken in den Streitkräften Wehrdienst. [. . .] Alle jene, die Verantwortung tragen und in der Befehlskette stehen, erinnern wir daran, daß ihre Ausbildungs- und Felddienstvorschriften gewisse Arten der Kriegführung immer verboten haben und noch verbieten, insbesondere Handlungen, die Leid über unschuldige Zivilisten bringen. [. . .] Wir haben uns in diesem Dokument klar gegen den vorsätzlichen Gebrauch von Waffen gegen die Zivilbevölkerung ausgesprochen. Katholische Militärpersonen müssen diese Verbote befolgen. [. . .]

An die Männer und Frauen in der Rüstungsindustrie: Auch ihr müßt euch mit bestimmten Fragen auseinandersetzen, denn eure Industrie produziert viele jener Waffen von massiver und rücksichtsloser Zerstörungskraft, die uns in diesem Brief Sorge bereiten. Wir haben schon die Drohung, solche Waffen zu benutzen, als unmoralisch beurteilt. [. . .]

Alle Katholiken in der Waffenindustrie sollten ihre Tätigkeit laufend überprüfen, indem sie ihr Gewissen mit den wichtigsten Prinzipien dieses Hirtenbriefes in Einklang bringen. Jene, die nach ihrem Gewissen entscheiden, ihren Arbeitsplatz zu wechseln, sollten von der Gemeinschaft der Katholiken unterstützt werden. Wir erkennen, daß sich auf diesem komplizierten Gebiet verschiedenartige Gewissensentscheidungen und verschiedenartige Menschen gegenüberstehen werden; als Morallehrer versuchen wir für all jene dazusein, die mit diesen heiklen Fragen fachlicher und beruflicher Entscheidung kämpfen. [. . .]

An die Katholiken als Staatsbürger: [. . .] In einer Demokratie entsprechen einander die Verantwortlichkeit der Nation und jene ihrer Bürger. Nun werfen die Nuklearwaffen besonders dringliche Gewissensfragen für die amerikanischen Katholiken auf. Als Staatsbürger wollen wir unsere Loyalität zu unserem Land und seinen Idealen beteuern, doch wir müssen auch die universalen Grundsätze vertreten, welche die Kirche verkündet.

Auch wenn andere Länder Nuklearwaffen besitzen, dürfen wir doch nicht vergessen, daß die Vereinigten Staaten das erste Land waren, das sie baute und zum Einsatz brachte. Wie die Sowjetunion besitzt dieses Land nun so viele Waffen, daß es den Fortbestand der Zivilisation gefährdet.

Die Amerikaner haben ihren Anteil an der Verantwortung für die gegenwärtigen Verhältnisse und können sich nicht der Verantwortung entziehen, eine Lösung zu versuchen. [. . .]

Quelle: Committee on War and Peace of the National Conference of Catholic Bishops (Archbishop Joseph L. Bernardin, Chairman), Pastoral Letter on Peace und War (Draft Proposal), o.O., November 1982, lt. Die Zeit, Nr. 46, 12. 11. 1982, S. 17–20.

Teil 7

Ziviler Ungehorsam

»*Stop the Bomb where it starts*« – »Stoppt die Bombe an ihrem Ursprungsort« – gehört zu den wichtigsten Losungen jener Friedensgruppen, die das Schwergewicht ihrer Arbeit auf den zivilen Ungehorsam legen. Beispiele dieser Aktionsformen sind die Blockade des *Lawrence Livermore Forschungszentrums* (Dok. 1, 2), das zusammen mit Los Alamos in New Mexico die gesamte Forschungs- und Entwicklungsarbeit nuklearer Waffensysteme abwickelt, und die *Blockade der Botschaften* aller Nuklearstaaten während der New Yorker Demonstration am 12. 6. 1982 (Dok. 3): 1600 Demonstranten wurden bei dieser öffentlichkeitswirksamen Aktion verhaftet.

Traditionell werden ziviler Ungehorsam und gewaltfreier Widerstand in den USA nicht allein als politische Aktionsform, sondern auch als *Lebensphilosophie* verstanden. Viele politische Gruppen leben und arbeiten auf Grundlage dieses Prinzips zusammen; psychologische Selbstreflexion (über individuelle Gewalttätigkeit, Sexismus und Rassismus) wird als Teil der politischen Praxis verstanden. Auch soll die volle persönliche Verantwortung für die politischen Aktionen übernommen werden: im Kampf gegen nukleare Vernichtung müsse jeder einzelne persönlich »haften«. Die 1976 gegründete *Pacific Life Community* hält sich strikt an diese Prinzipien (vgl. Teil 2, Dok. 5, 6); sie arbeitet hauptsächlich gegen Trident-Raketen und -Unterseeboote. Wegen des völkerrechtsverletzenden Charakters solcher Erstschlagswaffen ruft die Gruppe dazu auf, staatliche Gesetze als illegitim und unmoralisch zu brechen. Bei der Verhinderung von Atomkriegen gehe es um höhere Werte und Verpflichtungen als um juristisch kodifizierte politische Normen.

Ähnlich argumentiert die *Atlantic Life Community*, ein lokaler Zusammenschluß mehrerer Gruppen an der Ostküste. Ihre Aktionen richten sich hauptsächlich gegen nukleare Forschungslaboratorien und Produktionszentren von Waffensystemen wie Trident (General Electric in Philadelphia, Electric Boat Facility von General Electric in Groton, Connecticut, United Technologies und General Dynamics in Connecticut). Neben den typischen symbolischen Handlungen (Verstreuen von Asche, Verspritzen eigenen Blutes, Mahnwachen) kommt es immer wieder zu sog. »direkten Aktionen« (Dok. 4–6); zu den aufsehenerregendsten gehörte zweifellos das Zerstören von MARK-12-A-Sprengköpfen bei General Electric durch die zur »Atlantic Life Community« zählende Gruppe der »Ploughshare 8«.

Die *»Kontrollzentren der Kriegsmaschine«* wie das Weiße Haus, das Energieministerium und das Pentagon sind immer wieder Schauplätze des Protestes. Eine sehr wirksame Aktion der letzten Jahre war die

»Wormen's Pentagon Action« (Dok. 7), mit der Frauen alljährlich auf die gesellschaftlichen und friedensgefährdenden Auswirkungen des Militarismus aufmerksam machen.

Hierzulande weniger bekannt, aber seit dem Vietnam-Krieg in den USA weitverbreitet, ist die *Steuerverweigerung* (Dok. 8, 9). Ausgehend von der Tatsache, daß 65% (!) jedes Steuerdollars in die Finanzierung vergangener, gegenwärtiger und künftiger Kriege gehen, verweigerten 1981 über 3000 Steuerzahler entweder den Bundesanteil an der Telefonrechnung, einen bestimmten Prozentsatz der Einkommensteuer oder zahlten überhaupt keine direkten Steuern mehr. Eine Minderheit verzichtet bewußt auf ein Einkommen jenseits der besteuerbaren Grenze. In der Regel zahlen die Verweigerer den fälligen Steuerbetrag an »alternative Fonds«, mit deren Hilfe soziale Projekte finanziert werden.

Der Widerstand gegen *Wehrerfassung* und *Wehrdienst* (Dok. 10) gehört zu den bekanntesten Formen zivilen Ungehorsams. Ende der 60er Jahre verweigerten schätzungsweise eine Million junger Amerikaner die Registrierung, es kam zu zahlreichen Massendemonstrationen, Wehrpässe wurden öffentlich verbrannt und die Akten zahlreicher Erfassungsbehörden (Selective Service) zerstört. Daraufhin wurde 1972 eine Freiwilligenarmee eingeführt und 1975 auch die Wehrerfassung abgeschafft – bis Jimmy Carter im Frühjahr 1980 (u. a. zur Rekrutierung der Schnellen Eingreiftruppe) einen neuerlichen Vorstoß unternahm. Im Juni 1982 verweigerten noch immer 500 000 der 18–22jährigen (7% der Altersgruppe) die Registrierung. Da es in den USA keine Einwohnermeldepflicht gibt, können die Behörden in der Regel nur einen Bruchteil der Verweigerer ermitteln. Die Reagan-Regierung überlegt daher augenblicklich, »Schauprozesse« mit abschreckender Wirkung gegen einzelne durchzuführen. Der Widerstand wird hauptsächlich getragen von der War Resisters League, dem National Resistance Committee (mit Sitz in San Francisco), CARD (Committee against Registration and the Draft mit Sitz in Washington, D.C.) und der Mobilization against the Draft.

Eng verbunden mit der Frage des Wehrdienstes sind der *Widerstand* gegen *amerikanischen Interventionismus* in der Dritten Welt und die Forderung nach einer »neuen Außenpolitik« (Dok. 11–14). Die Solidaritätsarbeit mit El Salvador fand dabei besonderen Anklang.

Dokumente

1. Vier Beispiele »direkter Aktion«

a) »Livermore Nevermore«

Dokument 1

Blockiert Livermore!
Von Maureen Davis

[. . .] Die Blockade wurde organisiert von der »Livermore Action Group«, einem Bündnis zahlreicher Anti-Kernkraft- und Friedensgruppen, und sollte die öffentliche Aufmerksamkeit auf das Laboratorium lenken, wobei drei spezielle Ziele verfolgt wurden: Mit den Arbeitern des Labors sollte ein offenes Gespräch begonnen, die Freeze-Kampagne sollte unterstützt und die Bemühungen um die Konversion des Labors auf friedliche Zwecke sollten gefordert werden.

Am Morgen der Blockade versammelten sich 500 Demonstranten kurz vor Tagesanbruch vor den vier Toren des Labors. Als die ersten Autos der Arbeiter eintrafen, setzten sich die Teilnehmer der Protestaktion – sämtlich ausgebildet im gewaltlosen zivilen Ungehorsam – ruhig auf die Straße. Wie schon bei der Blokkade des Diablo Canyon hatte man vorher »Verbindungsgruppen« gebildet, um den an der gemeinsamen Blockade Beteiligten die Chance zu geben, sich kennenzulernen und gegenseitiges Vertrauen zu entwickeln.

Viele der Teilnehmer aus meiner nur aus Frauen bestehenden Verbindungsgruppe wurden zusammen am Südwesttor festgenommen. Sie setzten sich vor den Autos der Arbeiter auf den Boden, fünf oder sechs in einer Reihe, reichten sich die Hände und sangen dann und wann. Die Polizisten der Universität von Kalifornien drohten ihnen mit sofortiger Festnahme und trugen dann die regungslos in passivem Widerstand verharrenden Demonstrantinnen in einen wartenden Polizeibus. Immer mehr Teilnehmerinnen wurden festgenommen.

Mittlerweile diskutierten Anhänger der Kampagne mit Arbeitern, die zu Fuß oder mit dem Fahrrad eintrafen, und verteilten einen von der Aktionsgruppe verfaßten »Offenen Brief an die Arbeitnehmer des Livermore-Laboratoriums«. Die Belegschaft wurde darin gebeten, über Fragen nachzudenken, die mit den im Labor entwickelten und für einen Erstschlag geeigneten Waffen zusammenhängen; außerdem wurde darin die Meinung der Aktionsgruppe dargestellt.

Vor dem nächsten Tor hatten sich buddhistische Mönche aus Japan versammelt, die dort ihre Trommeln schlugen und Texte rezitierten. Sie waren Teilnehmer des »Weltmarsches für einen atomwaffenfreien Pazifik«, der im vergangenen Jahr in Hiroshima und Nagasaki begann und anläßlich der UN-Sondersitzung zur Abrüstung in New York beendet wird. Am Straßenrand neben ihnen standen weitere Befürworter der Blockade mit ihren Transparenten.

Die letzte Gruppe von Demonstrationsteilnehmern setzte sich auf die Straße und blockierte das Auto, das als nächstes hineinzufahren versuchte. An diesem Tor verdrehte die Polizei von Livermore (eine andere Polizeitruppe) den Demonstranten, die bei der Festnahme passiven Widerstand leisteten, die Handgelenke derart schmerzhaft, daß sie gezwungen waren, aufzustehen und selbst zu gehen. Die festgenommenen siebzig Frauen und vierundneunzig Männer (einige Jugendliche wurden wieder freigelassen) wurden schließlich zum Bezirksgefängnis gefahren und bis zur Verurteilung in Haft genommen.

Bei der Solidaritätsveranstaltung am gleichen Abend gab es weitere Neuigkeiten: Dreißig von den Frauen im Gefängnis hatten einen Hungerstreik begonnen, um dagegen zu protestieren, daß so viel Geld für Atomwaffen verschwendet wird. Eine Gruppe von Demonstranten hatte in zwei Tagen eine Strecke von rund 65 Kilometer zu Fuß zurückgelegt, um das Labor zu erreichen, und hatte in einer Kirche übernachtet. Nach einem Gespräch mit ihnen hatte sich der Gemeindepfarrer der Blockade angeschlossen und war festgenommen worden. Eine im Labor beschäftigte Studentin hatte sich der Blockade angeschlossen und war ebenfalls festgenommen worden. Sie erklärte, sie sei sich über die weitreichenden Folgen der Arbeit an den im Labor entwickelten Waffen erst durch Gespräche mit den Demonstranten klargeworden.

Solidarität vor Gericht

Am folgenden Tag sollten die Teilnehmer an der Blockade verurteilt werden. Sie erklärten, sie würden nur dann im Gerichtssaal erscheinen, wenn man sie gemeinsam verurteile. Solidarität wurde großgeschrieben: Die Inhaftierten forderten gleiche Behandlung für Ersttäter und Vorbestrafte; man beschloß, keine Bußgelder oder Kautionen zu akzeptieren, da sie diskriminierend seien; außerdem sollte keine Verurteilung auf Bewährung angenommen werden, da viele entschlossen waren, sich weiterhin an den Blockaden zu beteiligen. Diese Beschlüsse waren unter allgemeiner Zustimmung vorher bei der Planung der Blockade gefaßt worden.

Der Richter beschloß nach einer Besprechung mit unserem Anwaltskollektiv, allen Anträgen zu entsprechen, und es kam zu einer gemeinsamen Verhandlung in der Turnhalle des Gefängnisses. Es wurde Anklage wegen »öffentlicher Behinderung« erhoben; die Höchststrafe dafür beträgt sechs Monate Freiheitsentzug oder 500 Dollar Geldstrafe. Die Angeklagten wurden verurteilt zu sieben Tagen Sozialdienst oder fünf weiteren Tagen Gefängnis oder 210 Dollar Geldstrafe. Die meisten entschieden sich für Sozialdienst; 30 Frauen beschlossen jedoch, ins Gefängnis zu gehen. Sie erklärten, sie hätten ihren Dienst an der Gemeinschaft bereits durch die Blockade geleistet.

Als ich San Francisco verließ, hatte die »Livermore Action Group« bereits mit der Planung ihrer nächsten Aktion begonnen, einer weiteren Blockade, die wahrscheinlich noch mehr Unterstützung finden wird als die letzte. Die Mitglieder der Gruppe haben mich gebeten, der europäischen Friedensbewegung solidarische Grüße zu überbringen. In ihrer Erklärung vor Gericht hatten sie es so formuliert: »Wir sind bei weitem nicht die einzigen, die etwas gegen das atomare Wettrüsten unternehmen. Wir schließen uns den Millionen europäischer Friedensdemonstranten an, [. . .] die sich entschlossen haben, etwas für den Frieden zu riskieren, statt sich mit dem Risiko eines Krieges abzufinden.«

Quelle: Maureen Davis, Livermore Nevermore, in: Peace News, April 16, 1982, S. 11.

Dokument 2

Erklärung aus dem Gefängnis – Das Friedensfasten

Eine Gruppe von 30 Frauen (und eine nicht bekannte Anzahl von Männern), die festgenommen wurden, weil sie am 1. Februar die Eingänge zum Lawrence-Livermore-Laboratorium blockiert hatten, verweigern im Gefängnis von Santa Rita jede Nahrungsaufnahme.

Dieses Fasten bringt unsere tiefe Bestürzung darüber zum Ausdruck, daß das atomare Wettrüsten riesige Mittel in Anspruch nimmt, die dadurch für die dringenden Bedürfnisse der Bevölkerung nicht mehr zur Verfügung stehen.

540 Milliarden Dollar jährlich werden weltweit für das Wettrüsten ausgegeben. Die Weltgesundheitsorganisation schätzt, daß 15 Milliarden Dollar pro Jahr bereits ausreichen würden, um jeden Hungernden auf der Erde ausreichend mit Nahrung zu versorgen. Eine zweiwöchige Unterbrechung des Wettrüstens könnte daher alle hungernden Menschen der Welt ein Jahr lang ernähren. Wir halten diese Vergeudung menschlichen Potentials für erschreckend und unannehmbar.

Mit jedem weiteren Tag wächst die Notwendigkeit, die weltweiten Probleme des Hungers und der Rüstungseskalation zu lösen. Beispiellose technische Fortschritte der letzten Zeit bedrohen unseren Planeten mit unmittelbarer Vernichtung. Die Stationierung erstschlagfähiger und nicht verifizierbarer Waffen – die zur Zeit im Livermore-Laboratorium entwickelt werden – im Laufe der nächsten zwei Jahre würde die Aussichten auf sinnvolle Verhandlungen über Rüstungskontrolle und Rüstungsabbau erheblich verringern. Wir fasten, um deutlichzumachen, wie schwerwiegend diese Bedrohung für das Überleben der Menschheit ist, und um zu einer Neuordnung der Prioritäten aufzurufen, auf denen diese finanziellen und politischen Entscheidungen basieren.

Quelle: Statement from Jail – The Peace Fast, Flugblatt der Livermore Action Group, Berkeley, California, 2. 2. 1982.

b) Blockiert die Bombenfabrikanten

Dokument 3

Blockiert die Bombenbauer!

*Am Montag, dem 14. Juni, werden die UN-Vertretungen der USA, der Sowjet-
union, Chinas, Großbritanniens und Frankreichs gewaltlos blockiert werden.
Wir gehen zu diesen fünf UN-Vertretungen, weil diese Länder die größten
Atommächte sind und weil sie als ständige Mitglieder dem UN-Sicherheitsrat angehören.*

Warum ziviler Ungehorsam?

Jede Bewegung, die das Wettrüsten aufhalten und die Abrüstung erreichen will,
muß bereit sein, eine Vielzahl von Taktiken anzuwenden. Ziviler Ungehorsam
ist eine von diesen Taktiken. Wichtiger ist jedoch, daß wir durch zivilen Ungehorsam unser entschiedenes Engagement für die Abrüstung *dramatisieren* können. Eine Bewegung, die ernsthaft einen grundlegenden Wandel herbeiführen
will, muß auch bereit sein, Risiken auf sich zu nehmen. Die geringfügigen Risiken jedoch, die mit unserer Festnahme und eventuellen Inhaftierung verbunden
sind, sind um ein Vielfaches geringer als jene Risiken, die sich ergeben, wenn man
es zuläßt, daß das Wettrüsten fortgesetzt wird. [. . .]

Im Laufe der Jahre hat es Tausende von internationalen Abrüstungskonferen-
zen gegeben. Viele von uns haben zahllose Aufrufe verfaßt, Petitionen eingereicht, Kundgebungen besucht, an Demonstrationen teilgenommen, auf Konferenzen gesprochen, Streik- und Boykottaktionen unterstützt, Briefe geschrieben
– und das alles jahrzehntelang. Und doch ist keine einzige Bombe abgeschafft
worden (ohne daß gleich mehrere »verbesserte« an ihre Stelle getreten sind). Be-
stenfalls hören wir beschwichtigende Worte von denen, die diese Massenvernichtungswaffen kontrollieren und uns erzählen, wie sehr uns diese Bomben dadurch schützen, daß sie einen Krieg verhindern. Normalerweise werden unsere
Einwände jedoch ignoriert.

Länder werden nie abrüsten, wenn sie nicht dazu gezwungen werden von Bürgern, die sich nicht mehr damit zufriedengeben, untätig herumzusitzen. Wir unternehmen Aktionen des zivilen Ungehorsams, weil, wie Martin Luther King es
in seinem Brief aus dem Gefängnis von Birmingham ausgedrückt hat, *»die gewaltlose direkte Aktion versucht, eine Krise herbeizuführen und eine solche
Spannung zu schaffen, daß eine Institution, die sich ständig geweigert hat zu verhandeln, gezwungen ist, sich mit dem Problem auseinanderzusetzen. Gewaltlose
direkte Aktion sucht das Problem so zu dramatisieren, daß es nicht mehr ignoriert
werden kann.«*

Wir müssen mehr tun als nur an die Vernunft appellieren. Es ist an der Zeit,
daß wir unseren Einsatz im Kampf gegen das Wettrüsten erhöhen und stärkeren
Druck auf diejenigen ausüben, die die Existenz von Atomwaffen *an sich* rechtfertigen. Weitere Entschuldigungen, Rechtfertigungen, Verzerrungen und Lügen

werden wir nicht länger passiv hinnehmen. Wir wollen den »üblichen Gang der Diplomatie« durch direkte Massenaktionen des zivilen Ungehorsams stören. Auf diese Weise können die Regierungen unsere Anwesenheit und unsere Forderungen nicht länger ignorieren.

Warum diese fünf diplomatischen Vertretungen?
Wir wissen, daß auch andere Länder atomare Waffen hergestellt haben oder über die Mittel dazu verfügen. Aus folgenden Gründen gehen wir jedoch zu diesen fünf diplomatischen Vertretungen:

– Die *Vereinigten Staaten* besitzen mehr Atomwaffen als der Rest der Welt zusammen, und sie haben mit dem Abwurf von Atombomben auf Hiroshima und Nagasaki das atomare Wettrüsten einseitig begonnen. Die USA exportieren Nukleartechnologie weltweit in größtem Umfange und sind verantwortlich für etwa die Hälfte aller internationalen Waffenverkäufe. Die Regierung Reagan hat die Gesamtausgaben für militärische Zwecke auf Kosten sozialer Programme noch weiter erhöht.

– Die *Sowjetunion* hat im Hinblick auf ihre Atomwaffenkapazität, die Höhe ihrer Rüstungsausgaben und ihre militärische Gesamtstärke nahezu Gleichstand mit den USA erreicht. Sie war das erste Land, das die Interkontinentalrakete (ICBM) und die Antirakete (ABM) entwickelte und wird beim Waffenhandel nur von den USA übertroffen.

– Als mit Abstand drittes Land nach den USA und der UdSSR verfügt *China* über die Möglichkeit, die Sowjetunion zu zerstören, und hat eine Unterzeichnung des Vertrages über die Nichtweiterverbreitung von Atomwaffen abgelehnt. Außerdem führt China auch weiterhin Atomwaffentests in der Atmosphäre durch.

– *Frankreich* setzt seine Versuche im Pazifik trotz stärkster internationaler Proteste fort und entwickelt neue Waffen wie zum Beispiel die Neutronenbombe. Frankreich verfolgt im eigenen Land ein umfangreiches Kernenergieprogramm und exportiert Reaktoren, weigert sich jedoch gleichzeitig, den Vertrag über die Nichtweiterverbreitung von Atomwaffen zu unterzeichnen.

– *Großbritannien* verfügt seit den 50er Jahren über eine beträchtliche Atomwaffenkapazität. Das Interesse Großbritanniens am Erwerb eines Trident-Unterseebootes zusätzlich zu sonstiger militärischer Ausrüstung macht deutlich, daß es mit dem Status quo nicht zufrieden ist.
[. . .]

Angesichts der Tatsache, daß die Völker der Welt sich den Luxus nicht länger leisten können, endlos darüber zu diskutieren, wie oder wann das Wettrüsten eingestellt werden soll, und daß die Abrüstung jetzt von bloßen Gesprächen zu praktischem Handeln übergehen muß, werden wir am 14. Juni fordern, daß jedes Land

– einseitig abrüstet und dabei mit den Atomwaffen beginnt;

– Kernreaktoren stillegt und dadurch die Weiterverbreitung von Atomwaffen unterbindet;

234

– finanzielle Mittel dem Rüstungssektor entzieht und für soziale Zwecke zur Verfügung stellt;
– auf jede militärische Einmischung in die Angelegenheiten anderer Länder verzichtet;
– auf der UN-Sondersitzung zur Abrüstung
eine wichtige Sofortmaßnahme zur Abrüstung ankündigt und
einen Plan für den Abbau atomarer Waffen und zur Beseitigung des Atommülls vorlegt.

Quelle: Blockade the Bombmakers, Flugblatt der June 14 CD Campaign, New York 1982.

c) »Schwerter zu Pflugscharen!«

Dokument 4

Die Aktion in King of Prussia
Von Anne Montgomery

Wir hatten schon Monate vorher über die Aktion gesprochen, hatten jedoch nicht herausfinden können, wohin genau wir gehen sollten, wenn wir erst einmal in das Werk von General Electric in King of Prussia gelangt wären. Der Mark 12A (atomarer Mehrfachsprengkopf für Interkontinentalraketen – d. Hrsg.) wird in diesem Werk von General Electric hergestellt, und wenn er auf eine Rakete montiert wird, dann hat er die neunzigfache Sprengkraft der Hiroshima-Bombe, und wenn man bedenkt, was in Hiroshima passiert ist, dann ist es geradezu unvorstellbar, was diese Waffe anrichten kann. Also war es unser Wunsch, unser großer Wunsch, aus dieser Rakete eine Pflugschar zu machen oder irgend etwas Ähnliches, ein Symbol des Friedens, und wirklich Hand an diesen Sprengkopf zu legen. Wir wußten nicht, wo in dem Werk sie zu finden waren, obwohl wir versucht hatten, das herauszufinden. An jenem Wochenende, bevor wir uns für drei Tage gemeinsam zur Einkehr zurückzogen, kam der Moment, an dem wir uns entscheiden mußten, ob wir weitermachen wollten. Und ich glaube, dieser Augenblick war eine große Gnade, weil wir weitermachen mußten trotz aller damit verbundenen Risiken und der Aussicht, vielleicht nichts zu erreichen – und ins Gefängnis zu kommen, ohne unser Ziel erreicht zu haben.

Wir übten im Rollenspiel, was wir tun wollten. Und ich glaube, das Bemerkenswerteste war, daß sich die Aktion schließlich genauso entwickelte wie das Rollenspiel. Wir taten wirklich, was zu tun wir geplant hatten.

Carl Kabat und ich hatten abgemacht, wir würden versuchen, den Wachmann an der Tür für mindestens eine oder zwei Minuten abzulenken, so daß die übrigen hineingehen könnten, und daß wir ihnen dann folgen würden, wenn das möglich wäre. Als wir morgens um Viertel vor sieben aus den Autos stiegen, ging ich zum Eingang, schüttelte dem Wachmann die Hand, der an seinem Tisch die Zeitung las, und stellte mich vor und versuchte, ihm auch Carl vorzustellen. In diesem Augenblick sah der Wachmann, daß andere Leute das Werk betreten wollten, und sagte irgend etwas wie »Sie dürfen da nicht reingehen«. Dann versuchte ich, die Hand auf das Telefon zu legen und ihm zu sagen, er brauche die Sicherheitsbeauftragten nicht anzurufen, da die Leute das Werk in friedlicher Absicht betreten würden. Aber natürlich tat er es doch. Da er seine Arme um Carl geschlungen hatte, ging ich um sie herum und schloß mich meinen Brüdern und meiner Schwester auf dem Weg ins Werk an. Wir gingen zwei kurze Korridore hinunter und erreichten einen Maschinenraum. Ich weiß noch, als wir hineingingen, sank mir der Mut, weil ich meinte, wir könnten dort gar nichts finden. Einer von den Männern zog jedoch zwei Raketenspitzen heraus. Sie sind ungefähr so groß wie die Kegel, die man bei Baustellen auf der Straße sieht, nicht größer, nur ein bißchen breiter an der Basis. Einer von ihnen war golden, der andere hatte einen Kohlebelag und war schwarz. Und in diesem Moment mußte ich an die Götzenbilder denken, die im Alten Testament erwähnt werden, wo es heißt, wir sollten die Götzenbilder zerstören, weil sie ganz genauso aussahen. Wir holten unsere Hämmer heraus und begannen auf die Spitzen einzuschlagen; ich schätze, etwa 30 Sekunden lang, bis wir merkten, daß Leute den Raum betraten. Dann legten wir die Hämmer nieder. Wir hatten versucht, während der gesamten Aktion sehr vorsichtig zu sein und die Hämmer nicht offen zu tragen, um zu vermeiden, daß irgend jemand sich irgendwie bedroht fühlte, obwohl sie uns jetzt wegen Androhung von Gewalt verurteilen wollen. Wir legten also die Hämmer hin und schütteten Blut über die Raketen und über einige Konstruktionszeichnungen, die dort auf der Werkbank lagen und auf denen sich der Vermerk »Streng geheim« oder so ähnlich befand. Dann gingen wir in eine Ecke des Raumes, faßten uns bei der Hand und sangen gemeinsam. Inzwischen waren die Sicherheitsleute da und forderten uns auf, den Raum zu verlassen, was wir dann auch taten, ohne viel Aufhebens zu machen.

Quelle: Bericht von Anne Montgomery (Orden der Schwestern vom Heiligen Herzen Jesu), in: Eqbal Ahmad, The Plowshare 8, New York, April 1981.

Dokument 5

Erklärung der »Pflugschar« vom 9. September 1980

Die Propheten Jesaja und Micha rufen uns auf, Schwerter in Pflugscharen umzuschmieden. Daher haben wir acht Mitglieder der Gruppe »Atlantic Life Community« das Werk des Konzerns General Electric (GE) in King of Prussia (Abteilung Wiedereintritts-Flugkörper) aufgesucht, um den verbrecherischen Charakter der Atomwaffen und die organisierte Piraterie anzuprangern. Wir vertreten Widerstandsgruppen entlang der Ostküste, und jeder von uns kann auf eine lange Geschichte des gewaltlosen Widerstandes gegen den Krieg zurückblicken.

Wir begehen zivilen Ungehorsam bei General Electric, weil dieses Völkermordunternehmen[1] der fünftgrößte Waffenhersteller in den USA ist. Um diese Position aufrechtzuerhalten, fließen dem Konzern täglich drei Millionen Dollar aus öffentlichen Mitteln zu – ein ungeheurer Diebstahl, der an den Armen begangen wird. Außerdem wollen wir die tödliche Lüge entlarven, die General Electric mit dem Firmenmotto »Wir liefern das Beste zum Leben« verbreitet. Als Hersteller des Mark-12A (eines atomaren Gefechtskopfes für Wiedereintritts-Flugkörper) liefert General Electric in Wirklichkeit den Tod. Durch den Sprengkopf Mark-12A wird ein atomarer Präventivkrieg noch wahrscheinlicher. Auf diese Weise trägt General Electric dazu bei, daß möglicherweise Millionen unschuldiger Leben vernichtet werden.

Wenn wir gegen General Electric vorgehen, dann sind wir entschlossen, Gottes Gesetz des Lebens zu befolgen und nicht den Todesbefehl eines Konzerns. Unser heutiger Beitrag dazu, Schwerter in Pflugscharen zu verwandeln, ist eine Möglichkeit, dieses biblische Gebot mit Leben zu erfüllen. Wir verlassen uns bei unserer Aktion auf unseren tiefen Glauben an Christus, der den Lauf der Geschichte änderte, weil er bereit war, zu leiden statt zu töten. Wir sind bei diesem gemeinsamen Akt des Widerstandes erfüllt von Hoffnung für die Welt und für unsere Kinder.

1 Das englische Wortspiel läßt sich im Deutschen nicht wiedergeben: Die Abkürzung GE wird hier statt »General Electric« als »genocidal entity« gelesen.

Quelle: Statement by the Eight, in: Interfaith Center to Reverse the Arms Race (Pasadena, California), Vol. 2, No. 1, Jan./Feb., 1981, S. 3.

Dokument 6

Proteste beim U-Boot-Stapellauf
Von Joanne Sheehan

Am 13. Dezember 1980 fand auf der Werft Electric Boat/General Dynamics in Groton, Connecticut, der Stapellauf der USS Baltimore statt, eines schnellen Angriffs-Unterseebootes der 688er Klasse, das jetzt bereit ist für die Übernahme einer Ladung atomarer und nichtatomarer Torpedos und Wasserbomben. Während General Dynamics und die Marine zur »Tauf«-Zeremonie mit freier Beköstigung, Festrednern und dem Zerschlagen einer Flasche Champagner eingeladen hatte, veranstalteten 50 Demonstranten eine Mahnwache und verteilten an die Besucher der Schiffstaufe Flugblätter.

Kurz vor Beginn der Zeremonie kam es zu zwei spontanen Akten gewaltlosen Widerstandes. Louis DeBenedette, ein früherer Benediktinermönch und Veteran aus der Vietnam-Ära, war aus Baltimore angereist, um gegen die Benennung des U-Bootes nach seiner Heimatstadt zu protestieren. Er blockierte den Eingang zur Zeremonie, wurde festgenommen und angeklagt wegen widerrechtlichen Betretens und Erregung öffentlichen Ärgernisses.

Peter DeMott, ein ebenfalls aus Baltimore stammender Vietnamkriegsveteran, betrat die Werft mit einer Eintrittskarte für die Schiffstaufe. Als er auf dem Gelände war, sah er einen Firmenlieferwagen von General Dynamics, in dem der Zündschlüssel steckte. Er setzte sich ans Steuer, verriegelte die Türen und fuhr den Wagen rückwärts gegen ein unfertiges und noch nicht getauftes Trident-Unterseeboot, wobei er dessen Ruderblatt fünf- oder sechsmal rammte und es verbeulte, bevor die Sicherheitskräfte das Auto aufbrechen und ihn aufhalten konnten. Gegen ihn wird Anklage erhoben wegen widerrechtlichen Betretens, groben Unfugs in zwei Punkten und fahrlässiger Gefährdung. Das FBI prüft die Möglichkeit, auf Bundesebene Anklage zu erheben. Louis wurde gegen schriftliche Verpflichtung, vor Gericht zu erscheinen, freigelassen; Peter ist bei einer Kaution in Höhe von 5000 Dollar weiterhin im Gefängnis. Beide sollen am 8. Januar zur Voruntersuchung vor Gericht gestellt werden.

Peter und Louis, die beide der Atlantic Life Community angehören, erklärten, mit ihren Aktionen wollten sie »gegen die Waffen für einen Erstschlag protestieren und gegen den Diebstahl, der durch die riesigen Mittel zur Finanzierung dieser Vernichtungswaffen an den Armen begangen wird«. [. . .]

Quelle: Joanne Sheehan, Protests at Sub Launch, in: War Resisters League (WRL) News, No. 222, January-February 1981, S. 7.

d) Frauen vor dem Pentagon

Dokument 7

Die Pentagon-Aktion der Frauen
Von Susan Pines

»Wir versammeln uns am 17. November vor dem Pentagon, weil wir Angst um unser Leben haben.« So beginnt die Einmütigkeitserklärung der »Pentagon-Aktion der Frauen«, einer Gruppe, die sich im vergangenen Sommer bildete, um in Washington, D. C., eine zweitägige Protestveranstaltung zu organisieren.

Die Pentagon-Aktion der Frauen entwickelte sich aus einer Konferenz unter dem Motto »Die Frauen und das Leben auf der Erde«, die im Winter letzten Jahres in Neuengland stattfand. Ziel der Konferenz war es, unseren Feminismus und das wachsende Bewußtsein über den Zusammenhang zwischen Militarismus und zunehmender Gewalt unserer Gesellschaft gegenüber Frauen und anderen unterdrückten Gruppen miteinander in Verbindung zu bringen. Es handelte sich dabei um eine Aktion von und für Frauen.

Über 2000 Frauen versammelten sich an jenem Wochenende in Washington, um ihre Trauer, ihre Wut, ihren Widerstand und ihre Empörung über das eskalierende Wettrüsten, die Verwüstung unserer Großstädte, die Verseuchung unserer ländlichen Gebiete und gegen die Gewalt zum Ausdruck zu bringen, der sich Frauen im Alltag gegenübersehen – einer Gewalt, die sehr direkt etwas mit einer militaristischen Gesellschaft zu tun hat. [. . .]

Der Montagmorgen (17. November 1980 – d. Hrsg.) begann mit einem Schweigemarsch durch den Friedhof Arlington. [. . .] Als wir uns dem Pentagon näherten, schlossen sich uns einige Trommler und vier riesige schöne Frauenpuppen an, die das »Bread and Puppet Theatre« für diese Demonstration angefertigt hatte. Jede Puppe symbolisierte eine bestimmte »Stufe« unserer Demonstration, die schwarze: Trauer; die rote: Zorn; die goldene: Bestärkung und die weiße: Widerstand.

Die Demonstration war so angelegt, daß keine traditionelle Kundgebung mit Rednern vorgesehen war, sondern den Teilnehmern Gelegenheit geboten werden sollte, sich selbst voll und ganz für unsere Botschaft zu engagieren. Während der ersten Phase unserer Demonstration legten wir unseren eigenen Friedhof an, um der vielen Frauen zu gedenken, die Opfer von Gewalt wurden. Während Grabsteine mit Inschriften wie »Für die Opfer von Love Canal«, »Karen Silkwood«, »Für die Frauen, die vergewaltigt wurden« usw. aufgestellt wurden, standen andere Frauen schweigend dabei oder jammerten laut oder brachten auf andere Weise ihre Trauer zum Ausdruck. Als die rote Puppe des Zorns sich zum Mittelpunkt des Zuges bewegte, brach lautes Geschrei aus; die Frauen verließen ihre Trauerrunde, liefen zusammen, riefen, schrien, schlugen auf Blechdosen und gaben ganz allgemein ihren Zorn zu erkennen. Dann verließen wir unter Führung der goldenen und der weißen Puppe das Kundgebungsgelände und zogen rings um das Pentagon. Als sich die beiden Puppen wieder trafen, ging ein Gefühl freudiger Erregung und Bestärkung durch unseren Kreis, als wir uns klarmachten, daß wir das ganze Pentagon eingekreist hatten.

Zu diesem Zeitpunkt verließen diejenigen Frauen den Kreis, die zu zivilem Ungehorsam bereit waren. Damit hatte die Aktion das Stadium des Widerstandes erreicht. Einige Frauen veranstalteten an den Portalen des Pentagon Sit-ins, andere webten die Eingänge mit Bindfäden zu. Neben den webenden Frauen wurde ein Transparent entfaltet, auf dem zu lesen war: »Wir werden ein weltweites Netz weben, um die Mächte einzufangen, die die Totengräber unserer Kinder sind.«

Allmählich begann die Polizei mit der Räumung von zweien der drei Eingänge und nahm die Frauen fest, die die Türen blockierten. Obwohl der Haupteingang blockiert wurde, gab es dort keinerlei Festnahmen. Frauen, die sich an den Aktionen des zivilen Ungehorsams nicht beteiligt hatten, begaben sich während der Festnahmen zurück zum Kundgebungsgelände, wo sie an einer gemeinsamen Aussprache und einer Lesung zur Geschichte der Frau teilnahmen, bis Regen und Graupel den Großteil der Gruppe zum Gehen zwang. [. . .]

Ich war in einer der ersten Gruppen, die dem Richter vorgeführt wurden. Die meisten von uns stellten den Sachverhalt nicht in Frage; zwei Frauen plädierten auf nicht schuldig. Die beiden Frauen, die sich für nicht schuldig erklärten, wurden gegen 100 Dollar Kaution auf freien Fuß gesetzt. Diejenigen, die den Sachverhalt nicht bestritten hatten, erhielten die Möglichkeit, vor Gericht eine Stellungnahme abzugeben und wurden sofort verurteilt: zehn Tage Freiheitsstrafe für Ersttäterinnen, 30 Tage für Zweittäterinnen. Unsere Verfahren fanden vor drei verschiedenen Richtern statt. Im Laufe des Abends wurde jedoch deutlich, daß sie alle die gleichen Urteile verhängten und nur verschieden hohe Kautionen festsetzten. [. . .]

Es finden immer noch Diskussionen darüber statt, wie sich die Pentagon-Aktion der Frauen weiterentwickeln wird. Bisher war die Gruppe ein lockerer Zusammenschluß von Frauen, die sich zusammenfanden, um diese eine Aktion zu planen. Die Frauen kamen aus der Lesbierinnenszene, feministischen Organisationen und der Friedensbewegung und planten ein Ereignis, das die Sorgen von uns allen zum Ausdruck brachte. Zu den wichtigsten Ergebnissen gehörte die Tatsache, daß sich durch die gemeinsame Arbeit eine Beziehung zwischen diesen in vielen verschiedenen Bereichen engagierten Frauen herausbildete. Diese Beziehungen und das gemeinsame Engagement endeten auch nicht mit der Demonstration. Wir werden alle in unsere eigenen Gruppen zurückkehren, die Zusammenhänge zwischen den verschiedenen Themenbereichen deutlich machen und den Geist weiterverbreiten, den wir, *als Frauen,* in unserer gemeinsamen organisatorischen Arbeit verspürt haben. Als Beitrag zu diesem Prozeß wird die Liga der Kriegsdienstverweigerer (War Resisters League – d. Hrsg.) eine Konferenz zum Thema Feminismus und Militarismus veranstalten, um die während unseres Treffens aufgeworfenen Fragen umfassender zu untersuchen. [. . .]

Quelle: Susan Pines, Women's Pentagon Action, in: War Resisters League (WRL) News, No. 222, January-February 1981, S. 1, 5.

2. Steuerverweigerung

Dokument 8

Ein Weltfonds für Friedenssteuern

Warum soll ein Weltfonds für Friedenssteuern eingerichtet werden?
– Viele Amerikaner können es vor ihrem Gewissen nicht verantworten, den Einsatz militärischer Stärke als Mittel zur Lösung von Konflikten zu unterstützen.
– In der Vergangenheit bildete eine große Anzahl von Wehrpflichtigen die Grundlage des Krieges. Heute basiert er auf außerordentlich kostspieligen Waffen.
– Durch das System der Bundessteuern sind die Steuerzahler am Krieg und an der Vorbereitung des Krieges beteiligt. Fast die Hälfte der Einkommensteuer jedes einzelnen wird zur Finanzierung inflationärer und lebensgefährlicher Rüstungsprogramme verwendet.
– Es gibt keine legale Alternative für diejenigen Steuerzahler, die eine solche Beteiligung ablehnen. Deshalb sind viele dieser Bürger gezwungen, entweder die Gesetze zu übertreten, wenn sie ihre Steuern ganz oder teilweise einbehalten, oder aber ihrem Gewissen zuwiderhandeln, wenn sie den Militärapparat unterstützen.

Eine Alternative zu den Rüstungssteuern
Im Jahre 1940, als dem Kongreß eine konstruktive Alternative zum Wehrdienst vorgelegt wurde, verabschiedete er den durch verschiedene Nachträge ergänzten Selective Service Act, ein Gesetz über die Regelung des Wehrdienstes, in dem der Zivildienst als Alternative zur Wehrpflicht anerkannt wird. Dieser Schritt bedeutete eine Stärkung des Rechts auf freie religiöse Betätigung und der im Ersten Verfassungszusatz garantierten Freiheit des Gewissens.

Der Weltfonds für Friedenssteuern würde dieses Prinzip auf das Steuerwesen ausdehnen und das Einkommensteuergesetz von 1954 insofern ergänzen, als für Steuerzahler, die aus moralischen Gründen den Krieg ablehnen, die Möglichkeit geschaffen würde, ihre Einkommen-, Erbschafts- und Schenkungssteuern zur Finanzierung nichtmilitärischer Projekte zu verwenden. Sie würden ihren vollen Steueranteil zahlen; der ansonsten für Rüstungszwecke bestimmte Teil würde jedoch über einen staatlichen Treuhandfonds – den Weltfonds für Friedenssteuern – für »alternative Zwecke« verwendet werden.

Dieser dem Weltfrieden dienende Steuerfonds würde von einem Treuhänderausschuß verwaltet, der aus elf vom Präsidenten ernannten Personen bestehen soll, die ihr konsequentes Eintreten für den Weltfrieden und die internationale Freundschaft unter Beweis gestellt haben und über Erfahrungen bei der Lösung internationaler Konflikte verfügen. Der Ausschuß würde über Finanzierungsanträge von öffentlicher und privater Seite beraten und dem Kongreß jährlich Empfehlungen zur Bewilligung entsprechender Mittel aus dem Fonds vorlegen.

Eine neue Möglichkeit zur Finanzierung von Friedensprogrammen
Die eingegangenen Steuermittel (nach Schätzungen mehr als zwei Milliarden Dollar pro Jahr) könnten dazu beitragen, zahlreiche friedensorientierte Projekte zu finanzieren, die von den meisten Amerikanern begrüßt würden. Der Gesetzentwurf enthält allgemeine Richtlinien, die es ermöglichen, finanzielle Mittel für so lebenswichtige Bemühungen bereitzustellen wie zum Beispiel:
– eine nationale Akademie, die sich mit Problemen des Friedens und der Konfliktlösung befaßt;
– Forschungsprojekte mit dem Ziel, nichtmilitärische und gewaltlose Lösungsmethoden für internationale Konfliktsituationen zu entwickeln und zu prüfen;
– Abrüstungsbemühungen;
– Umschulung von Arbeitskräften, die durch eine Konversion der Rüstungsproduktion ihren Arbeitsplatz verloren haben;
– einen internationalen Meinungsaustausch, der friedlichen Zwecken gewidmet ist;
– eine Verbesserung des internationalen Gesundheits-, Bildungs- und Sozialwesens; und
– Programme zur Aufklärung der Öffentlichkeit über die obengenannten Aktivitäten und zur Vermittlung der einschlägigen Informationen. [. . .]

Quelle: World Peace Tax Fund, Flugschrift des National Council for a World Peace Tax Fund, Washington, D. C., o. J.

Dokument 9

Die Portemonnaie-Pazifisten
Von Marcia Yudkin

»Einige Leute meinen, Steuerverweigerung sei eine extreme Verhaltensweise«, meint Steven Broll nachdenklich, »aber man muß ebenso extrem und aktiv sein wie die Leute, die man bekämpft. Geld regiert die Welt.« [. . .] Aus einem vor kurzem veröffentlichten Bericht des Bundesrechnungshofes geht hervor, daß es in den Jahren 1979 und 1980 zu einem starken Anwachsen des Widerstandes von Steuerzahlern gekommen ist, im Nordosten zum Beispiel zu einer Zunahme um 400 Prozent. Es ist schwierig, die genaue Zahl derjenigen abzuschätzen, die sich weigern, Kriegssteuern zu zahlen. Die Einkommensteuerbehörde führt eine Kategorie unter der Bezeichnung »Illegal Protestierende«, der sie im Jahre 1978 insgesamt 6694 Personen und 1980 insgesamt 15 285 Personen zurechnete. Nach

Meinung des Verbandes der Kriegsdienstgegner sind diese Zahlen stark unter-trieben. Es kann durchaus sein, daß sich die Zahl derer, die sich aus irgendeinem prinzipiellen Grund weigern, Steuern zu zahlen, auf 200 000 Personen beläuft, von denen mindestens einige tausend speziell gegen die Ausgaben für militärische Zwecke protestieren. Außerdem sind in den Zahlen der Einkommensteuerbe-hörde nicht diejenigen erfaßt, die sich völlig legaler Mittel zum Zwecke der Steu-erverweigerung bedienen. Und sowohl der Verband der Kriegsdienstgegner als auch die Kampagne der Kriegssteuernverweigerer aus Gewissensgründen be-richten über ein starkes Anschwellen des Interesses seit der Amtsübernahme Prä-sident Reagans. [. . .]

Erin Freed von den Kriegssteuerverweigerern in Pioneer Valley (Pioneer Val-ley War Tax Resisters) weist darauf hin, daß die Kosten, die dem Staat durch die Verfolgung von Steuerverweigerern entstehen, höher sind als die jeweiligen Steuereinnahmen – ein guter Grund, sich über etwaige staatliche Maßnahmen keine großen Sorgen zu machen. [. . .] Tatsächlich ist die staatliche Reaktion auf Fälle von Steuerverweigerung sehr unterschiedlich. Einem Mitglied der Steuer-verweigerer von Pioneer Valley wurden schon im zweiten Jahr seines Wider-standes die 600 Dollar auf seinem Girokonto ohne Vorankündigung be-schlagnahmt, während ein anderes Mitglied den ersten telefonischen Anruf von der Einkommensteuerbehörde erhielt, nachdem er bereits neun Jahre lang Wi-derstand geleistet hatte. Da Prozesse gegen Steuerverweigerer teuer sind und der Sache nur weitere Publizität verschaffen könnten, sind sie selten und finden nur in großen Abständen statt. Von 1948 bis 1981 wurden sieben pazifistische Steu-erverweigerer strafrechtlich verfolgt, von 1982 bis 1978 niemand, und 1979 gab es zwei strafrechtliche Verurteilungen.

»In unserer kleinen Welt«, meint Steven Broll, »wenn meine Frau und ich da unsere Ersparnisse verlieren würden oder wenn ich meinen Arbeitsplatz verlie-ren würde, dann wäre das natürlich ein ziemlicher Schlag für uns, aber wenn man sich in ein Dorf in El Salvador versetzt, wo sie einen rausholen und erschießen können, oder in die Lage eines Europäers, der von Haigs Atomkriegsplänen hört und dabei weiß, daß dieser Krieg direkt vor seiner Tür stattfinden würde – dann sind unsere Risiken doch minimal.« [. . .]

Wie viele Steuerverweigerer unterhält Broll keine Bankkonten. Statt dessen verleiht er Geld, das er erübrigen kann, zinslos an Freunde. »Man darf kein Haus haben und kein Auto, das auf den eigenen Namen läuft, weil die Einkommen-steuerbehörde sie beschlagnahmen könnte«, sagt er. »Und wenn man selbständig arbeiten kann, ist es ohnehin sehr viel leichter, dem Staat das Geld vorzuenthal-ten.« [. . .]

Damit Leute wie seinesgleichen sowohl ihrem Gewissen folgen als auch dem Gesetz Genüge tun können, unterstützt der Architekt Alan Eccleston die Verab-schiedung des Gesetzentwurfes für einen Weltfriedensfonds aus Steuermitteln. Der Entwurf wurde 1977 von Senator Mark Hatfield im Senat eingebracht und liegt mittlerweile mit 333 weiteren Unterschriften dem Repräsentantenhaus vor. Dieses Gesetz würde Steuerzahlern die Möglichkeit eröffnen, sich auf ihrem Formular 1040 als Verweigerer von Kriegssteuern aus Gewissensgründen einzustufen. Der Anteil ihrer Einkommensteuer, mit dem sonst Ausgaben für militärische Zwecke finanziert würden, würde statt dessen beim Weltfriedensfonds deponiert und stände ausschließlich für friedliche Zwecke zur Verfügung.

Eccleston weist die von einigen anderen Steuerverweigerern geäußerte Kritik zurück, nach Überweisung von etwa 40 Prozent ihrer Steuern an den Weltfriedensfonds werde der gleiche Anteil vom verbleibenden Betrag trotzdem wieder militärischen Zwecken zufließen. Er argumentiert: »Das Ganze ist eine gute Idee, weil die Staatskasse weniger Geld erhalten würde.« [. . .]

Quelle: Marcia Yudkin, Pocketbook Pacifists, in: In These Times, April 14–20, 1982, S. 15/16.

3. Kriegsdienstverweigerer

Dokument 10

Zur Diskussion über die Wehrpflicht
Von David McReynolds

[. . .]
Argumente für die Wehrpflicht

Eine Freiwilligenarmee ist zu klein
Zu klein wofür? Kanada und Mexiko planen nicht, uns anzugreifen – wir fühlen uns so sicher, daß wir nicht einmal Militärstützpunkte an unseren Grenzen unterhalten. Die Sowjets oder die Chinesen können keine Armee hierhertransportieren. Wofür ist also eine Freiwilligenarmee zu klein? Sie ist natürlich zu klein, um in Vietnam einzufallen – für diesen Krieg hat sich niemand freiwillig gemeldet. Und sie ist zu klein für die Verteidigung des Exxon-Erdöls im Mittleren Osten – niemand, nicht einmal Henry Kissinger oder David Rockefeller, würde sich freiwillig für Exxon melden. Wenn Carter einen Einsatz in Afrika oder in Lateinamerika oder im Mittleren Osten plant, dann benötigt er dazu eine Armee von Wehrpflichtigen.

Der wirkliche Grund für eine Armee aus Wehrpflichtigen ist nicht die Verteidigung der Vereinigten Staaten, sondern die Verteidigung von Konzerninteressen in anderen Ländern. Weil wir keine Wehrpflicht hatten, war es für Carter unmöglich, eine Armee in den Iran zu entsenden, um den Schah an der Macht zu halten. Aus dem gleichen Grund konnten wir auch keine Armee nach Nicaragua schicken, um General Somoza zu stützen. Wenn Carter oder ein anderer Präsident über ein stehendes Heer von Wehrpflichtigen verfügt, kann er die Investitionen amerikanischer Konzerne überall in der Welt verteidigen.

Wir brauchen die Wehrpflicht, um den Russen zu zeigen, daß wir stark sind
Noch immer gibt es einige Militärs, die die Militärgeschichte nur bis zum amerikanischen Bürgerkrieg studiert haben und der Meinung sind, wir wären sicherer, wenn jedes amerikanische Kind in militärischer Formation marschieren könnte und jeder Mann über 18 Jahre Uniform trüge. »Die Russen würden nicht wagen, uns anzugreifen, wenn jeder Amerikaner militärisch ausgebildet wäre.« Worin militärisch ausgebildet? Die heutigen Waffen sind so kompliziert, daß sie, wenn ein Wehrpflichtiger gelernt hat, damit umzugehen, schon wieder veraltet sind. Tatsache ist jedoch, daß die Russen bereits jetzt Angst vor uns haben und wir vor ihnen, und zwar nicht wegen der Truppen der jeweils anderen Seite, sondern wegen der auf beiden Seiten vorhandenen schrecklichen Atomwaffen.

Die russische *Armee* kann uns keinen Schaden zufügen – sie verfügt nicht einmal über eine Möglichkeit, zu uns herüberzukommen, selbst wenn die Russen so verrückt wären, den Versuch zu wagen. Und kein Amerikaner geht wirklich davon aus, daß wir unsere Armee nach Rußland schicken wollen. Nein, was die Russen erschreckt, ist nicht unsere Armee, ob wir nun eine Million oder zehn Millionen Soldaten haben. Was Rußland erschreckt, sind die 30 000 Atomwaffen, über die wir verfügen. Was uns erschreckt, ist nicht die sowjetische Armee, die uns nicht erreichen kann, sondern es sind 10 000 sowjetische Raketen, die innerhalb einer halben Stunde überall in den Vereinigten Staaten einschlagen können.

Was wir brauchen, sind nicht mehr Bürger in Uniform – wir brauchen die Abrüstung, damit sich jeder sicherer fühlen kann.

Zu viele Schwarze sind in der Freiwilligenarmee

Das ist ein starkes Argument, weil es stimmt. Amerika ist zum größten Teil weiß, die Armee jedoch zum größten Teil schwarz. Man hört gelegentlich: »Für die Welt draußen sieht es so aus, als hätte das weiße Amerika zu seiner Verteidigung das schwarze Amerika angeheuert.« Aber das sieht nicht nur so aus – es *ist* so. Wir haben in unserer Armee einen weit höheren Prozentsatz von Schwarzen, Chicanos und Latinos als in unserer Gesellschaft. Warum? Kommt das daher, daß sie Uniformen und Waffen lieben? Oder hängt das damit zusammen, daß sich in Harlem die Arbeitslosenrate unter schwarzen Jugendlichen auf 40 % beläuft, und die einzige sichere Möglichkeit, einen Arbeitsplatz zu bekommen, darin besteht, daß man zur Armee geht? *Wir haben jetzt eine Armee, die aus Zwangsrekrutierten besteht*, nur ist es diesmal kein Richter, der sagt: »Wenn du nicht zur Armee gehst, steckst wir dich ins Gefängnis.« Es sind wirtschaftliche Härten, Hunger und Arbeitslosigkeit, die sagen: »Wenn du nicht zur Armee gehst, dann wirst du, um überleben zu können, zum Verbrecher werden oder von der Sozialhilfe leben müssen.«

Die Liga der Kriegsdienstverweigerer (War Resisters League – d. Hrsg.) lehnt *jede Art* von Wehrpflicht kategorisch ab. Wir sind der Auffassung, daß das Militär gegenwärtig die *einzige Arbeit* ist, die vielen Jugendlichen aus den Minderheiten offensteht. Eine Möglichkeit, das zu ändern, besteht in der Wiedereinführung der Wehrpflicht, damit zwangsläufig der Anteil der Weißen in der Armee steigt. Die andere Möglichkeit besteht jedoch darin, Vollbeschäftigung zu gewährleisten, so daß kein Bevölkerungsteil stärker als andere dem Druck ausgesetzt ist, sich »freiwillig« zum Militär melden zu müssen. Eine Gesellschaft, die nicht allen Arbeitswilligen anständige Arbeitsplätze zur Verfügung stellen kann, muß von Grund auf verändert werden. Ebenso wie die Wehrpflicht lehnen wir auch eine Wirtschaftsstruktur ab, die durch ein hohes Maß an Arbeitslosigkeit junge Männer und Frauen aus den Minderheiten zwingt, sich dem Militär anzuschließen.

Schwäche ruft das Unheil herbei

Einer der großen Mythen besagt, daß es keinen Krieg gibt, sofern man nur »sanft redet und dabei einen dicken Knüppel in der Hand hat«. Andere meinen: »Nur wer stark ist, ist vor einem Angriff sicher.« Diese Aussagen sind ganz einfach Unsinn. Sie gründen sich weder auf Tatsachen noch werden sie durch die Geschichte bestätigt. Der Erste Weltkrieg breitete sich in Europa nicht deshalb aus, weil die Länder schwach waren, sondern weil alle über sehr viele Waffen verfügten.

Seit 1945 sind die Vereinigten Staaten das mächtigste Land der Welt – und doch hat uns das nicht vor Korea und Vietnam bewahrt. Weil wir die Waffen hatten, meinte unsere Regierung Krieg führen zu können. Ein Historiker hat einmal erklärt, eine Armee könne mit ihren Bajonetten alles machen, nur nicht darauf sitzen. Hat man keine Armee, dann muß man verhandeln. Hat man jedoch eine Armee, dann braucht man nicht zu diskutieren, sondern kann das Problem durch Schießen lösen.

Je mehr Truppen eine Gesellschaft hat, um so rücksichtsloser kann sie vorgehen. Je mehr Soldaten man hat, desto eher wollen die Generale sie auch einsetzen, und die Politiker (die selber nicht zu kämpfen brauchen) werden dementsprechend verkünden, man müsse in den Krieg ziehen. Je stärker das Militär ist, desto größer ist die Gefahr des militärischen Abenteurertums. Und je mehr »kleine Kriege« wir führen, um so größer wird das Risiko eines thermonuklearen Konflikts.

Wenn wir recht haben und wir in einer Zeit leben, in der unsere einzige wirkliche Hoffnung in der Abrüstung liegt, dann sind Wehrerfassung und Wehrpflicht Schritte, die in die absolut falsche Richtung führen. Sie stärken die schlimmsten Instinkte, machen es leichter, einen Krieg zu beginnen, und unterminieren den demokratischen Prozeß.

Argumente gegen die Wehrpflicht

[. . .]

Amerika wurde von Freiwilligen gegründet
Amerika wurde nicht mit Armeen von Wehrpflichtigen aufgebaut. Die amerikanische Unabhängigkeit wurde von Freiwilligen erkämpft. Die Männer, die während des harten Winters mit George Washington in Valley Forge lagen, waren Freiwillige. Während des größten Teils unserer Geschichte war Amerika gegen eine Wehrpflicht. Wir haben sie immer für etwas »Ausländisches« gehalten. Und das war sie auch. Wenn Sie Ihre Großeltern fragen, dann stellen Sie vielleicht fest, daß einige Ihrer Vorfahren nicht mit der Mayflower auf der Suche nach Glaubensfreiheit hier eingetroffen sind. Sie nahmen jedes erreichbare Schiff, um dem Wehrdienst in Frankreich, Deutschland und Rußland zu entgehen. Amerika wurde von »Wehrdienstverweigerern« aufgebaut, die eine Zwangsverpflichtung zum Wehrdienst für ein Unrecht hielten. Während des größten Teils seiner Geschichte war Amerika stolz darauf, *keine* Wehrpflicht und *kein* stehendes Heer zu haben. Heute, in einer Zeit, in der der nächste Krieg innerhalb von Minuten durch Atomwaffen entschieden sein wird, ist es überaus altmodisch, wenn das Pentagon eine Massenarmee befürwortet. Unsere Sicherheit besteht im Frieden – ein Krieg wäre so schrecklich, daß es keine Sieger geben würde.

Durch die Wehrpflicht wird jede freie Entscheidung verhindert

Man muß sich darüber klar sein, daß es bei einer Einführung der Wehrpflicht (und sie wird eingeführt, wenn wir sie nicht bekämpfen) für niemanden ein »moralisches Schlupfloch« geben wird. Es wird keine Klausel geben, in der es heißt: »Sie werden eingezogen, aber Sie werden nur dann im Ausland zu kämpfen haben, wenn die Mexikaner, Chinesen oder Russen versuchen sollten, uns anzugreifen.« Es wird keinen Zusatz geben mit »der feierlichen Verpflichtung und dem Versprechen, daß man Sie nicht auffordern wird, eine Militärdiktatur wie diejenige Pakistans zu verteidigen«. Es wird nicht einmal ein so kleines Versprechen geben wie: »Wenn Sie bei der Verteidigung der Exxon-Profite fallen sollten, wird Ihr nächster Angehöriger zehn Exxon-Aktien erhalten.«

Wenn Sie eingezogen werden, dann sind Sie Militärangehöriger – und sonst nichts. Sie können dann nicht mehr entscheiden, wann oder wohin Sie gehen wollen. Sie werden mit dem Gewehr zielen, wenn man es Ihnen befiehlt, und Sie werden dieses Gewehr auf die Männer, Frauen *und Kinder* abfeuern, auf die zu schießen man Ihnen befiehlt. Man wird Ihnen nicht beibringen, wie die Worte »Es tut mir leid« in der Sprache der Menschen lauten, gegen die Sie kämpfen. Was werden Sie den Eltern sagen, wenn Ihre Kugel »den Feind« verfehlt und ein Kind trifft?

Das Leben ist einzigartig

Das Leben ist der zentrale Gegenstand unserer Sorge. Jedes Leben ist einzigartig. Jeder von uns ist so etwas wie ein Wunder. Keine zwei Menschen sehen gleich aus oder denken in der gleichen Weise. Wir erinnern uns an Augenblicke der Liebe, der Einsamkeit, an grüne Sommer, an den Strand, an einen See, an den Himmel. Wir leben. Wir können nicht ersetzt werden. Zu keiner Zeit wird es jemals jemanden wie Sie geben – oder wie die Männer und Frauen, die vielleicht von Ihnen im Kriege umgebracht werden.

Das menschliche Leben ist wichtig und hat einen Wert, weil es *unersetzlich* ist. Wenn die Batterie Ihres Autos leer ist, dann besorgen Sie sich eine neue. Wenn Ihr Auto Totalschaden hat, dann schaffen Sie sich ein neues an. Aber Sie – Sie gibt es nur einmal. Das menschliche Leben ist so wichtig, daß wir uns mit allen Mitteln darum bemühen, die uns zur Verfügung stehen. Wir haben Krankenhäuser, Krankenschwestern, Ärzte und Rettungsdienste. Es gibt telefonische Notrufnummern, Teams für den ärztlichen Noteinsatz und Lebensrettungskurse. Wir achten auf die Nahrung, die wir unseren Kindern geben. Wir ziehen sie warm an. Wir lieben sie. [. . .]

Es scheint mir entsetzlich falsch zu sein, wenn wir unsere Kinder, nachdem wir ihnen unsere ganze Liebe und Fürsorge gewidmet haben, dann mit 18 Jahren zum Wehrdienst einziehen und sie auf den Krieg vorbereiten wie Schlachtvieh, das man gemästet hat.

Worauf ich hinaus will, ist nicht die Gefahr, daß *Sie* getötet werden. (Die Gefahr besteht wirklich, und es ist nur menschlich, sich darüber Sorgen zu machen.) Ich möchte, daß Sie die Gefahr begreifen, die darin liegt, daß Sie unter Umständen einen anderen Menschen töten, wenn Sie eingezogen werden. Ich möchte, daß Sie sich *jetzt* – bevor Sie in der Armee sind – die Frage vorlegen, ob Sie wirklich glauben, Sie könnten es verantworten, in den Kampf zu ziehen und Ihr Gewehr auf Menschen abzuschießen (oder Napalm auf sie abzuwerfen), die Sie nie gesehen haben, deren Sprache Sie nicht sprechen, und zwar auf Befehl von jemandem in Washington, den Sie nicht kennen und dem Sie nicht vertrauen. Genau das passierte in Vietnam. Und genau das wird wieder passieren. Kissinger machte die Pläne. Nixon gab die Befehle. Tausende junger Männer betätigten den Abzug. Einige von ihnen sind jetzt tot. Über eine Million Indochinesen sind tot. Und Nixon ist wohlhabend, und Kissinger ist wohlhabend. [. . .]

Gehorchen Sie nie einem Befehl, den Sie nicht verstehen!
Wenn das auch Ihre Meinung ist, dann sind Sie kein gutes Material für die Armee. Ein Soldat, der nachdenkt, bevor er gehorcht, wird ins Gefängnis geworfen.

Profit und Krieg
Wieso plant Carter, Männer und Frauen einzuziehen und nicht die Rüstungsprofite? Wenn Menschen zur Verteidigung zwangsverpflichtet werden können, warum folgt man dieser Logik dann nicht bis zu Ende und beschlagnahmt sämtliche Rüstungsprofite? Während des gesamten Vietnamkrieges gab es Konzerne wie Dow, Honeywell und General Electric, die froh darüber waren, daß Menschen zum Wehrdienst eingezogen wurden, die froh waren, Kanonen und Panzer und Bomben und Hubschrauber zu bauen, damit Menschen töten und getötet werden konnten – die sich jedoch mit Zähnen und Klauen zur Wehr gesetzt hätten, wenn irgend jemand versucht hätte, ihre Profite mit einer Steuer von 100 % zu belegen. Menschen verloren ihr Leben, weil sie von der Regierung eingezogen und in den Krieg geschickt wurden. Andere verdienten Milliarden Dollar dadurch, daß sie der Regierung Waffen verkauften.

Die Militarisierung der Gesellschaft
Eins der Argumente für die Wehrerfassung und die Wehrpflicht besagt, daß wir uns vor den schrecklichen Dingen schützen müssen, die uns die Russen nach Meinung einiger Leute antun wollen. Zu diesen »schrecklichen Dingen« würde gehören, daß wir unsere Freiheit verlieren und die Möglichkeit, frei unserem Gewissen zu folgen. Und wie würde uns die Wehrpflicht davor schützen? *Durch sie wird jeder eingezogene Jugendliche sofort seine Freiheit verlieren. Sie wird Tausenden von Jugendlichen im wehrpflichtigen Alter das Recht nehmen, frei ihrem Gewissen zu folgen, und sie zwingen, Gefängnisstrafen zu riskieren* – wie das bereits während des Vietnamkrieges der Fall war.

Die Wehrpflicht trägt zur Militarisierung Amerikas bei, und sie trägt mit dazu bei, daß wir glauben, die Generale besäßen das Recht, die Politik unseres Landes zu bestimmen. Ein militarisiertes Amerika, in dem jeder Jugendliche der Wehrerfassung unterliegt und in dem die Vereinigten Stabschefs mehr Macht haben als unser Kongreß, wird keine Demokratie sein. Was die Generale betrifft, so gibt es keinen großen Unterschied zwischen russischen Generalen und amerikanischen Generalen. Durch die Einführung der Wehrpflicht wird der Prozeß einer militärischen Kontrolle Amerikas beschleunigt.

Aber wie wäre eine Armee möglich, wenn es weder Wehrpflicht noch Arbeitslosigkeit gäbe?
[. . .] Carter und andere sagen, wir müßten daran denken, daß wir Amerika etwas schuldig sind. Dem stimmen wir zu. Wir schulden Amerika das Beste, das wir ihm geben können. Und das bedeutet Widerstand gegenüber allem, was die Demokratie schwächt, und Wehrpflicht schwächt die Demokratie. Die Zwangsverpflichtung von Arbeitskräften ist eine Praxis totalitärer Staaten. *Sie ist nicht demokratisch.* Die Einführung der Wehrpflicht macht den Krieg nahezu unvermeidbar. Sie erhöht die Wahrscheinlichkeit, daß der Präsident in zehntausend Meilen Entfernung von den USA interveniert. Und lassen Sie sich von Carter oder dem Kongreß nichts vormachen, die erklären, es gehe ihnen jetzt nur um die Wehrerfassung. *Das ist der erste Schritt zur Einführung der Wehrpflicht.* [. . .] Die Einführung der Wehrpflicht ist der erste Schritt zum Krieg. Wundern Sie sich nicht – der Kongreß könnte Sie eines Tages umbringen. [. . .]

Quelle: David McReynolds, Thinking About the Draft, Flugschrift der War Resisters League, New York, February 1982.

4. Anti-Interventionismus und Solidarität mit der Dritten Welt

Dokument 11

Eine Politik zeichnet sich ab: US-Interventionen und die Regierung Reagan
Von der Koalition für eine neue Außen- und Militärpolitik

[. . .] Wohin hat die Politik Reagans uns geführt? Und was hat sie erreicht?

Sie hat uns in der internationalen Gemeinschaft zunehmend isoliert und das westliche Bündnis zusätzlichen Belastungen ausgesetzt. Mit Ausnahme der britischen Premierministerin Thatcher hat ganz Westeuropa zusammen mit Mexiko und Kanada Kritik an der Politik der USA gegenüber Lateinamerika geübt. Die von der Regierung betriebene Wiederannäherung an Südafrika hat unsere Beziehungen zu ganz Afrika belastet. Und in seltener Einmütigkeit haben die sechs Länder am Persischen Golf den Abschuß libyscher Flugzeuge als »Cowboypolitik« verurteilt.

Sie hat den kommunistischen Einfluß in der Dritten Welt nicht aufgehalten, sondern noch weiter gefördert. Dies vor allem dort, wo Unruhen und Bürgerrevolten die Folge sind von jahrzehntelanger Armut, Hunger und mangelnder Beteiligung an der Regierung. Wenn unsere Regierung den Unterdrückern hilft und ihnen Waffen liefert, dann werden die USA zum Feind, und die Opposition sucht Hilfe, wo immer sie zu bekommen ist. [. . .]

Sie hat die USA als Modell für die Länder und Völker der Dritten Welt unglaubwürdig gemacht. Je mehr die USA in ihren Auslandsbeziehungen Gewalt und militärische Stärke in den Vordergrund stellen, um so unwahrscheinlicher ist es, daß sie als ein Modell akzeptiert werden, das sich von der Sowjetunion unterscheidet. Präsident Reagan unternimmt wenig, um andere Länder davon zu überzeugen, daß seine Politik gegenüber Ländern, die von den USA zu ihrer »Einflußsphäre« gerechnet werden (wie zum Beispiel Mittelamerika), sich in irgendeiner Weise von der Politik der Sowjets gegenüber Polen unterscheiden. Wenn Reagan weiterhin die Unterdrückung unterstützt, dann werden die inneren Auseinandersetzungen in Afrika, Asien und Lateinamerika noch antiamerikanischer werden und ein bitteres und gefährliches Erbe hinterlassen, mit dem sich künftige Präsidenten werden auseinandersetzen müssen. [. . .]

Interventionen verstoßen gegen unsere grundlegenden Überzeugungen
Unser Land wurde gegründet mit dem Ziel, »Leben, Freiheit und das Streben nach Glück« zu garantieren. Die Menschenrechte waren bei der Gründung der Vereinigten Staaten von grundlegender Bedeutung. Und doch hat unsere Außenpolitik diese Volksrechte oft genug in unseren Beziehungen zu anderen Na-

tionen ignoriert. Wenn wir unsere Militär- und Wirtschaftshilfe dazu benutzen, unbeliebte Regierungen an der Macht zu halten, dann zerstört das die Demokratie. Wenn wir unsere Truppen einsetzen, um den Ausgang von Konflikten in anderen Ländern zu bestimmen, dann verletzt das die Freiheit anderer Völker. Wenn wir mit unserer wirtschaftlichen Stärke ein anderes Land zwingen, sich in einer Weise zu entwickeln, von der wir meinen, sie liege in unserem Interesse, dann nehmen wir damit diesem Volk die Freiheit, sich selbst zu entscheiden.

Es gibt Alternativen

Der Glaube an die Grundsätze der Nichtintervention und der Menschenrechte bedeutet nicht, daß unser Land wieder in eine Periode des Isolationismus verfallen oder auf alle Versuche verzichten sollte, die Entwicklung der Welt zu beeinflussen.

Die Vereinigten Staaten sollten sich an die Spitze der Bemühungen um den Weltfrieden setzen:

1. Die Regierung Reagan sollte eine führende Rolle übernehmen, sich mit ihren westlichen Verbündeten und Mexiko zusammenschließen und aktiv eine international ausgehandelte Einigung über El Salvador anstreben.

2. Die Vereinigten Staaten sollten sich an führender Stelle für die Forderung engagieren, daß alle Länder – Europa, die USA und die Sowjetunion – aufhören, das Wettrüsten im Mittleren Osten und in Asien zu fördern.

3. Die Vereinigten Staaten sollten die Menschenrechte in der ganzen Welt fördern und schützen und die Unterdrückung verurteilen, wo immer sie stattfindet. Die Regierung Reagan sollte sich an Buchstaben und Geist der Menschenrechtsbestimmungen halten, die bereits Bestandteil des öffentlichen Rechts in den USA sind. Sie sollte den Senat dringend ersuchen, die beiden internationalen Menschenrechtsverträge zu ratifizieren.

4. Die Vereinigten Staaten sollten wirtschaftliche und soziale Programme zur Ausrottung von Armut, Hunger und Krankheit unterstützen, wo auch immer das erforderlich ist.

5. Die Vereinigten Staaten, die zur Zeit 60 % der Weltrohstoffe verbrauchen, sollten eine aktive Rolle dabei übernehmen, den Wohlstand der Welt gerechter zu verteilen und dabei die Souveränität und die Bedürfnisse aller Länder respektieren. Sie sollten auch hier im eigenen Lande Bundesmittel für umfassende Forschungs- und Entwicklungsprogramme zur Verfügung stellen, die sich mit alternativen Energiequellen und sonstigen notwendigen Rohstoffen befassen, damit die Auslandsabhängigkeit der USA verringert werden kann. [. . .]

Jetzt ist der Zeitpunkt für wirkliche Veränderungen

Die Koalition für eine neue Außen- und Militärpolitik (Coalition for a New Foreign and Military Policy – d. Hrsg.) ist der Meinung, daß wir gemeinsam eine solche Politik verwirklichen können. In den vor uns liegenden Monaten wird es unsere Aufgabe sein, auf Orts- und Bundesebene darauf hinzuwirken, daß ein *wirkliches Mandat für eine Veränderung* geschaffen wird. Das wird nicht leicht sein, aber es kann erreicht werden. Heute schon setzen sich Menschen in allen

Teilen des Landes durch aufklärende und organisatorische Arbeit für die Beendigung der amerikanischen Intervention in El Salvador und für eine Einstellung des Wettrüstens und der Hochrüstung ein, während sie gleichzeitig für Gerechtigkeit im eigenen Lande und im Ausland tätig sind. [. . .]

Quelle: An Evolving Policy: U.S. Intervention and the Reagan-Administration, Flugschrift der Coalition for a New Foreign and Military Policy, Washington, D. C., 1982.

Dokument 12

El Salvador – ein neues Vietnam?
Vom Friedensrat der USA

Am 1. November 1961 schickte General Maxwell Taylor an Präsident Kennedy ein Telegramm, in dem er die Entsendung von Truppen nach Südvietnam empfahl.

»Der Umfang der entsandten US-Truppen muß nicht groß sein«, schrieb General Taylor, »um eine militärische Präsenz der USA zu gewährleisten, die geeignet ist, die nationale Moral zu heben und gegenüber Südostasien die Entschlossenheit der USA zu demonstrieren, sich einer kommunistischen Machtübernahme zu widersetzen.«

General Taylor riet zu einer Entsendung amerikanischer Truppen trotz gewisser damit verbundener Nachteile, von denen er zumindest einen mit prophetischer Scharfsicht anführte:

»Wenn das erste Kontingent nicht ausreicht, um die notwendigen Resultate zu erzielen«, schrieb Taylor, »dann wird es schwierig sein, sich der Tendenz zur Verstärkung zu widersetzen. Wenn das Endziel, das wir anstreben, in der Schließung der Grenzen besteht und der Säuberung Südvietnams von Aufständischen, dann gibt es keine obere Grenze für unser mögliches Engagement (es sei denn, wir greifen die Wurzel des Übels in Hanoi an).«

Zwanzig Jahre danach braucht man nur die Namen auszuwechseln. [. . .]

Das vom State Department am 23. Februar 1980 veröffentlichte »White Paper« mit dem Titel »Kommunistische Einmischung in El Salvador« zieht schwerwiegende Konsequenzen für den Weltfrieden nach sich und stellt praktisch eine Kriegserklärung an das Volk von El Salvador und eine direkte Bedrohung derjenigen dar, die überall auf der Welt für ihre Selbstbestimmung kämpfen. Die Rechten, die die Regierung Reagan kontrollieren, testen die Reaktion der Öffentlichkeit auf erneute, offen militärische Interventionen der USA. Wenn sie in El Salvador Erfolg haben, werden nicht nur die Hoffnungen der Bevölkerung zunichte gemacht, es werden auch bald weitere, noch gefährlichere Interventionen folgen.

Wenn Reagan erklärt: »El Salvador wird kein zweites Vietnam«, dann meint er damit nicht, daß er plant, das Pentagon dort herauszuhalten. Er meint, daß das Pentagon diesmal *gewinnen* will. [. . .]

In El Salvador steht nicht nur das Schicksal eines kampfbereiten Volkes auf dem Spiel, das entweder die Militärdiktatur abschaffen oder einen Massenmord schrecklichen Ausmaßes erdulden muß. Es geht außerdem um den erneuten Versuch der Regierung Reagan, zu den Tagen des Vietnamkrieges zurückzukehren – und diesmal damit durchzukommen.

Am 13. März erklärte der Staatssekretär im Außenministerium, Walter J. Stoessel Jr., vor dem Senat: »Die Aktivitäten, mit denen unsere Militärangehörigen in El Salvador beauftragt sind, bedeuten nicht, daß sie salvadorianische Truppen kommandieren, koordinieren, sich an ihren Bewegungen beteiligen oder sie zu einem Zeitpunkt oder in Gegenden bevorstehender Feindseligkeiten begleiten.«

Damit uns diese Worte auch nicht einen Augenblick lang dazu verleiten, der Regierung zu vertrauen, wollen wir uns die Worte eines anderen Staatssekretärs aus dem Jahre 1962 ins Gedächtnis rufen:

»In der Diskussion über die zur Zeit politisch umstrittene Art und Weise der amerikanischen Hilfe erklärte Staatssekretär George W. Ball mit Nachdruck, es befänden sich keine Kampfeinheiten der USA in Vietnam. ›Wir kämpfen nicht in diesem Krieg‹ und ›Wir führen diesen Krieg nicht‹ versicherte er.« (New York Times, 1. Mai 1962)

Quelle: El Salvador – Another Vietnam?, Flugblatt des US Peace Council, New York, o. J.

Dokument 13

Stoppt auch die Intervention der USA im Ausland!
Erklärung des New Yorker Ausschusses für Solidarität mit dem Volk von El Salvador

Die Abrüstungskundgebung am 12. Juni wird sicherlich in begeisternder und monumentaler Weise den Protest gegen das eskalierende atomare Wettrüsten zum Ausdruck bringen, aber die Abrüstungsbewegung wird hinter ihrem eigentlichen Ziel zurückbleiben, wenn sie sich nicht mit dem Thema der amerikanischen Interventionen im Ausland befaßt und mit dem Zusammenhang zwischen diesen Interventionen und der Möglichkeit eines Atomkrieges.

Viele Amerikaner glauben, Atomwaffen seien bisher nur bei der Bombardierung von Hiroshima und Nagasaki im Jahre 1945 zum Einsatz gekommen. Daniel Ellsberg hat jedoch in »Protest and Survive« darauf hingewiesen, daß dies keineswegs der letzte Einsatz von Atomwaffen war: »Immer und immer wieder und vor der amerikanischen Öffentlichkeit geheimgehalten sind die Atomwaffen der USA eingesetzt worden . . ., und zwar in genau derselben Art und Weise, wie man ein Gewehr benutzt, wenn man es auf jemanden richtet und den Abzug nicht betätigt.«

Seit dem Ende des Zweiten Weltkrieges haben die USA mindestens zwölfmal mit dem Einsatz von Atomwaffen gedroht, so zum Beispiel 1950 und 1953 gegen Korea und China, 1958 gegen China, 1954, 1968 und 1969 gegen Vietnam, 1961 während der Berlin-Krise, 1962 während der Kubakrise, und vor kurzem erst durch Reagans Äußerungen über einen »begrenzten Atomkrieg« in Europa.

Bei all diesen Anlässen wurden die Konflikte in erster Linie als Ost-West-Konfrontationen hingestellt, um damit eine anscheinend unbegrenzte Eskalationsspirale zu rechtfertigen. Als Reagan das amerikanische Militär öffentlich kritisierte, in Vietnam nicht »bis zum Äußersten gegangen« zu sein, meinte er, man hätte einen »begrenzten Atomkrieg« in Erwägung ziehen sollen.

Wie in Vietnam versucht die Regierung der USA dem Volk von El Salvador sein Recht auf nationale Selbstbestimmung zu verweigern und stellt die Auseinandersetzungen erneut als einen Ost-West-Konflikt hin.

Die einflußreichen Politiker der USA sind vollauf damit beschäftigt, die Legende zu verbreiten, sowjetische oder kubanische Manipulationen seien die Wurzel des Krieges in El Salvador. Der Mythos, die allgemeine Unzufriedenheit in El Salvador gehe auf sowjetische oder kubanische Einflüsse zurück, soll jedoch nur die Aufmerksamkeit von der salvadorianischen Wirklichkeit ablenken. Seit über 50 Jahren kämpft das Volk von El Salvador gegen die Militärherrschaft und für die Beseitigung von Armut, Analphabetentum, Ungerechtigkeit und Unterdrückung. Als alle Mittel des politischen Kampfes – Massenproteste, Streiks und sogar Wahlen – sich als ungeeignet erwiesen hatten, auch nur die geringsten positiven Ergebnisse zu zeitigen gegenüber einer repressiven Armee, die sich nur einigen wenigen reichen und einflußreichen Familien verpflichtet weiß, da begann der derzeitige bewaffnete Kampf. [. . .]

Solange wir das Wettrüsten und den Atomkrieg nur als Ost-West-Konflikt sehen, verschließen wir unsere Augen vor den wirklichen Ursachen des Krieges. Die Forderung nach einer Politik ohne Interventionen ist ein wesentlicher Bestandteil der Forderung nach Weltfrieden, Beendigung des Wettrüstens und atomarer Abrüstung. So wichtig der erste Schritt zu einer Einstellung des Wettrüstens ist, der Weltfriede wird erst dann gewährleistet sein, wenn der Prozeß der Abrüstung gekoppelt wird mit einer internationalen Anerkennung der Nichteinmischung in die Angelegenheiten anderer Länder und mit dem fundamentalen Recht auf Selbstbestimmung, das jedem Land und jedem Volk legitimerweise zusteht.

Quelle: New York Committee in Solidarity with the People of El Salvador, in: Guardian Special Issue (New York), Summer 1982, S. 25.

Dokument 14

Die Invasion im Libanon und die Antikriegsbewegung

Der israelische Einmarsch nach Libanon hat den Völkermordkrieg gegen das palästinensische Volk ausgeweitet. Ausgerüstet mit amerikanischen Waffen und von den USA finanziell unterstützt hat die israelische Armee über 14 000 Palästinenser und Libanesen umgebracht, Zehntausende zu Krüppeln und zahllose Familien obdachlos gemacht. Ganze Städte, Dörfer und Flüchtlingslager wurden dem Erdboden gleichgemacht, und West-Beirut wird ausgehungert, während israelische Drohungen und israelischer Artilleriebeschuß sich abwechseln. Es ist von größter Dringlichkeit, daß die Antikriegsbewegung in den Vereinigten Staaten sich organisiert und fordert, daß alle israelischen Truppen sofort und bedingungslos aus dem Libanon abgezogen, daß die Waffenlieferungen und die finanzielle Hilfe der USA an Israel eingestellt und daß keine US-Truppen in den Mittleren Osten entsandt werden.

Diese Forderungen sollten ein elementarer Bestandteil der Antikriegsbewegung sein, einige Leute sind jedoch anderer Meinung.

Die Rolle der Vereinigten Staaten

Da sind einige, die sich zwar gegen die israelische Invasion ausgesprochen haben, die jedoch die Rolle der USA nicht besonders hervorheben wollen. Die Invasion im Libanon könnte jedoch ohne amerikanische Unterstützung nicht einen einzigen Tag lang fortgesetzt werden. Fast alle israelischen Waffen sind »Made in USA« oder wurden mit amerikanischer Finanzhilfe gekauft. [. . .] Im letzten Jahr wurde an Israel Militärhilfe in Höhe von 1,4 Milliarden Dollar gezahlt. Das Angebot, eine »Eskorte« der Marineinfanterie zu entsenden, soll nur eine noch direktere Intervention der USA verschleiern. Während sie vorgeben, als »Vermittler« und »Friedensbewahrer« tätig zu sein, sind die USA während der ganzen Zeit ein aktiver Partner der Invasion gewesen (auch wenn es Meinungsverschiedenheiten in der Frage gibt, wie das praktisch zu regeln ist). Stärker denn je zuvor – während sich die Marines und die 6. Flotte dem Libanon nähern – trägt die Antikriegsbewegung die Verantwortung dafür, daß die Rolle der USA deutlich gemacht und alles Menschenmögliche getan wird, sie zu beenden.

Sofortiger und bedingungsloser Rückzug Israels

Dann gibt es Leute, die die Forderung »Alle ausländischen Truppen raus aus dem Libanon!« erheben. Das klingt zwar nach Friedensgesinnung, aber dieser Slogan setzt die israelischen Invasoren mit den palästinensischen Opfern gleich und fordert in Wahrheit eine Entwaffnung der Palästinenser und die Vertreibung der Palästinensischen Befreiungsorganisation als Bedingungen für einen israelischen Abzug. Das ist genau das politische Ziel der Invasion und der wesentliche Inhalt der Position Begins und Reagans.

Das Massaker an palästinensischen und libanesischen Zivilisten – eine verbrecherische Völkermordkampagne – wurde veranstaltet, um den Kampf des palästinensischen Volkes für die Wiedergewinnung ihrer Heimat und für das Recht auf Selbstbestimmung zu unterdrücken. Und dieser Kampf für die Selbstbestimmung wird von der PLO vertreten und findet in ihr seinen Ausdruck. Die verbrecherische Invasion des Libanon ist von den verbrecherischen Zielen der USA und Israels nicht zu trennen. Unsere Anstrengungen sollten sich gegen beide richten. [. . .]

Die USA unterstützen Israel aus den gleichen Gründen, aus denen sie die Junta von El Salvador unterstützen: Die USA und Israel wollen den Libanon der bewaffneten (faschistischen) Falange überlassen, die die Investitionen der Wall Street schützen und sowohl die palästinensischen als auch die libanesischen Arbeiter und Bauern unterdrücken würde. Die Aufgabe der Marineinfanterie wäre es, der Falange die Macht zu übergeben, wie das bereits anläßlich der Invasion der Marineinfanterie im Libanon 1958 der Fall war. [. . .]

Die People's Anti-War Mobilization (PAM) wird mit anderen Organisationen zusammenarbeiten, um die Bevölkerung über die Probleme des Mittleren Ostens aufzuklären und den Widerstand gegen die amerikanisch-israelische Kriegspolitik zu mobilisieren. Für Sonntag, den 25. Juni, ist ein Teach-in in New York City geplant. Demonstrationen, Kundgebungen und Foren werden in vielen Großstädten in allen Teilen des Landes organisiert werden. Wir laden alle aktiven Mitarbeiter der Antikriegsbewegung ein, sich uns bei dieser wichtigen Arbeit anzuschließen.

Quelle: The Invasion of Lebanon and the Anti-War Movement, Flugblatt der People's Anti-War Mobilization, New York, 1982.

Teil 8

Mittelständische Berufsverbände und
Einzelpersönlichkeiten

Auch wenn die amerikanische Friedensbewegung angesichts ihrer sozialen Struktur und ihrer politischen Praxis nicht auf die Mittelschichten begrenzt werden kann, erhält sie von dort doch unbestritten große Unterstützung und wichtige Impulse. Auf der Grundlage humanistischen Erbes und entwickelter professioneller Qualifikation erkennen immer mehr Menschen aus dem bürgerlich-liberalen Lager, daß der von der Reagan-Administration eingeschlagene Kurs der Hochrüstung und des militanten Antikommunismus in den Krieg führt, und immer mehr Menschen wirken dem individuell und kollektiv als Journalisten, Diplomaten, Wissenschaftler, Ärzte und Künstler entgegen.

Die Massenmedien, insbesondere auch die politisch einflußreichsten Tageszeitungen New York Times, Washington Post und Los Angeles Times, bleiben zwar in ihrer außen- und sicherheitspolitischen Berichterstattung und Kommentierung prinzipiell verläßliche Stützen der politischen und ökonomischen Macht. Gleichzeitig aber kommen in diesen »renommierten« Tageszeitungen Journalisten zu Wort, die ihre demokratische Informations- und Kontrollaufgabe ernstnehmen und durch hartnäckige Recherche unabweisbare Fakten und Zusammenhänge zur Politik der Reagan-Regierung offenlegen, die wesentlich mit zur Wahrnehmung der wachsenden Kriegsgefahr und zur friedenspolitischen Aktivierung im Lande beigetragen haben. Von dem militärpolitischen Sonderkorrespondenten der Los Angeles Times, Robert Scheer, wird hier eine Analyse aus dem Herbst 1981 vorgestellt, die der amerikanischen Öffentlichkeit erstmals deutlich vor Augen führte, daß in der Vorbereitung eines Atomkriegs das qualitativ neue Element der Politik der Reagan-Administration liegt (Dok. 1).[1] Über das Ziel einer militärischen Planung, die auf die »Enthauptung« der UdSSR abstellt und in den nächsten Jahren fieberhaft Sabotage und Killersatelliten, Eingreiftruppen und ökonomische Kriegführung ausbauen will, läßt Tom Wikker die Leser der New York Times in seiner Bewertung des neuen Pentagon-Fünfjahresplanes[2] nicht im Zweifel: Krieg bis auf den Tod (Dok. 2).

Im wahrsten Sinne des Wortes Vorkämpfer der neuen amerikanischen Friedensbewegung ist Daniel Ellsberg, der in einer Vorstellung wichtiger Einzelpersönlichkeiten dieser Bewegung nicht fehlen darf. Ellsberg war einst Spezialist des Pentagon für atomare Kriegführung, machte dann entsetzt über die Ereignisse in Vietnam die geheimen Pentagon-Papiere der Öffentlichkeit zugänglich und trug dadurch entscheidend zur Stimmungswende in den USA in bezug auf den Vietnam-Krieg bei. Wir dokumentieren hier noch einmal die Schlußpassage der bewegenden Rede, die Ellsberg am 27. 4. 1981 auf Einladung des Bundes demokratischer Wissenschaftler in Münster hielt (Dok. 3).

Für die große Zahl der der Friedensbewegung verbundenen amerikanischen Wissenschaftler stehen hier ein Psychologe und ein Physiker. Robert Jay Lifton hat umfangreiche Forschungen über das Schicksal der Hiroshima-Opfer unternommen, und von ihm stammt der Ausdruck des »psychic numbing«, der psychischen Taubheit, zur Beschreibung der völligen psychischen Lähmung der Überlebenden von Atombombenexplosionen. Der von Lifton aufgenommene Text aus den *Soho News* ist seine Sachverständigenaussage beim Prozeß gegen die »Pflugschar 8« (Dok. 4). Der Atomphysiker und Nobelpreisträger Hans A. Bethe war einst im Manhattan-Projekt an der Entwicklung der ersten Atombombe mitbeteiligt und ist heute im Vorstand der »Union der besorgten Wissenschaftler« (Union of Concerned Scientists) aktiv (Dok. 5).

Wie Bethe vertreten viele Wissenschaftler, Künstler, Lehrer und Freiberufler ihren Widerstand gegen die atomare Hochrüstung nicht nur individuell, sondern organisieren sich in berufsspezifischen Friedensorganisationen. Stellvertretend für die große Zahl dieser Friedensgruppen sind die Texte von Naturwissenschaftlern (Dok. 6), Ärzten (Dok. 7 und 8) und Rechtsanwälten (Dok. 9), die politisches Selbstverständnis, professionelle Betroffenheit und argumentative Spezifik der einzelnen Berufsgruppen erkennen lassen.

Eine wachsende Zahl bürgerlich-liberaler Politiker sieht mit Besorgnis, wohin blinder Antikommunismus und hysterischer Aufrüstungswahn führen müssen. Wir dokumentieren stellvertretend zwei Aussagen: Auszüge aus dem Referat von J. William Fulbright (Dok. 10), der von 1959 bis 1974 Vorsitzender des Außenpolitischen Ausschusses des US-Senats war, während der Ad-hoc-Hearings zum Rüstungshaushalt, die der Abgeordnete Ronald Dellums im März 1982 initiierte; und Auszüge aus einer Rede, die der langjährige amerikanische Botschafter in der Sowjetunion, George F. Kennan, anläßlich der Verleihung des Grenville-Clark-Preises im November 1981 hielt (Dok. 11). Kennan beschreibt darin eindringlich Ausmaß und Gefahren eines pathologischen Antisowjetismus in den politischen und publizistischen Machtzentren der USA und fordert ein rationales amerikanisch-sowjetisches Verhältnis als Grundvoraussetzung für die Erhaltung des Friedens.

---

1 Zur Wirkung dieses Artikels in der Los Angeles Times vgl. Heinrich W. Ahlemeyer, »Living in a Pre-War World«: Facetten aus der friedenspolitischen Diskussion in den USA, in: Englisch-Amerikanische Studien 1,2/82, S. 182–190.

Zu den jüngsten Pentagon-Planungen über einen Atomkrieg langer Dauer vgl. Robert Scheer, Pentagon Plan Specifies Methods of Winning Protracted Nuclear War, Los Angeles

Times, 15.8. 1982; vgl. auch die Dokumente bei Heinrich W. Ahlemeyer, Bernd Greiner, The Decapitation of the USSR, in: Englisch-Amerikanische Studien, 3/82, S. 419–432.

2 Der Text des New York Times-Artikels, der dieses sog. Leitlinien-Dokument enthüllt, findet sich in deutscher Übersetzung in: Blätter für deutsche und internationale Politik, 8/82, S. 1011–16.

Dokumente

1. Journalisten und öffentliche Meinung

Dokument 1

Die USA brechen mit der Vergangenheit
Entspannung wird durch atomare Überlegenheit ersetzt
Von Robert Scheer

Senator Claiborne Pell (Dem., Rhode Island): »Stellen Sie sich im Falle eines atomaren Schlagabtauschs zwischen der Sowjetunion und den Vereinigten Staaten vor, daß eines der beiden Länder überlebt?«

Eugene V. Rostow, Leiter der US-Behörde für Rüstungskontrolle und Abrüstung: »Die Menschheit ist sehr widerstandsfähig, Senator Pell.«

Während Ronald Reagans wirtschaftliche Revolution die öffentliche Aufmerksamkeit erregt, ist die in noch weit radikalerer Weise veränderte Einstellung seiner Regierung zum Problem eines eventuellen Atomkrieges weithin unbemerkt geblieben.

Es ist ein bedeutsamer Bruch gegenüber den bisherigen Präsidenten von Harry S. Truman bis Jimmy Carter, wenn das Hauptziel der neuen Regierung weniger darin zu bestehen scheint, den zerbrechlichen Frieden aus der Zeit nach dem Zweiten Weltkrieg zu bewahren, als darin, sich auf einen möglichen dritten Weltkrieg vorzubereiten. Eugene V. Rostow, der Mann, den Reagan für die Abrüstung eingesetzt hat, hat es so formuliert: »Wir leben in einer Vorkriegszeit und nicht in einer Nachkriegszeit.« [. . .]

Rostow und andere für die Rüstungskontrolle zuständige Regierungsmitglieder lehnen die Auffassung ihrer Vorgänger ab, die bisher die Grundlage der Entspannung bildete: daß ein atomarer Krieg nur zu einer Katastrophe führen kann, die zu vermeiden beide Supermächte ein Interesse haben.

Statt dessen unterstützen sie die gegenteilige Auffassung, die davon ausgeht, daß die sowjetische Führung aktiv nach der Weltherrschaft strebe, und zwar durch den angedrohten oder tatsächlichen Einsatz atomarer Waffen in einem Krieg, von dem der Kreml glaube, er könne ihn gewinnen. Die Vereinigten Staaten können nach Meinung dieser Politiker nur dadurch abschrecken, daß sie, wie der Unterstaatssekretär im Verteidigungsministerium Frank C. Carlucci das nennt, eine eigene »Kapazität zur Führung eines Atomkrieges« entwickeln.

Im vergangenen Monat präsentierte Verteidigungsminister Caspar W. Weinberger Präsident Reagan eine Ausgabenplanung im Verteidigungsbereich, die darauf abzielt, innerhalb der nächsten zehn Jahre gegenüber der Sowjetunion erneut eine atomare Überlegenheit zu erreichen. Das Ziel besteht nach Aussagen führender Pentagon-Vertreter darin, eine Kapazität zur Führung von Atomkriegen aufzubauen, die von einem begrenzten Schlag bis zum unbeschränkten Schlagabtausch reicht. In der vergangenen Woche erklärte Weinberger vor dem Haushaltsausschuß des Repräsentantenhauses, die jetzige Regierung werde die Fähigkeit der USA ausbauen, »einen globalen Krieg mit der Sowjetunion durch Abschreckung zu verhindern oder zu führen«.

Es gibt Anzeichen dafür, daß eine Auffassung, die bisher nur eine Unterströmung im strategischen Denken und in den Zielplanungen des Pentagon war, jetzt zur vorherrschenden Auffassung dieser Regierung geworden ist. [. . .]

Gewiß hat es auch schon früher theoretische Diskussionen über einen begrenzten Atomkrieg gegeben; Militärstrategen auf beiden Seiten haben bei der Planung hypothetischer Schläge gegen feindliche Ziele mit dieser Möglichkeit gespielt. [. . .]

Aber abgesehen von solchen Kriegsspielen stützten die früheren Regierungen ihre Bemühungen um Rüstungskontrolle und Entspannung auf die Annahme, keine der beiden Seiten könne hoffen, einen atomaren Schlagabtausch zu überleben, geschweige denn zu gewinnen. Heute jedoch sitzen einige der lautstärksten Kritiker von Entspannung und Rüstungskontrolle in Washington an entscheidender politischer Stelle, und die Entspannung ist zu einem Begriff geworden, den man eher verachtet, statt sich an ihm zu orientieren. [. . .]

Außenminister Alexander M. Haig hat zugesichert, die Regierung werde noch in diesem Herbst die Gespräche über eine Rüstungskontrolle wiederaufnehmen. Für den 30. November gab er den Beginn von Verhandlungen mit der Sowjetunion bekannt, bei denen über die Installation von Atomwaffen der NATO und des Warschauer Pakts in Europa gesprochen werden soll.

Es ist jedoch unwahrscheinlich, daß diese Gespräche zu irgendwelchen wesentlichen Vereinbarungen führen, vor allem weil wichtige, für die Gespräche über eine Rüstungskontrolle verantwortliche Mitglieder der gegenwärtigen Regierung die Verhandlungen mehr als ein Vehikel betrachten, mit dem sich die Unaufrichtigkeit der sowjetischen »Friedensoffensive« anprangern läßt, und weniger als ein Instrument zur Erreichung wirklicher Rüstungsbeschränkungen. [. . .]

Haig schloß seine Ausführungen [gegenüber U.S. News & World Report – d. Hrsg.] über die Nöte der Sowjets mit folgenden Worten: »Ihre Ideologie hat versagt . . . Die Kosten der sowjetischen Außenpolitik sind deutlich im Steigen begriffen, und einfache Lösungen sind nicht in Sicht. Das kann sogar Auswirkungen auf die Lage der sowjetischen Innenpolitik haben. Verbraucher, die für ihre Ersparnisse nichts kaufen können, werden widerspenstig. Ich glaube, die sowjetischen Führer werden sich allmählich darüber klar, daß das System selbst sich in Schwierigkeiten befindet.« Auf die Frage, warum die gegenwärtige Regierung die Sowjets dann für gefährlich halte, erwiderte Haig: »Sie sind gefährlich, weil sie bis an die Zähne bewaffnet sind«, und weil historisch feststehe, daß innenpolitische Probleme zu »Diversionsakten im Ausland« führen.

Eine andere Ansicht wurde von dem Oxforder Professor Michael E. Howard in einer Vorlesungsreihe an der Universität von Kalifornien in Los Angeles entwickelt, die er dort im November 1980 hielt. Howard zitierte den verstorbenen Professor der gleichen Universität, Bernard Brodie, ein Mitglied der Rand Corporation und führender amerikanischer Strategietheoretiker, der seinerzeit geschrieben hatte:

»Wenn das ›Komitee zur gegenwärtigen Gefahr‹ (Committee on the Present Danger) in einer seiner Broschüren von dem ›brutalen Tempo der massiven sowjetischen Aufrüstung mit strategischen Waffen‹ redet, einer ›Aufrüstung, für die es in der bisherigen Geschichte kein Beispiel gibt‹, dann wird hier von etwas gesprochen, das niemand, der sich mit der strategischen Aufrüstung der USA in den 60er Jahren beschäftigt hat, für beispiellos halten kann.« [. . .]

Howard schloß seine Vorlesung mit einer Warnung vor der »Möglichkeit, daß wir in einer tödlichen Mischung von Überheblichkeit und Verzweiflung uns eines Tages gezwungen sehen, einen Atomkrieg zu beginnen. Ein solcher Krieg könnte sein Ziel erreichen oder auch nicht, aber ich bezweifle, daß die Überlebenden auf beiden Seiten sich dafür sonderlich interessieren werden.«

Quelle: Robert Scheer, Detente Yields to Nuclear Superiority, in: Los Angeles Times, September 28, 1981.

Dokument 2

Krieg bis zum Tode
Von Tom Wicker

»Der erste vollständige Verteidigungsplan« der Regierung Reagan, der mindestens für die nächsten fünf Jahre die Richtlinien für die Militärpolitik der USA bestimmen soll, ist ein Plan dafür, wie man aus ungemütlichen sowjetisch-amerikanischen Beziehungen einen unerbittlichen Krieg bis zum Tode macht.

Dieses außergewöhnliche, 126 Seiten starke Dokument, das die Ansichten Verteidigungsminister Weinbergers und seiner höchsten militärischen und zivilen Berater widerspiegelt, war bereits Gegenstand einer ausführlichen Darstellung von Richard Halloran in der NEW YORK TIMES vom 30. Mai.

Weinbergers »Richtlinien«

* gehen von der Notwendigkeit einer atomaren Kriegführung aus, bei der die Vereinigten Staaten gegenüber der Sowjetunion »die Oberhand behalten«, auch wenn es zu einer »langwierigen Konfliktperiode« kommt;

* würden bewirken, daß sich die USA zu einem Land entwickeln, das sich ständig im Kriegszustand befindet;

* vermitteln der Welt das Bild eines Amerika, dem es ausschließlich um Macht geht und das sogar den Weltraum für militärische Zwecke nutzen will.

So ist dem Dokument zum Beispiel unter anderem die Absicht des Pentagon zu entnehmen, »die militärischen Sondereinheiten zu reaktivieren und auszubauen, um die Macht der Vereinigten Staaten auch dort wirksam werden zu lassen, wo der Einsatz konventioneller Streitkräfte voreilig, unangebracht oder nicht durchführbar wäre«, *vor allem in Osteuropa.* Aus dem Pentagonesischen übersetzt bedeutet der Begriff »militärische Sondereinheiten« nichts anderes als Guerillakrieg, Sabotage, Terrorismus und ähnliches.

Was soll die Welt sich dabei denken? Soll jedes Land, das sich Washingtons Mißfallen zuzieht oder dessen angeblichen Interessen im Wege steht, »destabilisiert« werden wie Guatemala vor 25 Jahren, Chile vor 10 Jahren und Nicaragua heute? Und speziell Osteuropa? Haben wir in all den Jahren aus den Ereignissen in Ungarn, Ostdeutschland, der Tschechoslowakei und Polen nichts gelernt?

Richard Halloran hat in seiner Beschreibung der Weinbergerschen »Richtlinien« darauf hingewiesen, daß sie schon in Friedenszeiten praktisch eine Kriegserklärung auf wirtschaftlichem und technischem Gebiet an die Adresse der Sowjetunion bedeuten. Welche Schlüsse soll man auch sonst ziehen aus einem in »Friedenszeiten« entwickelten Programm, das so viel Druck wie nur möglich auf die sowjetische Wirtschaft ausüben will und das zu einem Wettrüsten aufruft, bei dem die USA Waffen entwickeln, »denen die Sowjets nur schwer etwas entgegensetzen können, durch die dem militärischen Wettbewerb neue Bereiche eröffnet werden und die bewirken, daß die bisherigen sowjetischen Investitionen überholt sind«? Motto: Wir werden sie begraben.

Das Dokument skizziert auch die geplante Umwandlung von Präsident Carters bescheidener Schneller Eingreiftruppe (RDF) in eine Armada, die aus fünf Armeedivisionen, zwei Marineinfanterie-Divisionen mit eigenen Flugzeuggeschwadern, zehn taktischen Kampfflugzeuggeschwadern der Luftwaffe, zwei Geschwadern mit Bombern vom Typ B-52 und drei Flugzeugträgern der Marine mit einer stattlichen Anzahl von Begleitschiffen besteht.

Diese furchteinflößende Streitmacht würde wahrscheinlich mit der Aufgabe betraut werden, die amerikanischen Ölquellen im Persischen Golf zu verteidigen. Aber aus dem Papier geht klar hervor, daß die Schnelle Eingreiftruppe nicht notwendigerweise erst dann eingesetzt wird, wenn eine befreundete Regierung darum ersucht – was bislang in der Öffentlichkeit immer so dargestellt wurde; und daß ihre Hauptaufgabe darin besteht, sowjetischem Einfluß entgegenzuwirken, und nicht darin, den Ländern der Region dabei zu helfen, sich gegeneinander zu verteidigen.

Wie lassen sich diese Kriegspläne mit Reagans Erklärung am Memorial Day [Heldengedenktag, 30. Mai, d. Hrsg.] vereinbaren, er »bete darum, daß bei gutem Willen auf beiden Seiten wir eine Welt erreichen werden, in der es mehr Sicherheit gibt«?

Wie sieht es mit seinem guten Willen aus, wenn er ankündigt, daß am 29. Juni

Gespräche über eine Verringerung der Atomwaffen beginnen werden und seine Militärplaner zur gleichen Zeit »die Entwicklung von Prototypen für im Weltraum stationierte Waffensysteme« fordern, zu denen auch Mittel zur Zerstörung sowjetischer Satelliten gehören. Moskau ist auf diese Satelliten angewiesen, wenn es überprüfen will, ob sich die USA an eine vereinbarte Verringerung der Atomwaffen halten; ohne sie kann es keine Vereinbarungen über eine derartige Verringerung treffen.

Wenn diese »weltraumgestützten« Waffen auch noch atomare Waffensysteme sind, dann würden sie außerdem gegen den von den USA, der UdSSR und Großbritannien abgeschlossenen Vertrag aus dem Jahre 1963 und gegen den Weltraumvertrag der Vereinten Nationen von 1967 verstoßen. Aber noch nicht zufrieden mit der Verlagerung des Wettrüstens in den Weltraum schlagen die »Richtlinien« ferner vor, daß die USA im Falle einer Stationierung der MX unter Umständen auch gezwungen seien, Anti-Raketen-Systeme einzuführen – womit sie den bisher erfolgreichsten sowjetisch-amerikanischen Vertrag über strategische Waffen gefährden würden.

Warum sollten die Sowjets nach der Lektüre dieses offiziellen Dokuments aus dem Verteidigungsministerium, dessen Verfasser von Reagan ernannt wurden und das als Leitlinie für das militärische Establishment gedacht ist, von der Annahme ausgehen, Reagan meine es ernst mit einer Verringerung der Atomwaffen oder einem Abbau der Spannungen? Und die Westeuropäer, die bereits nervös auf die, wie sie es nennen, »Cowboy-Tendenzen« Reagans reagieren, wird das Vorhaben seiner Planer nicht gerade beruhigen, strategische Waffen ebenso wie auf das sowjetische Kernland nun auch auf Militärbasen in Osteuropa zu richten.

Schlimmer noch: was für ein Land wäre das, wenn all diese militaristischen Pläne Wirklichkeit würden? Reagan mag am Memorial Day die Kriegstoten der Nation betrauern und erklären, daß »die Freiheit, für die sie starben, fortbestehen und gedeihen muß«; es ist jedoch nichts so unwahrscheinlich wie ein Fortbestehen und Gedeihen der Freiheit in einem Garnisonsstaat, der sich einer ewigen Kriegführung verschrieben hat und sogar bereit ist, sich selbst zu zerstören, um inmitten der Trümmer die Oberhand zu behalten.

Quelle: Tom Wicker, War to the Death, in: New York Times, 1. 6. 1982.

2. Verteidigungsexperten, Naturwissenschaftler, Ärzte, Psychologen und Juristen gegen Atomkrieg: Individuen und Organisationen

Dokument 3

Wir haben noch eine Chance . . .
Von Daniel Ellsberg

[. . .] Als ich die Kriegspläne der USA im Jahre 1960 und 1961 zu Gesicht bekam, dachte ich, es handle sich in erster Linie um einen Vergeltungsplan. Aber da die Russen in Wirklichkeit gar nicht in der Lage waren, uns zuerst anzugreifen, war es tatsächlich ein Plan zur Ausführung des ersten Schlages. Wie war ich da hineingeraten? Dafür gibt es viele Gründe, es reicht jedoch, hier einen anzuführen: wie viele andere wurde ich belogen. Ich konnte mir nicht vorstellen, daß wir eine solche Überlegenheit besaßen und daß wir tatsächlich mit dem Plan eines Präventivschlages arbeiteten. Damals war ich unwissend, so daß man sagen könnte, ich war damals weniger verantwortlich als ich es heute wäre. Nach jenem Plan sollten nicht mehr wie noch 1955 mehrere zehn Millionen Menschen umgebracht werden, sondern allein in Rußland und China 325 Millionen Menschen – wobei die Tatsache noch nicht berücksichtigt wird, daß durch den vom Wind herangetragenen Fallout auch die meisten Bewohner Finnlands, Österreichs, Jugoslawiens, Afghanistans, Pakistans und Japans umkommen und je nach der Windrichtung bis zu 100 Millionen Menschen Opfer eines sowjetischen Gegenschlages würden. [. . .]

Wir werden keine braven Bürger sein . . .
Ich bin der Meinung, die Führer unserer Gesellschaft und diejenigen, deren Karriere von wissenschaftlichem oder militärischem oder politischem Prestige abhängt, sind sämtlich auf die Probe gestellt worden. Wir haben keine Zeit, darauf zu warten, daß sie ihre Einstellung ändern und sich klar darüber werden, was menschliches Leben auf der Erde wirklich bedeutet. Es gibt andere Beispiele, denen wir folgen können, Beispiele von Menschen beider Geschlechter und aller Altersgruppen, die sich oft genug überaus tapfer verhalten haben, wenn sie die Wahrheit erfuhren. Und ihre Macht war eine andere als die Macht eines Schahs, dessen Folterknechte mit amerikanischen Waffen ausgerüstet und mit amerikanischem Geld bezahlt waren. Und es stellen sich auch in den Vereinigten Staaten immer mehr Intellektuelle und sogar Bürokraten wie ich die Frage: Was kann ich gegen den Krieg tun, wenn ich bereit bin, dafür auch ins Gefängnis zu gehen? Und sobald diese Frage gestellt wird, verändert sie das eigene Leben. Sie erweist sich als wirklich subversive Frage. Während des Vietnam-Krieges hat Noam

Chomsky erklärt, es sei die Verantwortung der Intellektuellen, die Wahrheit auszusprechen und die Lüge zu entlarven. Leute Ihres Alters haben mir nicht gezeigt, wo der richtige Weg in der Vietnam-Frage lag, sondern sie haben mir klargemacht, was ich tun konnte, wenn ich bereit war, ein Risiko auf mich zu nehmen. Damals wurde mir deutlich, daß ich natürlich für den Rest meines Lebens ins Gefängnis gehen würde, wenn das Anprangern der Lüge das erfordern würde – 7000 Seiten mit Dokumenten der Lüge.

Ich glaube, daß in meinem Lande viele Leute die Lektionen des Vietnam-Krieges nicht vergessen haben, obwohl uns Reagan andere Lektionen erteilt. Sie wissen, daß man beim nächstenmal im Mittleren Osten und in anderen Teilen der Welt mit atomaren Waffen drohen wird. Aber wir haben auch etwas anderes gelernt: wie wir unser Handeln nach anderen Werten ausrichten können. Ich glaube, daß wir noch eine Chance haben. Ich bin sehr beeindruckt von den Dingen, die sich in England abspielen und in anderen Teilen Europas, in Skandinavien und vor allem in Deutschland im Zusammenhang mit Aktionen wie dem Krefelder Appell, mit dem Schmidt aufgefordert wird, seinen Irrtum einzusehen und zum Beispiel zu begreifen, daß man eine Gesellschaft nicht auf den Weg der Vernichtung und der Katastrophe führen darf, nur weil man vermeiden will, einen Fehler zuzugeben. Auch wenn man sein Prestige bewahren will, selbst wenn man in seinem Amt bleiben und seine Partei an der Macht halten will, darf man die Politik des Völkermordes und des Selbstmordes nicht unterstützen. Und denjenigen Amerikanern, die aus Vietnam nichts gelernt haben und bereit sind, in El Salvador und anderswo die gleichen Irrtümer erneut zu begehen, werden viele andere Amerikaner dasselbe sagen, was auch Sie, so hoffe ich, Ihren Politikern sagen werden: Wir werden keine braven Bürger sein, auf gar keinen Fall! Kritikloser Gehorsam gegenüber Befehlen ist eine menschliche Eigenschaft, die wir überwinden müssen und überwinden können. Ich danke all denen, die sich intensiv und mutig mit der Rolle Ihres Landes in der NATO auseinandersetzen und voll ganz für eine Veränderung eintreten. [. . .] Aber wir haben eine Chance, und darin liegt unsere Verantwortung, hier müssen wir alle handeln.

Quelle: Daniel Ellsberg, Wir haben noch eine Chance, und darin liegt unsere Verantwortung, in: Blätter f. dt. u. internat. Politik, 7/81, S. 846–48.

Dokument 4

Tod bei lebendigem Leib
Von Robert Jay Lifton

Die Ereignisse von Hiroshima spiegeln nicht wirklich wider, was mit den Menschen passieren würde, wenn es zu einem Einsatz unserer heutigen Atomwaffen käme. Die heutigen Waffen haben eine hundert- oder tausendfach größere Zerstörungskraft. Und doch gibt es in den Erfahrungen mit der winzigen Hiroshimabombe Hinweise auf die Psychologie des Atomzeitalters, des »atomaren

Menschen«, wie ich ihn gelegentlich nenne. Der Tod, den die Überlebenden in sich trugen, war nicht der normale organische Tod jedes einzelnen; es war ein grotesker, absurder, kollektiver, unannehmbarer und unerträglicher Tod. Es ist nicht einmal so sehr das, was Chruschtschow mit den Worten ausdrückte, die Überlebenden würden die Toten beneiden. Es geht vielmehr darum, daß die Überlebenden so gut wie tot sein werden.

Innerhalb eines Sekundenbruchteils hatte jeder Einwohner Hiroshimas, der jenem ersten Abruf einer Atombombe auf eine menschliche Bevölkerung ausgesetzt war, eine permanente Begegnung mit dem Tode. Wir können uns vorstellen, daß diese Begegnung in vier Stufen erfolgt und schließlich endlos wird.

Die erste Stufe ist natürlich der Augenblick, in dem die Bombe einschlägt, das überwältigende Ausmaß des Todes, der Sterbenden und beinahe Toten in unserer unmittelbaren Umgebung. Selbst die Schätzungen über die Zahl der Todesopfer geben nur Hinweise, da niemand wirklich weiß, wie viele Menschen in Hiroshima umgekommen sind – die Zahl liegt irgendwo zwischen 60 000 und 300 000. Der springende Punkt ist, daß selbst ein so kleines Ereignis keine Berechnungen des Zerstörungsgrades zuläßt.

Die Hauptauswirkung dessen, was ich als psychische Betäubung bezeichne, besteht in einer Verringerung der Gefühlsfähigkeit oder Gefühlsbereitschaft. Wenn die Betroffenen mir dies beschrieben, dann sagten einige: »Mein erstes Gefühl war: ich werde sterben, jetzt ist Schluß mit mir.« Aber es war mehr als der Gedanke an den eigenen Tod. In Hiroshima lösten diese ersten Bilder so etwas wie die Vorstellung aus, die ganze Welt werde sterben. Ein Professor formulierte es folgendermaßen: »Mein ganzer Körper schien schwarz zu sein, alles sah dunkel aus, vollkommen dunkel, und ich dachte: Das ist das Ende der Welt.«

Im Zusammenhang damit schilderten mir die Überlebenden ein Gefühl der Verwirrung darüber, wer noch lebte und wer bereits tot war. Viele sagten: »Ich glaubte nicht, daß ich noch am Leben war.« Oder sie sprachen von menschlichen Geistern, von menschlichen Gestalten, die sich im Traumreich bewegten. Die Trennungslinie zwischen Leben und Tod war deutlich verschwunden.

Das zweite Stadium dieser permanenten Begegnung mit dem Tode war etwas, das ich später als unsichtbare Verseuchung bezeichnet habe. Da es so etwas noch nie gegeben hatte und da sie ihnen völlig unbekannt war, war es für die Bewohner Hiroshimas ein groteskes und bestürzendes Erlebnis, als sie bei sich und anderen innerhalb von Minuten oder Stunden oder auch erst im Laufe von Tagen, Wochen oder Monaten die Symptome akuter Strahleneinwirkung feststellten. [. . .]

Die dritte Begegnung mit dem Tode hatte etwas mit den Spätfolgen der Strahlung zu tun, die nicht Monate, sondern Jahre nach der Atombombenexplosion auftraten. Diese Auswirkungen sind wissenschaftlich umstritten, aber sie haben erschreckende psychologische Folgen. [. . .]

Die vierte und in Wirklichkeit letzte und endlose Stufe betrifft ganz einfach die Identität der überlebenden Atombombenopfer. Ich gelangte zu der Auffassung, man müsse sie als eine Identität von Toten bezeichnen oder von Menschen, die sich wie Tote fühlen. Es ist, als hätten die Opfer all den Schrecken und das Böse dessen verinnerlicht oder absorbiert, was sie zum Opfer gemacht hat.

Das heutige Leben in den Vereinigten Staaten – im Schatten der Atomwaffen, in »Friedenszeiten« – fordert seinen Preis. Seine volle Höhe ist uns noch nicht bekannt; aber die nukleare Umgebung löst in unserem Leben und in unserer Kultur deutlich Deformationen aus. [. . .]

Da ist einmal die psychische Betäubung, auf die ich bereits hingewiesen habe. Sie hat etwas zu tun mit einer Verringerung des Gefühlsvermögens oder der Gefühlsbereitschaft. Diese psychische Blockade kommt bei uns allen vor, und ganz sicher bei denjenigen, die diese Waffen herstellen oder ihren möglichen Einsatz planen. Schlimmer noch ist etwas, das ich die Religion des Nuklearismus nenne: Wir akzeptieren die Mittel zu unserer potentiellen Vernichtung und sehen in ihnen die Quelle unseres Heils.

Es gibt Teufelspakte in allen Kulturen. Ein amerikanisches Beispiel dafür war die Tatsache, daß wir unsere Augen vor dem Holocaust verschlossen haben. Das hat sich geändert, aber wir neigen dazu, mehr von den Katastrophen der Vergangenheit zu reden. Wir sprechen nicht gern von den Katastrophen der Zukunft. Nach meiner Meinung hat das zunehmende Bewußtsein von den Gefahren der Kernenergie enorme Folgen für das Problem der Atomwaffen – nicht nur wegen der bestehenden technischen Zusammenhänge, sondern weil die Kernenergie uns die Gefährlichkeit der Waffen direkter wahrnehmen läßt. Die »Weisheit des Körpers« spürt, daß uns diese Dinge vernichten können. Und das wiederum kann sich auf unsere Einstellung zu den Atomwaffen auswirken.

Vielleicht ist es noch zu früh, von einer inzwischen erfolgten Bewußtseinsveränderung zu sprechen. Vielleicht handelt es sich erst um eine Wende zur Aufmerksamkeit. Aber das ist schon sehr viel. Von Theodor Roethke stammt die wunderbare Zeile: »In dunkler Zeit beginnt das Auge zu sehen.« [. . .]

Quelle: Robert Jay Lifton, Death in Life, in: The Soho News, March 18, 1981.

Dokument 5

Die Meinung eines Physikers zur Frage der Überlegenheit und zur weiteren Entwicklung
Von Hans A. Bethe

Es gibt in den Vereinigten Staaten kein Rüstungsdefizit. Wir brauchen die Russen nicht einzuholen. Wenn überhaupt, dann müssen die Russen uns einholen.

Der Schwerpunkt der russischen Waffen liegt bei den Interkontinentalraketen, einem Waffentyp, der immer verwundbarer wird. Ich glaube, unsere Militärs wissen das, aber sie reden immer nur von der Verwundbarkeit unserer eigenen nuklearen Interkontinentalraketen und erwähnen niemals die der Sowjets.

Ich glaube nicht, daß eins der beiden Länder einen ersten Schlag führen wird, weil es absoluter Wahnsinn wäre, das zu tun. Aber nehmen wir an, es gäbe einen ersten Schlag seitens der Russen, und nehmen wir weiter an, sie könnten dadurch alle unsere Minuteman-Raketen zerstören. Es würde nicht den geringsten Unterschied machen. Wären wir dann wehrlos? Keineswegs. Wir hätten dann immer noch unsere Unterseeboote, die über eine enorme Schlagkraft verfügen.

Und die von Unterseebooten gestarteten Raketen der neuen Generation werden extrem zielgenau sein.

Außerdem haben wir eine gute Bomberflotte. Die B-52 allein können weder heute noch morgen nach Rußland eindringen, aber sie werden jetzt mit Cruise-Missiles ausgerüstet. Die Cruise-Missiles sind wahrscheinlich das zielgenaueste Waffensystem, das bisher erfunden wurde. Die Russen haben so etwas nicht; ich halte es für äußerst wichtig, allein schon als Offensivunterstützung für unsere Bomberflotte . . .

Ich glaube, wir begehen erneut den Fehler des Jahres 1960, als die Leute von einer Raketenlücke redeten. Die Raketenlücke existiert tatsächlich, allerdings im entgegengesetzten Sinne. Wir hatten viele Raketen, und die Russen nicht. Die Russen brauchten ein Jahrzehnt, bevor sie mit uns gleichziehen konnten, und selbst dann waren ihre Raketen nicht so gut wie unsere, da sie weitgehend flüssigen Raketentreibstoff verwandten, während wir uns während der 60er Jahre auf Feststoffraketen umstellten. Ich glaube, die Geschichte mit der Raketenlücke wird jetzt wiederholt, und sie ist heute genau so falsch, wie sie es 1960 war.

Die Russen haben ständig weitere Raketen gebaut, in riesigen Mengen, und zwar viel mehr als sinnvoll wäre. Warum? Hauptsächlich, weil sie uns einholen wollten. Jetzt haben sie mehr Raketen als wir, aber im allgemeinen sind die sowjetischen und unsere Arsenale zahlenmäßig durchaus vergleichbar. Beide haben fast die nach SALT II erlaubten Höchstgrenzen erreicht. Die einzige Möglichkeit, um zu gewährleisten, daß sie uns nicht überholen, besteht in einem Abkommen über Rüstungskontrolle.

Tatsächlich ist unser Arsenal wesentlich besser, da unsere Waffen besser verteilt sind. Weniger als die Hälfte unserer Raketen sind Interkontinentalraketen; wir haben 1050, und sie haben 1400. Bei den U-Booten sind die Zahlen zwar ungefähr gleich, unsere Typen sind jedoch leistungsfähiger. Dann haben wir unsere Bomber, die zusammen mit den Cruise-Milliles eine ungeheure Streitmacht darstellen, während sie sich überhaupt nicht um ihre Bombenflugzeuge gekümmert haben. Die meisten ihrer Bomber sind Propellermaschinen, total veraltet und nicht mit begleitender Offensivunterstützung ausgerüstet; man kann sie abschreiben. Ja, die Russen haben unaufhörlich immer mehr Raketen gebaut. Das steht außer Frage – aber es ist ohne Belang.

Es gab den russischen Vorschlag einer Zweidrittelreduzierung in Europa. Statt ihn kurzerhand abzulehnen, hätten wir nach meiner Ansicht sagen sollen: »Das ist eine mögliche Verhandlungsgrundlage, also laßt uns darüber diskutieren. Wie wollen wir diese Verringerung genau spezifizieren? Was machen wir mit den Raketen, mit euren SS-20 und mit den Flugzeugen, die Atomwaffen transportieren können? Könnten wir uns vielleicht darüber einigen, daß dies ein erster Schritt ist?« Aber statt das Ganze als Verhandlungsgrundlage zu akzeptieren, haben wir gesagt: »Nein, das ist unmöglich.« Ich meine, auf diese Weise kann man zu keiner Vereinbarung gelangen.

Ein Punkt noch zur Rüstungskontrolle. Ich halte es für paradox, erst aufzurüsten und dann Rüstungskontrolle zu praktizieren. Jede Nachrüstung auf unserer Seite ist für die Russen nur ein Anreiz, das gleiche zu tun. Wenn wir also einen Rüstungsabbau wollen, dann muß die Verringerung beim gegenwärtigen Stand beginnen.

Verhandlungen sind jedoch immer eine langwierige Angelegenheit. Vielleicht wäre eine Herausforderung ein schnellerer Weg zu Ergebnissen. Professor Robert F. Bacher (vom California Institute of Technology) und George Kennan von der Universität Princeton haben aus diesem Grunde eine Reihe kleiner Schritte vorgeschlagen: Wir verringern die Zahl unserer Waffen, sagen wir um fünf Prozent, und fordern die Russen auf, das gleiche zu tun. Tun sie das nicht, dann belassen wir es dabei. Wenn sie es tun, dann setzen wir das Ganze weiter fort, und vielleicht entwickelt sich dann ein neuer Geist.

Quelle: Hans A. Bethe, One Physicist's View of Superiority and Ways Forward, in: International Herald Tribune, April 16, 1982.

Dokument 6

Begleittext zur Petition der Vereinigung Amerikanischer Wissenschaftler (Federation of American Scientists, FAS)

Die Vereinigung Amerikanischer Wissenschaftler, die 1945 als Vereinigung von Atomwissenschaftlern gegründet wurde, weiß wie jede andere Organisation um die besonderen Gefahren, die durch die atomaren und thermonuklearen Waffen gegeben sind. Die meisten Großstädte können durch eine einzige derartige Bombe zerstört werden, und eine relativ kleine Anzahl solcher Bomben reicht zur Zerstörung aller Großstädte aus. Jede der beiden Supermächte hält mehrere tausend solcher Kernwaffen in Bereitschaft, besitzt jedoch andererseits nur ungefähr 100 Großstädte. Die Sowjetunion verfügt über 6000 Sprengköpfe im Größenbereich von jeweils einer Megatonne. Dem ist die Tatsache gegenüberzustellen, daß 60% der amerikanischen Bevölkerung in den 300 größten Ballungsgebieten leben und daß es in den USA nur 2000 Städte mit jeweils 10 000 oder mehr Einwohnern gibt. Die umgekehrte Situation ist ähnlich: Die 10 000 Atomsprengköpfe der USA richten sich gegen ein Land, das über rund 100 Großstädte verfügt. Wenn diese Waffen zum Einsatz gekommen sind, dann lautet die Frage, um die es geht, weder »Wieviel wurde zerstört?« noch »Wieviel von jedem Land ist übriggeblieben?«, sondern: »Kann überhaupt ein einheitliches Land wieder zum Leben erweckt werden?«

Ungeachtet dieser eindeutigen Situation gibt es eine Reihe von Konzeptionen, Handlungsweisen und Tendenzen in den USA, die diese grundlegenden Tatsachen nicht berücksichtigen. Dazu gehören unter anderem:

a) *Die Auffassung, ein Atomkrieg lasse sich begrenzen:* Es ist möglich, daß die Regierung Reagan ausdrücklich oder stillschweigend von der Auffassung ausgeht, daß sich ein atomarer Krieg begrenzen läßt. Sie hat bereits einige Szenarien für plausibel erklärt, bei denen man davon ausgeht, daß die Sowjetunion begrenzten Atomschlägen ein Ultimatum folgen läßt, um einen Gegenschlag der USA zu verhindern. Sie mag sich auch vorstellen, selbst solche begrenzten Schläge auszuteilen, falls das notwendig sein sollte, und anschließend zu einem Innehalten aufzurufen. Tatsächlich macht jedoch die Dynamik der Situation ein solches Innehalten höchst unwahrscheinlich. In Wirklichkeit deuten alle Anzeichen darauf hin, daß die Nachrichtenverbindung der Supermächte zu ihren eigenen strategischen Truppen nach den ersten Schlägen bereits nicht mehr funktioniert, wodurch ein späteres koordiniertes Innehalten so gut wie unmöglich wird.

b) *Die Finanzierung von Einrichtungen, mit denen ein Schlag gegen die sowjetischen Interkontinentalraketen geführt werden kann:* Es gibt in den USA ein zunehmendes Interesse, das durch den weiteren Ausbau der sowjetischen Kapazitäten noch verstärkt wird, sich die Möglichkeit zu verschaffen, mit hoher Treffsicherheit einen Schlag gegen die bodengestützten Raketen der Sowjetunion zu führen, obwohl es offensichtlich ist, daß keine der beiden Seiten durch derartige Angriffe entwaffnet werden kann und daß sie zu so hohen Opfern und einer solchen Verwirrung führen würden, daß die Auseinandersetzung mit Sicherheit zu einem Angriff auf die Großstädte eskalieren würde.

c) *Äußerungen über eine Abänderung des ABM-Vertrages:* Die Regierung scheint zunehmend daran interessiert zu sein, einen entscheidend wichtigen, zwischen den USA und der Sowjetunion geschlossenen Vertrag mit unbegrenzter Laufzeit abzuändern oder ganz aus der Welt zu schaffen, der bis auf eine begrenzte Einrichtung in jedem der beiden Länder alle Anti-Raketen-Systeme (ABM) verbietet. In diesem Vertrag kommt eine früher bestehende gemeinsame Überzeugung zum Ausdruck, daß ein Atomkrieg in jedem Fall nationaler Selbstmord wäre und eine Verteidigung dagegen sinnlos, weil sie durch die Einführung von mehr offensiven Sprengköpfen das Wettrüsten unnötig anheizen würde. Dieser ABM-Vertrag aus dem Jahre 1972 hat den Vereinigten Staaten bereits Ausgaben in zehnfacher Milliardenhöhe erspart.

d) *Die Weiterentwicklung der Neutronenbombe:* Der Plan Reagans, Neutronenbomben statt neuer konventioneller Technologien gegen tausende sowjetischer Panzer in Europa einzusetzen, wenn es zum Ausbruch eines Krieges kommen sollte, verstößt ebenfalls gegen den obengenannten Grundsatz. Es ist klar, daß der Einsatz von tausenden solcher taktischen Neutronenbomben nur dazu führen kann, daß die andere Seite mit taktischen Atomwaffen antwortet, und daß die daraus resultierende Eskalation schließlich zur allgemeinen Zerstörung beider Gesellschaftssysteme führt. Alle Planspiele über einen Konflikt in Europa haben diese überwältigende Tendenz nachgewiesen. [. . .]

e) *Vertrauen in die Zivilverteidigung:* Einige Vertreter der jetzigen Regierung haben sich in der Vergangenheit aktiv für massive Programme zur zivilen Verteidigung und zum Schutz der Industrie eingesetzt, und zwar mit dem Argument, nach einer vollständigen Verwirklichung der von ihnen empfohlenen Pro-

273

gramme sei es möglich, einen Atomkrieg zu überleben. Bislang hat sich die Regierung noch nicht für diese Programme ausgesprochen, aber wir befürchten, daß sie es bald tun wird.

f) *Das Ausmaß an Aggressivität bei der Verfolgung außenpolitischer Ziele:* Wieviel Aggressivität ist vernünftigerweise vertretbar in einer Welt, in der ein von niemandem gewollter Atomkrieg jederzeit ausbrechen und unsere seit 200 Jahren bestehende Republik zerstören kann? Offenbar wollen viele Bürger eine aggressivere Politik. Das kann dazu führen, daß diese oder eine andere Regierung bei einer künftigen Krise die Grenzen der Vorsicht überschreitet und versucht, einen Vorteil für uns zu erzwingen. Wirksamstes Gegenmittel: eine klare Kenntnis der selbstmörderischen Eigenschaften eines atomaren Krieges.

g) *Die geringe Bedeutung, die den Abrüstungsgesprächen beigemessen wird:* Wenn die Regierung wirklich begriffen hätte, daß ein Atomkrieg nationaler Selbstmord ist und zudem noch jederzeit ausbrechen kann, warum räumt sie dann ernsthaften amerikanisch-sowjetischen SALT-Verhandlungen einen so geringen Stellenwert ein? Man muß sie daran erinnern, was auf dem Spiel steht.
[. . .]

Quelle: Background on the Petition sponsored by the Federation of American Scientists (FAS), Flugschrift der Federation of American Scientists, Washington, D.C. 1981.

Dokument 7

Warum engagieren sich Ärzte gegen atomare Aufrüstung?
Von Bernard Lown u. a.

[. . .] Es mag die Meinung geben, der Atomkrieg sei ein Thema aus dem politischen und gesellschaftlichen Bereich, und die Ärzte brauchten sich damit nur als besorgte Bürger auseinanderzusetzen. Bei näherer Prüfung zeigt sich jedoch, daß die Gefahr eines Atomkrieges im Hinblick auf die gesundheitlichen Schäden, die Ausbreitung von Seuchen und das Sterben ungezählter Millionen die Menschheit in einer noch nie dagewesenen Weise bedroht. Andere Bedrohungen der Volksgesundheit haben im allgemeinen prompte Reaktionen der Ärzteschaft ausgelöst. Die Legionärskrankheit und eine potentielle Grippe-Epidemie haben zu einer umfassenden Diskussion unter den Ärzten geführt, sind in den wissenschaftlichen Zeitschriften ausführlich behandelt worden und haben gemeinsame Bemühungen zur Eindämmung des Problems ausgelöst, aber die damit verbundenen Krankheitsprobleme sind minimal im Vergleich zu den Folgen eines Atomkrieges.

Ein Engagement der Ärzte ergibt sich außerdem zwingend aufgrund der Tatsache, daß der Gesundheitsfürsorge und sonstigen Bereichen menschlicher Betreuung die ohnehin knapp bemessenen Mittel entzogen und anderen Zwecken zugeleitet werden. Die reale Höhe der weltweiten Ausgaben für militärische

Zwecke, also nach Berücksichtigung der Inflation, hat sich seit dem Zweiten Weltkrieg vervierfacht.[1] Im Jahre 1980 beliefen sich diese Ausgaben auf über 500 Milliarden Dollar, d. h. pro Tag auf 1,4 Milliarden Dollar. Im Vergleich dazu kostete die völlige Ausrottung der Pocken weniger als sechs Stunden des Wettrüstens. Die Rüstungsausgaben von nicht einmal einem Tag könnten das gesamte Programm der Weltgesundheitsorganisation zur Malariabekämpfung finanzieren. In einem Leitartikel der medizinischen Zeitschrift »Lancet« hieß es vor kurzem: »Niemals darf die Ärzteschaft ihre Verantwortung vernachlässigen, gegen das schlimme und paradoxe Mißverhältnis zwischen den riesigen und ständig weiter steigenden weltweiten Militärausgaben und den vergleichsweise mageren Anstrengungen zur Bekämpfung von Armut, Unterernährung und Krankheit zu protestieren.« [. . .]

Ärzte verfügen über hervorragende Voraussetzungen für die Aufgabe, die Öffentlichkeit über diese Dinge aufzuklären. Sie sind weithin als Autoritätspersonen geachtet, und sie sind daran gewöhnt, komplizierte wissenschaftliche Untersuchungsergebnisse ihren Patienten und der Öffentlichkeit zu vermitteln. Sie werden dazu ausgebildet, praktische Lösungen für scheinbar unlösbare Probleme zu finden. Ihre erzieherische Rolle innerhalb der Gesellschaft in allen Dingen, die die Gesundheit und das Leben betreffen, ist allgemein anerkannt. Sie bilden deshalb eine Gruppe, eine potentiell einflußreiche, unpolitische Interessenvertretung, die dafür prädestiniert ist, sich für eine rationale Kontrolle dieser Vernichtungswaffen einzusetzen. Ärzte haben Erfahrung mit der psychologischen Einstellung des Nichtglaubenwollens, und dieses Nichtglaubenwollen ist ein wesentliches Element der ganz offensichtlich gleichgültigen Haltung der Öffentlichkeit gegenüber der Dringlichkeit dieser Aufgabe. Nichtglaubenwollen reduziert zwar das Ausmaß der Angst und ermöglicht so ein weiteres Funktionieren des menschlichen Organismus, dies hat jedoch zwangsläufig zur Folge, daß der Betreffende es ablehnt, sich mit den Gefahren ernsthaft auseinanderzusetzen, die er nicht wahrhaben will. D. Arzt, der sich dem atomaren Wettrüsten widersetzt, kann niemand verdächtigen, aus irgendeinem anderen Interesse zu handeln als demjenigen, das sich ableitet aus seiner tiefen Verpflichtung zum Dienst an der Menschheit.

Ärzte haben Traditionen, eine Sprache und Verhaltensweisen gemeinsam, die die nationalen Grenzen überschreiten. Diese gemeinsame Grundlage ermöglicht es ihnen, Gespräche mit ihren Kollegen in anderen Ländern zu beginnen und sich zusammenzuschließen, um sich gemeinsam Gehör zu verschaffen und vielleicht auch gehört zu werden. Zusammen mit anderen interessierten und informierten Gruppen können die Ärzte an der Spitze einer weltweiten Bewegung stehen, die von der Katastrophe wegführt, auf die sich die Welt zuzubewegen scheint. Der Arzt muß sich dem vielleicht letzten moralischen Konflikt stellen, in dem darüber zu entscheiden ist, »ob die Intelligenz des Menschen, wenn sie sich der sozialen Verantwortung zuwendet, stärker ist als jene Intelligenz, die besessen ist von den Techniken der Zerstörung«, wie der Herausgeber des »Journal« (The New England Journal of Medicine – d. Hrsg.) es vor 20 Jahren formuliert hat. Könnte irgendein therapeutischer Fortschritt oder eine wissenschaftliche Entdeckung denjenigen einen bedeutenderen Dienst erweisen, deren Gesundheit zu schützen wir feierlich gelobt haben?

Dr. med. Bernard Lown (Harvard School of Public Health)

Dr. med. Eric Chivian (Massachusetts Institute of Technology)

Dr. med. James Muller (Harvard Medical School)

Dr. med. Herbert Abrams (Harvard Medical School)

1 Barnaby, F.: World arsenals in 1980. Bulletin of the Atomic Scientist, Bd. 36 (1980), Nr. 7, S. 9–14.

Quelle: Lown/Chivian/Muller/Abrams, The Nuclear Arms Race and the Physician, in: The New England Journal of Medicine, March 19, 1981, S. 728.

Dokument 8

Am Scheideweg
Von Helen Caldicott

[. . .] Ich möchte die Behauptung aufstellen, daß es keine medizinische Indikation für die Kernenergie gibt, ebensowenig wie für einen Atomkrieg. Sie bringt Menschen um. Meine Aufgabe ist es, mich um Menschen zu kümmern und ihr Leben zu retten, und nicht, sie umzubringen. Ich kann die Psychologie von Regierungsvertretern nicht begreifen, die erklären: »Nun, es wird einen begrenzten Atomkrieg geben.« [. . .]

Diesen Leuten scheint nicht klar zu sein, daß auch sie nicht am Leben bleiben werden. Ich glaube, die meisten von uns denken nicht gern an ihren eigenen Tod, weil uns das zu sehr erschreckt. Wir wollen es irgendwie nicht wahrhaben, daß wir eines Tages sterben werden. Ich denke dabei vor allem an diejenigen Politiker, die vermutlich nie gesehen haben, wie jemand stirbt. Sie haben nie die Kinder gesehen, die mit zwölf Jahren ins Krankenhaus kommen, ein bißchen blaß und mit ein paar blauen Flecken, und dann wird ein Blutbild gemacht, und sie haben Leukämie und werden auf die Isolierstation verlegt, wo sie ganz allein sind. Und dann erscheinen ihre Eltern plötzlich mit Kittel und Mundschutz. Niemand sagt den Kindern, was passiert ist. Sie bekommen merkwürdige Medikamente, nach denen sie sich unwohl fühlen. Zwei Wochen lang leben sie in schrecklicher Entmutigung und Unwissenheit und sterben dann plötzlich nach heftigen Blutungen aus Mund oder Nase. Diese Politiker haben nie den Kummer der Eltern gesehen, deren Kinder sterben müssen. Aber haben sie etwas derartiges überhaupt schon einmal gesehen oder miterlebt? Wenn das der Fall wäre, dann würden sie sich nicht so verhalten, es sei denn, sie litten an einer Psychose.

Wenn wir nicht alle diese atomaren Waffen loswerden, dann werden wir wahrscheinlich nicht überleben. Es wäre schade. Unsere Evolution hat Milliarden Jahre gedauert, und wir sind zu so großer Liebe fähig, zu Kreativität und phantastischen Leistungen in der Kunst. Aber wir sind auch so neunmalklug, daß wir gelernt haben, wie man das gesamte Leben auf der Erde auslöschen kann. Und wir scheinen uns in dieser Richtung zu bewegen, wie Lemminge.

Uns ist das Leben auf der Erde anvertraut. Wir halten es in unseren Händen. Gerade jetzt befinden wir uns an einem Scheidewege. Wenn die Atomkraftwerke in diesem Lande und überall in der Welt weiter zunehmen, dann werden auch die Atomwaffen sich weiter ausbreiten. Und wenn wir die Atomwaffen nicht beseitigen, dann werden wir nicht überleben. Und Tiere und Pflanzen werden es ebensowenig, da die Strahlung ihnen dasselbe antut wie uns: sie löst bei ihnen Krebs aus und führt zu Mißbildungen.

Wie Sie sehen, ist es dringend notwendig, daß wir aufstehen, jeder einzelne von uns, und die Last auf unsere eigenen Schultern nehmen, und zwar nicht nur mit Geld (so wichtig es ist), weil das nicht ausreicht. Es ist einfach nicht genug. Wir alle müssen sagen: »Ich muß diese Verantwortung übernehmen.« Wir müssen aufstehen – für unsere Kinder und für die Rettung der Menschheit. [. . .]

Quelle: Helen Caldicott, At the Crossroads, San Francisco (Abalone Alliance), 1979, S. 12–13.

Dokument 9

Atomwaffen verstoßen gegen das Völkerrecht
Vom »New Yorker Juristenkomitee zur Nuklearpolitik«

[. . .] Sowohl in der allgemeinen Öffentlichkeit als auch unter Politikern herrscht die Meinung vor, daß atomare Waffen legal sind. Diese Meinung basiert auf der Annahme, daß ein Staat alles tun darf, was ihm nicht ausdrücklich verboten ist. Die Legalität von Atomwaffen kann jedoch nicht ausschließlich anhand der Existenz oder Nichtexistenz einer in einem (internationalen – d. Hrsg.) Vertrag niedergelegten Bestimmung beurteilt werden, durch die ihre Anwendung speziell verboten oder eingeschränkt wird. Jede vernünftige rechtliche Analyse hat sämtliche anerkannten Quellen des Völkerrechts zu berücksichtigen: internationale Verträge, internationales Gewohnheitsrecht, allgemeine Rechtsgrundsätze, gerichtliche Entscheidungen und die Werke der qualifiziertesten Völkerrechtler. Von besonderer Relevanz für die Legalität der Atomwaffen sind die zahlreichen Verträge und Konventionen, welche den Gebrauch aller Waffen im Kriegsfall einschränken, die traditionelle Unterscheidung zwischen Kombattanten und Nichtkombattanten, sowie die humanitären Grundsätze, die unter anderem Waffen und Taktiken verbieten, die besonders grausam sind und unnötiges Leiden verursachen. Eine Untersuchung dieser grundlegenden Prinzipien stützt die Schlußfolgerung, daß sowohl der angedrohte als auch der tatsächliche Einsatz von Atomwaffen völkerrechtlich illegal ist. [. . .]

In der Resolution 33/71-B vom 14. Dezember 1978 und in der Resolution 35/152-D vom 12. Dezember 1980 hat die Vollversammlung (der Vereinten Nationen – d. Hrsg.) erneut erklärt, daß »die Anwendung von Kernwaffen eine Verletzung der Charta der Vereinten Nationen und ein Verbrechen gegen die Menschlichkeit darstellen würde«. In diesen Stellungnahmen der Vollversammlung wird deutlich, daß sich allgemein eine Auffassung durchsetzt, nach der die Anwendung von Atomwaffen im Widerspruch steht zu den grundlegenden Prinzipien der Humanität, auf denen das internationale Kriegsrecht basiert.

Es existiert jedoch eine andere einflußreiche Richtung, die die Anwendbarkeit des existierenden Kriegsrechts auf einen mit Atomwaffen geführten Krieg bestreitet. Diese Schule behauptet, daß im Zeitalter des »totalen Krieges« selbst die fundamentalsten Regeln mißachtet werden dürfen, wenn sich dadurch die Aussichten auf einen Sieg erhöhen. Dieses Argument wurde in anderem Zusammenhang von einigen der Angeklagten in Nürnberg mit Nachdruck vertreten und vom Internationalen Tribunal mit Entrüstung zurückgewiesen. Im Urteil des Tribunals wird warnend darauf hingewiesen, daß diese »Nazi-Konzeption« vom totalen Krieg die Geltung des Völkerrechts überhaupt zunichtemachen würde. Letztlich würde die Legitimität einer derartigen Auffassung Auschwitz rechtfertigen.

Kurz, wenn das Ziel des Kriegsrechts – die Einschränkung zulässiger Gewalt – überhaupt in nennenswertem Maße verwirklicht werden soll und wenn die fundamentalen Prinzipien der Menschlichkeit auch weiterhin für ihre Interpretation relevant bleiben sollen, dann ist zu schlußfolgern, daß der angedrohte oder tatsächliche Einsatz von Atomwaffen illegal ist. Globale »Überlebensfähigkeit« ist von so elementarer Bedeutung, daß es gerechtfertigt ist, ein Verbot aus den existierenden Bestimmungen des Kriegsrechts abzuleiten. Wer zu einer anderen Schlußfolgerung gelangt, würde den barbarischen und schändlichen Charakter einer Anwendung atomarer Waffen ignorieren. Da die Bestimmungen des Kriegsrechts die Minimalforderungen des Anstands verkörpern, wäre eine Ausnahme der Atomwaffen von diesen Bestimmungen gleichbedeutend mit der Aufgabe selbst dieser Mindestnorm.

Die Erb- und Umweltschäden, zu denen es bei einer Anwendung von Atomwaffen kommt, liefern für sich bereits ein zwingendes moralisches und humanitäres Argument gegen ihre Legalität. Dies ist jedoch, wie oben angedeutet, nicht der einzige Grund für die Schlußfolgerung, daß der angedrohte oder tatsächliche Einsatz von Atomwaffen illegal ist. Das unnötige und unverhältnismäßig große Leiden, das aus ihrer Anwendung resultiert; die Tatsache, daß von ihrer Wirkung unterschiedslos Zivilisten und Kombattanten betroffen sind; der von ihnen freigesetzte radioaktive Niederschlag; sowie die Vergleichbarkeit ihrer Auswirkungen mit denen von Gift, Giftgas und bakteriologischen Waffen (die sämtlich durch die Haager Konvention von 1907 und das Genfer Giftgasprotokoll von 1925 verboten sind) – jeder dieser Punkte ist ein hinreichender Grund für die Annahme, daß der angedrohte oder tatsächliche Einsatz von Atomwaffen nach den existierenden Normen des Völkerrechts verboten ist. Nimmt man sie alle zusammen, dann stützen diese Argumente in geradezu überwältigender Weise den Schluß, daß jede Drohung mit und jede Anwendung von Atomwaffen den Geboten des Völkerrechts widerspricht.

Damit liefern diese Argumente auch eine solide rechtliche Grundlage dafür, Herstellung, Inanspruchnahme und Besitz von Atomwaffen für rechtswidrig und verbrecherisch zu erklären. Ist jedoch eine Handlungsweise illegal, dann ist auch die Planung und Vorbereitung der entsprechenden Handlung nach den Grundsätzen juristischer und moralischer Logik verboten. Eins kommt noch hinzu: Daß die Legalität der Herstellung und des Besitzes von Atomwaffen in Frage gestellt wird, ist nur noch notwendiger angesichts der ständig wachsenden Wahrscheinlichkeit eines »zufälligen« Einsatzes von Atomwaffen, der sich aus den heutigen gefährlichen Strategien eines ersten Schlages ergeben kann.

Unsere Absicht ist es nicht, in einem Wettstreit juristischen Scharfsinns Punkte zu sammeln. Wir wollen unseren juristischen Kollegen, den Entscheidungsträgern der Regierungen und der Öffentlichkeit die Ansicht vortragen, daß eine atomare Kriegführung zu Ergebnissen führen würde, die mit den grundlegenden Normen des Völkerrechts und der elementaren Ethik unvereinbar sind und jeder vernünftigen Auffassung vom nationalen Interesse und von einer Weltordnung widersprechen. Kurz gesagt: Eine atomare Kriegführung wirkt sich ihrem Wesen nach zerstörerisch auf all die Werte aus, die zu schützen uns das Recht verpflichtet. Zwar trifft es zu, daß, wie die Erfahrung zeigt, das Völkerrecht staatliches Handeln nicht so wirksam reguliert wie es sollte, aber dennoch hat das Völkerrecht die wichtige Aufgabe, uns den Sinn für Menschlichkeit zu erhalten und die Aussicht auf Frieden zu erhöhen.

Offensichtlich muß es daher die vorrangigste Aufgabe unseres Berufsstandes sein, die Wahrscheinlichkeit eines atomaren Krieges zu verringern. Zu diesem Zweck muß dem Studium und der Verwirklichung des Völkerrechts hinsichtlich atomarer Waffen die ganz besondere Aufmerksamkeit der Juristen gelten.[1]

1 Eine umfassendere Diskussion der in dieser Erklärung vorgelegten rechtlichen Argumente findet sich in: Richard Falk, Lee Meyrowitz, Jack Sanderson, »Nuclear Weapons and International Law«, Center of International Studies, Princeton University, World Order Studies Monograph, 1981; sowie in: John Fried, »First Use of Nuclear Weapons – Existing Prohibitions in International Law«, Bulletin of Peace Proposals, Januar 1981, S. 21–29.

Quelle: Statement on the Illegality of Nuclear Weapons, Broschüre des Lawyers Committee on Nuclear Policy, New York 1981.

3. Politiker: J. William Fulbright, George F. Kennan

». . . man kann sich des Gefühls nicht erwehren, wir bereiteten uns darauf vor, einen Atomkrieg zu führen und zu gewinnen«
Von J. William Fulbright

[. . .] Ich glaube nicht, daß es eine Übertreibung ist, wenn man sagt, daß die Beschlüsse, die dieser Kongreß im Hinblick auf diesen riesigen Militärhaushalt faßt, tiefgreifende Auswirkungen auf das Wohlergehen unseres Landes in den vor uns liegenden Jahren haben werden.

Es handelt sich hier, soweit ich sehe, um den größten Militärhaushalt unserer Geschichte, zumindest in Friedenszeiten. Für das Haushaltsjahr 1983 werden darin mehr als 250 Milliarden Dollar beantragt, und die Regierung hat bereits angedeutet, daß wir für die nächsten fünf Jahre von Ausgaben in Höhe von 1,5 Billionen Dollar ausgehen können. Diese Zahl übersteigt unser Vorstellungsvermögen so sehr, daß sie uns lähmt und uns unfähig macht, dagegen zu protestieren.

Auf das nukleare Entwicklungsprogramm im Rahmen dieses Haushalts sollen in den nächsten sechs Jahren nach Angaben des Zentrums für Verteidigungsinformationen (Center for Defense Information – d. Hrsg.) Ausgaben in Höhe von rund 222 Milliarden Dollar entfallen. Mit diesem Programm soll die nukleare Überlegenheit gegenüber der Sowjetunion erreicht werden. Zusammen mit bereits existierenden Programmen wird dieses Programm dazu führen, daß wir im Verlauf der nächsten zehn Jahre über 17 000 neue und stärkere Atomwaffen verfügen. [. . .]

Ich will damit nur andeuten, wie ungeheuerlich diese Haushaltsvorlage der Regierung und ihre Erklärungen dazu sind. 1,5 Billionen Dollar, das sind 50 Prozent mehr als die gegenwärtige Staatsverschuldung der USA. Ich meine, das Ganze ist so riesig, daß die Öffentlichkeit darauf einfach nicht reagiert hat. Das Ganze grenzt fast an Wahnsinn und entzieht sich dem normalen Anschauungsvermögen.

Dieser Haushalt und die Propaganda mit dem Ziel, ihn der Öffentlichkeit und dem Kongreß schmackhaft zu machen, bewirken eine Verlagerung des Schwerpunkts unserer Politik von der Abschreckung des Atomkrieges zum Führen und Gewinnen eines Atomkrieges. [. . .]

Dieser Militärhaushalt hat ein solches Ausmaß, und die Betonung liegt dabei so stark auf atomaren Waffen, und die rhetorischen Äußerungen über eine sowjetische Bedrohung sind so extrem, daß man sich des Gefühls nicht erwehren kann, wir bereiteten uns darauf vor, einen Atomkrieg zu führen und zu gewinnen. Niemand in der Regierung hat dies bisher direkt gesagt, und es mag sein, daß sie unsere Taktik nur als eine Form der psychologischen Kriegsführung betrachten, daß sie Spiele mit den Sowjets spielen und hoffen, daß diese sich so verhalten, wie wir das gern möchten.

Ich glaube, wenn dies der Fall ist, dann ist es ein gefährliches Spiel, das leicht außer Kontrolle geraten und zu einer Katastrophe führen könnte. Und es ist nicht nur gefährlich, es ist auch teuer und gefährdet die Stabilität und Gesundheit unserer eigenen Wirtschaft. Und wenn es dann noch ein psychologisches Spiel ist, dann ist es eine komplizierte und delikate Angelegenheit, zu deren Ausführung Erfahrung und Scharfsinn erforderlich sind, Qualitäten also, durch die sich die gegenwärtige Regierung kaum auszeichnet. [. . .]

Was mir an diesem Militärhaushalt am meisten Sorgen bereitet, ist, daß durch ihn die mangelnde Bereitschaft der Regierung zu einer Fortsetzung der SALT-Verhandlungen sowie ihre Überzeugung zum Ausdruck kommt, den Frieden durch einen massiven Ausbau unserer militärischen Einrichtungen bewahren zu können, wobei die Atomwaffen im Vordergrund stehen. Ich halte das für eine Illusion. Das Ganze kann keinen Erfolg haben, und wenn es nicht zum Krieg führt – was es wahrscheinlich tun wird, wenn diese Politik weiter fortgesetzt wird –, dann wird es zumindest zu unserer Verarmung führen. Den Gedanken, den der Verteidigungsminister in der vergangenen Woche geäußert hat, Rüstungsausgaben seien ein gutes Sozialhilfeprogramm, halte ich schlicht und einfach für Unsinn. [. . .]

Um die Unterstützung des Kongresses für diesen riesigen Militärhaushalt zu bekommen, übertreiben die Sprecher der Regierung die Aufwendungen der Sowjets und untertreiben unsere eigene Stärke. Darüber hinaus sind Charakter und Motive der führenden sowjetischen Politiker durch die Propaganda unserer Regierung und die Rhetorik unserer politischen Führung in einem Maße verzerrt worden, daß es bisher zu einer leidenschaftslosen und offenen Diskussion dieser Fragen im Kongreß nicht gekommen ist. [. . .]

Ich glaube, sie (die Sowjets – d. Hrsg.) haben die Absicht, ihre Stärke aufrechtzuerhalten, und die Fähigkeit, ihre Verteidigung zu gewährleisten. Zweimal ist ihr Land zu meinen Lebzeiten überfallen worden, und zwar von den Deutschen im Ersten und Zweiten Weltkrieg. Wir waren im Ersten und Zweiten Weltkrieg Verbündete der Russen. Wir haben ihnen enorm geholfen, vor allem im Zweiten Weltkrieg; im ersten sind wir nicht dazu gekommen, viel zu tun, aber im Zweiten waren wir ihnen eine große Hilfe. Wir haben ihnen, wie Sie wissen, viel Lebensmittel und Material aufgrund des Leih-Pacht-Gesetzes geliefert. Trotzdem wurden sie von den Deutschen überrannt bis nach Stalingrad, und Sie wissen, wie es dann weiterging.

Heute sehen sie sich einem andersgearteten Bündnis gegenüber. Einst waren wir ihre Verbündeten gegen die Japaner und die Deutschen. Heute sind wir Verbündete der Japaner, Deutschen und Chinesen. Zusammen mit Westeuropa stehen wir in einem Bündnis, das sich gegen die Russen richtet. Wenn Sie ein Russe wären, wie würden Sie darüber denken? Mit anderen Worten, es ist die Absicht der Russen, alles mögliche zu tun, um ihr Heimatland, wie sie es nennen, zu verteidigen. Sie sind extrem besorgt, das zu verteidigen, was sie jetzt haben. Das ist ihr Hauptziel, und ich glaube, es ist seiner Natur nach defensiv. Ich glaube nicht daran, daß sie planen, Westeuropa oder uns anzugreifen. [. . .]

Quelle: Aussage von J. William Fulbright vor den Ronald Dellums-Ad-Hoc-Hearings (On the Full Implications of the Military Budget), United States House of Representatives, Washington, D. C., 16. 3. 1982, Protokoll, S. 7–13, 30–31.

Dokument 11

»Diese Dinge . . . sind Anzeichen für eine intellektuelle Primitivität«
Von George F. Kennan

[. . .] Nach all dem bisher Gesagten muß ich jedoch noch eins hinzufügen. Ich finde die Einstellung gegenüber der Sowjetunion, die heute bei Regierungsvertretern und Journalisten vorherrscht, so extrem, so subjektiv und so weit entfernt von allem, was sich bei einer nüchternen Untersuchung der äußeren Gegebenheiten herausstellen würde, daß sie als Leitfaden zum politischen Handeln nicht nur untauglich, sondern gefährlich ist. Diese endlose Serie von Verzerrungen und allzu großen Vereinfachungen; diese systematische Entmenschlichung der politischen Führung eines anderen großen Landes; diese routinemäßige Übertreibung der militärischen Kapazität Moskaus, verbunden mit der Unterstellung böser Absichten; diese tägliche Falschdarstellung von Charakter und Einstellung eines anderen großen Volkes – und zudem eines Volkes, das lange gelitten hat und von den Schicksalsschlägen dieses Jahrhunderts besonders betroffen war; dieses Ignorieren seines Stolzes, seiner Hoffnungen, ja selbst seiner Illusionen (denn es hat Illusionen, wie auch wir die unseren haben, und auch Illusionen verdienen Achtung); dieses unbekümmerte Verwenden von zweierlei Maß bei der Beurteilung des sowjetischen und unseres eigenen Verhaltens; diese Unfähigkeit, zu begreifen, daß sie und wir viele Probleme gemeinsam haben, da wir beide unaufhaltsam ins moderne technische Zeitalter vorstoßen; und diese damit verbundene Tendenz, alle Aspekte unserer Beziehungen zueinander unter dem Blickwinkel eines angeblich unversöhnlichen Gegensatzes unserer jeweiligen Ziele und Absichten zu sehen: diese Dinge, glauben Sie mir, sind keine Anzeichen für die Reife und den Realismus, die man von der Diplomatie einer Großmacht erwarten kann; es sind Anzeichen für eine intellektuelle Primitivität und eine Naivität, die bei der Regierung eines großen Landes unverzeihlich sind; ja, auch der Naivität, denn es gibt eine Naivität des Zynismus und des Argwohns ebenso wie eine Naivität der Unschuld.

Und wir werden nicht eher in der Lage sein, diese Dinge in der notwendigen Weise auf der Ebene der militärischen und nuklearen Rivalität rückgängig zu machen, als bis wir lernen, diese kindischen Verzerrungen zu korrigieren; bis wir unsere Tendenz korrigieren, in der Sowjetunion nur einen Spiegel zu sehen, in dem wir unsere eigenen, überlegenen Tugenden betrachten können; bis wir zugeben, daß wir dort ein anderes großes Volk vor uns haben, eins der größten der Welt in all seiner Kompliziertheit und Vielfalt und mit guten und schlechten Seiten, ein Volk, dessen Leben, Ansichten, Gepflogenheiten, Ängste und Bestrebungen genau wie die unseren nicht die Produkte einer inhärenten Bösartigkeit sind, sondern das Ergebnis einer unbarmherzigen Schulung durch Geschichte, Tradition und nationale Erfahrung. Und vor allem müssen wir lernen, daß das Verhalten der Führer dieses Volkes zum Teil nur unser eigenes Verhalten ihnen gegenüber widerspiegelt. Weil wir darauf bestehen, diese sowjetischen Führer zu dämonisieren – sie darzustellen als totale und unverbesserliche Feinde, die uns gegenüber von Furcht und Haß verzehrt werden und nichts anderes im Sinn haben, als unsere Vernichtung –, werden wir sie schließlich dazu machen, und sei es auch nur, weil unser Bild von ihnen nichts anderes mehr zuläßt, weder für uns noch für sie. [. . .]

Quelle: George F. Kennan, Address on the Occasion of Receiving the Grenville Clark Prize, Hanover, New Hampshire, November 16, 1981, in: East-West Outlook, Vol. V, No. 1, S. 4–5.

Teil 9

Parlamentarische Opposition

Auf die parlamentarische Opposition gegen Reagans Militärpolitik wurde bereits in der Einleitung ausführlich eingegangen. Wir dokumentieren im folgenden:

1) Das Spektrum der Positionen, von denen aus die *Kennedy/Hatfield-Resolution* im Senat unterstützt wird (Dok. 1–4). Im Repräsentantenhaus haben sich inzwischen 176 Abgeordnete für den Freeze ausgesprochen, ungefähr eine gleiche Anzahl unterstützt die Regierungsposition; von den 100 Senatoren plädieren 26 für ein Einfrieren (Stand: Ende Mai 1982). Das Abstimmungsverhalten über den Freeze zeigt, daß die Regierung und das Pentagon zunehmend auf Legitimierungsschwierigkeiten stoßen. Wurde der Freeze im Auswärtigen Ausschuß des Senats noch abgelehnt, so sprach sich der Auswärtige Ausschuß des Repräsentantenhauses am 23. 6. mit 26 : 11 (und den Stimmen von sieben Republikanern) für die Pro-Freeze-Resolution der Abgeordneten Bingham, Markey und Conte aus. Nur äußerst knapp (204 : 202) konnte sich die Regierung am 5. 8. 1982 mit ihren rüstungspolitischen Vorstellungen im Repräsentantenhaus gegen den Freeze durchsetzen.

2) In den verschiedenen Kongreß-Komitees zu auswärtigen und Verteidigungsfragen waren Ende Mai 1982 insgesamt 30 (!) Resolutionen zur Rüstungskontrolle anhängig, u. a. Anträge zu erheblichen Mittelstreichungen im MX-Programm oder zur völligen Aufkündigung desselben. Aus der Fülle der Anträge und Resolutionen stellen wir die Resolution des Repräsentantenhauses zu den *Genfer Verhandlungen* über eurostrategische Waffen vor, die in Ton und Inhalt der offiziellen Regierungspolitik zuwiderläuft (Dok. 5).

3) Kaum zur Kenntnis genommen werden jene Positionen, die über Rüstungskontrolle hinausgehen und durchgreifende Abrüstungsschritte verlangen. Der kalifornische Abgeordnete *Ronald Dellums*, ehemals aktiv in der Studenten- und Vietnam-Opposition, vertritt als Mitglied im House Armed Services Committee seit Jahren diese Forderungen; er versteht Abrüstung als integralen Bestandteil einer von Grund auf veränderten Außen- und Militärpolitik der USA. Dellums initiierte im März dieses Jahres sog. Ad-hoc-Hearings über die Tragweite des Reaganschen Militärbudgets. Von den Medien kaum zur Kenntnis genommen, plädierten ca. 40 bekannte Verteidigungsexperten, Politikwissenschaftler, Historiker, Ökonomen, Kirchenvertreter und Politiker für eine sofortige Abkehr vom friedensgefährdenden Konfrontationskurs der Reagan-Regierung (zum Referat J. William Fulbrights vgl. Teil 8, Dok. 10; zum Vortrag des Vorsitzenden der Maschinistengewerkschaft, William Winpisinger, vgl. Teil 3, Dok. 6).

Auf Basis dieser Zeugenaussagen brachte Ronald Dellums einen alternativen Verteidigungshaushalt ein (H.R. 6696), der u. a. die Streichung neuer Waffensysteme wie MX, B-1, Trident II, Pershing II sowie see- und landgestützter Cruise-Missiles und eine 5%ige Reduzierung der Mannschaftsstärke der Armee vorsieht. Erwartungsgemäß wurde diese Vorlage am 1. 7. 1982 mit 348:55 abgelehnt; gleichwohl war es, gemessen an den üblichen Verfahrensregeln, ein ungewöhnlicher Vorgang, daß ein Haushaltsentwurf überhaupt zur Beratung gestellt werden konnte, der nicht ergänzend, sondern alternativ zum Entwurf des House Armed Services Committee stand. Wir dokumentieren das begleitende Minderheitenvotum von Ronald Dellums (Dok. 6).

Dokumente

1. Die Kennedy/Hatfield-Resolution und ihre Begründung

Dokument 1

S. J. Res. 163 (Kennedy/Hatfield) Gemeinsame Resolution zum Einfrieren und Abbau von Atomwaffen

Angesichts der Tatsache, daß die größte Herausforderung, der sich die Erde gegenübersieht, darin besteht, die versehentliche oder absichtliche Auslösung eines Atomkrieges zu verhindern;

angesichts der Tatsache, daß das atomare Wettrüsten in gefährlicher Weise das Risiko einer Katastrophe erhöht, die den letzten Krieg der Menschheit darstellen würde; und

angesichts der Tatsache, daß ein Einfrieren nebst darauffolgenden Verringerungen der atomaren Sprengköpfe, Raketen und sonstigen Trägersysteme erforderlich ist, um das atomare Wettrüsten zum Stillstand zu bringen und das Risiko eines atomaren Krieges zu verringern,

haben Senat und Repräsentantenhaus, versammelt im Kongreß der Vereinigten Staaten von Amerika, beschlossen:

1. Mit dem Ziel einer unverzüglichen Kontrolle der strategischen Rüstung sollten die Vereinigten Staaten und die Sowjetunion

(a) eine vollständige Einstellung des atomaren Wettrüstens anstreben;

(b) beschließen, wann und wie ein beiderseitiges und kontrollierbares Einfrieren der Erprobung, Herstellung und weiterer Installation atomarer Sprengköpfe, Raketen und sonstiger Trägersysteme erreicht werden kann; und

(c) besonders auf destabilisierende Waffen achten, deren Installation das Zustandekommen eines solchen Einfrierens erschweren würde.

2. Ausgehend von diesem Einfrieren sollten die Vereinigten Staaten und die Sowjetunion umfassende, beiderseitige und kontrollierbare Verringerungen anstreben, die atomare Sprengköpfe, Raketen und sonstige Trägersysteme betreffen und die durch jährliche prozentuale Senkungen oder ebenso wirksame Mittel in einer Weise erreicht werden, die der Stabilität förderlich ist.

Quelle: Congressional Record – Senate, Vol. 128, No. 23, March 10, 1982, S. S 1912.

Dokument 2

Gründe für den Freeze (1):
Senator Edward M. Kennedy

Mr. President, es ist mittlerweile ein Jahrzehnt vergangen, seit der amerikanische Senat den letzten Vertrag zur Kontrolle der strategischen Atomwaffen ratifiziert hat. Heute treibt das Wettrüsten auf eine atomare Auseinandersetzung zu, die sehr wohl die Vernichtung der gesamten Menschheit bedeuten könnte.

Wir, die wir in dieser Generation leben und Mitglieder dieses Kongresses sind, haben die feierliche Verpflichtung, dafür zu sorgen, daß auch nach uns noch andere Menschen leben und hier vertreten sind, daß es noch eine Geschichte zu schreiben gibt, und daß sie sich an uns erinnern und uns dafür in Ehren halten, daß wir die vielleicht letzte wirkliche Chance wahrgenommen haben, den letzten großen Krieg zu verhindern. [. . .]

Die einzige sichere Möglichkeit besteht für beide Seiten darin, das atomare Wettrüsten zum Stillstand zu bringen und dann in sein Gegenteil zu verkehren.

Die einzige verantwortungsbewußte Wahl, die wir hier im Senat treffen können, besteht darin, daß wir Stellung beziehen. Es mag eine Versuchung geben, zu schweigen, aber es gibt eine höhere Pflicht, in dieser Sache seine Meinung zu sagen und Fortschritte zu erzielen.

Deshalb legen Senator Hatfield und ich zusammen mit einer Reihe unserer Kollegen eine gemeinsame Entschließung vor, in der ein amerikanisch-sowjetisches Abkommen über ein Einfrieren der atomaren Waffen gefordert wird, dem dann wesentliche Verringerungen der atomaren Arsenale beider Länder folgen sollen, und zwar in einer Weise, durch die die Stabilität erhöht wird. Eine ebensolche Entschließung wird im Repräsentantenhaus durch die Abgeordneten Markey, Conte, Bingham und weitere 100 Mitunterzeichner eingebracht.

Wenn wir die Entscheidung betrachten, vor der wir stehen, dann lassen Sie uns als erstes fragen: Welche Konsequenzen hat es, wenn wir nicht handeln?

Zusammen haben die Vereinigten Staaten und die Sowjetunion einen Vorrat von insgesamt 15 000 strategischen Atomsprengköpfen angehäuft – das sind fast 4 Tonnen TNT pro Kopf eines jeden Mannes, einer jeden Frau und eines jeden Kindes, die gegenwärtig auf diesem Planeten leben. [. . .]

Als Amerikaner glaube ich, daß wir eine nationale Verteidigung aufrechterhalten müssen, die von niemandem übertroffen wird und die ausreichend ist, um jeden Angriff eines jeden Gegners abzuschrecken. Aber ich glaube auch, daß wir uns einem Zeitpunkt nähern, an dem die Welt, wie wir sie kennen, nur noch eine Sekunde vom Nichts entfernt ist. Wie Jonathan Schell es vor kurzem im NEW YORKER beschrieben hat: »Diese Bomben wurden als ›Waffen‹ für den ›Krieg‹ gebaut, ihre Bedeutung geht weit über den Krieg und all seine Folgen hinaus. Sie sind im Laufe der Geschichte entstanden, aber sie drohen, die Geschichte zu beenden. Sie wurden von Menschen gemacht, aber sie drohen den Menschen zu vernichten. Sie sind eine Grube, in die die gesamte Welt fallen kann – eine Nemesis für alle menschlichen Ziele, Taten und Hoffnungen.«

Und selbst wenn wir verschont bleiben, selbst wenn die Welt irgendwie den fortdauernden atomaren Alptraum überlebt – die Kosten dafür überschatten schon jetzt unsere übrigen Hoffnungen und werden immer und immer wieder unsere besten Absichten vereiteln.

Die Welt wird durch das Wettrüsten zu einer Welt, die immer mehr verarmt. Und was Amerika betrifft, so lähmt das Wettrüsten unsere Fähigkeit, noch irgend etwas anderes zu tun. Heute sparen wir bei den Schutzimpfungen für Kinder, um die Waffen zu finanzieren, von denen diese Kinder vielleicht eines Tages getötet werden. Jedes neue Raketensilo bedeutet weniger Wohnungen für unsere Familien.

Jedes neue Steuerungssystem für Raketensprengköpfe, das auf Verteidigungsmaßnahmen des Gegners selbsttätig reagieren kann, bedeutet noch mehr Schulen, in denen Kinder das Lesen nicht lernen werden. Jede neue Eskalation, die unter Umständen bewirkt, daß Menschen überall auf der Welt in jugendlichem Alter sterben, verdunkelt auch heute schon die goldenen Jahre unserer älteren Mitbürger.

Das ist in Wahrheit keine nationale Sicherheit. Statt dessen schwächen die steigenden Kosten und die zunehmende Zahl unserer Waffen die Nation. Das Wettrüsten, das alles Leben auslöschen könnte, vermindert schon jetzt die Lebensqualität für alle von uns.

Außerdem stellt es einen wichtigen Aspekt unserer gegenwärtigen wirtschaftlichen Notsituation dar.

Wenn die Regierung das von ihr geforderte Rüstungsprogramm durchsetzt, dann werden nach ihrer eigenen Schätzung im Laufe der nächsten 5 Jahre zusätzliche Kosten in Höhe von 1,675 Billionen Dollar entstehen – nach anderen Schätzungen sind es noch 750 Milliarden Dollar mehr.

Unter diesen Umständen wird es praktisch unmöglich sein, den Haushalt auszugleichen oder die Wirtschaft wieder auf den Stand der Vollbeschäftigung zu bringen. Die Kosten des Raketensystems MX machen allein bereits ein Viertel des von der Regierung geschätzten nächsten Haushaltsdefizits aus. Der Bomber vom Typ B-1 wird allein bereits mehr kosten als alle berufsfördernden Maßnahmen zusammen, die vom Kongreß in den letzten 20 Jahren beschlossen wurden.

Wir können die Ausgaben für militärische Zwecke sogar ohne ein beiderseitiges Einfrieren der Atomwaffen reduzieren. Unser Kollege Senator Domenici hat für die nächsten drei Jahre Kürzungen in Höhe von 20 bis 25 Milliarden Dollar vorgeschlagen. Das ist jedoch nur ein Bruchteil der Einsparungen, die durch ein beiderseitiges Abkommen über eine Beendigung des atomaren Wettrüstens zu erreichen wären. Ein solches Einfrieren würde allein bereits 20 Milliarden Dollar pro Jahr einsparen, und durch einen vereinbarten Rüstungsabbau könnten weitere Milliarden eingespart werden.

Kurz gesagt, die beiden wichtigsten Themen unserer Zeit – der Wohlstand unserer Wirtschaft und die Wahrscheinlichkeit des Überlebens im Atomzeitalter – sind untrennbar miteinander verbunden. Ein Prozeß beiderseitiger atomarer Einschränkung ist eine notwendige Gegenmaßnahme, um endlosen Haushaltsdefiziten in der Zukunft vorzubeugen. [. . .]

Lassen Sie uns völlige Klarheit darüber gewinnen, was ein Einfrieren – und der sich anschließende Rüstungsabbau – bedeuten und was sie nicht bedeuten werden.

Diese Maßnahme bedeutet kein Akzeptieren sowjetischer Übergriffe in anderen Gebieten. Ich lehne die Auffassung ab, ein entschiedenes Auftreten in der Polenfrage werde sich als Rückschlag für die Sache der Rüstungskontrolle erweisen. Wir beginnen ein Einfrieren oder einen Abbau der Atomwaffen nicht, weil wir die Sowjets lieben oder sie uns, sondern weil wir beide ein Weiterleben der Vernichtung vorziehen.

Die Kennedy/Hatfield-Resolution erfordert auch nicht, daß die eine Seite der anderen Vertrauen entgegenbringt. Jede von uns getroffene Maßnahme würde auf strikter Überprüfung beruhen. [. . .]

Unsere gemeinsame Entschließung fordert keine einseitigen Maßnahmen, sondern eine Vereinbarung, die auf Gegenseitigkeit beruht. Die Sowjetunion steht gegenwärtig mitten in einer gefährlichen Aufrüstungsphase, und diese Aufrüstung kann nur durch ein Einfrieren mit nachfolgendem Rüstungsabbau verlangsamt und rückgängig gemacht werden. Und die unserer Resolution zugrundeliegende Politik wird unsere Verteidigung nicht schwächen, sondern sie stärken. Einige der freiwerdenden Mittel können unseren konventionellen Streitkräften zugeleitet werden, wo wir mehr tun müssen als bisher.

Ebenso wichtig ist, daß sich unsere Wirtschaft erholen wird, wenn die enorme Belastung des Haushalts durch die Ausgaben für militärische Zwecke verringert wird. Wir werden dann Mittel zur Verfügung haben, um unsere Wirtschaft wiederzubeleben und auf den Weltmärkten unsere führere Wettbewerbsposition wieder herzustellen. Das ist eine der großen Herausforderungen für die nationale Sicherheit Amerikas in den 80er Jahren, und zwar auf einem Gebiet, auf dem unsere Stärke schon jetzt auf die Probe gestellt wird.

Die Kennedy/Hatfield-Resolution fordert »umfassende, beiderseitige und kontrollierbare« Rüstungsverminderungen »durch jährliche prozentuale Senkungen oder ebenso wirksame Mittel«. Sowohl George Kennan, unser verdienter ehemaliger Botschafter in der Sowjetunion und Leiter der politischen Planungsabteilung unter General Marshall und Dean Acheson, als auch Admiral H. G. Rickover, der unter sieben Präsidenten das Marineamt für atomare Antriebssysteme leitete, haben sich überzeugend und mit zwingenden Argumenten für umfangreiche Kürzungen um mindestens 50 Prozent der atomaren Waffenbestände beider Seiten ausgesprochen. Diese Kürzungen könnten verwirklicht werden durch jährliche prozentuale Verringerungen – und zwar für die Dauer von sieben Jahren um jährlich sieben Prozent, auf die sich beide Seiten einigen, oder durch andere, in gleicher Weise wirksame Methoden, wie das in unserer Resolution vorgeschlagen wird und vom Senatsausschuß für Auswärtige Beziehungen 1979 befürwortet wurde. [. . .]

Die in der Kennedy/Hatfield-Resolution niedergelegte Verfahrensweise kann darüber hinaus auch das NATO-Bündnis stärken, das durch eine Regierungspolitik belastet worden ist, die einer Rüstungskontrolle ablehnend gegenüberzustehen scheint und allzu beiläufig vom atomaren Schlagabtausch in Europa redet.

Der schnellste Weg zur Auflösung des westlichen Bündnisses und zur Unterstützung des verhängnisvollen Trends zu einer einseitigen Abrüstung in Europa ist es, wenn man zuläßt, daß der Eindruck entsteht, die Vereinigten Staaten wollten die beiderseitige Rüstungskontrolle verhindern. Wir müssen dasjenige Land sein, das in dieser Sache klar und deutlich den Fortschritt propagiert und sich ihm nicht widersetzt. Unsere Regierung muß diejenige sein, die gemeinsame Konzepte der Verteidigung und Rüstungskontrolle mit unseren Verbündeten entwickelt, anstatt sich von ihnen zu isolieren. [. . .]

Lassen Sie uns unsere vielleicht letzte Chance wahrnehmen, den letzten großen Krieg zu vermeiden. Seien wir entschlossen, die Welt sicher zu machen, damit der Mensch überleben kann. [. . .]

Quelle: Edward M. Kennedy, Rede vor dem Senat, in: Congressional Record – Senate, Vol. 128, No. 23, March 10, 1982, S. S 1911–12.

Dokument 3

Gründe für den Freeze (2):
Senator Mark O. Hatfield

[. . .] Wir nähern uns mit großer Geschwindigkeit einem entscheidenden Demarkationspunkt in der Geschichte des atomaren Wettrüstens – der Schwelle zur Präventivschlagkapazität. Wenn dieser strategische Rubikon erst einmal überschritten ist, werden die Arsenale sowohl der Vereinigten Staaten als auch der Sowjetunion als überaus verwundbar für Überraschungsangriffe gelten. Das wird dazu führen, daß die Bemühungen, Tempo und Richtung des Wettrüstens zu kontrollieren, ungemein kompliziert werden; die Möglichkeit eines versehentlich ausgelösten Krieges wird sehr viel wahrscheinlicher.

Das Mißtrauen zwischen den Vereinigten Staaten und der Sowjetunion wird weiter wachsen. Das neue strategische Zeitalter wird durch eine Welt charakterisiert werden, die nur so starrt von bedrängenden Offensivwaffen, die einen dramatischen Verlust der menschlichen Kontrolle über ihre Anwendung nach sich ziehen, sowie durch die zunehmende Übertragung einer derartigen Kontrolle an Computer, die so programmiert sind, daß sie innerhalb von Minuten auf wirkliche ebenso wie auf imaginäre Bedrohungen reagieren, und schließlich durch die Verlagerung der Kriegstechnologie in den Weltraum. Diese strategische Situation auf beiden Seiten droht sich noch weiter zu verschärfen durch die unvorhersehbare geopolitische Rivalität zwischen den Vereinigten Staaten und der Sowjetunion im Hinblick auf zunehmend knapper werdende Rohstoffe.

Wie bei einem Streichholz, das mit Nitroglyzerin überzogen ist, wird diese Überlagerung weltweiter wirtschaftlicher Ungewißheiten durch Fortschritte auf militärischem Gebiet schließlich ein unbeständiges und potentiell explosives Gemisch erzeugen.

Diese Trends sind verhängnisvoll und unverkennbar. Nur ein völlig neuartiges und beispielloses Abkommen zwischen der Regierung Reagan und der zunehmend kampfbereiten sowjetischen Führung kann das atomare Gleichgewicht stabilisieren.

Statt nüchtern die strategische, politische und wirtschaftliche Verwundbarkeit der UdSSR einzuschätzen, beklagen die Vereinigten Staaten das Ende der strategischen Überlegenheit Amerikas. Dieses selbstzerstörerische Lamentieren erinnert immer stärker an die Bomber- und Raketenlücken früherer Jahrzehnte. Wir scheinen wieder einmal dazu zu neigen, die sowjetische Stärke auf strategischem Gebiet vor den Augen der Weltöffentlichkeit in ungerechtfertigter Weise hochzuspielen und unser eigenes Bild in den Augen unserer Verbündeten und unserer Gegner unnötigerweise zu schwächen.

Es ist von entscheidender Wichtigkeit, darauf hinzuweisen, daß innerhalb der letzten 20 Monate in 147 Fällen durch Fehler in den amerikanischen Computern ein sowjetischer Angriff mit strategischen Waffen signalisiert wurde. Vier dieser Zwischenfälle waren so schwerwiegend, daß sie Befehle an die strategischen Streitkräfte auslösten, ihre Alarmbereitschaft zu erhöhen. Am 9. November 1979 führte beispielsweise ein Fehler, der durch einen Irrtum beim Programmieren ausgelöst wurde, dazu, einen Angriff sowjetischer Unterseeboote zu signalisieren. Wie aus dem Pentagon zu erfahren war, brauchten die amerikanischen Kommandostellen sechs Minuten, um den Fehler als solchen zu identifizieren.

Das grundsätzliche Scheitern der SALT-Verhandlungen ist darauf zurückzuführen, daß sie nicht in der Lage waren, den Prozeß zu drosseln, der das Wettrüsten vorantreibt; SALT ist mit dem wissenschaftlichen Fortschritt auf waffentechnischem Gebiet in Verbindung mit der erheblich gestiegenen Anzahl von Sprengköpfen nicht fertiggeworden. [. . .]

Gleichzeitig mit ihrem Unvermögen, die Anzahl der verschiedenen Waffen zu kontrollieren, haben sich die SALT-Verhandlungen als besonders schwach dabei erwiesen, die technischen Druchbrüche zu berücksichtigen, durch die der Prozeß der Rüstungskontrolle begonnen hat, immer komplizierter zu werden. [. . .] Aus diesem Grunde wäre es selbst in einem Jahrzehnt, in dem die Bestimmungen von SALT II gelten, beiden Seiten durchaus möglich, die Schwelle zur Präventivschlagkapazität zu überschreiten.

Ein Jahrzehnt, das von einer ständigen Spannung am Rande eines Präventivschlages überschattet wird, kann jedoch vermieden werden. Dazu wird allerdings die historische Entscheidung erforderlich sein, die Installation der Waffensysteme, die einen Präventivschlag ermöglichen, auf beiden Seiten einzufrieren. Und es wird dazu die gleichfalls beispiellose Entscheidung nötig sein, die ständigen Verbesserungen hinsichtlich der Zielgenauigkeit und Zuverlässigkeit der Waffensysteme auf ihrem gegenwärtigen Stand zu belassen. [. . .]

Die Vereinigten Staaten und die Sowjetunion waren sich strategisch noch nie so gleich wie sie es heute sind. Die Aussagen von Militärexperten vor dem Kongreß besagen, daß zwischen den beiden Ländern alles in allem ein ungefährer Gleichstand herrscht. Darüber hinaus besteht diese ungefähre Gleichheit auch im Rahmen eines atomaren Gleichgewichts, das dadurch gekennzeichnet ist, daß vorläufig noch keine der beiden Seiten über eine wirksame Präventivschlagskapazität verfügt. Das neue Wettrüsten wird aus dem gegenwärtigen strategischen Gleichgewicht Hackfleisch machen. Deshalb bietet der gegenwärtige Augenblick eine günstige Gelegenheit von historischer Bedeutung. [. . .]

Mit jedem Tag, der weiter verstreicht, nähern wir uns zentimeterweise einem globalen Selbstmord. Wir investieren Milliarden, unsere besten Köpfe und Gottes kostbarste Rohstoffe, um den schlimmsten Alptraum, den man sich überhaupt vorstellen kann, Wirklichkeit werden zu lassen. Damit muß Schluß sein, und zwar jetzt sofort. Nur wenn wir von diesem Punkt ausgehen, können wir damit beginnen, die atomaren Waffen zu verringern und schließlich ganz abzuschaffen. Meinen Freunden, die eine solche Idee für unrealistisch halten, sage ich immer: Zeigt mir, inwieweit die gegenwärtig vorherrschende Mentalität realistisch ist, die uns erzählt, ein Atomkrieg sei denkbar, und man könne ihn unter Kontrolle halten und überleben. Zeigt mir, wieso es zu rechtfertigen ist, Waffen zu entwickeln, die so zerstörerisch sind, daß ein Schutz der Unschuldigen unmöglich ist. Kindern hungern zu Millionen, und wir stehen untätig dabei, weil wir nicht über die Fähigkeit und den Willen verfügen, den Hunger auf der Welt zu beseitigen. Aber wir haben den Willen aufgebracht, Raketen zu entwickeln, die in der Lage sind, das Polargebiet zu überfliegen und ihr Ziel mit einer maximalen Abweichung von nur wenigen hundert Meter zu treffen. Das ist kein Fortschritt; es ist eine gründliche Verkennung der menschlichen Lebensaufgabe auf dieser Erde. [. . .]

Wir sind heute vor die Herausforderung gestellt, all unseren Mut zusammenzunehmen und uns der wachsenden Verzweiflung zu entledigen, die uns alle von Jahr zu Jahr stärker zu überkommen scheint. Eine leuchtende Zukunft, die bestimmt ist von der Kraft der menschlichen Energien und Ideen, erwartet von uns die Entscheidung, die Grundlagen für unser Überleben aufzubauen.

Quelle: Mark O. Hatfield, Rede vor dem Senat, in: Congressional Record – Senate, Vol. 128, No. 23, March 10, 1982, S. S 1916–17.

Dokument 4

Gründe für den Freeze (3):
Senator Alan Cranston

[. . .] Mr. President, ich glaube zutiefst an ein starkes Amerika. Es ist völlig klar, daß die militärische Stärke Amerikas eine wichtige Rolle bei der Abschreckung einer Aggression spielt. Aber die Aufrechterhaltung und der Ausbau unserer Stärke sind nicht unvereinbar mit dem Abschluß fairer, ausgewogener und kontrollierbarer Vereinbarungen mit der Sowjetunion, um zunächst die qualitative und quantitative Zunahme der atomaren Waffen aufzuhalten und dann schließlich eine realistische zahlenmäßige Verringerung dieser Waffen zu erreichen.

Vor mehr als einem Jahrhundert hat Baron von Clausewitz die Auffassung vertreten, der Krieg sei eine Fortsetzung der Diplomatie. Er schrieb:

»So sehen wir also, daß der Krieg nicht bloß ein politischer Akt, sondern ein wahres politisches Instrument ist, eine Fortsetzung des politischen Verkehrs, ein Durchführen desselben mit anderen Mitteln.«

Die Wahrheit dieser Maxime wird von den Regierungen heute ebenso akzeptiert und praktisch befolgt wie zu Clausewitzens Zeit. Die Bereitschaft des Menschen ist nicht geringer geworden, zu bewaffneter Gewalt zu greifen, wenn die politischen Mittel versagen. [. . .]

Das ist ein tragischer Kommentar zur Menschheitsgeschichte, eine Anklage unserer Unfähigkeit, den Krieg als Methode zur Regelung von Meinungsverschiedenheiten abzuschaffen.

Es gibt jedoch einen wesentlichen Unterschied zwischen der Welt, in der von Clausewitz schrieb, und der Welt, in der wir heute leben.

Im 19. Jahrhundert [. . .] besaß niemand die Macht, eine ganze Stadt zu vernichten oder ein ganzes Land, eine ganze Gesellschaft, ja selbst die Welt, so wie wir sie kennen. Das ist etwas, das heute in unserer Macht steht. Tatsächlich würden bereits in den ersten Stunden eines mit allen Mitteln geführten atomaren Schlagabtausches mehr Menschen sterben als in allen Kriegen seit dem Beginn der überlieferten Geschichte.

Das macht die Clausewitzsche Formulierung, der zufolge der Krieg einen Arm der Diplomatie darstellt, so gefährlich.

Ein atomarer Konflikt kann und darf nicht auf diese Weise eingeordnet werden. Ein Atomkrieg wäre nicht einfach ein Konflikt wie alle anderen. Zum ersten Mal ist durch ihn die Möglichkeit der endgültigen Katastrophe gegeben. Der atomare Krieg ist undenkbar und muß undenkbar bleiben. [. . .]

Die Regierung hat jedoch eine andere Richtung eingeschlagen.

Sie huldigt ernstlich dem Konzept, bestimmte Typen atomarer Waffen zur Führung eines »begrenzten« Atomkrieges zu benutzen. Aber ist es wahrscheinlich, daß irgendein Konflikt, in dem atomare Waffen eingesetzt werden, »begrenzt« bleiben würde? Kann es noch irgendeinen Zweifel daran geben, daß ein solcher Schlagabtausch durch Eskalation innerhalb kürzester Zeit völlig außer Kontrolle geraten würde? Im Gegenteil: Stärke und Genauigkeit der atomaren Waffenarsenale machen es unwahrscheinlich, daß einer der Beteiligten an einem auf niedriger Ebene geführten atomaren Konflikt lange darauf verzichten würde, mit noch mehr Vernichtung zu antworten. [. . .]

Der Unterschied zwischen einem konventionellen Krieg, der mit konventionellen Waffen gegen konventionelle Ziele geführt wird, und der völligen Zerstörung unserer Zivilisation, der Vernichtung allen Lebens und der Vergiftung der Umwelt, die die Folge eines Atomkrieges wären, ist kein gradueller Unterschied. Es handelt sich um etwas grundsätzlich Verschiedenes. Die Menschheit kann sich einen Atomkrieg ganz einfach nicht leisten.

Seit der Explosion der ersten Atombombe über Hiroshima weiß die Menschheit, daß diese Waffe nicht einfach ein weiteres Requisit in den Arsenalen des Krieges darstellt, sondern etwas radikal anderes. Die inzwischen verstrichenen

36 Jahre haben bewirkt, daß wir uns an die Existenz atomarer Waffen gewöhnt haben. Aber die Realität und die Endgültigkeit des atomaren Krieges haben wir noch immer nicht begriffen. [. . .]

Die Einführung einer Präventivschlagkapazität verläßt den Gedanken der Abschreckung und führt hin zum Ziel eines atomaren Sieges. Und dieses Ziel ist nicht allein illusorisch, jeder Schritt in dieser Richtung ist mit unberechenbaren Gefahren für unsere Welt verbunden. Es handelt sich dabei um einen Quantensprung im Arsenal der atomaren Waffen und nicht nur um eine bloße Weiterentwicklung vorhandener Waffensysteme. Der Konflikt zwischen uns und den Sowjets wird verschärft, und wir befinden uns erneut in der hochbrisanten Weltsituation, wie sie in der schlimmsten Zeit des kalten Krieges herrschte. [. . .]

Wenn wir, anstatt die Beendigung des Wettrüstens zu fordern, darauf bestehen, daß erfolgreiche Verhandlungen so lange warten müssen, bis wir eine klare Überlegenheit – d. h. mehr als einen Gleichstand – erreicht haben, dann legen wir damit eine Vorbedingung fest, die jede Einigung unmöglich macht. Wir sollten und werden kein Abkommen akzeptieren, das den Sowjets eine klare Überlegenheit einräumt. Können wir von ihnen erwarten, daß sie sich bereitfinden, uns eine solche klare Überlegenheit zuzugestehen? Wenn das die Bedingung für ein erfolgreiches Ergebnis ist, dann sind die Verhandlungen bereits zum Scheitern verurteilt.

Der Gedanke, wir sollten mit den Sowjets nicht verhandeln, solange sich ihr Verhalten nicht gebessert hat, ist unlogisch. Er geht davon aus, daß wir nur dann miteinander reden können, wenn sie unsere Definition einwandfreien Verhaltens akzeptieren. Aber wenn sie unsere Definition akzeptieren, dann wäre es nicht notwendig, miteinander zu reden, denn dann gäbe es kein Wettrüsten zu kontrollieren. Es ist jedoch präzise die Tatsache unserer verschiedenen Auffassungen, die eine beiderseitige und überprüfbare Rüstungskontrolle zwingend erforderlich macht.

Quelle: Alan Cranston, Rede vor dem Senat, in: Congressional Record – Senate, Vol. 128, No. 23, March 10, 1982, S. S 1940–41.

2. Das Repräsentantenhaus zu den Genfer Verhandlungen über Mittelstreckenwaffen

Dokument 5

Resolution Nr. 153 des Repräsentantenhauses

Im Repräsentantenhaus brachte der Abgeordnete Ted Weiss (New York) am 9. Juni 1981 die folgende Resolution ein, die an den Ausschuß für Auswärtige Angelegenheiten weitergeleitet wurde.

Resolution

über die Auffassung des Repräsentantenhauses, daß die laut NATO-Beschluß von 1979 über die Stationierung nuklearer Waffen in Europa vorgesehenen Verhandlungen von den Vereinigten Staaten nachdrücklich verfolgt werden sollten, und daß die Vereinigten Staaten sich für einen klar definierten Zeitplan einsetzen sollten, in dem neben anderen Punkten der Abschluß solcher Verhandlungen vorgesehen ist.

Der Beschluß, von den Vereinigten Staaten gelieferte taktische Nuklearwaffen in Europa zu stationieren, der 1979 von der Nordatlantischen Verteidigungsgemeinschaft (nachstehend als NATO bezeichnet) als Antwort auf die Präsenz sowjetischer Nuklearwaffen in Europa 1979 gefaßt wurde, war gekoppelt mit der Aufnahme von Verhandlungen über die Begrenzung solcher Stationierungsmaßnahmen.

Angesichts der Tatsache,

daß die Vereinigten Staaten erklärt haben, sie würden in Übereinstimmung mit dem NATO-Beschluß von 1979 Verhandlungen aufnehmen;

daß die Stationierung von den Vereinigten Staaten gelieferter Nuklearwaffen in Europa zu einer Belastung der internationalen Beziehungen innerhalb des NATO-Bündnisses führen und dadurch die Sicherheit aller Länder schwächen kann, die Mitglied der NATO sind;

daß die Stationierung von Nuklearwaffen in Europa die Möglichkeit eines sogenannten begrenzten Atomkrieges bedeutend erhöhen wird, mit potentiell verheerenden Folgen für die Bevölkerung und die Wirtschaft Europas, wenn nicht sogar der ganzen Welt;

daß die Vereinigten Staaten zur Zeit rund 3200 strategische Atomwaffen mehr als die Sowjetunion besitzen, und daß die Mitgliedstaaten der NATO zusammen über rund 7000 Atomwaffen mehr als die Sowjetunion verfügen;

daß die unbeschränkte Entwicklung und Installierung nuklearer Waffen die Wahrscheinlichkeit einer Anwendung dieser Waffen erheblich vergrößert, die mit allen künftigen Konflikten, so klein sie auch immer sind, verbundenen Risiken beträchtlich erhöht und die Möglichkeit einer militärischen Auseinandersetzung zwischen den Vereinigten Staaten und der Sowjetunion sehr viel wahrscheinlicher macht; und

daß Abkommen und Verhandlungen zur Rüstungsbeschränkung und Abrüstung historisch die Ausweitung der Atomwaffenkapazität sowohl der Sowjetunion als auch der Vereinigten Staaten verlangsamt und begrenzt, sowie dazu beigetragen haben, zwischen den beiden Ländern ein strategisches Gleichgewicht aufrechtzuerhalten;

soll nunmehr *beschlossen* werden, daß es im Sinne des Repräsentantenhauses ist,

1. daß Verhandlungen gemäß dem NATO-Beschluß von 1979 von den Vereinigten Staaten mit Nachdruck verfolgt werden;

2. daß die Vereinigten Staaten sich für einen klar definierten Zeitplan einsetzen, in dem der Abschluß derartiger Verhandlungen vorgesehen ist;

3. daß sowohl die Entwicklung der für die Stationierung in Europa vorgesehenen Nuklearwaffen als auch die tatsächliche Stationierung solcher Waffen zurückgestellt werden, bis diese Verhandlungen abgeschlossen und ratifiziert sind; und

4. daß diese Verhandlungen geplant und durchgeführt werden sollten als Teil umfassender internationaler Bemühungen, die Entwicklung und Installierung nuklearer Waffen zu beschränken und einzustellen.

Quelle: 97th Congress, 1st Session, House Resolution (H. Res.) 153, House of Representatives, June 9, 1981, submitted by Ted Weiss (Dem., NY).

3. Ronald V. Dellums: Alternativer Rüstungshaushalt

Dokument 6

Abweichende Stellungnahme des Abgeordneten Ronald V. Dellums

[. . .] Dieser Haushalt geht weit über das Ziel der Abschreckung hinaus. Eines der militärischen Hauptziele dieser Regierung ist es, einen Atomkrieg zu führen, zu überleben und zu gewinnen. Sie schlägt zur Führung eines atomaren Krieges eine erschreckende, gefährliche und psychotische Strategie vor.

Lord Mountbatten erklärte im Jahre 1979: »Als Soldat, der ein halbes Jahrhundert lang im aktiven Dienst gestanden hat, sage ich aus voller Überzeugung, daß das atomare Wettrüsten keinerlei militärischen Zwecken dient. Mit Atomwaffen können keine Kriege geführt werden. Ihre Existenz erhöht nur die Gefahren, in denen wir uns befinden, und zwar wegen der Illusionen, die durch diese Waffen ausgelöst worden sind.« Jeder, der der Meinung ist, wir könnten atomare Waffen für militärische Zwecke einsetzen wie M-16-Gewehre oder Panzer, lebt in der Vergangenheit und noch nicht im Atomzeitalter.

Atomwaffen können nur zur Abschreckung eingesetzt werden. Der Begründer der »Abschreckung«, der frühere Verteidigungsminister McNamara, hat argumentiert, wenn wir in der Lage wären, durch einen Vergeltungsschlag unserem Gegner untragbare Verluste im Hinblick auf die Bevölkerung und die Wirtschaft zuzufügen, dann könnten wir jeden gegen uns gerichteten ersten Angriff abschrecken. Alles Gerede von begrenzten Atomschlägen, operativen Schlägen und einem taktisch begrenzten Schlagabtausch ist pure Phantasie. Tatsächlich muß man davon ausgehen, daß jedwede Auseinandersetzung zwischen den Hauptgegnern zum totalen Atomkrieg führt. Wir müssen die Konfrontation aufgeben zugunsten von Verhandlungen.

Aber es gibt noch umfassendere Gründe für eine Ablehnung des Militärhaushalts. Ich glaube nicht, daß unsere Gesellschaft, unsere Wirtschaft und unser politisches System die außerordentlichen Anstrengungen verkraften können, die dieser Verteidigungshaushalt uns aufbürdet. Wir müssen nach einer Alternative suchen, die auf der Verhinderung eines Krieges und auf der Eigenverantwortlichkeit anderer Länder basiert.

Dieser Militärhaushalt hat ernste wirtschaftliche Folgen. Unsere kostbaren Forschungseinrichtungen und das uns in beschränktem Maße zur Verfügung stehende Eigenkapital vergeuden wir in zunehmendem Maße für das Pentagon. Das wirkt sich schwerwiegend und nachteilig auf die Wirtschaft aus. Wir bringen den Haushalt aus dem Gleichgewicht, um die Kriegsmaschinerie zu ölen. Das kann zu wirtschaftlichem Chaos führen.

Abgesehen davon sind wir nicht in Gefahr. Es besteht nicht die Gefahr, daß die

Vereinigten Staaten von irgendeiner Macht angegriffen werden. Weder sind die Vereinigten Staaten »verwundbar« noch irgendeiner anderen Macht »militärisch unterlegen«.

Darüber hinaus sind die Vereinigten Staaten und die NATO der UdSSR und dem Warschauer Pakt durchaus überlegen.

Wenn wir die Vorstellung aufgeben, daß man einen Atomkrieg führen und gewinnen kann, dann können viele von den in diesem Entwurf vorgesehenen Waffensysteme abgeschafft werden, ohne daß die Sicherheit der Vereinigten Staaten dadurch gefährdet wäre. Zu diesen Waffen gehören:

Die MX-Rakete

Die Regierung hat zu Recht beschlossen, das Installierungssystem MPS aufzugeben, weil sie erkannt hat, daß die Sowjets ohne einen SALT-II-Vertrag zweifellos genügend Gefechtsköpfe einsetzen könnten, um sämtliche gehärteten Silos zu belegen. Obwohl die Regierung sich noch nicht für einen permanenten Installierungsmodus für diese Rakete entschieden hat, wurden für dieses Waffensystem vom Ausschuß über 3,7 Milliarden Dollar bewilligt. Argument für die MX war stets, unser Land brauche eine »überlebensfähige« bodengestützte Rakete, die durch ihre waffenstrategische Schlagkraft die feindlichen Waffensysteme ausschalten kann. Ein überlebensfähiger Stationierungsmodus konnte jedoch nicht gefunden werden. Wenn die MX in festen Silos untergebracht wird; wenn der Plan, diese Silos zu härten, nicht funktioniert; und wenn unsere Raketen und die der Gegenseite nicht so zielgenau sind wie man uns immer versichert hat (schließlich hat es noch keinen Flugversuch in Nord-Süd-Richtung gegeben) – warum soll man dieses teure und zudem unnötige Waffensystem gebaut werden? Wenn sie jedoch so zielgenau sind, wie ihre Befürworter behaupten, dann ist mit ihrer Installierung eine andere Gefahr verbunden: der automatische Start sowjetischer Raketen im Alarmfall. Ferner wird sich die MX bei Krisen destabilisierend auswirken und somit unsere nationale Sicherheit verringern.

Der bemannte Bomber B 1

Dieses Programm, dessen Kosten auf über 40 Milliarden Dollar – das sind bei einer geplanten Anschaffung von 100 Flugzeugen 400 Millionen Dollar pro Maschine – geschätzt werden, ist für seinen geringen militärischen Wert viel zu teuer. Unsere militärischen Planer sind noch immer fasziniert von der Idee eines bemannten Bombenflugzeuges. Sie sind unfähig zu begreifen, daß im Zeitalter der Interkontinentalraketen und der von U-Booten zu verschießenden strategischen Raketen der bemannte Bomber als Träger für Atomwaffen keine Funktion mehr hat. Im Falle eines Atomkrieges würde er nach Beendigung des Schlagwechsels eintreffen, wenn das Leben auf der Erde bereits erloschen ist. Dieses schwerfällige Flugzeug ist überholt. Es ist für den Flug in großer Höhe vorgesehen, muß jedoch im Tiefflug eingesetzt werden, um dem sowjetischen Radar zu entgehen. Die sowjetische Luftverteidigung wird zum Beginn der 90er Jahre jedes Eindringen in den Luftraum der Sowjetunion unmöglich machen, und da der B-1-Bomber erst gegen Ende 1986 eingesetzt werden kann, würden für seine operative Tätigkeit wahrscheinlich nur maximal vier Jahre zur Verfügung stehen. Als Trägersystem für Marschflugkörper ist er zu teuer und komplizierter als erforderlich.

Das Raketenabwehrsystem BMD

Mit dem System BMD (Ballistic Missile Defense) wird durch die Hintertür das ABM-Antiraketensystem wiederbelebt, das zu Beginn der 70er Jahre vom Kongreß abgelehnt und durch den ABM-Vertrag verboten wurde. Das ABM-System war nicht nur strategisch destabilisierend, sondern auch unpraktisch. Das BMD-System soll zum Schutz der MX-Rakete eingesetzt werden; da wir jedoch nicht wissen, wie und unter welchen Umständen diese Raketen installiert werden, ist es schwierig, ein System für ihre Verteidigung zu entwerfen. Zwar hat der Ausschuß die Finanzierung bereits um die Hälfte des geforderten Betrages gekürzt, aber es besteht einfach keinerlei Notwendigkeit, dieses unnötige und nutzlose Waffensystem überhaupt zu finanzieren. Es ist zudem so geartet, daß es nicht ohne einen Verstoß gegen den ABM-Vertrag in Betrieb genommen werden kann. Da ABM-Systeme der Auffassung Vorschub leisten, es könne eine Verteidigung gegen einen nuklearen Angriff geben, haben sie unter Umständen zur Folge, daß amerikanische Politiker den Atomkrieg eher für denkbar halten, und daß sowjetische Politiker sich veranlaßt sehen, vor der Inbetriebnahme des Systems einen Angriff als »Schutzmaßnahme« zu starten.

Zivilverteidigung

Die Regierung hat für die Bundesbehörde für Notstandsmaßnahmen (Federal Emergency Management Agency, FEMA – d. Hrsg.) 80 Millionen Dollar gefordert, damit Pläne zur Aufklärung der Bevölkerung entworfen und durch eine Verwirklichung dieser Pläne Vorbereitungen zum Überleben eines Atomkrieges getroffen werden können. Dies ist ein weiterer Versuch, die amerikanische Bevölkerung glauben zu machen, sie könne einen atomaren Angriff überleben und Amerika werde in seiner heutigen Form weiterbestehen. Das ist ein gefährliches Konzept und eine Vorspiegelung falscher Tatsachen. Unser Geld und unsere Bemühungen sollten dem Ziel gelten, die Atomwaffen zu beschränken und abzubauen, das ist der einzige Weg zum Schutz unserer Bevölkerung.

Trident-U-Boote und Trident-II-Raketen

Zur Zeit benötigen wir keine zusätzliche Produktion von Trident-Unterseebooten. Sie sind gegenüber den vorgesehenen Produktionsdaten weit im Rückstand. Das Geld sollte für kleinere und wendigere U-Boote verwendet werden. Außerdem handelt es sich bei der Trident-II-Rakete um einen Flugkörper, der wegen seiner waffenstrategischen Schlagkraft für einen ersten Schlag geeignet ist. Ihre Anzahl und ihre Zielgenauigkeit werden das strategische Gleichgewicht destabilisieren. Sollte wegen der Probleme beim Wiedereintritt in die Atmosphäre und bei einer eventuellen Unterbrechung der Satellitensteuerung die vorgesehene Zielgenauigkeit nicht zu erreichen sein, dann ist dieses System unnötig und bloße Verschwendung.

Pershing II, bodenstationierte Marschflugkörper

Die Pershing-II-Raketen und bodenstationierten Marschflugkörper (GLCM) sollen laut Zeitplan im Laufe des nächsten Jahres in Westeuropa installiert werden. Ihre vergrößerte Reichweite und ihre Fluggeschwindigkeit werden die nukleare Situation in Europa destabilisieren. Sie werden in der Lage sein, schnell jedes Ziel im Kernland der Sowjetunion zu erreichen, reduzieren die sowjetische Reaktionszeit auf etwa vier Minuten und erhöhen das Risiko von Fehlentscheidungen. Es besteht keinerlei Notwendigkeit, diese Waffen in Europa zu stationieren. Sie stellen eine außerordentliche Gefahr für den Weltfrieden dar. Der Gedanke, daß ein atomares Gleichgewicht auf dem europäischen Kriegsschauplatz zur Abschreckung erforderlich ist, ist irrational. Sollte es im NATO-Bereich zu einem Konflikt kommen, dann kämen sofort strategische Atomwaffen ins Spiel. Schon jetzt verfügen wir im Rahmen unserer Verteidigung der NATO über taktische Bombenflugzeuge und seegestützte ballistische Flugkörper an Bord unserer U-Boote, die auf Ziele in der Sowjetunion ausgerichtet sind. Wir sollten uns außerdem daran erinnern, daß auch Großbritannien und Frankreich über ein Atomwaffenpotential verfügen. Außerdem verlangt dieser Haushalt von uns, Geld für veraltete Waffen auszugeben, die nur nützlich waren, als es darum ging, die Kriege von gestern zu führen. Einige von diesen Waffensystemen seien im folgenden aufgeführt:

Wiederinbetriebnahme alter Schlachtschiffe

Dieser Haushalt sieht vor, daß wir alte Schlachtschiffe wieder aktivieren, die bereits vor Jahren eingemottet wurden. Schlachtschiffe sind extrem verwundbar, da sie bereits durch wenige plazierte Bomben oder Raketen außer Gefecht gesetzt werden können. Wenn diese Schlachtschiffe dazu benutzt werden, atomare Marschflugkörper abzufeuern, dann werden sämtliche auf See befindlichen Schiffe beider Seiten verdächtig. Dies schafft ein ernstes Problem im Hinblick auf die Verifizierung nuklearer Waffen im Rahmen aller künftigen Gespräche über eine Rüstungsbeschränkung.

Flugzeugträger

Mit diesem Haushalt wird der geplante Bau von zwei zusätzlichen Flugzeugträgern gebilligt. Pro Stück werden sie rund 3,6 Milliarden Dollar kosten. Bei voller Ausrüstung mit Jagdflugzeugen und Begleitschiffen werden diese Einheiten zwischen elf und 17 Milliarden Dollar pro Flugzeugträgergruppe kosten. Flugzeugträger sind in einem großen Krieg nur von geringem Wert, da sie durch eine einzige gutplazierte Rakete versenkt oder manövrierunfähig geschossen werden können. Mit einer einzigen Rakete im Wert von 100 000 Dollar kann ein vier Milliarden Dollar teurer atomarer Flugzeugträger völlig außer Gefecht gesetzt werden. Wirksam können Flugzeugträger nur zur Machtdemonstration gegen kleine und weniger entwickelte Länder eingesetzt werden, die nicht über eine ausreichende Luftwaffe oder Marine verfügen. Unsere militärische Präsenz kann mit weniger aufwendigen Mitteln in allen Teilen der Welt demonstriert werden. Außerdem verlangt dieser Haushalt vom amerikanischen Volk, Waffen zu kaufen, die so teuer sind, daß sie entweder nicht funktionieren oder zu kompliziert sind für den Durchschnittssoldaten, der nicht über eine naturwissenschaftliche Hochschulausbildung verfügt und sie daher nicht wirksam warten und bedienen kann. Zu diesen Waffen gehören unter anderem:

Der Hauptkampfpanzer M-1

Dieser Panzer ist extrem teuer; sein Preis beträgt etwa 2,7 Millionen Dollar pro Stück. Immer wieder ist es bei seiner Entwicklung zu technischen Pannen und Kostenüberziehungen gekommen; außerdem ist er für die meisten europäischen Brücken zu schwer. Mit einem Transportflugzeug vom Typ C-5 kann immer nur ein Panzer bewegt werden. Probleme gibt es wegen der Staubempfindlichkeit des Motors und bei der Überführung zum Kriegsschauplatz; außerdem liegt der Treibstoffverbrauch bei 3,8 Gallonen pro Meile (rund 894 Liter auf 100 km – d. Hrsg.). [. . .] Wir sollten diesen unbrauchbaren Panzer verschrotten und zum M-60 zurückkehren, von dem wir wissen, daß er seiner Aufgabe gewachsen ist.

Das Kampfflugzeug F-18

Hier handelt es sich um ein goldplattiertes Kampfflugzeug, das zu teuer, zu kompliziert und zu unzuverlässig ist, um seine weitere Anschaffung zu rechtfertigen. Es ist teurer und weniger verwendungsfähig als die Kampfflugzeuge, die es ersetzen soll. Immer wieder ist es zu Schwierigkeiten im Kostenbereich und zu zahlreichen technischen Pannen gekommen.

Ferner sieht dieser Haushalt vor, daß die Vereinigten Staaten beherrschenden Einfluß auf das Weltgeschehen nehmen durch die Aufstellung einer *Schnellen Eingreiftruppe* (Kosten: rund vier Milliarden Dollar).

Dazu gehören die Anschaffung von acht weiterentwickelten Tankflugzeugen vom Typ KC-10A, schnelle Frachtschiffe vom Typ SL-7, die zusätzliche Finanzierung einer Vorausstationierung von Material im Indischen Ozean und die Beschaffung von zwei weiteren Transportflugzeugen vom Typ C-5. Trotz dieser Erhöhung der bereitgestellten finanziellen Mittel wird man immer noch mindestens 14 Tage benötigen, um motorisierte Divisionen an den Persischen Golf zu bringen. Vorausstationierte Schiffe und Material wären ein leichtes Opfer für den Gegner und nur schwer zu schützen, wenn sie sich im Bereich von Ländern befinden, die sich während einer Krise in ihrem Gebiet nicht bereiterklären, mit den Streitkräften der USA zusammenzuarbeiten.

Quelle: Dissenting Views of Hon. Ronald V. Dellums, in: 97th Congress, 2d Session, House of Representatives, Report No. 97–482, Department of Defense Authorization Act, 1983. Report of the Committee on Armed Services together with Individual, Additional, and Dissenting Views on H. R. 6030, U.S. Government Printing Office, Washington, D. C. 1982, S. 214–217.

Verzeichnis der Dokumente

Teil 3
Arbeitsplätze durch Frieden

Teil 4
Konversion – Friedens- statt Kriegswirtschaft

307

Adressen amerikanischer Friedensorganisationen

American Friends Service Committee (AFSC), 1501 Cherry St., Philadelphia, PA 19102. AFCS ist das Dienstleistungs- und Koordinationszentrum der Quäker, von dem entscheidende Impulse für die neue Friedensbewegung und den Freeze ausgegangen sind.

American Committee on East-West Accord, 227 Massachusetts Ave., NE, Washington, D.C. 20002, eine angesehene bürgerliche Vereinigung, die sich die Verbesserung des Ost-West-Verhältnisses zur Aufgabe macht.

Business Executives Move for New National Priorities, 901 N. Howard Street, Baltimore, MD 21201, ein Zusammenschluß von Managern und Geschäftsleuten gegen hohe Militärausgaben und für ökonomische Konversion.

Coalition for a New Foreign and Military Policy, 120 Maryland Ave., N.E., Washington, D.C. 20002, eine Dachorganisation von mehr als 50 religiösen, gewerkschaftlichen, Anti-Interventions- und Friedensgruppen, die die Durchsetzung einer friedlichen, nicht-interventionistischen und demilitarisierten US-Außenpolitik zu ihrem Ziel gemacht hat und wichtige Koordinationsaufgaben erfüllt.

Clergy and Laity Concerned, 198 Broadway, New York, N.Y. 10038, eine konfessionsübergreifende Vereinigung von Laien und Geistlichen zur Stärkung des religiösen Engagements gegen das atomare Wettrüsten.

Committee Against Registration and the Draft (CARD), 245 Second Street, NE, Washington, D.C. 20002, ein in Washington angesiedeltes Koalitionszentrum von Organisationen gegen Wehrerfassung und Wehrpflicht.

Council for a Livable World, 100 Maryland Ave., NE, Washington, D.C. 20002, ist eine von Anwälten, Wissenschaftlern, Geschäftsleuten, Militärs und Gewerkschaftern getragene Lobbyorganisation gegen die Bedrohung durch einen atomaren Krieg.

Council on Economic Priorities (CEP), Conversion Information Center (CIC), Fifth Ave., New York, N.Y. 10011, wissenschaftliche Stabsorganisationen, die den Konsequenzen der Militärhaushalte und Konversionsfragen nachgehen.

Educators for Social Responsibility, Box 1041, Brookline Village, MA 02147, organisiert Lehrer und Erzieher gegen den Atomkrieg und erarbeitet Curricula zu Friedensfragen.

Employment Research Associates, 400 S. Washington Ave., Lansing, MI 48933, erarbeitet als Forschungsinstitution Studien zum Zusammenhang von Militärausgaben und Arbeitslosigkeit, Qualifikationsstruktur, Steuerlast sowie zu Konversionsfragen.

Fair Budget Action Campaign, P.O. Box 2735, Washington, D.C. 20013, ein Zusammenschluß von Gewerkschaften, Religions-, Bürgerrechts-, Friedens- und Rentnerorganisationen gegen Kürzungen der Sozialausgaben, den größten Militärhaushalt in Friedenszeiten und die Verlagerung der Steuerlast von den Konzernen auf die unteren und mittleren Einkommensklassen.

Federation of American Scientists (FAS), 307 Massachusetts Ave., NE, Washington, D.C. 20002, eine Organisation, die mehr als 6000 Naturwissenschaftler umfaßt und seit dem Ende des Zweiten Weltkriegs gegen den militärischen Mißbrauch von Wissenschaft durch Massenvernichtungsmittel kämpft.

Fellowship of Reconciliation (FoR), Box 271, Nyack, New York, N.Y. 10960, eine pazifistisch-religiöse Organisation, die auch mit Mitteln des gewaltfreien Widerstands seit den dreißiger Jahren gegen Ausbeutung, Ungerechtigkeit und Krieg und für Abrüstung kämpft.

Great Basin MX Alliance, P.O. Box 27, Baker, Nevada 89311, der lokale Zusammenschluß von Ranchern, Indianern, Mormonen, Bergarbeitern und Umweltschützern in Utah und Nevada gegen die Stationierung der MX-Raketen.

Institute for World Order, 777 United Nations Plaza, New York, N.Y. 10017, wurde 1961 gegründet, um praktische Alternativen zu Armut, sozialer Ungerechtigkeit und Krieg zu formulieren; arbeitet u. a. Curricula für globale Erziehung aus und führt Modellprojekte zu Abrüstungsfragen und einer gerechten globalen Ordnung durch.

Jobs With Peace Initiative Campaign, 2990 22nd Street, San Francisco, CA 94110, das nationale Koordinationszentrum der lokalen Initiativen »Arbeitsplätze durch Frieden«, in denen Gewerkschafter, Schwarze und Hispanier, Christen und Liberale für ein Ende der Steuerverschwendung durch Aufrüstung und für die Schaffung dringend benötigter Arbeitsplätze und sozialer Dienstleistungen kämpfen.

Live Without Trident, 79 Yesler Way, Seattle, Washington 96104, organisiert den Widerstand gegen das Trident-U-Boot im Nordwesten der USA.

Mid-Peninsula Conversion Project, 867 West Dana Street, Mt. View, CA 94041, eine von verschiedenen Friedensgruppen mitgetragene Konversionsinitiative, die durch Aufklärung und gewaltfreie Aktionen erreichen will, daß die Atomwaffenforschungen in den Lawrence Livermore-Laboratorien eingestellt und die Forschungseinrichtungen sozial konstruktiven Zwecken zugeführt werden.

Mobilization for Survival, 48 St. Marks Place, New York, N.Y. 10003, eine 1977 gegründete Koordinationsorganisation, die vor allem Friedensbewegung und Antikernkraftbewegung zusammenführen sollte.

National Action/Research on the Military Industrial Complex (NARMIC), 1501 Cherry Street, Philadelphia, PA 19102, ein vom AFSC getragenes Forschungs- und Informationsprojekt, das vor allem Hilfestellungen bei der Erforschung lokaler Rüstungsindustrien gibt.

National Committee for Radiation Victims, 317 Pennsylvania Avenue SE, Washington, D.C. 20003, vertritt die Strahlenopfer von Atomwaffentests und Nuklearindustrie.

Nuclear Weapons Facilities Project, 1428 Lafayette St., Denver, CO 80218, organisiert landesweit Aktionen, um Atomwaffenfabriken in sozial nützliche Produktionsstätten zu verwandeln.

Nuclear Weapons Freeze Campaign, 4144 Lindell Blvd., Suite 201, St. Louis, MO 63108, das nationale Koordinations- und Dienstleistungszentrum der Freeze Campaign.

Physicians for Social Responsibility (PSR), Box 295, Cambridge, MA 02236, die mehr als 20 000 Mitglieder umfassende Berufsorganisation der Ärzte, die Öffentlichkeit und medizinische Profession über die medizinischen Folgen eines Atomkriegs aufklärt.

Riverside Church Disarmament Program, 490 Riverside Dr., New York, N.Y. 10027, stellt vor allem religiösen Gruppen Sprecher und Materialien für lokale Abrüstungsaktivitäten zur Verfügung und organisiert jährlich einen Abrüstungskongreß mit den einzelnen Friedensgruppen.

SANE, 514 C Street, NE, Washington, D.C. 20002, diese in den fünfziger Jahren gegründete Organisation erstellt Materialien zu Atomwaffen, Fragen nationaler Sicherheit und

Wirtschaftspolitik, mobilisiert Grass-roots-Unterstützung für Abrüstungsinitiativen und engagiert sich in Konversionsprojekten.

Seal Beach Naval Affinity Group, Box 14402, Long Beach, CA 90814, diese Grass-roots-Initiative fordert die Auflösung des Atomwaffenlagers im dichtbesiedelten Seal Beach, Los Angeles.

Stop ELF Committee, RR2, Box 166 Q, Ashland, WI 54806, eine Widerstandsorganisation gegen das Kommunikationssystem für das Erstschlag-U-Boot Trident.

Stop the Cruise/Pershing 2 Clearing House, 4811 Springfield Ave., Philadelphia, PA 19143, weist innerhalb der US-Friedensbewegung auf die Bedeutung der in Europa zu stationierenden Mittelstreckenraketen hin und organisiert den Widerstand gegen den NATO-Beschluß vom Dezember 1979.

Student/Teacher Organization to Prevent (S.T.O.P.) Nuclear War, Box 232, Northfield, MA 01360, macht sich zur Aufgabe, Schüler und Lehrer über die Gefahren von Wettrüsten und Atomwaffen zu informieren und zu aktivem Widerstand zu ermutigen.

Union of Concerned Scientists, 1384 Massachusetts Ave., Cambridge, MA 02138, eine Berufsorganisation der Naturwissenschaftler, die gegen Rüstungsforschung und für konkrete Abrüstungsschritte kämpft.

U.S. Peace Council, 7 East 15th Street, New York, N.Y. 10003, eine 1979 gegründete, dem Weltfriedensrat assoziierte Dachorganisation, die großen Wert auf die Verbindung der Friedensfrage mit den Problemen des Rassismus, der sozialen Emanzipation in den USA und anti-imperialistische Solidarität, besonders mit Südafrika und Mittelamerika legt.

War Resisters League (WRL), 339 Lafayette St., New York, N.Y. 10012, die WRL ist eine 1923 gegründete pazifistische Organisation gegen Rüstung und Wehrpflicht.

Women's International League for Peace and Freedom (WILPF), 1213 Race St., Philadelphia, PA 19107, mobilisiert seit ihrer Gründung 1915 vor allem die Frauen für den Kampf um Frieden und Abrüstung.

Women Strike for Peace (WSP), 145 South 13 St., Philadelphia PA 19017, wurde 1961 aus wachsender Besorgnis über die Wirkungen der radioaktiven Ausfälle von Atomwaffentests gegründet und tritt heute, auch mit Mitteln zivilen Ungehorsams, für ein Ende des Wettrüstens und atomare Abrüstung ein.

Women's Party for Survival, 56 N. Beacon Street, Watertown, MA 02172, eine auf Initiative von Helen Caldicott, PSR, gegründete Partei, die den Kampf der Frauen gegen die atomare Bedrohung politisch organisieren will.

Wissenschaftliche Forschungs- und Beratungszentren der amerikanischen Friedensbewegung

Center for Defense Information (CDI), 122 Maryland Ave., NE, Washington, D.C. 20002, ein Forschungs- und Informationszentrum, hat Untersuchungen zum Militärhaushalt, zum militärischen Kräfteverhältnis, zur MX, zu Cruise-Missiles und Pershing II vorgelegt.

Institute for Defense and Disarmament Studies (IDDS), 251 Harvard Street, Brookline, MA 02146, 1979 gegründetes Forschungs- und Bildungszentrum zu Friedensfragen.

Institute for Policy Studies (IPS), 1901 Q St., N.W., Washington, D.C. 20009, ein think tank der amerikanischen Linken, der sich als Diskussionsforum und Forschungsinstitut mit Fragen des Wettrüstens und des US-Interventionismus, aber auch mit Fragen einer Strategiebildung für die Friedensbewegung beschäftigt.

Weiterführende Literatur

1. Zeitschriften und Periodika

Folgende Zeitungen und Zeitschriften enthalten regelmäßig Beiträge über Probleme des atomaren Wettrüstens und über Aktivitäten und Diskussionen der amerikanischen Friedensbewegung:

    Bulletin of the Atomic Scientist
    The Guardian
    In these times
    The Nation
    The Progressive
    Scientific American
    Win Magazine

Folgende Zeitschriften werden u. a. von Friedensorganisationen selbst regelmäßig herausgegeben:

    CALC Report (Clergy and Laity Concerned)
    Close-Up (Coalition for a New Foreign and Military Policy)
    Fellowship (Fellowship of Reconciliation)
    Freeze Newsletter (Nuclear Weapons Freeze Campaign)
    Legislative Alert (Women Strike for Peace)
    The Mobilizer (Mobilization for Survival)
    Public Interest Reports (Federation of American Scientists)
    Sane World (SANE)
    Sojourners (Sojourners Fellowship)
    S.T.O.P. News (Student/Teacher Organization to Prevent Nuclear War)
    The Defense Monitor (Center for Defense Information)
    WRL News (War Resisters League)

2. Quellen zur Freeze-Debatte

Federation of American Scientists. Nuclear Weapons Freeze Issue of the Federation of American Scientists Public Interest Report. Washington, D.C., 1982.

The New Manhattan Project. The Future in Our Hands Leaflet, revised. New York 1981.

Niedergang, Mark. A Nuclear Freeze: A Workable Arms Control Proposal. Brookline, MA: IDDS, 1982.

3. Erstschlagstrategien

Aldridge, Robert. The Counterforce Syndrom: A Guide to U.S. Nuclear Weapons and Strategic Doctrine. Washington, D.C.: Institute for Policy Studies, 1978.

Coalition for A New Foreign and Military Policy. »First-Strike« Nuclear Warfare. Washington, D.C., 1981.

Ellsberg, Daniel. »Call to Mutiny«. Einleitung zur amerikanischen Ausgabe von E. P. Thompson, Dan Smith (Eds.) Protest and Survive. New York: Monthly Review Press, 1981. pp. I–XXVIII.

2. Atomwaffen und Nuklearkriegsfolgen

Adams, Ruth, Susan Cullen (Eds.), The Final Epidemic: Physicians and Scientists on Nuclear War, New York: Bulletin of the Atomic Scientist, 1982.

Calder, Nigel. Nuclear Nightmares. New York: Viking 1980.

Caldicott, Helen. Nuclear Madness. New York: Bantam, 1981.

Glasstone, Samuel and Philip J. Dolan. The Effects of Nuclear Weapons. Published by the U.S. Department of Defense and the Energy Research and Development Administration. Washington, D.C.: Government Printing Office, 1977.

Institute for Policy Studies. What You Need to Know about: The New Generation of Nuclear Weapons. Washington 1981.

Arthur Katz. Life After Nuclear War. Cambridge, Mass.: Ballinger, 1982.

Office of Technology Assessment. The Effects of Nuclear War. Washington, D.C.: Government Printing Office, 1979. Dt. in: Militärpolitik Dokumentation, Heft 16 (1980), 1–62.

3. Wirtschaftliche Folgen von Militärausgaben / Militärisch-industrieller Komplex

Anderson, Marion. The Empty Pork Barrel: Unemployment and the Pentagon Budget. Lansing, Michigan: Employment Research Associates, 1982.

Anderson, Marion. Neither Jobs Nor Security: Women's Unemployment and the Pentagon Budget. Lansing: Employment Research Associates, 1982.

Anderson, Marion. Bombs Or Bread: Black Unemployment and the Pentagon Budget. Lansing: Employment Research Associates, 1981.

Anderson, James R. Bankrupting America: The Tax Burden and Expenditures of the Pentagon by Congressional District. Lansing: Employment Research Associates, 1982.

Anderson, Marion. The Impact of Military Spending on the Machinists Union. Lansing: Employment Research Associates, 1979.

Barnet, Richard J. Roots of War. New York: Atheneum, 1972.

Council on Economic Priorities. The Costs and Consequences of Reagan's Military Buildup. New York 1982.

Degrasse, Robert/Paul Murphy/William Ragen. The Costs and Consequences of Reagan's Military Buildup. New York: Council on Economic Pirorities, 1982.

Melman, Seymour (Ed.). The Defense Economy. New York: Praeger, 1970.

Melman, Seymour. The Permanent War Economy. New York: Simon and Schuster, 1974.

Mills, C. Wright. Die Konsequenz. Politik ohne Verantwortung. München: Kindler, 1959 (Original: The Causes of World War Three).

Reich, Michael and David Finkelhor. »Capitalism and the Military Industrial Complex: The Obstacles to Conversion.« in: Edwards, Richard/Michael Reich/Thomas Weisskopf (Eds.). The Capitalist System. A Radical Analysis of American Society. Englewood Cliffs, N.J.: Prentice-Hall, 1972. 392–406.

Sane. Military Budget Manual, Fiscal Year 1983 Edition: How to Cut Arms Spending without Harming National Security. Washington, D.C., 1982.

4. Umstellung auf Friedensproduktion

Anderson, Marion. Converting the Work Force: Where the Jobs Would Be. Lansing, Michigan: Employment Research Associates, 1982.

Conversion Planner. Zweimonatlich erscheinende Zeitschrift zu Konversionsfragen, herausgegeben von SANE, Washington, D.C.

Reuther, Walter. Swords Into Ploughshares. A Proposal to Promote Orderly Conversion From Defense to Civilian Production. Detroit: United Automobile Workers, 1970.

Win Magazine. Conversion Organizing. Special Issue. July 1, 1981, Vol. 17, No. 12.

5. Verschiedene

Bedau, Hugo Adam (Ed.). Civil Disobedience: Theory and Practice. New York 1978.

King, Martin Luther Jr. Beyond Vietnam: A Prophesy for the 80s. (Address given in 1967 at Riverside Church, New York) Clergy and Laity Concerned. New York, o.J.

SANE. Organizer's Manual. Washington, D.C., o.J.

Sharp, Gene. The Politics of Nonviolent Action. 3 Bde. New York: War Resisters League, 1980.

War Resisters League. Guide to War Tax Resistance. New York 1982.

USA

Günter Neuberger (Hrsg.)

Der Plan Euroshima

Aus Reden und Schriften von Reagan, Weinberger u. a.

2., aktualisierte Auflage

212 Seiten, DM 10,–

Dieses Buch gibt dokumentarisch Aufschluß darüber, was Präsident Reagan, der Mann, der das größte Rüstungsprogramm der Geschichte in Gang setzte und jetzt von „Null-Lösung" spricht, wirklich vorhat. Die Reagan-Administration hat viele brisante Ansichten und Vorhaben in dankenswerter Offenheit ausgesprochen. „Dieser Verteidigungshaushalt ist so groß, die Betonung der Nuklearwaffen so stark und der Redeschwall über die sowjetische Bedrohung so extrem, daß man dem Gefühl nicht widerstehen kann, daß wir uns darauf vorbereiten, einen Atomkrieg zu führen und zu gewinnen." (William Fulbright, ehemaliger US-Senator)

Pahl-Rugenstein

USA

Bernd Greiner / Kurt Steinhaus (Hrsg.)

Auf dem Weg zum 3. Weltkrieg?

Amerikanische Kriegspläne gegen die UdSSR

289 Seiten, DM 14,80

,,Bei einem organisierten Abzug der sowjetischen Truppen vom jetzigen sowjetischen Territorium wird der örtliche Apparat der Kommunistischen Partei wahrscheinlich in die Illegalität gehen. . . . Dann wird er offenbar teilweise in Form von Partisanenbanden erneut auftauchen. In diesem Fall ist die Frage, was mit ihnen zu geschehen hat, relativ einfach zu beantworten; wir werden nur einer beliebigen nichtkommunistischen Behörde, die das jeweilige Gebiet kontrolliert, die erforderlichen Waffen zu liefern und sie militärisch zu unterstützen brauchen, damit sie mit den kommunistischen Banden nach den traditionellen Verfahren des russischen Bürgerkriegs Schluß macht. . . .''
Das Dokument, aus dem diese Sätze stammen, ist nicht etwa 1941 im Zuge des deutschen Überfalls auf die Sowjetunion entstanden. Vielmehr wurde es nach dem Kriege in Washington erarbeitet. Es ist eines von vielen Beweisstücken dafür, daß die USA seit 1945 mehrfach sehr konkret einen militärischen Angriff auf die UdSSR vorbereiteten. Zu diesen Kriegsvorbereitungen gehörten neben detaillierten Überlegungen über die einzuschlagende Besatzungspolitik nach Eroberung der UdSSR auch genaue Pläne für einen atomaren Schlag gegen alle sowjetischen Großstädte und Berechnungen über Millionen getöteter russischer Zivilisten. Die Dokumentation von Greiner und Steinhaus macht die detaillierten amerikanischen Atomkriegspläne gegen die Sowjetunion erstmals in deutscher Sprache zugänglich. Sie zeigt darüber hinaus, wer historisch die Verantwortung für den kalten Krieg trägt und wer wen bedroht.

Pahl-Rugenstein

USA

Bernd Greiner

Amerikanische Außenpolitik von Truman bis heute

Grundsatzdebatten und Strategiediskussionen

235 Seiten, DM 14,80

Durch die Entspannungspolitik der 70er Jahre wurden wichtige Fortschritte in den internationalen Beziehungen erreicht. Ihre Sicherung und Festigung ist für die Minderung von Kriegsrisiken und die Erhaltung des Friedens unerläßlich. Gerade von den USA wurde aber der Entspannungsprozeß immer wieder untergraben. Welche Ziele verfolgt die amerikanische Außenpolitik, welcher Strategien und Methoden bedient sie sich?
Sind Trumans und Dulles' Politik am ,,Rande des atomaren Abgrunds'' oder Kennedys und Johnsons ,,indirekte Strategie'' bloße Vergangenheit oder wirken sie noch heute? Wie paßt sich die ,,neue Ostpolitik'' in Tradition und Wandel amerikanischer Weltpolitik ein, und in welchem Verhältnis stehen Ost-, Entwicklungsländer- und Bündnispolitik? Gilt noch immer der klassische Anspruch der USA auf eine ,,unverzichtbare weltpolitische Führungsrolle''? Der Verfasser untersucht diese Fragen im Zusammenhang mit den inneramerikanischen Grundsatzdebatten seit 1945.

Pahl-Rugenstein

USA

Karl-Heinz Röder (Hrsg.)

Das politische System der USA

Geschichte und Gegenwart

346 Seiten, DM 14,80

Das Buch befaßt sich mit dem politischen Herrschaftssystem der führenden westlichen Macht. Es zeigt, wie sich Unabhängigkeits- und Bürgerkrieg als bedeutsame revolutionäre Umwälzungen auf Entstehung und Entwicklung des politischen Systems ausgewirkt haben, wie sich dieses seither verändert hat und welches seine Grundfunktionen und Hauptmerkmale unter den Bedingungen der heutigen gesellschaftlichen Dauerkrise der USA sind. Im Mittelpunkt stehen Arbeitsweise und Funktion des Staats und seiner wichtigsten Organe als zentraler Instrumente politischer Herrschaft. Ferner werden die Rolle der maßgeblichen Monopolverbände und der beiden großen Parteien (Demokraten und Republikaner) sowie ihr Einfluß auf Regierung und Parlament behandelt. Abschließend untersucht der Autor die Deformierung der verfassungsmäßigen Grundrechte der amerikanischen Bürger durch eine die gewerkschaftlich organisierte Arbeiterschaft, die Unterschichten und die Farbigen unverhüllt diskriminierende Justiz.

Pahl-Rugenstein